द्रष्टव्य जगत् का यथार्थ

प्रकाशक • **प्रभात प्रकाशन**
4/19 आसफ अली रोड,
नई दिल्ली-110002

संस्करण • 2016
मूल्य • पाँच सौ रुपए
मुद्रक • आर-टेक ऑफसेट प्रिंटर्स, दिल्ली

DRASHTAVYA JAGAT KA YATHARTH (Vol. I)
by Om Prakash Pandey ₹ 500.00
Published by Prabhat Prakashan, 4/19 Asaf Ali Road, New Delhi-2
e-mail: prabhatbooks@gmail.com ISBN 978-93-5186-951-1

कृत्यांजलि

सृष्टि के मूल **आधेय** (परमपुरुष) व **आधार** (महामाया)

एवं

उनसे प्रत्युत्पन्न **जड़** (प्रकृति) व **चेतन** (महाप्राण)

के

संयोग से प्रादुर्भूत

चराचर जगत् के **दैविक, दैहिक** व **भौतिक** स्रोतों

व

इनके समवेत प्रयासों से प्रसूत

समस्त **जैविक शृंखलाओं** के ज्ञात-अज्ञात **आद्य-मिथुन**

व

ज्ञान-विज्ञान की परंपराओं के सूत्रधार रहे

श्रद्धेय ऋषि-महर्षि-आचार्यगण

तथा

इस अकिंचन को मानव-शरीर का कृतार्थ प्रदान करनेवाले

पूज्य पिता (स्व. बलिभद्र) व **ममतामयी माता** (लक्ष्मी देवी)

एवं

पुरुषार्थी जीवन की दुरूह वीथियों में निष्ठापूर्वक साथ निभाते हुए

अभिषेक, आशुतोष, अकुल को जन्म देकर पितृऋण से उबारनेवाली

सहधर्मिणी भार्या (कृष्णा)

सहित

वर्तमान व भावी मानवी-संततियों के सभी

धर्मपरायण जनक-जननियों

को

मनसा-वाचा-कर्मणा

सादर समर्पित...

सत्यमेव जयते

डॉ. कर्ण सिंह
संसद् सदस्य
(राज्य सभा)

3, न्याय मार्ग
चाणक्यपुरी
नई दिल्ली-110021

आमुख

मनुष्य एक विचारशील प्राणी है, अतः उसके मन में, जिस सृष्टि में वह रहता है, उसके आदि काल से अब तक की घटनाओं के संबंध में अनेक प्रश्न उठते हैं। भारत में भी ऋषियों ने वेदों, उपनिषदों, पुराणों, महाकाव्यों आदि के द्वारा सृष्टि के आरंभ से ही मानव के आध्यात्मिक और सांस्कृतिक विकास-क्रम को चित्रित करने का प्रयास किया है।

प्रस्तुत पुस्तक ***'द्रष्टव्य जगत् का यथार्थ'*** के लेखक श्री ओम प्रकाश पांडेय ने भारतीय ऋषियों द्वारा प्रतिपादित सिद्धांतों और दैवी, प्राकृतिक और सांस्कृतिक घटना-क्रम के विवरणों का विश्व के अन्य मनीषियों तथा आधुनिक वैज्ञानिकों के विचारों के साथ तुलनात्मक विवेचन किया है।

विद्वान् लेखक ने इस पुस्तक में वर्णित विषयवस्तु के वृहद् चित्रपट पर अध्ययनपूर्ण तथ्य प्रस्तुत किए हैं और विभिन्न विचारों का विश्लेषण किया है, जो दर्शन एवं संस्कृति के पाठकों को ज्ञानवर्धक और रोचक प्रतीत होंगे।

कर्ण सिंह

(कर्ण सिंह)

नवरात्र संवत्-2060
नई दिल्ली-110021

दूरभाष : (011) 2611-1744, 2611-5291, फैक्स : (91-11) 2687-3171

प्राक्कथन

अब यह बात सर्वमान्य और सर्वविदित है कि हमारी पृथ्वी सौरमंडल का एक हिस्सा है और वह अपनी धुरी पर चार मिनट प्रति अंश की गति से घूमती हुई सूर्य की परिक्रमा करती है तथा इस परिक्रमा में उसे एक साल (365 दिन, 5 घंटा, 48 मिनट और 45.51 सेकंड) लगता है। हमें यह भी पता है कि सौरमंडल का कौन सा ग्रह कितनी दूरी पर है, इसका व्यास क्या है और उस तक पहुँचने में किस गति से कितना समय लग सकता है। पूरे सौरमंडल को एक किनारे से दूसरे किनारे तक दौड़कर पार करना हो तो प्रकाश की गति, यानी एक लाख छियासी हजार दो सौ बयासी मील प्रति सेकंड की रफ्तार से दौड़ने पर लगभग दो वर्ष का समय लगेगा। गति-सीमा और गंतव्य को माप सकने की जो इकाई अब तक सबसे अधिक तेज मानी जाती थी, वह थी प्रकाशगति (रोशनी के पहुँचने की रफ्तार), अब उससे तीन सौ गुना अधिक तेज चलनेवाली इकाई को न्यूजर्सी के लिजन वांग नामक अनुसंधानकर्ता ने खोज निकाला है, जिसे **'लाइट पल्स'** यानी **'प्रकाश-तरंगों की गति'** कहते हैं। यह खोज जुलाई 2000 में प्रकाश में आई है। इस खोज से जो दूरी 'प्रकाशवर्ष' में पढ़ी और समझी जाती थी, अब वह 'प्रकाश तरंग गति' से कुछ घंटों में आकर सिमट गई है। ये सारे रहस्य हमारी पारंपरिक और अत्याधुनिक वैज्ञानिक ज्ञान-संपदा के लगातार हुए विश्लेषणों के जरिए खुल सके हैं और खुलते जा रहे हैं। इस तरह हम **'द्रष्टव्य जगत् का यथार्थ'** समझ सकने में सक्षम हो रहे हैं। हमारी यह ज्ञान-राशि इतनी अधिक बिखरी हुई है कि उसको किसी एक जगह संचित किए बिना किसी निष्कर्ष पर नहीं पहुँचा जा सकता। 'ऋग्वेद' का कथन 'एकम् सद्विप्रा बहुधा वदन्ति' केवल दार्शनिक चिंतन और आत्मा-परमात्मा संबंधी सत्यों के बारे में ही नहीं, सृष्टि के तमाम रहस्यों, ब्रह्मांड की विभिन्न स्थितियों, जैविक-प्रस्फुटन की तमाम गूढ़ताओं, मानवीय प्रजातियों के क्रमिक विकास, भाषा और लिपियों के संस्कार और यहाँ तक

कि प्रलय की उद्भावनाओं तक सच साबित होता है।

लेकिन इसे सच साबित करने के लिए जिस विलक्षण प्रतिभा और अथक् श्रम का परिचय देना पड़ता है, वह आज दुर्लभ हो गया है। श्री ओम प्रकाश पांडेय के ग्रंथ **'द्रष्टव्य जगत् का यथार्थ'** में वह सब समाहित दिखता है। यह ग्रंथ एक ऐसा विश्वकोश है, जिसमें वेदों, उपनिषदों, संहिताओं, ब्राह्मण ग्रंथों और अगणित संस्कृत संदर्भ ग्रंथों का निचोड़ तो है ही, विभिन्न अनुसंधान-ग्रंथों, शोध-पत्रों, इतिहास, भूगोल, साहित्य और दर्शन के साक्ष्यों का समुच्चय है। हमारे लोकमानस में व्याप्त तमाम अनुभूतियों का उत्स कितना सघन साक्ष्य-संपन्न और प्रामाणिक है—यह श्री पांडेय के इस शोधग्रंथ से सिद्ध हो जाता है। श्री पांडेय का संस्कृत और अंग्रेजी भाषाओं पर समान अधिकार उनके इस महत्त्वपूर्ण शोधग्रंथ का मूलाधार है, जिसके जरिए वैदिक ऋचाओं में बिंधा हुआ रहस्य भी वे सामने ला सके हैं तो अंग्रेजी के माध्यम से उस दिशा में किए गए वैश्विक चिंतन और निष्कर्षों के आईने में भारतीय ऋषि-मुनियों और मनीषियों के चिंतन-मनन को परखकर उसकी प्रामाणिकता भी प्रदर्शित कर सके हैं।

श्री पांडेय की प्रतिभा विलक्षण रूप में तब हमारे सामने आती है, जब वे वैदिक उद्भावनाओं को वैज्ञानिक अनुसंधानों के साँचे में ढालकर देखते हुए हमारे सामने उस सत्य की प्रामाणिकता को ला खड़ा करते हैं। इसी क्रम में वे उन तमाम शब्दों के रहस्य खोल देते हैं, जिन्हें हम सुनते तो अनंत काल से आ रहे हैं, लेकिन उनके पीछे का अर्थ और उस अर्थ का आधार-व्यथा, यह नहीं जानते। उदाहरणतः हमने बचपन से ही सुन रखा था कि ज्योतिब्रह्म और नादब्रह्म आलंकारिक विशेषण हैं शब्द की अभ्यर्थना के, लेकिन यह समझने में असमर्थ थे कि मेघों के आपसी घर्षण से निःसृत विद्युत् और गर्जना, यानी ऊर्जा और नाद—दोनों ही एक-दूसरे के पूरक हैं और सृष्टि निर्माण में दोनों की सहभागिता स्पष्ट रूप से प्रमाणित है। और दोनों की उत्पत्ति परम ब्रह्म से है। अतः ब्रह्मज्योति और ब्रह्मनाद एक ही शक्ति की अभिव्यक्ति के दो भिन्न रूप हैं, **'बहुधा वदन्ति'** का एक उदाहरण। ऐसे रहस्यों को समझा सकने के लिए जिस सहज क्रमिकता की आवश्यकता होती है, उसका सहज उपयोग श्री ओम प्रकाश पांडेय के इस ग्रंथ में मिलता है। जिस दिशा में भी वे बढ़े, उसे अद्यावधि मान्यताओं तक पहुँचाया। कालगणना के प्राचीन सिद्धांतों का विश्लेषण करते हुए वे निमेष (0.27 सेकंड), क्षण (0.51 सेकंड), घटिका (24 मिनट), प्रहर (तीन घंटा) जैसी इकाइयों से पक्ष, मास, ऋतु, अयन, वर्ष, युग, मन्वंतर व कल्प प्रमाण तक पहुँचते

हैं और मानवी सभ्यताओं में प्रचलित संवत्सरों का ब्योरा प्रस्तुत करते हैं। प्रलय पर दृष्टि-प्रक्षेप करते हैं तो प्रलय की मान्यताओं का उल्था करते हुए उसके विभिन्न रूपों—ब्राह्म प्रलय (Universal dissolution), नैमित्तिक प्रलय (Solar-disannul), युगांतर प्रलय (External/Internal collision), नित्य प्रलय (Periodical catastrophe), लघु प्रलय (Routine disaster), जल प्लावन (Deluge) व गैसों से पड़नेवाले प्रभाव (Global warming and Green house effect) को जाँचते हुए भारत की स्थितियों तक से हमारा परिचय कराते हैं। पितरों और ब्रह्मा के मानस पुत्रों की खोज करते हुए उनके औरस पुत्रों और वंशजों का ब्योरा देते हैं और नारायण वंश का पटाक्षेप क्यों और कैसे हुआ, इसकी जानकारी देते हैं।

हिंदी में ऐसे विद्वान् अध्येताओं की अब कमी होती जा रही है, वह वंश-परंपरा विरल हो गई है। श्री ओम प्रकाश पांडेय ने अपने इस ग्रंथ से यह प्रमाणित किया है कि वह परंपरा समाप्तप्राय भले मानी जाए, समाप्त नहीं हुई।

इस अनूठे और विरल ग्रंथ का हिंदी में प्रकाशन इस धारणा को भी पुष्ट करेगा कि अद्यतन जटिल वैज्ञानिक अवधारणाओं को व्यक्त करने में भी हमारी भाषा की क्षमता अद्वितीय है।

इस अध्ययनपूर्ण शोधग्रंथ से जो ज्ञानवर्धक और रोचक सामग्री हमारे सामने आई है, उसे हिंदी संसार खुली बाँहों से स्वागत करेगा, ऐसा मेरा विश्वास है।

(पद्मश्री डॉ. कन्हैयालाल नंदन)

132, कैलाश हिल्स
नई दिल्ली-110065

निवेदन

भौतिक संपन्नता के आधुनिक परिवेश में **आवश्यक स्तर** (Status Symbol) को बनाए रखने की बाध्यताओं के चलते हम प्रायः धनार्जन की एकाग्रता में इतने निमग्न हो जाते हैं कि इसके नैतिक व अनैतिक पक्षों का भी हमें भान नहीं रह पाता है। इन स्वार्थजनित कारणों से मानवीय मूल्यों व शुचिताओं के प्रति बरती गई उदासीनताओं के परिणामस्वरूप हमारा जीवन भी शनैः-शनैः नीरस व यंत्रवत् ही बनता चला जा रहा है। लौकिक भोगों के लिए धनार्जन एक अनिवार्य आवश्यकता है और इससे विमुख होकर हम अपने दायित्वों का निर्वहण कदापि नहीं कर सकते। ऐसी स्थिति में धनोपार्जन से संबंधित कर्तव्यों का पूर्ण मनोयोग से पालन तो अवश्य करना चाहिए, किंतु इसके साथ ही अर्थ-लिप्सा से बचने के लिए अनासक्ति की मर्यादाओं का भी ध्यान रखना चाहिए, ताकि दूसरों के हितों की उपेक्षा या उनके प्राप्य के शोषण की संभावनाएँ न्यूनाधिक ही बनी रहें। ***'तेन त्यक्तेन भुञ्जीथा मागृधः कस्य स्विद्धनम्'*** का यह बोध हमें संस्कारों द्वारा ही प्राप्त हो पाता है। संस्कार मूलतः परंपराओं की कोख से ही प्रसूत होते हैं और परंपराएँ अपनी प्रकृति के अनुरूप पूर्वग्रहों से कदाचित् ही मुक्त रह पाती हैं। देश-काल की परिस्थितियों के अनुसार पूर्वग्रहों के प्रति पनपी आसक्ति का स्वाभाविक उद्वेग ही हमारे अहं का कारण बनता है और अहंजनित भ्रांतियों की मरीचिकाएँ ही हमें हमारे मूल गंतव्य से विचलित कर संकीर्णता की ईर्ष्यालु पगडंडी पर एकाकी बढ़ने के लिए आकर्षित करती हैं। ईर्ष्या के पथ को अपनाने के कारण हमारे सारे लोकाचार स्वकेंद्रित हो जाते हैं और इस एकांग-घात के परिणामस्वरूप अंततः हमारी समरसताएँ व संस्कार भी रुग्ण होने लगते हैं। संभवतः इस रोग का ही प्रभाव है कि **वैश्वीकरण** (Globalisation) का जोर-शोर से ढिंढोरा पीटनेवाले महानगरीय परिवेशों में आश्चर्यजनक रूप से परिवार का आशय मात्र पति-पत्नी तक में ही सीमित होकर रह गया है। **चार्वाक** तथा उससे पहले की देवयुगीन सभ्यताओं में हमें कुछ इससे भी बीभत्स संक्रमणों से जूझना पड़ा था। ***'यावज्जीवेत् सुखं जीवेत्, ऋणं कृत्वा घृतं पिबेत्'*** की एकालापता पर आधारित उस स्वार्थी जीवनचर्या के गरल को पचाने में

भावी पीढ़ियों को किन-किन कठिनाइयों का सामना करना पड़ा था, इतिहास-पुराण इसके साक्षी हैं। येन-केन-प्रकारेण आधुनिकता के सतही प्रलोभनों के चलते हम पुनः उन्हीं मनोवृत्तियों की ओर ही धीरे-धीरे आकृष्ट होते जा रहे हैं। इससे पहले कि हम आत्मघाती प्रवृत्ति के कराल चंगुल में फँस जाएँ, हमें संकीर्णता के सम्मोहनों से अपने को मुक्त करना पड़ेगा। संकीर्णता से मुक्ति के लिए सर्वप्रथम हमें अपनी अहंपोषित मान्यताओं का विसर्जन करना पड़ेगा और इसके लिए संयम, संकल्प व सचेतनता की आवश्यकता होती है। अहं-शून्यता के द्वारा ही हमारे अंतस में श्रद्धा का पवित्र भाव पनपता है और इस पवित्रता की ऊष्मा से हमारे अंतःकरण में जो ज्ञान की ज्योति प्रज्वलित होती है ***(श्रद्धावान् लभते ज्ञानम्),*** उसी के आलोक में हम ***'यथार्थ'*** का सहज दर्शन करने व तदनुसार भ्रांतियों से मुक्त वास्तविक जीवन का आनंद-लाभ करने में समर्थ हो पाते हैं। यहाँ यह प्रश्न स्वाभाविक रूप से उठ सकता है कि जब संपूर्ण विश्व ही आधुनिकता के प्रवाह में बहा जा रहा है तब धारा के विपरीत रहकर हम अपने अस्तित्व को किस तरह बचा पाएँगे? ऐसी स्थिति में जब सर्वत्र बयार बह रही हो तब हम अपने वातायन को बंद कर घुटन को तो आमंत्रित नहीं कर सकते; लेकिन यही बयार जब आँधी का स्वरूप धारण कर हमें हमारे घर से भी बाहर उड़ा देने को उद्यत दिखे तब हमें अपनी सुरक्षा के लिए किसी मजबूत खंभे या आड़ का सहारा तो लेना ही पड़ेगा। अतीत के यथार्थ ही वे खंभे हैं, जो अस्तित्व विहीनता के संकट से बचाते हुए हमारे दृष्टिकोण को विराटत्व से परिपूर्ण कर देते हैं। विराटत्व की यह अनुभूति ही हमारे अंतस में ***'वसुधैव कुटुम्बकम्'*** की शुद्ध चेतना को जाग्रत् कर हमें ***'सर्वजन हिताय, सर्वजन सुखाय'*** की दायित्वपूर्ण जीवनचर्या अपनाने की शक्ति प्रदान करती है।

यथार्थ का तात्पर्य दृष्टि-सापेक्ष वास्तविकताओं से होता है। चूँकि दृष्टि-सापेक्ष वास्तविकताएँ वर्तमान से जुड़ी होती हैं, अतः अतीत से संबंधित वास्तविकताओं को उजागर करने के लिए अनुमान-प्रमाण के निरपेक्ष आधार पर निरूपित सम्यक् दृष्टि-बोध की अनिवार्यता होती है। काल के विभिन्न खंडों में घटित घटनाक्रमों की वास्तविकताओं को समय-समय पर कुछ इसी तरह के द्रष्टाओं द्वारा विभिन्न तरीकों से वर्णित किया जाता रहा है। इस संबंध में *'पंचतंत्र'* के चार अंधों द्वारा हाथी के आकार-प्रकार के वर्णन की उक्ति को प्रासंगिक उदाहरण के रूप में अपनाया जा सकता है। उन चार में से जिसने उसकी सूँड़ को छुआ उसे वह अजगर जैसा, जिसने उसके कान को छुआ उसे वह सूप जैसा, जिसने उसके पैर को छुआ उसे वह पेड़ के तने जैसा और जिसने उसकी पूँछ को छुआ उसे वह सर्प जैसा ही प्रतीत हुआ। इन अंधों की ही भाँति अपने विवेकानुसार अतीत के प्रति जिसकी जितनी अनभति होती है वह अपने

सामर्थ्य के अनुरूप उसकी वैसी ही व्याख्या करता है। किंचित् ***'एकं सद्विप्रा बहुधा वदन्ति'*** का अभिप्रायः भी कुछ ऐसी ही पहेलियों को रेखांकित करता है। इन सच्चाइयों के साथ यथार्थ की कसौटी पर लगभग खरा उतरने के प्रयास में पच्चीस वर्षों की अनवरत साधना व पाँच वर्षों के अथक परिश्रम के उपरांत अपनी प्रज्ञा-पूँजी को ***'द्रष्टव्य जगत् का यथार्थ'*** नामक तीन खंडों की कृति के रूप में आपके समक्ष प्रस्तुत करने का साहस कर रहा हूँ। प्रस्तुत कृति (प्रथम व द्वितीय खंड) को अपने पूर्ववर्ती रचनाकारों की शृंखला की एक नवीन कड़ी के रूप में सँजोने के साथ-साथ इसमें उल्लेखित प्राचीन संदर्भों को आधुनिक परिप्रेक्ष्य में परिभाषित करने का भी यथासंभव प्रयत्न किया गया है। इस पुस्तक का उद्देश्य किसी की भावनाओं या स्थापित मान्यताओं को ठेस पहुँचाना कदापि नहीं है, वरन् इसका लक्ष्य वस्तुस्थिति से पाठकों को अवगत कराना मात्र ही है। फिर भी यदि अनजाने में इसके किसी संदर्भ से किसी को कोई असुविधा प्रतीत होती है तो लेखक उसके लिए सविनय क्षमाप्रार्थी है। इस पुस्तक में वर्णित विषयों की पृष्ठभूमि पुरातन होने के कारण अत्यधिक विशद व दुरूह है। छोटे कलेवर में समेटने के कारण हो सकता है कि इनकी तारतम्यता कहीं-कहीं बाधित हो गई हो। परिस्थितिजन्य कारणों से हुई इस अपरिहार्य त्रुटि को सुधी पाठक अन्यथा नहीं लेंगे और अपने सारगर्भित सुझावों द्वारा इसमें सुधार के लिए हमें प्रेरित करेंगे, ऐसा मेरा दृढ़ विश्वास है।

आभार प्रकट करने की श्रेणी में मैं सर्वप्रथम पं. रामसेवक त्रिपाठी, वरिष्ठ अधिवक्ता, प्रतापगढ़ को स्मरण करना चाहूँगा, जिन्होंने पौत्र **(यथार्थ)** के जन्म-समारोह के अवसर पर काल-गणना जैसे जटिल विषय पर लेख का प्रस्ताव कर मुझे इस दिशा में आगे बढ़ने के लिए प्रेरित किया। इसके पश्चात् मैं अपने प्रिय सखा श्री कृष्ण बजाज व उनके विनोदी भानजे रमण छाबड़ा तथा मूर्धन्य कवयित्री अनीता अनिलाभ का अति आभारी हूँ, जिनके अधिकारपूर्ण आग्रह के कारण ही अंततः मुझे अपने अंदर घुमड़ रहे विचारों को पुस्तक का यह स्वरूप देने के लिए विवश होना पड़ा। इसके अतिरिक्त मैं भारतीय प्रशासनिक सेवा के श्री शैलेंद्र निगम व श्री शिवरमण गौण, प्रादेशिक सेवा के श्री चंद्रिका प्रसाद उपाध्याय, ऊर्जा मंत्रालय के निदेशक श्री उमा शंकर शर्मा व उपनिदेशक श्री रमेशचंद्र झा, डी.ए.वी. कॉलेज, कानपुर के प्रवक्ता डॉ. आशुतोष द्विवेदी, वरिष्ठ पत्रकार सर्वश्री विनोद अग्निहोत्री (जी.टी.वी.), श्यामलाल यादव (इंडिया टुडे), श्यामलाल मिश्र (हिंदुस्तान) व संतोष भगवन (संपादक, दैनिक लोकमित्र), प्रसिद्ध उद्घोषक श्री शम्मी नारंग, डॉ. उमाकांत दुबे, डॉ. आर.पी. चौबे, अभिन्न मित्र श्री संजय शर्मा, दिनेश सिंह (उर्फ बब्बू), शेषधर मिश्र व अमेरिकी दूतावास के श्री दिनेश दुबे का भी आभारी हूँ, जिन्होंने इस रचना-कार्य को गति देते रहने के लिए नियमित

अंतरालों पर संदर्भित सामग्रियों की उपलब्धताओं के द्वारा मुझे प्रोत्साहित करते रहने का यत्न किया।

मैं श्रद्धेय डॉ. विद्यानिवास मिश्रजी, डॉ. कर्ण सिंहजी, डॉ. लक्ष्मीमल्ल सिंघवीजी, डॉ. महीप सिंहजी व डॉ. कन्हैयालाल नंदनजी के प्रति अपनी हार्दिक कृतज्ञता ज्ञापित करता हूँ, जिन्होंने इस पुस्तक के प्रति अपने बहुमूल्य विचारों को प्रकट कर इस अकिंचन को कृतार्थ किया है। इसी कड़ी में मैं उन सभी श्रद्धेय लेखकों और विद्वानों को भी क्षमापूर्वक नमन करता हूँ, जिनके उद्धरणों व विचारों को मैंने धृष्टतापूर्वक अपनी पुस्तक में समायोजित करने का दुःसाहस किया है।

पारिवारिक सदस्यों में मैं श्री सिद्धनारायण मिश्र, श्री राम प्यारे तिवारी, श्री नरेंद्र दुबे, श्रीमती शिव कुमारी, श्रीमती उमादेवी, श्री कृष्णमुरारी पांडेय, प्रवक्ता श्री विजय दुबे, श्रीमती शशिलता, श्रीमती कंचन, कुमारी आरती व स्व. परमेश्वरदीन दुबे की सद्भावनाओं के प्रति कृतज्ञता दरशाना अपना पुनीत धर्म व कर्तव्य मानता हूँ। इस संदर्भ में मैं पूज्य माताश्री के स्नेहिल आशीर्वाद तथा पत्नी व पुत्रों के सहयोगी आचरणों से भी अभिभूत हुए बिना नहीं रह सकता हूँ। इसी क्रम में अपने पैतृक ग्राम **बनवारपुर** के निवासियों तथा जनपद **प्रतापगढ़** (उ.प्र.) के सभी विशिष्ट महानुभावों के सौहार्दपूर्ण व्यवहार के प्रति कृतज्ञता ज्ञापित करना भी चाहता हूँ।

मैं राजेश पाल (ब्राइटेक्स कंप्यूटर्स, बलीपुर, प्रतापगढ़, उ.प्र.) का विशेष रूप से आभारी हूँ, जिन्होंने अपने व्यावसायिक हितों की अनदेखी करते हुए समर्पण की भावना से अनेकानेक बार मेरे द्वारा किए गए परिमार्जनों को सहजता से संशोधित कर पांडुलिपि को निरंतर आकार देते रहने का प्रयास किया। इसी क्रम में मैं सर्वश्री मनोज गुप्ता व राजेश्वर महतो का भी आभारी हूँ, जिनके अथक प्रयासों से पांडुलिपि अंततः पुस्तक के इस स्वरूप में आ सकी है।

अंत में मैं भारतीय सामाजिक विज्ञान अनुसंधान परिषद् (ICSSR), नई दिल्ली व उसके सुयोग्य अधिकारीगण का प्राणपण से आभारी हूँ जिनके क्रियात्मक सहयोग के कारण ही इस अकिंचन की यह कृति साहित्य जगत् में पदार्पण करने जा रही है।

चूँकि योग्यतम ही जीवन-संग्राम में बचा रह पाता है, अतः आपके अंदर का **स्वत्व** यदि इस पुस्तक के पढ़ने से जाग्रत् हो सके तो मुझे अपने प्रयासों का प्रतिफल स्वतः ही प्राप्त हो जाएगा। इसी कामना के साथ···

(ओ३म प्रकाश पाण्डेय)

24 जून, 2004

रामकृष्णपुरम, नई दिल्ली

॥ प्रार्थना ॥

शृण्वन्तु विश्वे अमृतस्य पुत्रा आ ये धामानि दिव्यानि तस्थुः

—श्वेताश्वतरोपनिषद् (2/5)

हिरण्यगर्भः समवर्तताग्रे भूतस्य जातः पतिरेक आसीत्,
सदाधार पृथिवीं द्यामुतेमां कस्मै देवाय हविषा विधेम।
य आत्मदा बलदा यस्य विश्व उपासते प्रशिषं यस्य देवाः,
यस्य छायामृतं यस्य मृत्युः कस्मै देवाय हविषा विधेम॥

—ऋग्वेद (10/121)

यो ब्रह्माणं विदधाति पूर्वं यो वै वेदांश्च प्रहिणोति तस्मै।
तं ह देवात्मबुद्धिप्रकाशं मुमुक्षुर्वै शरणमहं प्रपद्ये॥

—श्वेताश्वतरोपनिषद् (6/18)

"हे अमृत के पुत्रो! सुनो, हे दिव्यधाम के निवासियो! तुम भी सुनो—

सृष्टि के हिरण्यगर्भ धारण करने से पूर्व उसी एक का अस्तित्व था। वही सब भूतादिक पदार्थों का एकमात्र अधीश्वर है, वही इस विश्व का आधार है। वही जीव-सृष्टि का जनक और समस्त शक्तियों का मूल स्रोत है, जिसकी छाया में चराचर जगत् के जीवन-मृत्यु का खेल चल रहा है, उसे छोड़ हम किसकी शरण में जाएँ!

जिसने सृष्टि के आरंभ में सार्वभौम चेतना को उत्पन्न किया और उसकी अनुभूति के लिए जिसने ज्ञानरूपी वेदों को प्रवृत्त किया, आत्मबुद्धि को प्रकाशित करनेवाली उस सर्वोच्च सत्ता की मैं मुमुक्षु शरण ग्रहण करता हूँ।"

॥ संकल्प ॥

ओं यस्मिन्नृचः साम यजूंषि यस्मिन् प्रतिष्ठिता रथनाभाविवारा, यस्मिंश्चित्तँ सर्वमोतं प्रजानां तन्मे मनः शिवसंकल्पमस्तु।

—यजुर्वेद (34/5)

वाङ्मे मनसि प्रतिष्ठिता मनो मे वाचि प्रतिष्ठितं आविराः वीर्म एधि, वेदस्य म आणीस्थः श्रुतं मे मा प्रहासीरनेन् आधीतेन, अहोरात्रान्सन्दधाम्यृतं वदिष्यामि। सत्यं वदिष्यामि तन्मामवतु, तद्वक्तारमवत्ववतु मामवतु वक्तारमवतु वक्तारम्॥

—निर्वाण उपनिषद्

"हे प्रभु ! तेरा दिया हुआ यह मेरा मन उसी प्रकार से समस्त सृष्टि में केंद्रित है, जिस प्रकार से रथ के पहिए की नाभि में रथ की समस्त शक्ति केंद्रित होती है। ऐसे ही मेरा मन इस समस्त ज्ञान में केंद्रित हो और समस्त प्राणियों के कल्याण में मैं इस ज्ञान को लगा सकूँ।

मेरी वाणी मन में स्थिर हो, मन वाणी में स्थिर हो, हे स्वयंप्रकाश आत्मा! मेरे सम्मुख तुम प्रकट होओ।

हे वाणी और मन! तुम दोनों मेरे ज्ञान के आधार हो, इसलिए मेरे ज्ञानाभ्यास का नाश न करो। इस ज्ञानाभ्यास में ही मैं रात-दिन व्यतीत करता रहूँ।

मैं ऋत भाषण करूँगा। सत्य भाषण करूँगा। मेरी रक्षा करो। वक्ता की रक्षा करो। मेरी रक्षा करो, वक्ता की रक्षा करो, वक्ता की रक्षा करो।"

विषयानुक्रमणिका

समतल धरती, उन्नत पर्वत-शिखर, चंचल झरने, बहती नदियाँ, गहरी झीलें, अथाह जलराशिवाले विस्तृत सागर, नाना प्रकार के पेड़-पौधे, वनस्पतियाँ तथा विभिन्न आकार के पशु-पक्षी-कीट-पतंगे व मानवों का यह **संसार**—कब, कैसे और कहाँ से अस्तित्व में आया? (स्काई) **आकाश** में चमकते सूर्य-चंद्र व टिमटिमाते तारों के प्रकाश का रहस्य क्या है? **स्पेस** (अंतरिक्ष या व्योम) का आयतन कितना होगा? **गैलेक्सी** (आकाशगंगा) या फिर **यूनीवर्स** (ब्रह्मांड) किसे कहते हैं? इनका स्वरूप तथा आकार कैसा है? इनकी रचना कब, कैसे और किससे हुई होगी तथा इनका अस्तित्व कब तक बना रहेगा इत्यादि प्रश्न मानव के मस्तिष्क में गूँजते रहे हैं। चूँकि ये सभी घटनाएँ मानव-जन्म से काफी पहले की हैं, अतः अपने काल के जैविक, भौगोलिक व खगोलिक परिवर्तनों के **अनुमान-प्रमाण** के आधार पर विभिन्न विवेकी मानवों द्वारा इन रहस्यों की तह तक पहुँचने के अनेकानेक प्रयास अपने-अपने स्तरों से किए गए। 'सांख्य दर्शन' (1-60) में अनुमान-प्रमाण के इस आशय को स्पष्ट करते हुए यह बताया गया है कि जिसका ज्ञान इंद्रियों के प्रत्यक्ष माध्यम से न हो सके, उसे अनुमान के आधार पर सुनिश्चित किया जाना चाहिए, जैसे धुआँ को देखकर अग्नि की उपस्थिति का आभास किया जा सकता है **(अचाक्षुषाणामनुमानेन बोधो धूमादिभिरिव वह्नेः)**। प्रत्यक्ष प्रमाण पर आधारित होने के कारण आधुनिक विज्ञान की खोज स्थूल जगत् से अणु के विघटन (Elementry particles) तक जाकर समाप्त हो जाती है, जबकि भारतीय तत्त्ववेत्ता एटम से भी पूर्व की अवस्थाओं अर्थात् Stationary state of elementry particles or Nutrinz से आगे बढ़ते हुए अपने इंद्रियातीत ज्ञान के आधार पर सृष्टि के अव्यक्त स्वरूपों को उजागर करने में सफल हुए। सृष्टि-रहस्य का हल ढूँढ़ने की उत्सुकता में ऋषियों, दार्शनिकों और वैज्ञानिकों द्वारा किए गए इस तरह के प्रयासों से जिस विधा का विकास हुआ, उसी से **ब्रह्मांडिकी** (खगोलशास्त्र), जिसे आधुनिक विज्ञान की भाषा में **कॉस्मोलोजी** (Cosmology) कहा जाता है, का जन्म हुआ। आधुनिक वैज्ञानिक परीक्षणों व अंतरिक्ष अनुसंधानों द्वारा उद्घाटित तथ्यों के माध्यम से सृष्टि, उसके स्वरूप तथा विघटन (प्रकृति में लय हो जाने) की प्रक्रिया का जहाँ एक स्थूल अनुमान मात्र ही लगाया जा सकता है, वहीं वेद तथा अन्य भारतीय शास्त्रों में वर्णित गूढ़ तथ्यों के सम्यक् अध्ययनों द्वारा इस इंद्रियातीत सत्य की झलक को सहजता से स्वयं ही अनुभूत किया जा सकता है। प्रस्तुत अध्याय में सृष्टि-रहस्य से संबंधित वैदिक, पौराणिक व वैज्ञानिक अवधारणाओं को समायोजित करने का प्रयास किया गया है।

सृष्टि-रहस्य

धरती, जिस पर हम खड़े हैं, **पृथ्वी** (Earth) का ही एक हिस्सा है। नारंगी की तरह गोल इस पृथ्वी की भूमध्यरेखीय परिधि 40,067 कि.मी. है, जबकि इसका व्यास 12,739.5 कि.मी. है। चार मिनट प्रति अंश की गति से 23 घंटा, 56 मिनट व 4.09 सेकेंड में अपनी धुरी पर एक चक्कर (360 अंश) पूरा करते हुए, निरंतर घूमती हुई यह पृथ्वी **1600 कि.मी. प्रति मिनट** की रफ्तार से 365 दिन, 5 घंटा, 48 मिनट व 45.51 सेकेंड में **सूर्य** (Sun, व्यास = 13,84,000 कि.मी., पृथ्वी से औसत दूरी = 14.9 करोड़ कि.मी.) की एक परिक्रमा (छियानबे करोड़ साठ लाख कि.मी. की परिधि) पूरा करती है। पृथ्वी की ही भाँति एक निश्चित दूरी पर क्रमशः अलग-अलग स्थित **बुध** (Mercury, व्यास = 4,849.6 कि.मी., सूर्य से औसत दूरी = 5.76 करोड़ कि.मी.), **शुक्र** (Venus, व्यास = 12,032 कि.मी., सूर्य से औसत दूरी = 10.75 करोड़ कि.मी.), **मंगल** (Mars, व्यास = 6,755.2 कि.मी., सूर्य से औसत दूरी = 22.56 करोड़ कि.मी.), **बृहस्पति** (Jupiter, व्यास = 1,41,968 कि.मी., सूर्य से औसत दूरी = 77.28 करोड़ कि.मी.), **शनि** (Saturn, व्यास = 1,19,296 कि.मी., सूर्य से औसत दूरी = 141.76 करोड़ कि.मी.), **वरुण** (Uranus, व्यास = 152,096 कि.मी., सूर्य से औसत दूरी = 285.5 करोड़ कि.मी.), **अरुण** (Neptune, व्यास = 49,000 कि.मी., सूर्य से औसत दूरी = 449.7 करोड़ कि.मी.) व **यम** (Pluto, व्यास = 3,040 कि.मी., सूर्य से औसत दूरी = 586.56 करोड़ कि.मी.) आदि ग्रहगण भी अपनी-अपनी धुरियों पर घूमते हुए सूर्य की

परिक्रमा कर रहे हैं। ग्रहों के इसी घुमक्कड़ स्वभाव के कारण अंग्रेजी में इन्हें **'प्लेनेट'** कहा जाता है, जो ग्रीक शब्द—**'प्लेनेटेस'** यानी घुमक्कड़ से ही बना है। सूर्य से सबसे निकट स्थित बुध को अपनी परिक्रमा पूरी करने में कुल **88 दिन** लगते हैं, जबकि सूर्य से सबसे दूर स्थित **यम** को अपने परिभ्रण-पथ को पूरा करने में **248 वर्ष** लग जाते हैं। **सी.आई.टी., कैलिफोर्निया** के खगोलविदों ने अभी हाल में ही, प्लूटो से भी काफी दूर स्थित, **सेडना** (Sedna, व्यास = 1,100 मील) नामक विशिष्ट लाल रंग वाले एक ऐसे नए ग्रह की खोज का दावा किया है जो सूर्य की एक परिक्रमा लगभग 10,500 वर्षों में पूरा करता है। संभवतः सौरमंडल में विद्यमान नौ प्रधान बड़े ग्रहों के अलावा चक्कर काट रही हजारों छोटी-छोटी **ग्रहिकाओं** (जिन्हें अंग्रेजी में **Asteri-ods** कहते हैं) में से यह भी एक हो। सूर्य, इसके ग्रहों व ग्रहिकाओं तथा इनकी परिभ्रमण-परिधि को ही **सौरमंडल** (Solar System) कहते हैं। सौरमंडल के

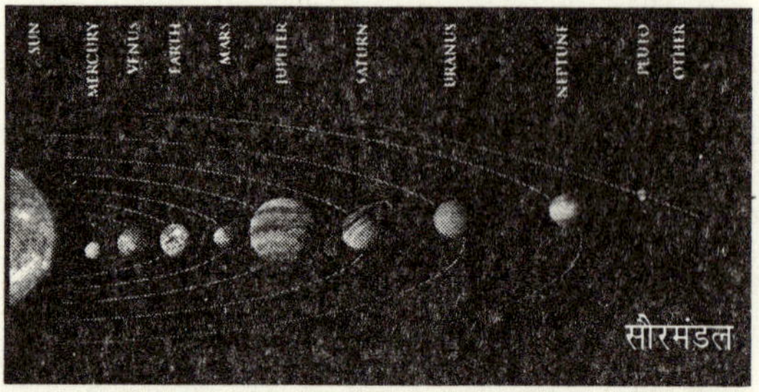

केंद्रबिंदु के दोनों ओर अपरिमित शक्तिसंपन्न **नॉडल** (Noddle) क्षेत्र है, जिसे भारतीय मान्यताओं में **राहू** और **केतु** तथा पाश्चात्य मान्यताओं में **ड्रैगन हेड** (Dragon Head) और **ड्रैगन टेल** (Dragon Tail) कहा जाता है। इन्हीं दोनों Noddle points के प्रभाववश सौरमंडल के सभी ग्रहगण सूर्य के चारों तरफ अंडाकार परिधि में चक्कर काटते रहते हैं। सौरमंडल का क्षेत्र इतना विस्तृत है कि इसके एक किनारे से दूसरे किनारे तक प्रकाश की गति **(एक लाख छियासी हजार दो सौ बयासी मील प्रति सेकेंड)** से दौड़कर पार करना हो तो अनुमानतः दो वर्ष का समय लगेगा। अब तो अंतरिक्ष की दूरी मापने के लिए प्रकाश की इस निर्धारित गति से भी कई गुना तीव्र विधि की खोज की जा चुकी है। न्यू जर्सी स्थित नेक अनुसंधान संस्थान के **लिज़न वांग** और उनके सहयोगियों ने जुलाई 2000 में **लाइट पल्स** यानी (प्रकाश तरंगों) की गति का अध्ययन करने पर यह पाया कि इसकी उच्चतम गति-सीमा प्रकाश की गति से भी तीन सौ गुनी अधिक है।

हमारा यह सौरमंडल तश्तरी की भाँति गोल व चपटे, **लोक** या फिर वैज्ञानिक भाषा में **गैलेक्सी** (आकाशगंगा) की फैली कई सर्पिल भुजाओं में से एक में स्थित है।

हमारा सौरमंडल आकाशगंगा के **साढ़े तैंतीस करोड़वाँ भाग** के बराबर है। सूर्य की धुरी पर घूमते हुए इसे गैलेक्सी के महाचक्र में अपनी परिक्रमा पूरी करने में **पच्चीस करोड़ वर्ष** लग जाते हैं। वस्तुतः आकाशगंगा गतिशील चमकीले तारों से दूधिया हुए अंतरिक्ष के सघन क्षेत्र को कहते हैं। अपने

दूधियापन के कारण इसे **मिल्की-वे** (दुग्ध-मेखला) भी कहा जाता है। यह (आकाशगंगा) कुल **चौदह** तारक समूह (भारतीय शास्त्रों में जिन्हें **'भुवन'** तथा वैज्ञानिक भाषा में जिन्हें Spiral Arms कहा गया है) की पुंज है, जिसमें नक्षत्रों तथा ग्रहों की कुल संख्या **दस अरब** ($10x10^9$) के लगभग है। प्रकाश की गति यानी एक लाख छियासी हजार दो सौ बयासी मील या लगभग तीन लाख ($3x10^5$) कि.मी. प्रति सेकेंड की रफ्तार से दौड़कर यदि इसके एक सिरे से दूसरे सिरे तक पहुँचना हो तो कुल **सड़सठ करोड़ वर्ष** लग जाएँगे। यह आकाशगंगा अपने **केंद्र** (जिसे वैज्ञानिक **ब्लैक-होल** कहते हैं) पर चक्र की भाँति घूम रही है। गति की आनुपातिक तीव्रता के कारण चक्र की भाँति निरंतर घूम रही ब्रह्मांड की सभी आकाशगंगाओं के केंद्र पर जो भँवर बन रहे हैं, वस्तुतः वे ही **काले छिद्र** (Black Holes) जैसे प्रतीत होते हैं। संभवतः ऊर्जा के भयंकर विस्फोटों के कारण यहाँ नाभिकीय तत्त्वों (Nucleus Elements) का इतना सघन घनत्व हो जाता है कि ये प्रकाशकणों (Photons) तक को भी अपने अंदर समाहित कर लेते हैं। **फ्रैंकलिन** व **मार्शल कॉलेज** के खगोलशास्त्रियों ने हबल स्पेस टेलीस्कोप से सन् 1995 में आकार ले रही कुछ नई आकाशगंगाओं के जो चित्र खींचे थे, उनसे भी यह पता चला है कि चमकीली तश्तरीनुमा इन गैलेक्सियों के बीच का भाग काले छेद जैसा ही दिखता है। अमेरिका स्थित मैरीलैंड विश्वविद्यालय के **डॉ. जोसेफ वेबर** ने अपने परीक्षण में यह पाया है कि जिस प्रकार सौरमंडल के ग्रहों को सूर्य की ऊर्जा नियंत्रित करती है, उसी प्रकार आकाशगंगा को उनके नाभि-केंद्र (ब्लैक-होल) से निर्गत हो रही गुरुत्वाकर्षण की लहरें अनुशासित करती हैं। जनवरी 2001 में अपने दिल्ली-प्रवास के दौरान ब्रिटेन के प्रसिद्ध भौतिकशास्त्री व खगोलविद् **प्रो. स्टीफन हाकिंग** ने ब्लैक-होल्स से संबंधित कुछ इसी आशय के व्याख्यान दिए थे। उनके अनुसार—*"Every region of space are*

full of tiny virtual black holes and these are bleading radiation." किंचित् अपने केंद्र पर चक्र की भाँति घूमने के कारण ही आकाशगंगाओं को वेद की ऋचाओं में **नाभि-चक्र** के रूप में परिभाषित किया गया है। भारतीय शास्त्रों के अनुसार इस तरह के **तीन** नाभि-चक्रों यानी **लोक** वाली हमारी आकाशगंगा निरंतर घूम रहे **शकधूम (जगत्** या वैज्ञानिक भाषा में **नेब्युला)** में परिक्रमा कर रही है। शकधूम की परिधि में परिभ्रमण कर रहे इन चक्रों अर्थात् तीनों लोकों में अपने-अपने सौरमंडलों वाले **सात-सात सूर्य** हैं। 'ऋग्वेद' में इनका वर्णन इस प्रकार किया गया है—

> ***सप्त युञ्जन्ति रथमेक चक्रमेको अश्वो वहति सप्तनामा,***
> ***त्रिनाभि चक्रमजरमनर्व यत्रेमा विश्वा भुवनाधि तस्थुः।***
>
> (ऋग्वेद-1.164.2)

अर्थात् **'तीन नाभियोंवाले चक्रों में ही सभी भुवन-नक्षत्र हैं और प्रत्येक नाभि-चक्र में सात-सात रथों का जोड़ है, जिसे एक ही अश्व (प्राकृतिक शक्ति) चलायमान कर रहा है।'** वैज्ञानिक अनुसंधानों द्वारा की गई अब तक की खोजों से सात सौरमंडलों की इस भारतीय अवधारणा की लगभग पुष्टि हो जाती है। 16 मार्च, 1998 को **नासा** (National Aeronautics & Space Administration of America) के जेट प्रोपल्सन प्रयोगशाला से जुड़े खगोलशास्त्रियों ने पृथ्वी से लगभग 220 प्रकाशवर्ष दूर, हमारी आकाशगंगा में, **एच.आर.-4796** नामक एक युवा तारे की खोज की थी, जो अंतरिक्ष में अपने परिवार (सोलर सिस्टम) के अन्य ग्रहों को जन्म देता दिखाई पड़ा था। इसी प्रकार **यू.सी.एल.ए.** (University of California, Loas Angles) के वैज्ञानिकों ने पृथ्वी से मात्र दस से बीस प्रकाशवर्ष की दूरी के बीच आकार ले रहे **वेगा, वीटा, पिक्टोरिस** व **फॉमेलहाट** नामक **चार नए तारों के सौरमंडलों** की खोज की है। जुलाई 2000 में ऑस्ट्रेलियाई खगोल विज्ञानियों ने पृथ्वी से दस प्रकाशवर्ष की दूरी पर एक ऐसे तारे की खोज की है, जिसके इर्द-गिर्द दस ग्रहगण चक्कर लगा रहे हैं। जुलाई 2003 में **न्यू साउथ वेल्स** (ऑस्ट्रेलिया) स्थित 3.9 मीटर के खगोलीय दूरबीन से वैज्ञानिकों को हमारी पृथ्वी से मात्र 95 प्रकाशवर्ष की दूरी पर **एच.डी.-70642** नामक तारे का एक नया सौरमंडल मिला, जिसमें अन्य ग्रहों के अलावा बृहस्पति व पृथ्वी जैसे ग्रह भी देखे गए हैं। **फ्लोरिडा विश्वविद्यालय** तथा **हावर्ड विश्वविद्यालय** के खगोलशास्त्रियों ने भी अपने-अपने

तरीकों से अध्ययन करके उपर्युक्त इन सभी खोजों की सत्यता की वैज्ञानिक पुष्टि कर चुके हैं। खगोलशास्त्री **डानाबैकमैन** तो यहाँ तक दावा करते हैं कि यूनिवर्स के तीस प्रतिशत तारों के अपने ग्रह या सोलर सिस्टम हैं। रचना व विघटन के प्राकृतिक सिद्धांतों के अनुरूप आकाशगंगा में बन रहे इन नए सौरमंडलों की वैज्ञानिक उद्घोषणाएँ एक प्रकार से सात सूर्यों की भारतीय मान्यताओं की ही पुष्टि करती प्रतीत होती हैं। 'वायुपुराण' के अनुसार, सूक्ष्म आवरणों से आवृत होकर पृथक्-पृथक् इन सातों सूर्य के मंडलों को **भूलोक, भुवलोक, स्वलोक, महलोक, जनःलोक, तपोलोक** तथा **सत्यलोक** के नामों से पुकारा गया है (***भूर्लोकश्च भुवश्चैव तृतीयः स्वरितिस्मृतः महर्लोको जनश्चैव तपः सत्यश्च सप्तमः, एते सप्त कृतालोकाछत्राकारा व्यवस्थिताः स्वकैरावरणैः सूक्ष्मैर्धार्यभाणाः पृथक् पृथक्***-50/79-80)।

इस तरह अपने-अपने सौरमंडलों के ग्रहों को अपने चारों ओर नचाते हुए ये सभी सूर्य (तारे) जहाँ आकाशगंगा के भँवर में फँसे घूम रहे हैं, वहीं इसी अनुरूप आकाशगंगाएँ (नाभिचक्र) भी संबंधित अवंतिकाओं में तथा अवंतिकाओं का समूह संबंधित नीहारिका की परिधि में गतिमान हैं, जबकि **हिरण्यगर्भ** यानी **शकधूम (नेब्युला)** वस्तुतः गैसीय पदार्थों व कॉस्मिक धूलों से भरा अंतरिक्ष का वह सघन क्षेत्र है, जहाँ से चमकीले तारों व नक्षत्रों के पुंज के रूप में आकाशगंगाओं के क्रम से अवंतिकाएँ व नीहारिकाएँ विकसित होती रहती हैं। **ऋग्वेद** (1-164-43) का मंत्रद्रष्टा ऋषि इसी आशय को प्रकट करते हुए कहता है कि व्योम में बहुत विस्तार के साथ मँडरानेवाले इस शकधूम, जिसमें सृष्टि-रचना संबंधी प्रथम कार्य संपन्न होते हैं, को मैं समीप से देखता हूँ ***(शकमयं धूममारादपश्यं विषूवता पर एनावरेण, उक्षाणं पृश्निमपचन्त वीरास्तानि धर्माणि प्रथमान्यासन्)***। इस प्रकार की अनगिनत आकाशगंगाओं, अवंतिकाओं, नीहारिकाओं व शकधूमों से यह **ब्रह्मांड** (यूनिवर्स) भरा पड़ा है। अंतरिक्ष-संबंधी विषयों के प्रख्यात

वेत्ता रहे **आद्य महर्षि शिकामकेतु उद्दालक** के अनुसार, एक अरब छियानबे करोड़ उनतीस लाख पाँच सौ बानबे सौरमंडलों से एक **आकाशगंगा** का और एक अरब छियानबे करोड़ उनतीस लाख उनचास हजार पाँच सौ इकसठ आकाशगंगाओं से एक **अवंतिका** का स्वरूप उभरता है। इसी प्रकार पौने दो अरब अवंतिकाओं से एक **नीहारिका** तथा डेढ़ अरब नीहारिकाओं से एक **ब्रह्मांड** का अनुमान परिलक्षित होता है, जबकि ईश्वरीय सृष्टि में **अनंत ब्रह्मांडों** (*अनन्तम् ब्रह्माण्डम् ब्रहे क्रतम् देवत्व प्रव्हा*) की शृंखलाएँ विद्यमान हैं और नित नवीन मनकों के रूप में ब्रह्मांड की यह माला बढ़ती ही रहती है। अमेरिकी-फ्रेंच खगोल सर्वेक्षण टीम के **डॉ. डेविड वातुरकी** तथा ब्रिटिश-आस्ट्रेलियाई खगोल सर्वेक्षण संस्थान के अंतरिक्ष वैज्ञानिक **रिचर्ड एलिस** के हवाले 14 फरवरी, 1999 को **द संडे टाइम्स** (लंदन) में प्रकाशित एक रिपोर्ट में कुंभ राशि के आस-पास **लाखों आकाशगंगाओं** के एक समूह की खोज की पुष्टि की गई है। वह अंतरिक्ष में एक निश्चित क्रम में झाग जैसी दिखती है। मार्च 2004 में फ्रांस व स्विट्ज़रलैंड के खगोलविदों के एक संयुक्त दल ने पृथ्वी से 13 अरब 23 करोड़ प्रकाशवर्ष की दूरी पर **'अबेल 1835 आई.आर. 1916'** नामक अस्तित्व ले रही एक नई आकाशगंगा को खोजा है, जो फरवरी 2004 में खोजी गई एक अन्य आकाशगंगा से भी 23 करोड़ प्रकाशवर्ष की दूरी पर स्थित होने के कारण पृथ्वी से अब तक खोजी गई आकाशगंगाओं में संबसे अधिक दूरी की ही सिद्ध होती है। इसी क्रम में ऑस्ट्रेलियाई अंतरिक्ष वेधशाला के **डॉ. माइकेल ड्रिंकवाटर** के नेतृत्व में वैज्ञानिकों के एक दल ने **वारुमबंगले नेशनल पार्क** में लगे एंग्लो-ऑस्ट्रेलियन टेलीस्कोप की सहायता से पृथ्वी से लगभग 6 करोड़ प्रकाशवर्ष की दूरी पर 40 आकाशगंगाओं के एक नए समूह की भी खोज की है। इन वैज्ञानिकों ने इस नूतन समूह को **'अल्ट्रा कंपैक्ट ड्वार्फ गैलेक्सीज'** के नाम से चिह्नित किया है। इस तरह वैज्ञानिक अन्वेषणों द्वारा यह सिद्ध हो चुका है कि अंतरिक्ष में धूल व गैस के अनगिनत बादल मँडरा रहे हैं और कई मिलियन वर्षों के परस्पर आकर्षण-विकर्षण की **तापनाभिकीय प्रक्रियाओं** के बाद इन्हीं बादलों (जिसे भारतीय शास्त्रों में शकधूम तथा वैज्ञानिक भाषा में नेब्युला कहा जाता है) से आकाशगंगा (गैलेक्सी) व फिर इसके तारों में चरम घनत्व के आंतरिक दबावों के कारण हुए विस्फोटों से नक्षत्रों/ग्रहों या सौरमंडलों का जन्म होता है। ब्रह्मांडों की इस व्यापक आपसी संबद्धता के आधार पर **जियाजारजी गिआरडी** नामक एक वैज्ञानिक ने आज से 40-45 वर्ष पूर्व प्रतिपादित **'कॉस्मिक केमिस्ट्री'** नामक अपने सिद्धांत द्वारा यह सिद्ध कर दिया था

कि पूरे ब्रह्मांड में **'ऑर्गनिक यूनिटी'** (जीवंत एकता) है और यह एक मानव शरीर जैसे ही कार्य करती है (Microcosm is the Macrocosm and in fact vice-versa too)। उदाहरण के लिए एक जैविक-शरीर की ही भाँति पृथ्वी का 70 प्रतिशत हिस्सा जहाँ जल से परिपूर्ण है, वहीं संपूर्ण ब्रह्मांड में भी जलीय या वाष्पित तत्त्वों की अनुमानित मात्रा ठीक 70 प्रतिशत के ही लगभग बैठती है। भारतीय शास्त्रों में ***'यत्र पिण्डे तत्र ब्रह्माण्डे'*** या फिर **पुरुष सूक्त** व **भगवद्गीता के विराटत्व** के माध्यम से सार्वभौमिकता के इस सिद्धांत को सदियों पूर्व ही स्वीकार किया जा चुका है। ब्रह्मांड की व्यापकता का अनुमान मनुष्य अभी तक नहीं लगा पाया है, परंतु अब तक के वैज्ञानिक निष्कर्षों से इस बात की पुष्टि तो अवश्य हो गई है कि कुछ तारे पृथ्वी से इतनी दूरी पर पाए गए हैं कि उनके प्रकाश को (एक लाख छियासी हजार दो सौ बयासी मील प्रति सेकेंड की रफ्तार से चलते हुए) धरती पर पहुँचने पर अभी और कई लाख वर्ष लगेंगे। अन्वेषण प्रक्रियागत होने के कारण उपर्युक्त निष्कर्षों को अंतिम तो नहीं माना जा सकता है, फिर भी निश्चित रूप से इनसे हमें अंतरिक्ष के विराट् स्वरूप की एक झलक तो मिल ही जाती है।

जब द्रष्टव्य जगत् का अनुमान लगाना ही रोमांचकारी हो, तब अपरिमित ब्रह्मांड (भारतीय शास्त्र तो **अनंत ब्रह्मांड** में विश्वास करते हैं) तथा उसके उद्भव के बारे में विचार करना भी एक प्रकार से मानवीय सामर्थ्य से परे की युक्ति ही मानी जाएगी। इन सीमाबद्ध विवशताओं के उपरांत भी मानवी जिज्ञासाओं की तृप्ति के लिए ऋषियों, दार्शनिकों तथा वैज्ञानिकों द्वारा विविध कालों में सृष्टि-रहस्य की परतों को खोलने के अनेकानेक प्रयास अपने-अपने ढंग से किए गए। यही नहीं, अंतरिक्ष अभियानों व वेधशालाओं के माध्यम से अंतरिक्ष अनुसंधान की दिशा में आधुनिक विज्ञान आज भी सतत प्रयत्नशील है। पूर्ववर्ती तथा आधुनिक शोधों में प्रक्रियागत भिन्नताओं के उपरांत भी इनके निष्कर्षों में **सत्य की आश्चर्यजनक एकरूपता** ही झलकती है। वैज्ञानिक शोधों द्वारा यह सिद्ध किया जा चुका है कि स्पेस (अंतरिक्ष) सघन रूप से गैसीय पदार्थों तथा कॉस्मिक धूलों से भरा पड़ा है और ब्रह्मांड वस्तुतः इन प्राकृतिक पदार्थों के गतिमान होने से उत्पन्न तापनाभिकीय आकर्षण-विकर्षण का ही परिणाम है। इस विषय में भारतीय अवधारणा यह है कि **अवस्तु** (शून्य) से **वस्तु** प्राप्त नहीं की जा सकती है (***नावस्तुनो वस्तुसिद्धिः***—सांख्य-1.78)। अतः **सत्** व **असत्**—दोनों रूप में समान **प्रकृति** (***सदासद् समानः प्रकृतेर्द्वयो***-साख्य-1.69) ही नहीं जानने योग्य आदि पदार्थ के रूप में सर्वत्र सुसुप्त अवस्था में विद्यमान थी

(*आसीदिदं तमोभूतम प्रज्ञातमलक्षणम्—प्रसुप्तमिव सर्वत्रः*—मनुस्मृति-1.7) और ईश्वरीय प्रेरणा से उत्सर्जित ऊर्जा द्वारा ही इनमें **राग** (आकर्षण) व **विराग** (विकर्षण) का प्रस्फुटन हुआ तथा इसी से सृष्टि का प्रारंभ फलित हुआ था (*रागविरागयार्योगः सृष्टि*-सांख्य-2.9)। अब प्रश्न उठता है कि इन जड़ प्राकृतिक पदार्थों में **चैतन्यता** (गति) कैसे आई? इस विषय में प्रसिद्ध वैज्ञानिक **आइजेक न्यूटन** (1642–1726 ई.) द्वारा प्रतिपादित सिद्धांत अधिक तार्किक होगा। उनकी यह मान्यता रही है कि प्रकृति का कोई भी कण अपनी निश्चल अवस्था से चलायमान अवस्था में बिना किसी बाहरी प्रभाव के नहीं आ सकता है। न्यूटन से भी कई सहस्राब्दी पूर्व व्यासदेव द्वारा रचित **ब्रह्मसूत्र** में भी इसी बात की उद्घोषणा की गई है कि जब तक कोई बाहरी प्रभाव न पड़े, तब तक प्रकृति की गति उलट नहीं सकती है (*व्यतिरेकानवस्थितेश्चानपेक्षत्वात्*।। ब्र.सू.-2.2.4)।

इन निष्कर्षों से यही प्रमाणित होता है कि बाहरी तत्त्व के अभाव में अवस्था-परिवर्तन निश्चित रूप से संभव नहीं है। इस प्रकार यह सिद्ध हो जाता है कि जड़ प्रकृति को गतिमान करने के लिए एक अनन्य शक्ति की उपस्थिति अनिवार्य है। इस अनन्य शक्ति के स्रोत पर न्यूटन कोई प्रकाश नहीं डाल सके, किंतु उनके द्वारा रचित **'नेचुरलिस प्रिंसिपिया मैथमेटिका'** नामक पुस्तक में सुझाए गए दिशा-निर्देशों पर आगे बढ़ता हुआ आधुनिक विज्ञान स्पष्ट रूप से संपूर्ण जगत् का नियंत्रक एक **सर्वोच्च शक्ति** (Super Natural Power) को ठहराता है। उसके अनुसार, पूरा ब्रह्मांड इस शक्ति के द्वारा नियंत्रित क्षेत्र में ही समाहित है। विज्ञान की भाषा में शक्ति के इस क्षेत्र को **क्वांटम फील्ड** (Quantum Field) के नाम से जाना जाता है। यह क्षेत्र दो तरह का है—पहला, प्रकट क्षेत्र तथा दूसरा, मौलिक क्षेत्र। द्रष्टव्य जगत् का अस्तित्व **प्रकट क्षेत्र** (Visible Field) कहलाता है, परंतु इस द्रष्टव्य जगत् (सूर्य, चंद्र, पृथ्वी आदि ग्रहगणों) को यदि इनके निश्चित स्थानों से हटा दिया जाए तो भी शक्ति का **मौलिक क्षेत्र** (Primeridial Field) बचा रह जाएगा। इस मौलिक क्षेत्र से परे कुछ भी शेष नहीं बंचता है और इसका अतिक्रमण भी नहीं किया जा सकता है। इस प्रकार यह सिद्ध हो जाता है कि प्रत्येक **प्रकट क्षेत्र** का अस्तित्व इसी **मौलिक क्षेत्र** के गर्भ से प्रसूत होता है, जबकि इस क्षेत्र की ऊर्जाओं को नियंत्रित करनेवाली **सर्वोच्च शक्ति** का स्रोत एक **अद्वितीय चेतना** है। यही चेतना अपनी अनन्य बुद्धिमत्ता से पूरे ब्रह्मांड को परिचालित कर रही है। **आन्थ्रोपिक कॉस्मोलॉजिकल प्रिंसिपल** का मूल वक्तव्य, कि पृथ्वी पर जो कुछ भी घटित हो रहा

है, वह सोच-समझकर बनाए गए नियमों के अनुसार शृंखलाबद्ध है, निश्चित रूप से एक **सर्वोच्च चेतना** (संचालक) की त्रुटिहीन बुद्धिमत्ता को ही इंगित करता है। प्रसिद्ध वैज्ञानिक **प्रो. स्टीफन हॉकिंग** ने अपनी पुस्तक 'The Universe in a Nutt-shell' में ब्रह्मांड के उद्भव से संबंधित इसी अवधारणा को उचित माना है *(Onthropic principle seems to be essential when dealing with the origin of the Universe.)*। मूर्धन्य गणितज्ञ **रॉजर पेनरोज** का यह निष्कर्ष कि *"A Universe whose laws do not take consciousness into account is not much of Universe."* स्वतः ही **सर्वोच्च चेतना** से संबंधित वैज्ञानिकों की इस अस्फुट अवधारणाओं को बल प्रदान कर देते हैं। **सुपर नेचुरल पॉवर** से संबंधित इन सिद्धांतों के आधार पर मूल नियंता के प्रामाणिक अस्तित्व तक पहुँचने में आधुनिक विज्ञान को अभी और कितने वर्ष लगेंगे, यह तो भविष्य के गर्भ में छिपा है, परंतु भारतीय द्रष्टाओं ने अपने अतींद्रिय ज्ञान द्वारा इस अज्ञात शक्ति तथा इसके अधिष्ठाता की रूपरेखा को सदियों पूर्व ही उद्घाटित कर दिया था। इनके अनुसार, ईश्वरीय प्रेरणा से उत्सर्जित ऊर्जा द्वारा ही प्रकृति में **राग** (आकर्षण-Attraction), **विराग** (विकर्षण-Repulsion) तथा **वैराग्य** (विषाद-Neutral) के त्रित गुणों (जिन्हें आध्यात्मिक भाषा में क्रमशः **तम, रज** व **सत** तथा वैज्ञानिक भाषा में **शून्यावेश, ऋणावेश** व **धनावेश** कहा गया है) का प्रस्फुटन हुआ है। प्रकृति में उत्पन्न इन्हीं राग (आकर्षण) व विराग (विकर्षण) के आपसी घर्षण द्वारा सृष्टि का प्रारंभ फलित हुआ था (***रागविरागयार्योगः सृष्टि*** -सांख्य-2.9)। चूँकि **संचालिका शक्ति** ही प्रकृति के गतिमान होने और तदनुसार ब्रह्मांड-उत्पत्तिं का कारण बनी, इसीलिए भारतीय मनीषीयों ने इसी मूल शक्ति को **ईश्वरीय ऊर्जा** तथा इसे ही जगत् के स्थावर-जंगम—सभी का स्रोत माना (***ईशा वास्यामिदं सर्वं यत्किंच जगत्यां जगत्***-ईशावास्योपनिषद्)। सृष्टिकारकस्वरूपा इस इंद्रियातीत हिरण्यमयी शक्ति को ऋषियों ने जहाँ **माया** कहकर संबोधित किया, वहीं इसके अधिष्ठाता के अवर्णनीय आकार की कल्पना मात्र से रोमांचित होकर इन्हें ही असीम अंतरिक्ष का धारणकर्ता (***अक्षराम्बरान्तधृतेः***) स्वीकार कर ऋषियों ने **परमसत्ता** (ब्रह्म) के विराटत्व को केवल समझाने का प्रयास ही नहीं किया, अपितु **अनंत** के इस अंतहीन विस्तार के कारण कभी ***इति-इति*** या फिर इसके इंद्रियातीत (इंद्रियों द्वारा न जाना जा सकने योग्य) स्वरूप के कारण कभी ***नेति-नेति*** की घोषणाएँ कर व्यर्थ के अन्वेषणात्मक प्रक्रियाओं पर विराम लगाने का भी प्रयत्न किया। इन निषेधात्मक उपदेशों के उपरांत

भी मानवीय जिज्ञासाओं की संतुष्टि के लिए ऋषियों ने ब्रह्म तथा उसकी माया का संक्षिप्त परिचय देना भी आवश्यक समझा। ईश्वर की महिमा का गुणगान करते हुए ऋषियों ने जहाँ इसे अमरत्व से पूर्ण विश्व की आत्मा तथा सर्वज्ञ, सर्वगत तथा सभी भुवनों व लोकों का नियंता कहकर पुकारा, वहीं इसे ही सृष्टि आरंभ करने के लिए सार्वभौम्य चेतना का उत्पत्तिकर्ता भी माना (***स तन्मयो ह्यमृत ईशसंस्थोज्ञः सर्वगो भुवनस्यास्य गोप्ता, य ईशेऽस्य जगतो नित्यमेव नान्यो हेतुर्विद्यत ईशनाय***-श्वेताश्वतरोपनिषद्-6.17)। इसी सार्वभौम्य चेतना, यानी सृष्टि की कारणभूता शक्ति को **परा-माया** मानते हुए इसे ही अखिल जगत् की **माता** के रूप में चर-अचर जगत् की अदृश्य **अधीश्वरी** या **त्रिगुणात्मक शक्ति** के रूप में भी स्वीकार किया गया (***मातर्जगतोऽखिलस्य विश्वेश्वरी चराचरस्य आधारभूता जगतस्त्वमेका त्रिगुणात्मकशक्तिभूता परमासि माया***)। ईश्वर की यह **माया** सत्त्व, रज व तम के अपनी त्रिगुणात्मक वैशिष्ट्य के आधार पर बुद्धि, मन व अहंकार के अपेक्षाकृत स्थूल स्वरूपों में प्रत्यावर्तित होकर स्पंदन करने लगती हैं। माया का यह स्पंदन ही **'प्राण'** कहलाता है, जबकि मन, बुद्धि व अहंकार को समष्टि रूप से **'चित्त'** कहा गया है; इसी चित्त से **देश, काल** व **निमित्त** (कारण व कार्य) का स्वरूप उभरता है, जो प्रकारांतर में चर-अचर जगत् का कारक बनता है। वस्तुतः दृश्यादृश्य जगत् के ये सभी प्रपंच माया की अभिव्यक्ति मात्र ही हैं। चूँकि ब्रह्म माया से भी परे है, अतः माया-जनित मन, बुद्धि व अहंकार या देश, काल व निमित्त की सीमित परिधि में रहते हुए उसके सर्वत्र विद्यमान रहने की अनुभूति तो की जा सकती है, परंतु उसके आकार-प्रकार, गुण-धर्म आदि की कोई कल्पना नहीं की जा सकती है। किंचित् यही कारण है कि भारतीय-दर्शन में ब्रह्म की व्याख्या करने से सामान्यतः बचने का प्रयास किया गया है और यदि कहीं कुछ कहा भी गया है तो उसे ज्ञेय-अज्ञेय की पराकाष्ठा का क्षितिज भर ही माना गया है। भारतीय वाङ्मय में ईश्वरीय प्रार्थना के लिए प्रयुक्त ***'तव तत्त्वं न जानामि कीदृशोऽसि महेश्वरः यादृशोऽसि महादेवाय तादृशाय नमो नमः'*** (अर्थात् *आपके व्यक्त स्वरूप को ही समझना जब कठिन हो, तब आपका अव्यक्त स्वरूप, चाहे वह जो भी हो और जैसा भी हो, उसी रूप में स्तुत्य है)* की भावाभिव्यक्ति इसी का प्रमाण है। संभवतः ईश्वर संबंधी द्वंद्वातीत अनुभूति की इसी चरमावस्था के कारण भारतीय दर्शनों में दृश्यादृश्य जगत् के मूल अस्तित्व को ईश्वर के अतिरिक्त अन्य के लिए अविज्ञेय स्वीकार करते हुए ***(यो अस्याध्यक्षः परमे व्योमन् त्सो अंग वेद यदि वा न वेद***-ऋग्वेद–10-129-7) इसे रचना

(Creation) की बजाय ईश्वरीय माया का प्रकटीकरण (Manifestation) मात्र ही माना गया है। **मुंडकोपनिषद्** (1-1-7) में इसी तथ्य को रेखांकित करते हुए यह बताया गया है कि *'जिस तरह ऊर्णनाभि (मकड़ी) अपने ही शरीर से तंतुओं को निकालकर जाल बुनती है, उसी तरह यह सारा दृश्यादृश्य जगत् भी ईश्वरीय अंश (माया) से ही प्रादुर्भूत हुआ है।'* इस प्रकार प्रमाण, शब्द, अनुमान तथा अतींद्रिय ज्ञान के आधार पर सृष्टि-रहस्य के अपने गूढ़ अनुभवों द्वारा भारतीय द्रष्टाओं ने प्रकृति के क्रमागत प्रक्षेप व प्रलय के चरित्र को **श्रुतियों** के माध्यम से जहाँ **शब्दों** में संयमित करना चाहा, वहीं इसके अंतर्निहित भावों को **जन-सापेक्ष** बनाने के उद्देश्य से कहीं-कहीं उन्हें **रूपकों** एवं **चित्रों** का भी सहारा लेना पड़ा।

भारतीय मान्यता के अनुसार, संपूर्ण व्योम में सृष्टि से पूर्व युक्ति से भी अवर्णनीय गूढ़ अंधकार व्याप्त था। **अप्रकेत** (अज्ञेय) **शाश्वत शक्ति** (जिसे परमब्रह्म, सत्, ईश्वर, निरंकार, अद्वैत, निर्गुण, ओंकार, परमात्मा, अनंत आदि नामों से संबोधित किया जाता है) की **निश्चेष्ट अवस्था** थी (यानी Divine Constant Energy was in potential form) तथा अंतरिक्ष में सर्वत्र व्याप्त व अपने आप में स्थिर **'स्वधा'** (प्राकृतिक पदार्थों के क्रम संकोचन अवस्था के सूक्ष्मातिसूक्ष्म विकार यानी **असत्**) की **सलिल** (कल्पना से भी अति सूक्ष्म तरल कणों की परस्पर असंबद्ध, किंतु शांत) अवस्था थी। अधिष्ठाता शक्ति से उत्पन्न **'तेज'** (वैदिक भाषा में जिसे **'अर्वा'** व आध्यात्मिक भाषा में **'माया'** कहा गया है) भयंकर **नाद** (स्फोट) करता हुआ अति तीव्र गति से **'स्वधा'** में समाहित हो गया। स्वतःस्फूर्त इस तेज में उपस्थित सत्त्व, रज व तम के विशिष्ट संयोग से निश्चेष्ट सी पड़ी स्वधा में त्रित की क्रियात्मक चेतनाएँ प्राविष्ट कर गईं और प्राण व चित्त की ये संयुक्त चेतनाएँ (Animation) ही आकाश (असत) का मंथन करके सृष्टि की कारक बनीं। चूँकि **'तेज'** (प्रकाश) व **'भयंकर नाद'** ही सृष्टि-प्रारंभ के सूचक रहे थे, अतः भारतीय शास्त्रों में कहीं-कहीं **'ज्योतिर्ब्रह्म'** या **'नादब्रह्म'** कहकर भी इनकी अभ्यर्थनाएँ की गई हैं। आधुनिक विज्ञान की भी यही मान्यता है कि शाश्वत ऊर्जा या दिव्य तेज (Constant Energy) के प्रभाव से ही ब्रह्मांड (Universe) निर्मित हुआ है। इस ऊर्जा को न तो समाप्त किया जा सकता है, न विभाजित किया जा सकता है और न ही कोई ऐसा उपाय है कि इसे उत्पन्न किया जा सके। वैज्ञानिकों के अनुसार शब्द (नाद) ही ऊर्जा का स्थूल रूप है।

प्रकृति से संयुक्त हुई इसी त्रिधात्मक शक्ति (माया के परिवर्धित स्वरूपों) को

समष्टि रूप से वेद में **अर्वण,** सांख्य में **महत** तथा आध्यात्मिक शब्दावली में **चित्त** के अलग-अलग नामों से चिह्नित किया गया है। आम लोगों की ग्राह्यता के लिए परवर्ती धार्मिक ग्रंथों में अर्वण या तेज के उपर्युक्त त्रित गुणों को **मानवी रूपकों** में भी व्यक्त करने का प्रयास किया गया। भारतीय शास्त्रों की यह मान्यता है कि सृष्टि के प्रबंधन (**रचना, पालन** व **संहार**) के लिए परमेश्वर ने अपनी माया के सहयोग से **ब्रह्मा** (सत्त्व), **विष्णु** (रजस) व **महेश** (तमस) को पैदा तो किया, किंतु घोर **तप** (प्रयास) के उपरांत भी ये त्रिदेव अपने जन्मदाता के स्वरूप की बजाय उसके दिव्य हिरण्यमय प्रकाश (तेज-गामा रेज) का ही दर्शन कर पाए थे। भारतीय वाङ्मय में त्रित की इन संयुक्त विशेषताओं के अनुरूप इन त्रिदेवों को शाब्दिक आधार देने के लिए स्वर उच्चारण के तीन मूल आयामों यानी **अ, उ, म** अक्षरों (***अकारो विष्णूर्दीष्टा उकारेस्तु महेश्वरा, म कारेणु उच्वते ब्रह्मा प्रणव वस्तु त्र्योमताः***) को मिलाकर बने **ॐ** शब्द की संरचना भी की गई। वस्तुतः शब्दोच्चारण की संपूर्ण प्रक्रिया को निसंपन्न करने के कारण **ॐ** ही प्रकृति के मूल स्फोट **(नादब्रह्म)** का वाच्य होने के साथ-साथ **'ब्रह्म'** की अनाम सत्ता को सार्थक नाम भी प्रदान करता है। प्रसिद्ध नक्षत्र गतान्वेषी **पं. शंकर चरण त्रिपाठी** के अनुसार, ***'ओमित्येर्न्तनदति यः प्रति पाणि शब्दो वाणी यस्मात्र् प्रसरति पराशब्दो तन्मात्रगर्भा प्राणऽपानो वहति च समौ यो मित्रो ग्रास सक्तौ देहस्थं तं शपदि परमादित्य माद्यम् नमस्ते'*** (अर्थात् **'जिस शब्द से संपूर्ण वाणी, ध्वनिक्रिया, आकार, चर-अचर, समस्त प्राण एवं शरीर तथा संपूर्ण ब्रह्मांड व उनके भुवन निर्गत होते हैं, उस जाज्वल्यमान ॐ रूपी सूर्य को नमस्कार है'**) के मंत्र द्वारा ही इस महिमामयी शब्द की सम्यक् व्याख्या परिलक्षित होती है। प्राचीन मिस्र में ईश्वर के लिए संबोधित **'आमोन'**, पारसियों का **'हओम'**, बौद्धों व जैनियों का **'ओम्'**, ईसाइयों व इसलामिकों का **'आमीन'** तथा सिखों का **'ओंकार'** वस्तुतः ॐ का ही ध्वन्यात्मक अभ्यंतरण है। यही नहीं, बल्कि अरबी में **अल्लाह** व गुरुमुखी में **ओंकार** लिखने की शैली भी संस्कृत ॐ से काफी मिलती-जुलती है।

ईश्वरीय तेज या अर्वण के वेग विशेष से प्रत्युत्पन्न हुई ऊर्जाओं के कारण तीन गुणोंवाले **महत्** भी तदनुरूप तीन अलग-अलग आवेशों या बंधनों (भारतीय शास्त्रों में जिन्हें त्रिदेवों की कार्मिक शक्ति, यानी **ऐं-बुद्धि या सरस्वती, ह्रीं-मन या लक्ष्मी** व **क्लीं-अहंकार या काली** के रूपों में वर्णित किया गया है), से संयुक्त हो गए। इन बंधनों से संयुक्त हो जाने के उपरांत ही दिव्य तेज के इन तीनों आयामों

में अपने-अपने स्वभावों के अनुरूप गुणोत्पादक क्रियाएँ प्रारंभ हो गईं। भारतीय ग्रंथों में इन त्रित बंधनों या गुणोत्पादक ऊर्जा को स्त्रीवाचक **'माया'** नामक संज्ञा के रूप में चिह्नित किया गया है, जबकि गुणातीत शाश्वत ऊर्जा को **'पुरुष'** कहकर उद्‌बोधित किया जाता है। चूँकि त्रित युग्मों के लिए व्यवहृत हुआ **'ऊँ ऐं ह्रीं क्लीं'** का यह सूक्ष्म उद्‌बोधन ही अनंत की अवर्णनीय आद्य-प्रवृत्ति को शाब्दिक आधार प्रदान करने में पर्याप्त दिखता है, अतः भारतीय शास्त्रों में इसे ईश्वर तथा उसकी अंतहीन माया को स्मरण करने के लिए बीज-मंत्र के रूप में ही स्वीकार्य किया गया है। परमात्मा के तेज से अस्तित्व में आई ये प्रतिऊर्जाएँ अपनी प्रक्रियागत क्षमताओं के आधार पर त्रित के अपेक्षाकृत निम्न गुणों की सघन आभाओं से भी आच्छादित हो गईं। कालांतर में वे ही अपनी सात विशेष गतियों ***(सप्त गतेर्विशेषित्वाच्च***-ब्रह्मसूत्र 2-4-5) के कारण जैविक उत्पत्ति के कारक बने। भारतीय ग्रंथों में ऊर्जाओं के इसी परिवर्धित अंश को **'जीवात्मा'** (प्राणमय कोश) तथा गुण-विशेष की सघन आभाओं से निर्मित इनके आवरण को ही **'सूक्ष्म शरीर'** (मनोमय कोश) के रूप में चिह्नित किया गया है। गोस्वामी तुलसीदास ने **रामचरितमानस** (3.6-3) में परमात्मा व जीवात्मा के मध्य स्थित माया की इसी कड़ी को राम व लक्ष्मण के मध्य चल रही सीता के प्रत्यक्ष उदाहरण द्वारा समझाने का प्रयत्न किया है *(उभय बीच श्री सोहइ कैसी, ब्रह्म जीव बिच माया जैसी)*। **ब्रह्मसूत्र** (3-1-2) में इसकी व्याख्या ***'त्र्यात्मकत्वात्तु भूयस्त्वात्'*** के रूप में की गई है, जिसका आशय होता है कि सूक्ष्म शरीर तीन तत्त्वों अर्थात् मन, बुद्धि व अहंकार के सहयोग से बना है और चौथा विशिष्ट तत्त्व इसमें समाहित रहता है। इस तरह अविशेषों के विलक्षण संयोगों से निर्मित यह सूक्ष्म शरीर व इसमें अंतर्निहित ऊर्जा इंद्रियातीत होने के कारण किसी भी तरह के उपकरणों या परीक्षणों के माध्यम से सिद्ध नहीं की जा सकती है, जबकि विशेषों से निर्मित पंचभौतिक कायावाले **स्थूल शरीर** (अन्नमय कोश) को ही नहीं अपितु प्रकृति के सूक्ष्मातिसूक्ष्म कणों (Elementary Particles) को भी विशिष्ट साधनों द्वारा देखा व परखा जा सकता है। सूक्ष्म शरीर को ईसाई मान्यताओं में **Spiritual Body** (आध्यात्मिक देह) तथा इसलामिक

मान्यताओं में **'रूह'** कहकर संबोधित किया जाता है। यद्यपि जीवात्मा **(Self)** के अदृश्यात्मकता के कारण आधुनिक विज्ञान इसे Metaphysic की श्रेणी में धकेल देता है, तथापि आंथ्रोपिक सिद्धांतों के माध्यम से जागतिक चैतन्यता (Universal Consciousness) के तथ्यों को स्वीकार करके वह इसकी स्थिति को एक प्रकार से नकार भी नहीं पाता है।

इसी त्रिधात्मक शक्ति यानी अर्वण या माया के प्रभाव के कारण स्वधा (प्रकृत) की निश्चेष्टताएँ प्राथमिक स्तर पर तीन विभिन्न गुणों (जिन्हें सांख्य में **वैचारिक** या **सात्त्विक, तेजस** या **राजसिक** व **भूतादिक** या **तामसिक अहंकार** कहते हैं) से अलंकृत हो उठीं। त्रित के इसी संघात के कारण निःसृत हुए स्वधा के तत्पश्चात् निखार को वेद में **वरुण, मित्र** व **अर्यमा** (आधुनिक विज्ञान की भाषा में इन्हें **पॉजिट्रान, एंटी-प्रोट्रान** व **एंटी-न्यूट्रान** कहते हैं) के रूप में चिह्नित किया गया है। स्वधा के इस परिवर्धित स्थूल रूप को समष्टि रूप से वेद में **आपः** तथा विज्ञान की भाषा में **एलिमेंटरी पार्टिकल्स** कहा गया है। संस्कृत में **आपः** को 'जल' भी कहा जाता है। अतः इसी भाव के अनुरूप ही उपनिषदों, शास्त्रों, पुराणों तथा विश्व के प्राचीन धर्मग्रंथों में **अजामेकां** यानी प्रकृति के अनादि तत्त्वों की वाष्पित तरलता को **आदि-समुद्र** या Primeridial Ocean (सुमेरियन व वेबोलियन सभ्यताओं में तो इसे संस्कृत आपः के समानार्थी **'अप्सू**-Apsu' ही कहा गया है) की संज्ञाएँ दी गई हैं। **श्वेताश्वतर उपनिषद्** (4-5) के अनुसार—सत, रज व तम के त्रित गुणों से आवृत होकर ही प्रकृति अपने स्वरूप के अनुरूप जड़ पदार्थों को उत्पन्न करने में समर्थ हुई थी ***(अजामेकां लोहितशुल्ककृष्णां वह्वीः प्रजाः सृजमानां सरूपाः)***। परवर्ती धार्मिक ग्रंथों में वर्णित **अर्धनारीश्वर** का विशिष्ट मानवी रूपक भी किंचित् **आपः** और **बंधनों** द्वारा निर्मित इन्हीं **युग्मों** के लिए प्रयुक्त किया गया था। इसकी सम्यक् व्याख्या करते हुए **मनुस्मृति** (1.34) कहता है कि ईश्वर ने जगत् रूपी शरीर को दो भागों (पुरुष-स्त्री) में विभाजित कर आपसी सहवास द्वारा सृष्टि की उत्पत्ति की ***(द्विधा कृत्वाऽऽत्मनो देहमर्धेन पुरुषोऽभवत् अर्धेन नारी तस्यां स विराजमसृजत्प्रभुः)***। लगभग इसी भाव के अनुरूप **मानव-उत्पत्ति** विषयक कारणों पर प्रकाश डालते हुए **बाइबिल** (जेनेसिस) में जहाँ यह बताया गया है कि ईश्वर ने अपने द्वारा रचित प्रथम पुरुष **(एडम)** की एक पसली की हड्डी निकालकर स्त्री **(ईव)** की रचना की थी, वहीं **कुरआन शरीफ** के **'सूरा अल् हुजुरात'** की तेरहवीं आयत यह बताती है कि अल्लाह ने लोगों को अपने द्वारा बनाए गए एक मर्द **(आदम)** और एक औरत

(हौव्वा) से पैदा किया था। इसी तरह भारतीय **त्रित** की भावभित्ति पर प्रतिपादित बौद्धों के **बुद्ध, धम्म** व **मार** के अनुरूप ही तदंतर अस्तित्व में आए पंथों अर्थात् ईसाइयों में **गॉड, होली सन** व **डिवाइन घोस्ट** या फिर इसलाम में **अल्लाह, पैगंबर** व **शैतान** की ट्रीनिटी विकसित हुई।

आधुनिक विज्ञान की भाषा में आपः व त्रित युग्मों के संयोगों से चैतन्य हुए प्रकृति के परिवर्धित गुणों को जहाँ **इलेक्ट्रॉन, प्रोट्रॉन** व **न्यूट्रॉन** कहा गया है, वहीं इनसे निर्मित हुए कणों को **कॉस्मिक डस्ट** (Cosmic Dust) व इसके वाष्प आलोकित परिदृश्य (Aura) को **कॉस्मिक रेज** (Cosmic Rays) तथा इनके समूहों को **परिमंडलीय कण** या **एटोमिक पार्टिकल्स** के नामों से संबोधित किया गया है, जबकि बंधनों से मुक्त रह गए आपः के एकल अवशेषों से ही **आकाश** या **Ether** का निस्पृह स्वरूप निखरा था। विज्ञान की भाषा में आकर्षण-विकर्षण से रहित परमाणुओं के समूह, जो परिमंडलों (Atoms) की रचना करने में असमर्थ होते हैं, वस्तुतः आकाश के ही रूप में होते हैं और इन्हीं के माध्यम से एटमजनित तरंगें एक स्थान से दूसरे स्थान को जा पाती हैं। इन्हीं गतिमान परिमंडलीय कणों के आपसी आकर्षण-विकर्षण से **पाँच तन्मात्रा शक्तियाँ**—Potentiality (**परमंडली** यानी आटोमिसिटी, **रासायनिक** या केमिकल एफिनिटी, **विकंपन** या मोलेक्यूल्स डायनामिक्स, **चुंबकीय** या मैगनेटिज्म व **घर्षण** या ग्रैविटी) और फिर इनके प्रभाव से निर्मित हुए अंडे (जिसे **ब्रह्मांड** या Cosmic Egg कहा गया है) में हुए परिवर्तनों से **परिमंडल** यानी **एटम** की रचना हुई। इस **हिरण्यगर्भ** के पककर फूटने पर बिखरे एटमों के परस्पर आकर्षण-विकर्षण से अस्तित्व में आई इकाई को ही वेद में **मरूत** (पाश्चात्य विज्ञान की भाषा में **मोलेक्यूल**) कहा गया है। **'आकाश'** नामक निस्पृह महाभूत के अतिरिक्त मरूतों में होनेवाले स्पंदनों से चार अन्य महाभूतों (**पार्थिव**-Solid, **जलीय**-Liquid, **वायवी**-Gasseous व **आग्नेय**-Radio Active) का स्थूल स्वरूप उभरकर सामने आया। विज्ञान की भाषा में मोलेक्यूल्स में होनेवाले स्पंदनों (Vibrations) से इनका आंतरिक तापमान बढ़ जाता है, जिसके फलस्वरूप ये **आग्नेय** से परिपूर्ण हो जाते हैं। स्पंदनों की प्रक्रिया में मोलेक्यूल के परिमंडलों (Atoms) के आपस में जकड़े रहने से **पार्थिव** (Solid या ठोस), इनके त्रिज्या (radius) के फैलने से **जलीय** (Liquid) तथा त्रिज्या के अत्यधिक फैलाव के कारण परिमंडलों का केंद्र से संबंध विच्छेद होने पर **वायवी** (Gasseous) अवस्थाएँ निर्मित होती हैं। इन पाँचों प्रकार के स्थूल महाभूतों के बिखराव से **शकधूम** (Nebula) व फिर इन्हीं नेबुलाओं

में घटित तापनाभिकीय प्रक्रियाओं के कारण हुए संकुचनों की पराकाष्ठा से प्रतिफलित विस्फोटों के परिणामस्वरूप **आकाशगंगाओं** (Galaxies) यानी अंतरिक्ष में दृश्यमान तारों व ग्रहों का यह टिमटिमाता जगत् अस्तित्व में आया। कदाचित् **मन** (Lust), **बुद्धि** (Intelligence), **अहंकार** (Ego) आदि सूक्ष्म व **पार्थिव, जलीय, वायवी, आग्नेय** व **आकाशीय** आदि पंचमहाभूत के स्थूल तत्त्वों से प्रकटे इस दृश्यादृश्य जगत् के अंतर्निहित भावों को व्यक्त करने के लिए ही **ऋग्वेद** (10-72-8) में ***'अष्टौ पुत्रासो अदितेर्य जातास्तन्व स्परि'*** या फिर **भगवद्गीता** (7-4) में ***'भूमिरापोऽनलो वायुः खं मनो बुद्धिरेव च, अहंकार इतिय में भिन्ना प्रकृतिरष्टधा'*** का सारगर्भित श्लोक व्यवहृत हुआ है। इसी क्रम में प्राणियों के अनुकूल परिस्थितियों के बनने से कालांतर में रोहिणी व सोम के प्रभाव से सूर्य-रश्मियों द्वारा पृथ्वी पर चार प्रकार की जैविक सृष्टियाँ—**उद्भिज, अंडज, स्वेदज** तथा **जरायुज** अस्तित्व में आईं। सृष्टि-निर्माण में प्राकृतिक पदार्थों के इन अमृतमयी अंशदानों (कल्याणकारी देयता या **देवत्व**) से अभिभूत होकर ही वैदिक ऋषियों ने इन्हें ही विश्व के देव **(विश्वेदेवाः)** की संज्ञा से विभूषित करके स्वधा, त्वष्टा, आपः, पूषः, वरुण, मित्र, रुद्र, मरुत, इंद्र, अग्नि, सोम, आदित्य, अश्विनों, सविता, वसु, पृथ्वी आदि नामों से **स्वस्तिवाचन** कर इन **विश्वदेवों** की अभ्यर्थनाएँ भी की थीं। यहीं नहीं, प्राकृतिक घात-प्रतिघात के कारण उत्पन्न हुए वायुमंडलीय विकारों (प्रदूषणों) को दूर कर इन विश्वदेवों की जनकल्याणी कृतित्व-शक्ति **(देवत्व)** तथा वातावरण को पुष्टता प्रदान करने के लिए ऋषियों ने सामान्य जनों में **यज्ञ** की विधि को भी प्रतिष्ठापित किया। यज्ञ की महत्ता को रेखांकित करते हुए यह तर्क दिया गया कि ***यज्ञौ वै विष्णुः*** (यज्ञ ही ईश्वर है) या फिर यज्ञ ही सभी भुवनों का नाभि-केंद्र यानी ऊर्जा का आधार है, अतः यज्ञ से ही प्राणियों का अभीष्ट सिद्ध होता है (***यज्ञो भुवनस्य नाभिःओं इष्टो यज्ञो***-यजुर्वेद)। इस प्रकार परमात्मा की सजग अग्नि के वेग से बना यह जगत् अपने-अपने अंशों को प्राप्त गति के अनुसार कार्य करता रहता है और गति के शांत होते ही विघटित हो मृतप्राय मूल प्रकृति में इसका लय हो जाता है। परमात्मा की शक्ति से उद्वेलित रचना और विघटन का यह कार्य अंतरिक्ष में दिन और रात की ही भाँति अनवरत रूप से चल रहा है। प्रकृति की इसी गत्यात्मकता को प्रेरणास्वरूप मानते हुए भारतीय शास्त्रों में **कर्म** को ही मानव-समृद्धि का आधार—***'उद्योगिनं पुरुषसिंहमुपैति लक्ष्मी'*** या ***'विश्व आधार करम करि राखा, जो जस करय सो तस फल चाखा'*** कहा गया है। पाश्चात्य अवधारणाओं में भी इसी तथ्य

को 'Fortune favours the brave' या फिर 'Work is Worship' कहकर स्वीकार किया गया है।

कमोबेश भारतीय अवधारणाओं की ही तरह सृष्टि-रहस्य पर **एस्ट्रोफिजिकल** तथा **जिओलॉजिकल** विधियों द्वारा प्रतिपादित पाश्चात्य विज्ञान के **बिग बैंग** तथा **टपल्सेटिंग सिद्धांतों** (कॉस्मोलॉजी) की भी यही मान्यता है कि अपने मूल स्वरूप में **यूनिवर्स** (ब्रह्मांड या हिरणगर्भ), **स्पेस** (व्योम) के सीमित क्षेत्र में एक अत्यंत **सूक्ष्म पिंड** के रूप में सिकुड़ा हुआ था। करोड़ों वर्ष पूर्व इस सतत ऊर्जा रूपी पिंड में ताप नाभिकीय दबावों के कारण हुए एक भयंकर विस्फोट के फलस्वरूप अंतरिक्ष में **कॉस्मिक डस्ट** तथा **गैसीय मैटर्स** का एक अनवरत फैलाव प्रारंभ हुआ, जो अब तक यथावत् जारी है। वैज्ञानिकों के अनुसार इस कॉस्मिक डस्ट के एक कण का व्यास 1/50000 इंच है, जबकि धूल व वायवी पदार्थों के मिश्रण की सघनता व्योम में इतनी कम है कि दस लाख वर्गमील की परिधि में यह मात्र एक मिलीग्राम द्रव्य भार रखता है। परस्पर आकर्षण-विकर्षण (कंपनों) से उत्पन्न गति विशेष के कारण बने विभिन्न केंद्रों का चक्कर काटते हुए धूल व गैस के ये बादल (नेब्युला) कालक्रम में तश्तरीनुमा विभिन्न आकारों को ग्रहण करते चले गए। गैसीय दबाव के तापनाभिकीय प्रक्रियाओं द्वारा हुए संकुचन के कारण इन बादलों में चक्कर काट रहे कॉस्मिक धूलों के कण एकत्र होकर धीरे-धीरे **ठोस गोलों** में परिवर्तित हो गए। चरम घनत्व की स्थिति में संकुचन की प्रक्रिया के रुकने पर इन्हीं ठोस गोलों ने चमकीले तारों व नक्षत्रों का स्वरूप ग्रहण कर लिया और तब इनके वायुमंडल का केंद्रीय ज्वलनांक लगभग दस करोड़ डिग्री सेंटीग्रेट तक पहुँच गया। इन गतिशील चमकीले तारों व नक्षत्रों के समूहों से अंतरिक्ष में तश्तरीनुमा **दुग्ध मेखलाओं** (मिल्की-वे) का स्वरूप उभरकर सामने आया। फिर तापनाभिकीय घनत्व के कारण आकाशगंगा के इन तारों में हुए आंतरिक विस्फोटों से **प्लेनेट्स** (ग्रहगण) अस्तित्व में आए, जो गुरुत्वाकर्षण के प्रभाववश मुख्य तारे से क्रमशः एक निश्चित दूरी पर इसके चारों तरफ एक निश्चित गति से चक्कर लगाते हुए धीरे-धीरे ठंडे होते चले गए। मुख्य तारे की गुरुत्वाकर्षण-परिधि के अंदर गतिमान ग्रहों के समूह को ही सोलर सिस्टम (सौरमंडल) के नाम से जाना जाता है।

इस तरह करोड़ों वर्ष की प्रक्रियाओं के पश्चात् सभी ग्रहों के पूर्ण अस्तित्व में आने के बाद मुख्य तारे अपने-अपने सौरमंडलों में बची हुई गैस व धूल को अपनी ओर खींच लेते हैं, जिससे उनके चारों ओर हलकी परत सी बन जाती है। हमारे सूर्य

के चारों तरफ भी इसी प्रकार की एक परत बनी हुई है, जिसे **क्यूपर वेल्ट** कहते हैं। इस प्रकार **कॉस्मिक डस्ट से वर्तमान स्वरूप** ग्रहण करने में प्रकृति को **हजारों मिलियन वर्षों** की खगोलीय प्रक्रियाओं से गुजरना पड़ा है। आधुनिक वैज्ञानिकों द्वारा किए गए आकलनों के अनुसार ब्रह्मांड (Universe) को अस्तित्व में आए अनुमानतः 13.7 विलियन वर्ष व्यतीत हो चुके हैं। प्राकृतिक गुरुत्वाकर्षण के प्रभाव के कारण हालाँकि गैलेक्सियों (आकाशगंगाओं) के सभी पुंज आपस में एक-दूसरे से बँधे हुए हैं, फिर भी **एस्ट्रो एक्सपेंशन** (खगोलीय फैलाव) की निरंतर गतिशीलता के कारण गैलेक्सियाँ एक दूसरे से लगातार दूर भी होती चली जा रही हैं। अंतरिक्ष में व्याप्त कॉस्मिक धूल व गैस के कारण गैलेक्सियों द्वारा खाली किए गए इन स्थानों पर आश्चर्यजनक रूप से नई आकाशगंगाओं और तदनुसार सौरमंडलों का जन्म भी होता जा रहा है। पाश्चात्य विज्ञान का यह मानना है कि फैलाव के चरमोत्कर्ष पर **प्रोडक्टिविटी (प्रजननात्मक क्रियाओं)** का ह्रास होने पर, गुरुत्वाकर्षण के प्रभाव से प्रकृति में सिकुड़न आना प्रारंभ हो जाएगा। सिकुड़न की यह प्रक्रिया अंततः इसे अपनी **मूल स्थिति** यानी **सूक्ष्म पिंड** में ले आएगी। घनीभूत सूक्ष्मातिसूक्ष्म पिंड हो जाने की स्थिति में पुनः इनमें पहले जैसा विस्फोट व तदनुरूप फैलाव तथा रचना की प्रक्रियाएँ प्रारंभ हो जाएँगी। इस तरह सृष्टि का यह चक्र अनवरत चलता रहता है।

क्लॉडियस टॉलेमी, कॉपरनिकस, गैलीलियो, न्यूटन व **आइंस्टीन** की शोध शृंखलाओं द्वारा सोलर सिस्टम, गैलेक्सी व नेब्युला के क्रम से कॉस्मिक डस्ट की तह तक पहुँचनेवाला आधुनिक विज्ञान भारतीय मूल के अमेरिकी अंतरिक्ष वैज्ञानिक **चंद्रशेखर सुब्रह्मण्यम** द्वारा प्रतिपादित सिद्धांत के आधार पर सृष्टि की कारक-शक्ति की दिशा में आगे बढ़ते हुए **रेडियंट इनर्जी** (प्रकाशमान ऊर्जा) की झलक पाने का दावा सा करता प्रतीत हो रहा है। एटम (अणु) के विश्लेषण से जो तीन परमाणु (**इलेक्ट्रॉन, प्रोट्रॉन व न्यूट्रॉन**) उभरकर आए हैं, उनके प्रारंभिक कणों का भी पता विज्ञान को लग चुका है। चूँकि इन प्रारंभिक कणों के चुंबकीय आवेश इनके अपने परमाणुओं के विपरीत होते हैं, अतः इन्हें क्रमशः **पॉजिट्रॉन, ऐंटी-प्रोट्रॉन** व **ऐंटी-न्यूट्रॉन** के नामों से संबोधित किया जाता है। आगे के शोधों से यह निष्कर्ष निकला है कि जब ये प्रारंभिक कण अपने विपरीत गुणवाले कण से टकरा जाते हैं, तो एक दूसरे को तुरंत ही विनष्ट कर देते हैं। इस तरह घटित हुए संघात के एक निमेष से भी कम के अंतर पर सभी अस्थिर कण स्वतः ही प्रकाशमान ऊर्जा या रेडियंट इनर्जी (**गामा फोटॉन-γ**) में परिवर्तित होकर विलुप्त हो जाते हैं और शेष स्थिर कण गुणहीन होकर रह जाते

हैं। आधुनिक विज्ञान इन विलुप्त हुए कणों को **मीजोन** तथा स्थिर गुणहीन कण को **न्यूट्रिंज** का नाम देते हैं। इन्हीं विलुप्त हुए परमाणुओं (Mesons) के आवेश के कारण गुणहीन कण (Neutrinos) चुंबकीय क्षमताओं से परिपूर्ण रहते हैं। **इनसाइक्लोपीडिया ब्रिटानिका** के खंड दो में इस शोध-कार्य का विस्तृत उल्लेख किया गया है। गामा फोटॉन व न्यूट्रिंज का यह भाव भारतीय शास्त्रों में वर्णित **'अर्वण'** व **'असत्'** का ही आधुनिक अनुहार सा प्रतीत होता है। **कॉम्पटन प्रक्रिया** द्वारा गामा-रेज तथा **हबल प्रक्रिया** द्वारा न्यूट्रिंज का अध्ययन कर प्रकृति के गूढ़ रहस्यों की तह तक पहुँचने के उद्देश्य से अमेरिका के **'नेशनल ऐरोनाटिक्स एंड स्पेस एडिमिनिस्ट्रेशन'** (नासा) द्वारा **'चंद्रा एक्स-रे ऑब्जर्वेटरी'** नामक एक अत्यंत उच्च शक्तिमान वेधशाला को अंतरिक्ष की कक्षा में 23 जुलाई, 1999 को स्थापित किया गया। आगामी वर्षों में सृष्टि-रहस्य की परतों को उजागर करने में आधुनिक विज्ञान को उच्च तकनीकीयुक्त ऐसी वेधशालाओं से काफी सकारात्मक अपेक्षाएँ हैं।

पाश्चात्य विज्ञान की अब तक की इन गवेषणाओं का मुख्य आधार द्रष्टव्य पदार्थ ही रहे हैं। मूल प्रकृति चूँकि तत्त्वों से भी परे की स्थिति है, अतः सिद्ध की गई इन स्थूल आधुनिक अवधारणाओं की तुलना में तत्त्वातीत दृष्टि द्वारा सदियों पूर्व स्थापित किए गए भारतीय मानदंड ही अधिक प्रामाणिक, सूक्ष्म तथा परिष्कृत माने जा सकते हैं। **प्रत्यक्षं किं प्रमाणम्** के आधार पर वेद की इन संक्षिप्त ऋचाओं से ही सृष्टि के सर्वांगीण परिदृश्य को आसानी से अनुभूत किया जा सकता है—

'नासदासीन्नो सदासीत् तदानीं नासीद्रजो नो व्योमा परो यत्।।'
'आनीदवातं स्वधया तदेकं तस्माद्धान्यन्न परः कि चनास।
तमः आसीत् तमसा गूळ्हमग्रेऽप्रकेतं सलिलं सर्वमा इदम्।।'
'यदक्रन्दः प्रथमं जायमान उद्यन्त्समुद्राद्रुत वा पुरीषात्।
श्येनस्य पक्षा हरिणस्य वाहू उपस्तुत्यं महि जातं ते अर्वन्।।'
'यमेन दत्तं त्रित एनमायुनगिन्द्र एणं प्रथमो अध्यतिष्ठत्।।'
'त्रीणि त आहुर्दिवि वन्धनानि त्रीण्यप्सु त्रीणयन्तः समुद्रे।
उतेव में वरुणश्छन्त्स्यर्वन यत्रा त आहुः परमं जनित्रम्।।'
'इमा ते वाजिन्नवमार्जनानी मा शफानां सनितुर्निधाना।।'
'ऋतं च सत्यं चामीद्धात्तपसोऽध्य जायत।
ततो रात्र्जायत। ततः समुद्रो-अर्णवः।।'

(ऋग्वेद-10-129-1, 2,3;1-163-1, 2,4;10-190-1)

अर्थात् 'रचना से पूर्व न तो ब्रह्मांडों में बँटा अंतरिक्ष **(व्योम)** *का यह स्वरूप था, न ही नक्षत्र, ग्रहादि* **(रजः)** *थे।* **सत्** *(अव्यक्त) या* **असत्** *(व्यक्त) जैसा कुछ था भी या नहीं—निश्चयपूर्वक कहा नहीं जा सकता। एक* **आनीत अवातम** *(परमात्मा की निश्चेष्ट सी पड़ी शक्ति) की उपस्थिति थी और दूसरी कल्पनातीत सूक्ष्मातिसूक्ष्म अपने आप ही में स्थिर* **स्वधा** *(सत्त्व, रजस व तमस की गुणहीन अवस्था) थी। चारों तरफ युक्ति से भी नहीं जाना जा सकने वाले* **(अप्रेकतम्)** *गूढ़ अंधकार से ढकी प्रकृति अपने* **सलिल** *(कल्पना से भी अति सूक्ष्म तरल जैसे कणों की शांत जैसी, किंतु परस्पर असंबद्ध) अवस्था में सर्वत्र व्याप्त थी। परमात्मा द्वारा उत्पन्न हुए* **'अर्वा'** *(तेज) को* **'त्रित'** *(स्वधा) ने धारण (ग्रहण) किया और इस प्रकार यह संघात घोर नाद* **(यद्क्रंदः)** *करते हुए श्येन पक्षी की भाँति पंख फैलाए और हिरण की गति की भाँति तीव्र से ऊपर अंतरिक्ष* **(उद्यंतसमुद्राद्दुत्)** *में* **आपः** *(अर्वा व स्वधा के संयोग से त्रित में उत्पन्न गुण-पदार्थ यानी वरुण, मित्र व अर्यमा) में परिवर्तित होकर सर्वत्र फैल गई। इन उत्पन्न तीन बंधनवाले आपः से अंतरिक्ष* **(समुद्र)** *में* **अर्वण** *(परमात्मा की शक्ति) ने ब्रह्मांड की रचना प्रारंभ कर दी। इसी के द्वारा प्राकृतिक पदार्थों का शोधन किया गया, जिससे कल्याणकारी जागतिक पदार्थ और तदनुसार वर्तमान परिस्थितियों का निर्माण संभव हुआ। प्राकृतिक स्वरूप के तपने से* **(चामीद्धात्तपसो)** *यह द्रष्टव्य जगत् प्रकट होता है तथा शक्ति रहित होने पर इस सृष्टि का अंतरिक्ष में लय हो जाता है और गूढ़ अंधकार जैसी रात्रि प्रकट* **(रात्र्जायत)** *हो जाती है।'* 'ऋग्वेद' के इस प्रसिद्ध **नासदीय सूक्त** को कविता की निम्नांकित पंक्तियों में बहुत ही सटीक रूप में प्रस्तुत किया गया है—

"तब न सत् था, न असत् ही,
न यह संसार था, न ये आकाश,
तब न मरण था, न अमरत्व ही,
रात्रि दिवा से पृथक् नहीं थी,
किंतु गतिशून्य वह स्पंदित हुआ था,
तब केवल वह था, जिसके परे
कोई अस्तित्व नहीं,
वही चराचर था।
तब तम में छिपकर तम बैठा था,

जैसे दूध में जल समाहित हो,
तब मानस के आदि बीज के रूप में प्रथम आकांक्षा उगी
तब शून्य में जो अप्रेकतम था,
वह तप की गरिमा से मंडित हुआ,
स्वतः सिद्ध सिद्धांत व सर्जनशक्ति से स्फुरित,
यह महिमा सर्जनमयी हुई,
असत् से सत् जनमा।" (साभार–विवेकानंद साहित्य)

Then there was neither being nor not-being,
The atmosphere was not nor sky above it,
Then neither death or deathless existed,
Of day and night there was yet no distinction,
Darkness there was at first in darkness hidden,
The Universe was undistinguished water,
Then for the first time there arose desire,
Which was the primal germ of mind within it,
And thus from Nothing the Being flourshied.

(The Rigveda by Kaegi)

यद्यपि उपर्युक्त ऋचाओं में सृष्टि से पूर्व के दृश्य का वर्णन करते हुए इसके **नियंता** (सत्) तथा **प्रकृति** (असत्) की निश्चेष्ट अवस्था में उपस्थिति को रेखांकित किया गया है, परंतु पहली ऋचा में वर्णित 'न जानी जा सकनेवाली स्थिति को' आधार मानते हुए कालांतर में बौद्ध तथा कुछ अन्य मतावलंबियों में **शून्य** से सृष्टि-उत्पत्ति की धारणाएँ पल्लवित हुई। **सांख्याचार्य कपिल** द्वारा इस विषय में की गई सूक्ष्म विवेचनाएँ वेदार्थ के इन संभावित असमंजसों से उत्पन्न भावनाओं को स्वतः ही निर्मूल कर देती हैं। प्रसिद्ध लेखक **स्व. गुरुदत्त** की अनुपम कृति **'सृष्टि-रचना'** में सांख्य के इन सूत्रों को बड़े ही आकर्षक ढंग से प्रस्तुत किया गया है। सांख्याचार्य के अनुसार ***'नावस्तुनो वस्तुसिद्धि'*** यानी शून्य (अवस्तु) से वस्तु प्राप्त नहीं की जा सकती है, अतः ***'अविशेषाद्विशेषारम्भः'*** यानी अविशेष (सत्-Indeterminate) से विशेष (असत्-Determinate) प्रारंभ होता है और यह आदि-अविशेष ही प्रकृति है, जो ***'सत्वरजस्तमसां साम्यावस्था प्रकृतिः'*** अर्थात् सत्, रज व तम की शांत अवस्था में ***'परिच्छिन्नं न सर्वोपादानाम्'*** (सर्वत्र उपस्थित) थी। परमेश्वर द्वारा निःसृत ऊर्जा (चैतन्यता) से गतिमान होने पर ***'प्रकृतेर्महान् महतोऽहंकारो'***

यांनी **प्रकृत** से **महत** (***प्रीत्यप्रीतिविषादाद्यैर्गुणानामन्योऽन्यं वैधर्म्यम्*** अर्थात् प्रकृत का प्रीति-आकर्षण, अप्रीति-विकर्षण व विषाद्-अन्यमनस्कता आदि जागतिक पदार्थों के मूल गुणों को धारण करना) व फिर इसी महत से **तीन** (तेजस, वैचारिक व भूतादिक) **अहंकारों** की रचना हुई। इन्हीं अहंकारों के गतिमान होने पर ***'अहंकारात् पञ्च तन्मात्राण्युभयमिनिन्द्रियं'*** यानी **पाँच तन्मात्रा** (परिमंडलीय, रासायनिक, विकंपन, चुंबकीय व घर्षण) शक्तियाँ और फिर इनसे दो प्रकार की **पाँच-पाँच इंद्रियों** (तेज से रूप या Colour, जल से रस या Taste, पृथ्वी से गंध या Smell, आकाश से शब्द या Sound व वायु से स्पर्श या Touch व फिर बुद्धि की सहायता से इन्हें ग्रहण करनेवाली पाँच ज्ञानेंद्रियाँ यानी नेत्र-Eye, जिह्वा-Tounge, नासिका-Nose, कर्ण-Ear व त्वचा-Skin) का निर्माण होता है। इन तन्मात्राओं तथा इंद्रियों से ***'तन्मात्रेभ्यः स्थूलभूतानि पुरुष इति पञ्चविंशतिर्गणः'*** अर्थात् **पंचस्थूल भूत** (पृथ्वी, जल, अग्नि, वायु व आकाश) तथा **जीवात्मा** सहित कुल **पच्चीस गणों** द्वारा जागतिक प्राणियों की उत्पत्ति अंततः होती है। इस प्रकार ***'रागविरागयार्योगः सृष्टि'*** अर्थात् ईश्वरीय शक्ति से गतिमान प्राकृतिक पदार्थों के परस्पर राग (आकर्षण) व विराग (विकर्षण) से सृष्टि की रचना होती रहती है।

प्रकृति के इन गूढ़ रहस्यों को आम लोगों तक पहुँचाने के उद्देश्य से भारतीय विद्वानों द्वारा **अलंकारों** तथा **रूपकों** का सहारा लेते हुए **पौराणिक चित्रों** की भी रचनाएँ की गईं। क्षीरसागर में शेषशय्या पर लेटे **नाभि-कमलधारी भगवान् विष्णु** का चित्र वस्तुतः सृष्टि-रचना की परतों को ही खोलने का एक प्रयास है। वेद में अंतरिक्ष को 'समुद्र' तथा योगसूत्र में आंतरिक शक्ति की सुसुप्तावस्था को 'कुंडलिनी' (साँप के जड़वत बैठे रहने की एक मुद्रा) कहा गया है। इन्हीं भावों के अनुरूप इस चित्र में अंतरिक्ष को समुद्र के रूप में, प्रकृति की सुसुप्तावस्था को शेषनाग की कुंडलिनी के रूप में तथा प्रकृति के नियंता की निश्चेष्ट अवस्था को दरशाने हेतु विष्णु भगवान् को शेषशय्या पर (प्रकृति के ऊपर) अर्ध निद्रामग्न दिखाया गया है। ब्रह्मांड-उत्पत्ति के भाव को दरशाने के लिए **प्रसूता विष्णु** की नाभि से निकलते तेज के प्रतीक कमल की नाल द्वारा वस्तुतः जहाँ **नार** की कल्पना को ही साकार करने का प्रयास किया गया है, वहीं नाल

के ऊपर खिले **पंचकमल दल** से पाँच तन्मात्रा शक्तियाँ, कमल के **सहस्रों रेशों** से गतिमान परिमंडलीय कण, कमल के बीच के **पीले गोल भाग** से नेबुला तथा चार मुख वाले **जातक ब्रह्मा** से चतुर्दिक् रचित हो रहे ब्रह्मांडों की ही परिकल्पनाओं को समझाने का प्रयास किया गया है। परवर्ती रचनाओं में सहयोगी हुए कल्याणकारी जागतिक पदार्थों (अष्टधा) के भाव के रूप में ब्रह्मा के हाथ में **कमंडल**, चर-अचर जगत् के रचनाक्रम को दरशाती उनके हाथ की **माला** तथा ज्ञान-विज्ञान के विस्तार स्वरूप में **पुस्तक** को चित्रित किया गया है। **प्रसव-वेला** (ब्रह्मांड-उत्पत्ति की स्थिति) को दरशाने के लिए प्रसूति सहयोग में उपस्थित दाइयों के प्रतीकस्वरूप देवगण तथा **प्रसव के बाद के पीड़ाशमन** हेतु प्रसूता विष्णु का पैर दबाती **लक्ष्मी** को चित्रांकित किया गया है। कमलवत् ब्रह्मा की इस भारतीय परिकल्पनाओं के अनुरूप ही मिस्र, मैसोपोटामिया व यूनान की पुरानी सभ्यताओं में नाम-विविधताओं के साथ सृष्टि-रचयिता को आदि-समुद्र से निकले कमल पर बैठे एक बालक की ही भाँति स्वीकार किया गया है ***(Atum, God of Sun and father of all other gods, appeared out of primeval watery abyss, as a child sitting in a lotus bud, and given birth to the gods and goddesses and performed his act as creator-Ency. Brit., Vol.-VI)*** । भाषाई विविधताओं के कारण इन सभ्यताओं में **कमलवत् ब्रह्मा** या **एतम** को कहीं Ptah, कहीं Ra, कहीं Anu तथा **अंतरिक्ष** या **आदि-समुद्र** को कहीं एविस, कहीं अप्सु तथा कहीं तेहोम नामों से चिह्नित किया गया है। हमारे देश के पौराणिक पटों पर अंकित नाभि-कमलधारी भगवान् विष्णु का चित्र सहज संकेत भी देता है कि इस द्रष्टव्य जगत् के सृष्टिकर्ता अथवा प्राकृतिक ऊर्जा के स्रोत की स्थिति ऊपर के बजाय नीचे की ओर ही है। प्राकृतिक ऊर्जा के इसी ऊर्ध्वगामी प्रभाव के कारण ही अंतरिक्ष के सभी ग्रहगण भी पृथ्वी के मूल अधोभाग (दक्षिणी ध्रुव) की भाँति अपनी-अपनी धुरियों पर लट्टू की तरह घूमते हुए अपने परिभ्रमण पथों पर गतिमान हैं। प्राकृतिक ऊर्जा की ऊर्ध्वगामी प्रवृत्ति के कारण इसका प्रभाव विपरीत दिशा में अधिक तीव्र हो जाता है। यही कारण है कि पृथ्वी पर प्राकृतिक गुरुत्वाकर्षण की लहरें दक्षिणी गोलार्ध से उत्तरी गोलार्ध की ओर अधिक तीव्रता से अग्रसरित होती रहती हैं। जीवित मानव-मस्तिष्क के तंतुओं को आकर्षण-विकर्षण की इन प्राकृतिक ऊर्जाओं के दुष्प्रभावों से मुक्त रखने के साथ-साथ सृष्टिकर्ता के प्रति कृतज्ञता दरशाने के लिए ही भारतीय शास्त्रों में **उत्तर की ओर सिर** या फिर **दक्षिण की ओर पैर** कर सोना **वर्जित** किया गया है। इसी प्रकार सौरमंडल की

रचना को समझाने के लिए एक चित्र में वराह द्वारा पृथ्वी को समुद्र से निकालते दिखाया गया है। शास्त्रों में वाष्पीकरण द्वारा जल सोखने या पीने के कारण **बादलों को वराह** भी कहा जाता है **(वराहो मेघो भवति। वराहार**-निरुक्त-5.4)। इस संदर्भ से चित्रित वराह का तात्पर्य शकधूम या नेब्युला से होता है और समुद्र से अंतरिक्ष।

विष्णु का ह्यग्रीव अवतार

वराह व पृथ्वी के इस चित्र द्वारा यह समझाने का प्रयास किया गया है कि अंतरिक्ष से पृथ्वी की उत्पत्ति बादल या शकधूम (Nebula) के कारण ही हुई है। भारतीय आस्थाओं में वराह को विष्णु (सृष्टिकर्ता) का आधिभौतिक स्वरूप या अवतार ही माना गया है। विष्णु के आदि-अवतारों की शृंखलाओं में **ह्यग्रीव** स्वरूप की भी कल्पना भारतीय मान्यताओं में की गई है। शास्त्रों के अनुसार, जब द्रष्टव्य जगत् का लय एकार्णव के जल में, जल का तेज में, तेज का वायु में, वायु का आकाश में, आकाश का मन में, मन का व्यक्त में तथा व्यक्त का अव्यक्त प्रकृति में हो गया, अर्थात् ब्राह्म-प्रलय की स्थिति के उपरांत सर्वत्र युक्ति से भी अवर्णनीय गूढ़ अंधकारमय शून्य व्याप्त हो गया तब सृष्टि-प्रवर्तन हेतु ब्रह्मा के अनुनय पर विष्णु ने ह्यग्रीव का अद्भुत स्वरूप ग्रहण किया था। विष्णु के इस स्वरूप में उनके मस्तक तथा गरदन का आकार कालरात्रि के घोड़े सदृष्य ही उभरे हुए थे। आधुनिक वैज्ञानिकों के अनुसार आकाशगंगा, नक्षत्र आदि के स्रोत Nebula का प्रारंभिक स्वरूप भी Horse-head की भाँति ही हुआ करता है। नासा द्वारा लिये गए इस चित्र के अनुसार अस्तित्व में आ रहे एक **नेबुला** का आकार घोड़े के अग्र भाग (भारतीय ग्रंथों में वर्णित ह्यग्रीव अवतार) के सदृश्य ही उद्भाषित हो रहा है। इसी तरह पौराणिक चित्रों में **शेषनाग के फन पर पृथ्वी** को दरशाए जाने का भी एक गूढ़ अर्थ है। **ब्रह्मांड पुराण** के अनुसार जगत् की चाल

Horse-head Nebula या हयग्रीव

सर्प जैसी ही है, साथ ही हमारे सौरमंडल की स्थिति भी आकाशगंगा के एक **सर्पिल भुजा** (Spiral Arm) के कोने में है। चूँकि पृथ्वी सौरमंडल का ही एक हिस्सा है और सौरमंडल आकाशगंगा में स्थित है, अतः इस सर्प-रहस्य को रूपक द्वारा समझाने के प्रयास में ही शेषफन पर पृथ्वी को चित्रित किया गया है।

उपर्युक्त तथ्यों के आधार पर सहज रूप से यह महसूस किया जा सकता है कि पाश्चात्य विद्वानों द्वारा घोषित उन तथाकथित **डार्क एज** के भी बहुत पहले के काल में भारतीय द्रष्टाओं ने मरूतों (मोलेक्यूल्स) से पूर्व के जिन तत्त्वों व शक्तियों की चर्चा की थी, एटम के विश्लेषणों तथा अंतरिक्ष-अनुसंधानों के अपने कार्यक्रमों द्वारा आधुनिक विज्ञान भी उन्हीं अवयवों को एक-एक करके उधेड़ने में लगा हुआ है। आश्चर्य है कि इन तुलनात्मक साम्यताओं के उपरांत भी पाश्चात्य विज्ञान भारतीय ग्रंथों में उद्घाटित तथ्यों को सामान्यतः **मेटाफिजिकल** या **स्पिरिचुअल थॉट** कहकर अमान्य कर देते हैं। निश्चित रूप से पाश्चात्य विज्ञान की इस नकारात्मक हठधर्मिता का मूल उद्देश्य अपनी श्रेष्ठता को आधुनिक समाज पर थोपना ही है, किंतु स्वतःपोषित इस बाल-प्रवंचना के कारण ही वह सत्य की अनदेखी करने के अवैज्ञानिक दोषों का भी भागीदार बन रहा है। पाश्चात्य विज्ञान अपनी गरिमा को बनाए रखे—इसके लिए अधिक तार्किक व न्यायसंगत यह होगा कि भारतीय द्रष्टाओं द्वारा अब तक सिद्ध किए गए तथ्यों को वैज्ञानिक कसौटी पर परखकर पूर्ण मान्यता देते हुए इसमें वर्णित आगे के संदर्भों को अपने मार्गदर्शन के साधन के रूप में अपनाने का प्रयास करे। प्राणी-कल्याण के लिए प्रकृति से सामंजस्य बनाए रखने के लिए भारतीय तत्त्वज्ञानियों ने ***'तेन त्यक्तेन भुञ्जीथा'*** (त्याग की भावना से उपभोग करने) का निर्देश देते हुए विज्ञ पुरुषों से यह अपेक्षा की है कि वे अपने संयमित व दायित्वपूर्ण व्यवहार द्वारा अन्य शेष प्राणियों की सभी प्रकार से रक्षा करते रहें (***विश्व वयुनानिविद्वान् पुमान् पुमांसं परि पातु विश्वतः*** -ऋग्वेद 6/75/14)। इसी भावना के अनुरूप ऋग्वेद के इस मंत्र ***'स्वस्तिर मानुषेभ्यः ऊर्ध्वम जुगातु भेषजं सम्नो अस्तु द्विपदे सम चतुष्पदे ओऽम् शान्ति शान्ति शान्ति'*** द्वारा सभी मनुष्यों के समृद्ध होने, उनमें आपसी सद्भावना के विकास के साथ-साथ प्राणियों के प्रति करुणा का भाव जाग्रत् रहने तथा सभी जीव-जंतुओं में जीवन के आधार को फूलने-फलने देने के प्रयासों द्वारा असीम शांति की कामना भी की गई है। प्राकृतिक वातायन को पुष्टता प्रदान करने हेतु यज्ञों की परंपराएँ या फिर नदियों-वनस्पतियों के संरक्षण व संवर्द्धन के लिए इन्हें विभिन्न देवी-देवताओं से संबद्ध करने के प्रयास

इसके कुछ ज्वलंत उदाहरण हैं। आधुनिक विज्ञान द्वारा इस भारतीय आशय की **सार्वजनिक स्वीकारोक्ति** से वैज्ञानिक परंपराओं में एक ऐसे अध्याय का सृजन होगा, जो विज्ञान की क्षमताओं को **दैवीय गुणों** से परिपूर्ण कर देंगे। धार्मिक मतांधता के कारण महापुरुषों के चरित्रों के स्थान पर उनके चित्रों को अपनाने से फैली अकर्मण्यताओं व भौतिक ऊहापोह के कारण हो रहे अव्यवस्थित प्राकृतिक शोषणों, अनियंत्रित वायुमंडलीय प्रदूषणों तथा स्वकेंद्रित अभिलिप्साओं से उपजी विध्वंसक मानसिकता में आकंठ डूबे आज के इस आत्मघाती परिवेश में सृष्टि की निरंतरता को अक्षुण्ण बनाए रखने के लिए मानवता को विज्ञान से इसी **सार्वभौमिक वात्सल्यता** एवं **सार्थक व्यावहारिकता** की सतत अपेक्षा है।

□

प्राकृतिक संकुचनों के कारण व्योम में मँडरा रहे परिमंडलीय कणों के बादल (शकधूम या नेबुला) शनैः-शनैः स्वतः ऊर्जावान् चमकीले गोलों (हिरण्यगर्भ) में रूपांतरित होते गए। फिर तापनाभिकीय घनत्वों के कारण इनमें हुए आंतरिक विस्फोटों से मुख्य तारों के छिटके हिस्सों से विभिन्न ग्रहों का तथा इन्हीं से तारे विशेष का अस्तित्व उभरकर सामने आया। इसी प्रकार की एक घटना में आज से लगभग दो अरब वर्ष पूर्व सूर्य नामक तारे में हुए विस्फोट के कारण पृथ्वी आदि नौ ग्रहों का सौरमंडल अस्तित्व में आया। अपनी प्रारंभिक अवस्था में ये सभी ग्रहगण सूर्य की ही भाँति उत्तप्त पिंडों के रूप में रहे थे। मुख्य तारे (सूर्य) से अलग हो जाने के कारण धीरे-धीरे ठंडे होकर ये सभी ग्रहगण ठोस गोलों में परिवर्तित हो गए। इसी प्रक्रिया में ठंडी हो चुकी पृथ्वी पर वायुमंडलों के निर्माण के उपरांत उत्पन्न जलवायविक परिस्थितियाँ यहाँ जैविक उत्पत्ति का कारण बनीं। फेन, मृद, शुष्क, ऊरार, रिकेता, शर्करा, अश्मा, अयस आदि स्तारों से गुजरने के पश्चात् पृथ्वी अंततः वनस्पतियों से आच्छादित हो गई। इस प्रकार पृथ्वी पर जैविक गुणों से परिपूर्ण वनस्पतियों की उत्पत्ति के उपरांत अंडज, स्वेदज व जरायुज प्रकार के गर्भ के तहत विभिन्न जीव-जंतुओं व मानवों की सृष्टि संभव हो पाई।

प्रस्तुत अध्याय में पृथ्वी के मूल स्वरूप तथा उसके बदलते धरातलों के कारण व कारक सहित भूमि के गर्भ से उत्पन्न हुए उद्भिजों, कीट-पतंगों, पशु-पक्षियों व मानवों की प्रथम पीढ़ी का प्रमाण सहित विश्लेषण किया गया है।

पृथ्वी व प्राणी-उद्‌भव

अपने खगोलीय अध्ययनों द्वारा आधुनिक विज्ञान यह उद्‌घाटित कर चुका है कि अंतरिक्ष में व्याप्त कॉस्मिक धूल कणों से बने नक्षत्रों में हुए तापनाभिकीय विस्फोटों के कारण ही पृथ्वी आदि ग्रहों का आविर्भाव हुआ था। इसी से मिलती-जुलती भारतीय मान्यता यह है कि हिरण्यगर्भ के अतिशय पककर फटने पर तेजोमय **द्युलोक** (सूर्यादि नक्षत्र) तथा **उत्तप्त पिंड** (पृथ्वी आदि ग्रह) पृथक्-पृथक् अस्तित्व में आए थे और इनके अलग होने से खाली हुए बीच के भाग में शाश्वत आठ—पूरब, ईशान कोण (पूर्वोत्तर), उत्तर, वायव्य कोण (पश्चिमोत्तर), पश्चिम, नैॠत्य कोण (दक्षिण-पश्चिम), दक्षिण व अग्निकोण (दक्षिण-पूर्व)—दिशाओं वाला **व्योम** (अंतरिक्ष) उभरकर दिखाई पड़ने लगा था (***ताभ्यां सा शकलाभ्यां च दिवं भूमिं च निर्ममे, मध्ये व्योम दिशाश्चष्टावपां स्थानं च शाश्वतम्)***। पृथ्वी आदि ग्रहों के मूल स्वरूप को लेकर भी भारतीय शास्त्र एवं आधुनिक विज्ञान का अभिमत एक जैसा ही रहा है। दोनों अवधारणाएँ यह मानती हैं कि हिरण्यगर्भ या स्वतः ऊर्जावान चमकीले गोले से अलग हुए ग्रह अपने मूल स्वरूप में अत्यंत उत्तप्त वायव्य पिंडों के रूप में ही रहे थे। ये सभी ग्रह अपने निकटवर्ती ऊर्जावान तारों के गुरुत्वाकर्षण प्रभाव में आकर निश्चित गति से उस तारे-विशेष का चक्कर लगाते हुए धीरे-धीरे ठंडे होकर ठोस गोलों में परिवर्तित हो गए। उत्तप्त पिंड से ठंडे होने की प्रक्रिया के दौरान हुए भूगर्भीय परिवर्तनों के कारण ग्रहों के धरातल कई बार ऊपर उठे तथा कई बार नीचे दबे। पृथ्वी की पर्वत श्रेणियाँ, पठारों के उन्नत स्थल तथा सागर व महासागरों की गहराइयाँ इन्हीं भूगर्भीय संकुचनों के परिणाम रहे हैं। यही नहीं, आए दिन ज्वालामुखियों का लावा उगलना, भू-कंपन की अनवरत घटनाएँ, प्रायद्वीपों व द्वीपसमूहों का सागर में उभरना, महाद्वीपों का धीरे-धीरे खिसकना आदि यह प्रमाणित करते हैं कि भूगर्भीय परिवर्तनों का यह दौर निश्चित रूप से अभी तक थमा नहीं है। भूगर्भीय व

धरातलीय बनावटों तथा उन पर पाए गए जीवाश्म अवशेषों के आधार पर पृथ्वी व इसपर रह चुके या रहनेवाले प्राणियों के विषय में निष्कर्ष निकालना मानवों के लिए सृष्टि की गूढ़ परतों को उधेड़ने की तुलना में अपेक्षाकृत अधिक सहज रहा है। भारतीय द्रष्टाओं द्वारा सदियों पूर्व उद्घाटित तथ्यों के अतिरिक्त आधुनिक भूगर्भशास्त्रियों तथा जीवविज्ञानियों द्वारा भी इस विषय में विविध शोध किए गए। प्रक्रियागत विविधताओं के उपरांत भी इन शोधों का परिणाम काफी हद तक एक जैसा ही रहा है। भूगर्भशास्त्रियों के शोधों के आधार पर तैयार की गई **'प्रिंसीपल ऑफ फिजिकल ज्योग्राफी'** नामक पुस्तक में पृथ्वी को अस्तित्व में आए अब तक का समय जहाँ कुल दो अरब वर्ष माना गया है, वहीं भारतीय शास्त्रों में वर्णित मन्वंतरों के हिसाब से भी इसकी अब तक (अप्रैल, 2003) की आयु इसी के आस-पास (1,97,29,49,104 वर्ष) ही बनती है।

पृथ्वी के भूगर्भीय परिवर्तनों व तदनुसार निर्मित चट्टानों एवं इनमें पाए गए जीवाश्म-अवशेषों के आधार पर भूगर्भशास्त्रियों व जीव-विज्ञानियों ने पृथ्वी के अब तक के व्यतीत कालखंडों को कुल **चार महाकालों** में बाँटा है। पहला महाकाल **इयोजोइक** या **आर्चयोजोइक काल** (Eozoic or Archaeozoic Era) के रूप में जाना जाता है, जिसकी कुल अवधि डेढ़ अरब वर्ष (वर्तमान समय से लगभग दो अरब वर्ष से लेकर पचास करोड़ वर्ष पूर्व तक) मानी गई है। हालाँकि इस युग **(आद्यजीव महाकल्प)** के विषय में निश्चित रूप से कुछ नहीं कहा जा सकता है, परंतु इतना अनुमान तो लगाया ही गया है कि पृथ्वी की प्राचीनतम शैले, समुद्रीय उद्भिज तथा एककोषीय जीव इसी काल में अस्तित्व में आए थे। दूसरा **पैलियोजोइक काल** (Palaeozoic Era) की अवधि पचास करोड़ वर्ष पूर्व से लेकर बीस करोड़ वर्ष पूर्व तक आँकी गई है। भूगर्भशास्त्रियों के अनुसार इस काल **(पुराजीव महाकल्प)** में दक्षिण भारत, दक्षिण अफ्रीका, दक्षिण अमेरिका व ऑस्ट्रेलिया के भू-भाग परस्पर मिले हुए थे। आज भी यहाँ की जलवायु, वनस्पतियों तथा पशु-पक्षियों में काफी हद तक समानताएँ पाई जाती हैं। मेरुदंडीय प्राणियों का सर्वप्रथम आविर्भाव इसी युग में हुआ था। पेड़-पौधों व मछलियों से लेकर जल-स्थलचारी सरीसृप नस्ल के प्राणियों की उत्पत्ति भी इसी काल में हुई थी। **मेसोजोइक** (Mesozoic) नामक तीसरे काल की अवधि बीस करोड़ वर्ष पूर्व से प्रारंभ होकर सात करोड़ वर्ष पूर्व तक मानी गई है। इस काल **(मध्यजीव महाकल्प)** में हुए भूगर्भीय परिवर्तनों के कारण पृथ्वी के दक्षिणी भूखंड के बीच का एक बहुत बड़ा हिस्सा समुद्र में डूब गया। इस परिवर्तन

के कारण संयुक्त से रहे पृथ्वी के इस हिस्से में भारत, अफ्रीका, ऑस्ट्रेलिया, दक्षिणी अमेरिका आदि अलग-अलग महाद्वीप एवं बहुत सारे द्वीप-प्रायद्वीप उभरकर सामने आए। भूगर्भशास्त्री जल में डूबे बीच के इस बड़े भूखंड को **लैमूरिया** कहते हैं। हालाँकि इस काल के प्रथम पाँच करोड़ वर्षों तक पृथ्वी पर पड़े भयंकर ताप के कारण अधिकतर प्राचीन प्राणी नष्ट हो गए, किंतु बाद में परिस्थितियाँ अनुकूल होने पर भीमकाय स्तनपायी प्राणियों से लेकर उड़नेवाले परदार विशालकाय सर्प आदि भी इसी काल में पैदा हुए। मछलियों, सरीसृप, डाइनासोर आदि की उत्पत्ति का काल भी यही माना जाता है। चौथा और इस कड़ी का अंतिम खंड **सिनोजोइक काल** (Cainozoic Era) नाम से जाना जाता है। इस काल **(नवजीव महाकल्प)** का आरंभ आज से सात करोड़ वर्ष पूर्व हुआ था। इस काल को दो भागों—**टर्शियरी** (Tarsiary) यानी सात करोड़ वर्ष पूर्व से लेकर डेढ़ करोड़ वर्ष पूर्व तक की अवधि तथा **क्वार्टर्नरी** (Quarternary) यानी डेढ़ करोड़ वर्ष पूर्व से लेकर आज तक की अवधि में बाँटा गया है। पूर्व में हुए भौगोलिक परिवर्तनों के कारण टर्शियरी युग में भारत की अरावली शृंखला का उत्तरी-पश्चिमी भू-भाग (वर्तमान राजस्थान, कराची आदि) समुद्र में डूबा हुआ था तथा लैमूरिया भू-भाग जलमग्न होने के कारण विंध्य से दक्षिण में सागर हिलोरें ले रहा था। 'ऋग्वेद' के दसवें मंडल में वर्णित पूरब व पश्चिम का समुद्र किंचित् इन्हीं स्थितियों की ओर संकेत करता है। 'मनुस्मृति' (2-24) तो आर्यावर्त की सीमाओं का जिक्र करते हुए इसे दो पर्वतों (हिमालय और विंध्याचल) तथा पूर्व (बंगाल) व पश्चिम (राजस्थान) के दो समुद्रों से घिरा हुआ घोषित करता है ***(आ समुद्रात्तु वै पूर्वादासमुद्राच्च पश्चिमात् तयोरेवान्तरं गिर्योरार्यावर्त विदर्बुधा)***। भूगर्भशास्त्रियों के अनुसार, आज से 60-70 लाख वर्ष पूर्व, 40^0 से लेकर 50^0 उत्तरी अक्षांश के मध्य स्थित यूरेशिया (Euro-Asia) का संपूर्ण भू-भाग जलप्लावित रहा था। पश्चिम-दक्षिणी यूरोप से लेकर मध्य-पूर्व एशिया तक फैले **टेथिस** (Tethys) नामक इस सागर के कारण **अंध** (Atlantic) व **प्रशांत** (Pacific) महासागर के छोर आपस में मिले हुए थे। **मध्यनूतन काल** (मयोसीन-Miocene Period) में धरातलीय परिवर्तनों से अस्तित्व में आए आल्प्स, कार्पेथियन, बाल्कन, कॉकेशस-अल्ताई आदि पर्वत-शृंखलाओं के परिणामस्वरूप टेथिस सागर का विस्तृत आकार शनैः-शनैः सिकुड़ता ही नहीं चला गया, बल्कि सतही उभार के कारण कई खंडों में बँट भी गया। तदंतर **सारमैटिक** (Sarmatic), **मेयोटिक** (Maeotic), **पॉण्टियन** (Pontian), **कैरेनगैट** (Karangat) व **नियोक्सिनियन** (Neoeuxinian)

नामक सागरों व झीलों में विभाजित हुए **टेथिस बेसिन** से ही आधुनिक भूमध्य सागर, काला सागर, अजोव सागर, कश्यप सागर, कारा बोगाज व अरल सागर समेत वालकश व वेकाल नामक बड़ी झीलों का अस्तित्व उभरकर सामने आया। समुद्र-तलों पर पाए गए तलछटों के आधार पर निकाले गए निष्कर्षों के परिप्रेक्ष्य में **'The Alpha and the Omega'** नामक अपनी प्रसिद्ध कृति में **Jim A. Cornwell** भी इन्हीं तथ्यों की पुष्टि करते हैं *(Major crust movements led to mountain-building in the Miocene Age i.e. 5 to 7 million years age. As a result of formation of the Alps, the Carpathians, the Caucasus and the Altai mountain regions the Tethys Sea shrunk in size and later divided into number of brakish basins. One of them, the Sarmatic sea, stretched from the present location of Vienna to the foothills of the Tien-Shan Mountains and included the modern Black Sea, the Azov Sea, the Caspian Sea and the Aral Sea)*। **सिनोजोइक काल** (नवजीव महाकल्प) के उत्तरार्ध (क्वार्टर्नरी युग) को पुनः **प्लेइस्टोसीन** (Pleistocene यानी अभिनूतन) तथा **होलोसीन** (Holocene यानी सर्वनूतन) नामक दो उपखंडों में बाँटा गया। प्लेइस्टोसीन अवधि में हुए भूगर्भीय संकुचनों के कारण मध्य भारत के विंध्य पर्वत के उन्नत शिखर छोटे होते चले गए और उत्तर में विशाल पर्वत क्षेत्र हिमालय धरती से बाहर निकलकर आया। इन अभूतपूर्व भौगोलिक परिवर्तनों के कारण जल में डूबा हुआ लैमूरिया का कुछ हिस्सा (दक्षिण का बड़ा भाग) भी सिकुड़कर विंध्य क्षेत्र से जुड़ गया, जिससे भारत का यह वर्तमान स्वरूप अस्तित्व में आया। कालक्रम में हुए अनवरत भौगोलिक व जलवायविक परिवर्तनों के कारण सिनोजोइक काल के पूर्वार्द्ध में ही अधिकतर प्राचीन प्राणी नष्ट हो गए थे, परंतु बाद के प्लायोसिन युग मे नवीन प्राणियों (वानरों व वनमानुषों सहित प्रकृति की अनुपम कृति मानवों) के प्रादुर्भाव के कारण इस कालखंड का अपना एक विशेष महत्त्व है।

इस प्रकार पृथ्वी के व्यतीत कालखंडों का खाका खींचने के बाद विद्वानों का ध्यान प्राणी-उत्पत्ति पर गया। प्राणी-उत्त्पति विषयक मान्यताएँ **सतत अस्तित्ववाद, विशिष्ट सृजनवाद, महाप्रलयवाद, विकासवाद** आदि मतांतरों के कारण हमेशा से विवादित रही हैं। **सतत अस्तित्ववाद** जहाँ प्राणियों का उद्भव प्राकृतिक स्रोतों से मानता है, वहीं परंपरागत आस्थाओं पर आधारित होने के कारण **विशिष्ट सृजनवाद** की मान्यताएँ अलग-अलग विश्वासों के साथ विभिन्न सभ्यताओं में रची-बसी हैं। इसी तरह **महाप्रलयवाद** का सिद्धांत प्रत्येक प्रलय (गंभीर प्राकृतिक उथल-पुथल) के

बाद प्राणियों की नूतन उत्पत्ति की कल्पना करता है। इन्हीं क्रमों में प्राणी-उत्पत्ति के स्रोत पर **चार्ल्स डार्विन** ने सन् 1856 में प्रकाशित **'Origin of Species'** (प्रजातियों की उत्पत्ति) व तदंतर प्रकाशित **'Descent of Man'** (मानव का अवतरण) नामक अपनी पुस्तकों में **विकासवाद** के सिद्धांतों को प्रतिपादित किया। इस सिद्धांत के अनुसार, एककोशीय प्राणियों से कोषाणु-समूह बने, फिर ये कोशाणु-समूह मछली, पक्षी, पशु व वानरों के क्रम से विकास करते हुए मानवों में परिवर्तित हो गए। वस्तुतः डार्विन का विकासवाद मानव-गर्भ में पलनेवाले भ्रूण की उत्तरोत्तर वृद्धि के विभिन्न रूपों में भी अनुभूत किया जा सकता है। चिकित्साशास्त्र के अनुसार मानव-गर्भ में संयोजित होनेवाले भ्रूण को **पूर्ण शिशु** के रूप में उभरने से पूर्व **एक कोशिकाई** (Amoeba) के क्रम से **जलीय** (घोंघे, सीपी, मछली आदि), **उभयचर** (Amphibia), **सरीसृप** व **स्तनपायी** (बंदर, वनमानुष आदि) की विभिन्न अवस्थाओं से गुजरना पड़ता है। विकासवाद का यह भी मानना है कि मानव-प्रजातियों में भी आदि मानव से लेकर आधुनिक मानवों में परिस्थिति के अनुरूप आकार-प्रकार का विकास होता रहा है। डार्विन का यह सिद्धांत **जीवन-संघर्ष, योग्यतम अतिजीविता, आनुवंशिकता, वातावरण की अनुकूलता** तथा **नवउत्पत्ति** की अवधारणाओं पर आधारित रहा। विकासवाद यह तो कहता है कि एककोशीय प्राणी ही जीव-निर्माण व तदनुसार प्राणी-विकास के कारक थे; किंतु इस प्रथम प्राणी के निर्माण के विषय में वह कुछ भी कहने में असमर्थ है। इसी तरह विकास के प्रतिपादित क्रमों (मछली से लेकर पशु-पक्षी) या फिर वानरों से मानव-उत्पत्ति की घटनाओं में से एक का भी अरसे से पुनः न चरितार्थ होना भी इसे वैज्ञानिक कसौटी पर अमान्य कर देता है। इन सभी दोषों के पश्चात् भी मानवी इतिहास को निर्धारित करने के लिए पाश्चात्य जीवविज्ञानियों ने कमोबेश डार्विन के विकासवाद के इस कपोल-कल्पित सिद्धांत को ही अपना आधार बनाया।

विकासवाद से अभिभूत जीवविज्ञानियों ने अब तक पाए गए मानव-जीवाश्म अवशेषों के आधार पर आदि-मानव से लेकर कालक्रम के भौगोलिक व जलवायविक उतार-चढ़ाव में नष्ट तथा पैदा हुई मानवी-संततियों को तीन मुख्य भागों में विभाजित किया है। आद्य-मानव को अब से छब्बीस लाख से लेकर उन्नीस लाख वर्ष पूर्व की उत्पत्ति मानते हुए इन्हें **प्रोटोन्थ्रोपिक** (आद्य मानव) **समूह** में रखकर **प्लेसियान्थ्रोपस**

जावा मानव

(मानवाभ-वानर), **पिथेकान्थ्रोपस** (जावा-मानव), **सिनान्थ्रोपस** (चीनी-मानव) व **इयोन्थ्रोपस** (उषा-मानव) के क्रमों में बाँटा गया। इसी प्रकार **पालियान्थ्रोपिक समूह** के मानवों को अब से चालीस हजार वर्ष पूर्व तक का मानकर क्रमशः **नियंडर्थल, पेलेस्टाइन, रोडेशियन** तथा **सोलो मानवों** की श्रेणियों में वर्गीकृत किया गया। तीसरा समूह **(नियोन्थ्रोपिक** के **क्रोमैग्नन** और फिर **होमोसैपियन)** को आधुनिक मानवों का पूर्वज मानते हुए इनके संभावित आविर्भाव को आज से बीस से लेकर पच्चीस हजार वर्ष पूर्व के बीच का माना गया। तदनुसार होमोसैपियन मानव के प्रादुर्भाव से लेकर अब तक के व्यतीत कालखंडों को पाश्चात्य विद्वानों द्वारा **पुरापाषाण** (ई.पू. बीस से दस हजार वर्ष), **मध्यपाषाण** (ई.पू. दस से छह हजार वर्ष), **नवपाषाण** (ई.पू. छह से साढ़े चार हजार वर्ष), **ताम्र** व **कांस्य युग** (ई.पू. साढ़े चार से एक हजार वर्ष), **लौह युग** (ई.पू. एक हजार वर्ष से सन् 1698 के भाप इंजन के आविष्कार तक), **मशीन युग** (सोलहवीं शताब्दी से वर्ष 1944-46 में आविष्कृत कंप्यूटर तक) व **कंप्यूटर युगादि** (बीसवीं शताब्दी) में बाँटकर मानवी सभ्यता के इतिहास को सूचीबद्ध करने का प्रयास किया गया।

इसकी कोई संभावना नहीं है कि जीवाश्म-अवशेषों के कालगत परीक्षण में कहीं कोई त्रुटि रही होगी, किंतु निश्चित रूप से यह तो नहीं कहा जा सकता है कि पाया गया सबसे पुराना जीवाश्म प्रथम आद्य-मानव का ही रहा होगा या फिर धरती के सभी स्थानों में उत्खनन की प्रक्रियाओं को अंजाम दिया जा चुका है। हाल ही में भारत में गोरखपुर, चेन्नलूर तथा बिलोचिस्तान के नाल क्षेत्र में हुई खुदाई से प्राप्त जीवाश्म के बारे में पुरातत्त्वविदों की धारणाएँ तीस से पैंतीस लाख वर्ष पूर्व की बनती हैं। इसी प्रकार अमेरिका के **येल विश्वविद्यालय** के नृतत्त्वशास्त्री प्रो. इ.एल. साइमंस ने हिमालयी उपत्यका से एक करोड़ चालीस लाख वर्ष पूर्व की जिन मानव अस्थियों की खोज की है, उसकी सत्यता की पुष्टि सन् 1964 के **अमेरिकी विज्ञान परिषद्** की कार्यवाही में भी की जा चुकी है। इन पुराने जीवाश्मों की खोज के

उपरांत तो आद्यमानव से अब तक का निकाला गया पाश्चात्य का मात्र 26 लाख वर्ष का श्रेणीबद्ध गणित स्वतः ही गड़बड़ा जाता है। भूगर्भशास्त्री इस बात की पुष्टि करते हैं कि विभिन्न काल-खंडों में पृथ्वी पर लंबी उष्णताओं व जलप्लावन की घटनाओं के साथ समशीतोषण कटिबंधों में हिम व अंतर्हिम युगों का, तो उष्ण-कटिबंधों में वृष्टि व अंतर्वृष्टि युगों का अनवरत दौर चलता रहा है। भारतीय शास्त्रों में इस प्रकार की प्राकृतिक आपदाओं की घटनाओं को युगांतर व नित्य प्रलय की संज्ञाएँ दी गई हैं। इन प्राकृतिक व भूगर्भीय उथल-पुथल के कारण अधिकतर वनस्पतियाँ, पशु-पक्षी व मानव प्रजातियाँ भी समय-समय पर नष्ट होती रही हैं। अतः इन संभावनाओं को भी नकारा नहीं जा सकता है कि भूगर्भीय उलट-फेर में अब तक पाए गए जीवाश्मों से कुछ पुराने जीवाश्म इन प्राकृतिक आपदाओं में नष्ट भी हो गए होंगे। 'महाभारत' में इस प्रकार के कुल 195 घटित युगांतर प्रलयों का जिक्र किया गया है, जो पृथ्वी-उत्पत्ति से अब तक व्यतीत हुए मन्वंतर व महायुग कालीन प्रलयों के हिसाब से ही नहीं, बल्कि भूगर्भशास्त्रियों द्वारा उद्घाटित तथ्यों के अनुरूप भी लगभग ठीक ही बैठते हैं।

उपर्युक्त वर्णित हिमयुगों के खगोलीय कारणों पर **इन्साइक्लोपीडिया ब्रिटानिका** के खंड-18 में विधिवत चर्चा की गई है। इसके अनुसार, अपनी धुरी पर लट्टू की भाँति घूमती हुई पृथ्वी 23½ अंश का झुकाव बनाकर घूम भी रही है। पृथ्वी को अपने इस झुकाव के साथ झूमते हुए चक्कर को पूरा करने में कुल छब्बीस हजार वर्ष लगते हैं। झूमने की इस प्रक्रिया के कारण पृथ्वी के उत्तरी ध्रुव का सूर्य के उन्मुख तथा विपरीत झुकाव प्रति तेरह हजार वर्ष के क्रम से पड़ता रहता है। उत्तरी ध्रुव का झुकाव जब सूर्य के विपरीत रहता है तो तापन्यूनता के कारण पृथ्वी का उत्तरी गोलार्द्ध (साइबेरिया, रूस, यूरोप, ब्रिटेन, ग्रीनलैंड, कनाडा सहित उत्तरी अमेरिका के भू-भाग) हिमाच्छादित हो जाता है और चरम अवस्था में यहाँ बर्फ की परतें धरातल से पंद्रह हजार फीट की ऊँचाई तक पहुँच जाती हैं। इसी तरह उत्तरी ध्रुव के झुकाव के सूर्य के सन्मुख आने की स्थिति में सौर-ऊष्माओं के प्रभाव से उत्तरी गोलार्द्ध की बर्फ धीरे-धीरे पिघल जाती है और यह मानवों के रहने योग्य बन जाता है। पिघली हुई इसी बर्फ के कारण सागरों के जल-स्तरों में बढ़ोतरी, फिर जलवायविक उष्णता से हुए वाष्पीकरण के कारण अतिवृष्टि द्वारा जलप्लावनों का संयोग बनता है। समुद्र-तलों से प्राप्त तलछटों के परीक्षणों व तीस लगातार वर्षों तक किए गए अपने भूगर्भीय अध्ययनों के उपरांत **विलियम रेयन** *(William Ryan, a*

Marine geologist of Columbia University) एवं **वाल्टर पिटमैन** *(Walter Pitman, Scientiest of Lamont-Doherty Earth Observatory of Palisades, New York)* संयुक्त रूप से इस निष्कर्ष पर पहुँचे हैं कि आज से 20,000 वर्ष पूर्व, हिमयुगी पराकाष्ठा के काल में समुद्र का जल-स्तर वर्तमान स्थिति की तुलना में जहाँ 400 फीट से भी अधिक नीचे रहा था, वहीं पृथ्वी के 50^{0} उत्तरी अक्षांश (Latidue) से ऊपर का संपूर्ण भू-भाग सघन हिम से आच्छादित रहा था। रेयन व पिटमैन के अनुसार, 18,000 वर्ष पूर्व पृथ्वी के तापक्रमों में अकस्मात् हुई वृद्धि के कारण उत्तरी गोलार्द्ध में जमे हिमखंडों के तीव्रता से पिघलने के परिणामस्वरूप यहाँ के छिछले भू-भाग में जहाँ स्थिति के अनुरूप बाढ़ की त्रासदियों का अनवरत क्रम प्रारंभ हुआ, वहीं समुद्र के जल-स्तरों में भी शनैः-शनैः स्वाभाविक उछाल आता गया। इस आधार पर आपदाओं का यह क्रम भी हर तेरह हजार वर्ष के अंतराल पर घटता ही रहता है। चूँकि पाश्चात्य मान्यताओं के अनुसार आधुनिक मानवों को आज से पच्चीस हजार वर्ष पूर्व से लेकर बीस हजार वर्ष पूर्व के मध्य उत्पन्न तथा जल-प्रलय की विभीषिकाओं को झेल चुके आदिमानव प्रजातियों (होमोसैपियनों) की शृंखलाओं की ही वर्तमान कड़ी माना गया है, अतः यह अनुमान सहज ही लगाया जा सकता है कि यूरोपीय भूखंड में पिछले हिमयुग की आपदा को बीते भी लगभग इतने ही वर्ष हुए होंगे *(Carbon dating of Sediments layers suggest that deluge actually starts long before the popularly accepted period of Noah's flood i.e. back during the last great glaciation some 18,000 years ago. Ref.—**"Noah's Flood - The New Scientific Discoveries about the event that change History"** by William Ryan & Walter Pitman)*।

उत्तर में हिमालय, दक्षिण में विंध्यांचल तथा पूर्वी ढलान की भौगोलिक बनावटों के कारण संपूर्ण पृथ्वी में केवल भारत का मध्य प्रांत ही हिम तथा जलप्लावन की इन प्राकृतिक आपदाओं से अपेक्षाकृत कम प्रभावित रहा है। शायद इसीलिए युगांतर प्रलयों के उपरांत भी सभी मन्वंतरों में यहाँ प्राणियों के यथावत् बने रहने की उद्घोषणा भारतीय शास्त्रों में की गई है *(यदिदं*

भारतवर्षं यस्मिन्स्वायंभुवादयः चतुर्दशैते मनवः प्रजासर्गे भवन्त्युत-वायुपुराण-45.69)। अपनी इस अद्भुत भौगोलिक पृष्ठभूमि के कारण ही प्राणी-उत्पत्ति के मामले में भारत का दृष्टिकोण सदैव ही पाश्चात्य मान्यताओं से भिन्न रहा है। इस भौगोलिक आधार पर भारतीय द्रष्टाओं को सर्वकालिक पुरातन तथा इन आद्य प्राकृतिक घटनाओं का प्रत्यक्षदर्शी मानते हुए, उनके श्रुतियों के परिप्रेक्ष्य में पृथ्वी तथा मानवी उद्भवों का आकलन करना किंचित् कहीं अधिक ठोस तथा तर्कपूर्ण प्रतीत होता है।

भारतीय अवधारणाओं के अनुसार, सृष्टि-उत्पत्ति से लेकर अब तक व्यतीत कालखंडों को सात विभिन्न नामवाले मन्वंतरों में बाँटा गया है। खगोलीय कालगणना के हिसाब से प्रत्येक मन्वंतर की अवधि 30,85,71,429.9 वर्ष की होती है। इस तरह का पहला मन्वंतर **स्वयंभुवः** नाम से हुआ था, जिसमें हिरण्यगर्भ अस्तित्व में आया था। दूसरे मन्वंतर में हिरण्यगर्भ (स्वयंभुव) के फटने से सूर्य, पृथ्वी आदि प्रकट हुए। हिरण्यगर्भ के फटने से हुए नाद-घोष के कारण इस मन्वंतर को **स्वरोचिष** नाम से पुकारा गया। तीसरे मन्वंतर **उत्तम** में उत्तप्त ग्रहपिंडों व नक्षत्रों के चमक के कारण अंतरिक्ष में दुग्ध-मेखला का मनोहारी परिदृश्य उपस्थित हुआ था। इसके साथ ही ग्रहों से अलग हुए पिंडों से उपग्रह आदि भी बने थे। कुछ वर्ष पूर्व तक वैज्ञानिकों की भी यह धारणा रही थी कि चंद्रमा ही मूलतः पृथ्वी से अलग हुआ था। अमेरिका (नासा) के चंद्र **(अपोलो)** व मंगल **(पाथ फाइंडर** एवं **अपॉरच्युनिटी)** अभियानों के दौरान हुए शोधों से अब यह स्पष्ट हो गया है कि चंद्रमा के विपरीत मंगल की मिट्टी ही पृथ्वी से मिलती-जुलती (ऑस्ट्रेलियाई मिट्टी के अनुकूल) है। भारतीय शास्त्रों में तो सदियों पूर्व से ही **कुजा** (मंगल) को पृथ्वी का पुत्र **(भूमिसुत)** माना जाता रहा है, जो उद्घाटित किए गए वैज्ञानिक निष्कर्षों के अधिक नजदीक दिखता है। चौथे मन्वंतर में उत्पत्त ग्रहपिंड धीरे-धीरे ठंडे होने लगे और इनकी चमक लुप्त होने से इनकी सतह पर अंधकार व्याप्त होता गया। इस कारण से इसे **तामस** कहा गया। पाँचवें मन्वंतर में जल तथा वायुमंडलों की रचना और तदनुसार जलीय उद्भिजों की उत्पत्ति के कारण इसका नाम **रैवत** पड़ा। छठे मन्वंतर में पृथ्वी के जलमग्न हो जाने पर जीवकारक सोम वनस्पति (वैज्ञानिक भाषा में **पोलिमर**) अस्तित्व में आए। यह **चाक्षुष** मन्वंतर कहलाया। विवस्वान अर्थात् सूर्य के ताप के प्रभाव से सातवें मन्वंतर में पृथ्वी का भू-भाग जल से बाहर निकला। इस भू-भाग का आकार चूँकि कमल-दल के सदृश्य रहा था, अतः पौराणिक चित्रों की रचना

करते समय देवी-देवताओं, विशेषकर ब्रह्मा के आसन के रूप में खिले हुए कमल के फूलों को ही चित्रित किया जाता है। इस प्रकार भू-भाग उभरने के पश्चात् ही प्राणी-अनुकूल परिस्थितियों का निर्माण हुआ था। विवस्वान की इस भागीदारी के प्रतीकस्वरूप सातवें मन्वंतर का नाम **वैवस्वत** मन्वंतर पड़ा। भारतीय मान्यताओं के अनुसार इस खगोलीय मन्वंतर को प्रारंभ हुए (43,20,000 वर्ष अवधि प्रत्येक के हिसाब से) **सत्ताईस महायुग** बीत चुके हैं और चल रहे अट्ठाईसवें महायुग में भी अब तक 38,93,100 वर्ष (अब तक इस खगोलीय मन्वंतर के कुल 12,05,33,100 वर्ष के लगभग) व्यतीत हो चुके हैं।

भारतीय मान्यता मूलतः **सतत अस्तित्ववाद** (प्राकृतिक सृजन) के सिद्धांत पर आधारित है। इसके अनुसार वैवस्वत मन्वंतर के प्रथम नौ महायुगों में ही पृथ्वी अपने विभिन्न नौ स्वरूपों को धारण करके प्राणी-सृष्टि को उद्यत हुई थी। जल से बाहर निकली पृथ्वी का पहला स्वरूप **फेन** जैसा आर्द्र था। तत्पश्चात् यह **मृद** यानी कीचड़-मिट्टी में परिवर्तित हुई। फिर जल के पूर्णतः सूखने पर इसका धरातल **शुष्क** हो गया। अतिशय शुष्क हो जाने के कारण ही इसका चौथा स्वरूप **ऊसर** जैसा रहा था। पाँचवें रूप में यह रेत **(सिकता)** जैसा दिखने लगा। इसके बाद इसका धरातल कंकड़ों **(शर्करा)** से पट गया। सातवें क्रम में शर्करा से यह पत्थरों **(अश्मा)** में परिवर्तित हो गई। इसका आठवाँ स्वरूप लौह-स्वर्ण आदि धातुओं **(अयः हिरण्यम्)** के बनने का रहा। इस क्रम के अपने अंतिम (नौवें) स्वरूप में अब तक प्रायः गंजी सी दिखनेवाली पृथ्वी **वनस्पतियों, औषधियों** आदि से पूर्णतः आच्छादित हो गई ***(स श्रान्तस्तेपानः फेनम सृजत स मृदं शुष्का पयूष-सिक्तं शर्कराम् अश्मानम् अयो हिरण्यम्-औषधि-वनस्पति-असृजत, तेनेमां पृथिवीं प्राच्छादयत ता वा एता नव सृष्टयः***-शतपथ ब्राह्मण-6/1/11/13-14)।

इस प्रकार वैवस्वत मन्वंतर के प्रथम आठ महायुगों के उपरांत जलवायु का, अनुकूल परिस्थितियों का निर्माण हो जाने पर पृथ्वी पर **औषधि, वनस्पति, लता, त्वकसार, बीरूध** व **द्रमुक**—छह प्रकार के **उद्भिजों, अंडज** व **स्वेदज**—दो प्रकार के **तिर्यक योनियों** (कीट-पतंग-पक्षी-पशु) तथा **मानवों** (जरायुज) समेत कुल नौ प्रकार की जैविक उत्पत्तियाँ हुईं। ये सभी रचनाएँ अपने उद्भव के समय से ही अपने आप में संपूर्ण तथा योनियों के आधार पर विभाजित रही थीं। प्राकृतिक आपदाओं से किसी तरह बचे रहे ये उत्तरजीवी अपने उसी आद्य स्वरूप में आज भी विद्यमान हैं। वर्णित संदर्भों से यह तो पता चल ही गया है कि प्रति तेरह हजार वर्ष

के क्रमिक अंतराल पर होने वाली घोर प्राकृतिक आपदाओं के अलावा युगों/महायुगों के प्रारंभ पर सातों ग्रहों/सूर्यों के एक स्थान पर एकत्र होने से पृथ्वी पर भयंकर प्रलयंकारी घटनाएँ घटती रहती हैं ***(युगान्तकाले संप्राप्ते कालाग्निर्दहते जगत्***-महाभारत वनपर्व-273.35)। इन युगांतर तथा नित्य प्रलयों के कारण संसार के स्थावर व जंगम—सभी प्रकार के प्राणी नष्ट हो जाते हैं। यह एक प्रकार से महाप्रलयवाद के सिद्धांत की ही पुष्टि करता है। भारतीय मान्यताओं के अनुसार, अब तक **ब्रह्मा** (आदि पुरुष) के कुल **सात जन्म** हो चुके हैं। इससे यह सिद्ध होता है कि पृथ्वी पर मानवों की प्रथम उत्पत्ति से लेकर अब तक के काल में सात युगांतर प्रलय की घटना हो चुकी हैं। यह मानकर कि प्रति महायुग में सृष्टि का प्रारंभ ब्रह्मा से हुआ था, वर्तमान (वैवस्वत मन्वतंर के अट्ठाईसवें महायुग) से पीछे की ओर गणना करके यदि आदि ब्रह्मा का काल निकाला जाए तो वह तीन करोड़ इकतालीस लाख तैंतीस हजार वर्ष पूर्व (बाईसवें महायुग) का बैठता है। ये तथ्य वैज्ञानिकों द्वारा **'कंप्यूटर सिमुलेशन'** से प्रतिपादित करोड़ों वर्ष के मानव-उत्पत्ति विषयक सिद्धांत के अनुरूप भी लगभग ठीक ही बैठते हैं। भारतीय शास्त्रों में जिस महाप्रलय का संदर्भ आया है, वह वर्तमान महायुग (वैवस्वत मन्वंतर के अट्ठाईसवें महायुग) के प्रारंभ की घटना रही थी। चूँकि अब तक पाए गए जीवाश्म एक करोड़ चालीस लाख वर्ष पूर्व के आस-पास का संकेत देते हैं, अतः यह कहना अतिशयोक्तिपूर्ण कदापि नहीं होगा कि पृथ्वी पर मानवों की प्रथम उत्पत्ति किंचित् इस मन्वंतर के बाईसवें महायुग के अंतिम चरण (आदि-ब्रह्मा का समय जो संभवतः आज से तीन करोड़ वर्ष पूर्व के आस-पास का होता है) में ही हुई होगी, जबकि मानवों की वर्तमान शृंखला यानी सातवें ब्रह्मा का उद्भव-काल दो लाख वर्ष पूर्व का बनता है।

प्राणी-उद्भव के विषय में इतना जान लेने के पश्चात् यह प्रश्न उठता है कि उपर्युक्त सभी संरचनाओं का मूल आधार क्या रहा होगा और इनकी उत्पत्ति किन परिस्थितियों में क्यों और कैसे हुई होगी? इन सभी प्रश्नों के उत्तरों को तलाशने तथा किसी निश्चित निष्कर्ष पर पहुँचने से पूर्व आधुनिक विज्ञान व उद्घाटित भारतीय तथ्यों की सम्यक् विवेचना कर लेना भी अधिक युक्तिपूर्ण व तर्कसंगत ही रहेगा। जेनेटिक विज्ञानियों के अनुसार, समस्त जीवधारियों का शरीर कोशिकाओं (Cells) के जटिलतम संयोजन से बनता है और प्राणियों की विविधताओं के अनुरूप जीवधारियों में इनकी संख्याएँ भिन्न-भिन्न होती हैं। गोल, नलीदार, वर्गाकार व चपटी आदि बनावटोंवाली सौ से अधिक प्रकार वाली इन कोशिकाओं का निर्माण

प्रोटीन (Protein) से तथा प्रोटीन कुल बीस प्रकार के रासायनिक अम्लों (Amino Acids) की शृंखला-क्रमबद्धता से जैविक शरीर में ही बनते हैं। एमिनो अम्ल से अस्तित्व में आई कोशिका की बाहरी परत (Plasma membrane) में साइटोप्लाज्म (Cyto-

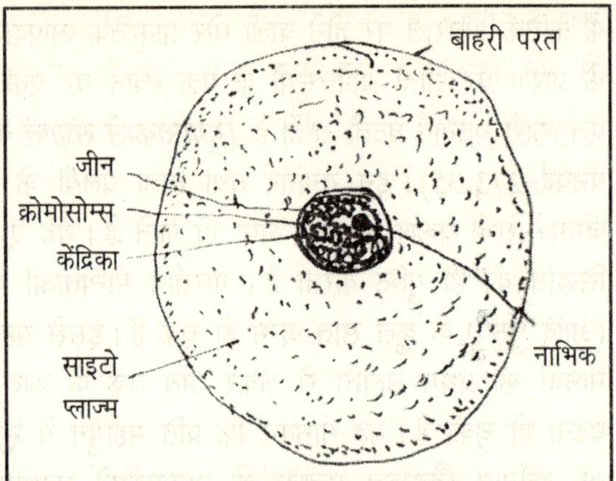

(एक कोशिका की बनावट)

plasm) नामक एक तरल पदार्थ भरा होता है। लवण, शर्करा, विटामिन, रासायनिक अम्ल व ऑक्सीजन, कार्बन, हाइड्रोजन, नाइट्रोजन आदि घुलनशील गैसों के समिम्श्रणों से बने इस तरल पदार्थ के मध्य में परतों (Nuclear membrane) से ढकी एक **केंद्रिका** (Nucleus) होती है। एक सें.मी. के भी लगभग 16,000वें हिस्से के व्यासवाली यह केंद्रिका धागे की भाँति बनावटवाले तंतुओं (Chromosomes) तथा बिना परतोंवाले एक या उससे अधिक नाभिक (Nucleolus) से भरी होती है। नाभिक में दो प्रकार के नाभिकीय अम्ल होते हैं, जिन्हें वैज्ञानिक भाषा में क्रमशः राइबो न्युक्लीक एसिड (RNA) व डिऑक्सी न्युक्लीक एसिड (DNA) कहा जाता है। **राइबो नाभिकीय अम्ल** (RNA) मोलेक्यूल्स का गट्ट होता है, जो प्रोटीन बनाने में मददगार होता है, जबकि क्रोमोसोम्स की बनावटों के आधार वंशानुक्रम से प्राप्त होनेवाले तत्त्व यानी **डिऑक्सी नाभिकीय अम्ल** (DNA) व प्रोटीन को संयुक्त रूप से **क्रोमेटीन** (Chromatin) कहते हैं। क्रोमोसोम या गुणसूत्र सदैव जोड़े में होते हैं और प्रजातियों के अनुरूप कोशिकाओं में इनकी संख्याएँ भिन्न-भिन्न होती हैं। मच्छर की कोशिका में 6 या 3 जोड़े, मंक्खी में 8 या 4 जौड़े, हरी मटर में 14 या 7 जोड़े, मेढक में 26 या 13 जोड़े, चुहिया में 42 या 21 जोड़े एवं मानव में 46 यानी एक माता तथा एक पिता का मिलाकर कुल 23 युग्म गुणसूत्र होते हैं। इन प्रत्येक गुणसूत्र में फलों की भाँति गोल-गोल लटके हुए 26383 से लेकर 39114 **वंशाणु** (Gene) होते हैं। फलों जैसे दिखनेवाले ये जीन वस्तुतः तंतुओं के अत्यधिक कसावदार गुच्छ ही होते हैं, जो आनुवंशिक आधार पर शर्करा व फॉस्फेट

तथा नाइट्रोजन जनित **एडेनाइन-थाइमीन** व **गुआनीन-साइटोसीन** के जटिल मिश्रणों से बने **डिऑक्सी न्यूक्लीक अम्ल** (DNA) से परिपूर्ण होते हैं। वस्तुतः इन नाभिकीय अम्लों में ही जीवन का रहस्य छिपा रहता है। अनुमानतः एक स्वस्थ मानव के शरीर में लगभग पचास हजार अरब से भी अधिक **कोशिकाएँ** होती हैं। प्रत्येक कोशिका में लगभग नौ अरब **परमाणु** होते हैं। इन सभी मानव कोशिकाओं के अंदर उपस्थित सभी तंतु-गुच्छों को आसानी से 1.25 सें.मी. घन के अंदर समेटा जा सकता है, किंतु यदि इन्हें फैलाकर जोड़ दिया जाए, तब इनकी लंबाई 186 करोड़ कि.मी. (पृथ्वी से सूर्य तक की दूरी के दोगुने नाप के छह गुणा से भी कुछ अधिक) की ही बैठेगी। इस तरह कोशिकाओं की केंद्रिकाओं में पाए जानेवाले **नाभिकीय अम्ल** (Nucleic Acid—RNA-DNA) ही शरीर-संवर्धन के लिए आवश्यक प्रोटीन व रसायन आदि के निर्माण-संबंधी जैविक क्रियाओं के साथ-साथ वंशानुक्रम से प्राप्त होनेवाले गुणों तक को ही नियंत्रित नहीं करते हैं, बल्कि कोशिका-दर-कोशिका की बढ़ोतरी द्वारा संबंधित प्रजाति के अनुरूप देह का निर्माण भी कर सकते हैं। जीवन के रहस्य-संबंधी **मानव जीनोम** की इस अत्याधुनिक खोज के पश्चात् जेनेटिक्स यह दावा कर रहे हैं कि जीन-परिवर्तन के कार्यक्रमों द्वारा भविष्य में खूबसूरत तथा प्रतिभाशाली बच्चे (Designer Baby) पैदा करने से लेकर रोग व बुढ़ापे पर भी काबू पाया जा सकेगा।

अब प्रश्न यह खड़ा होता है कि दैहिक बनावटों व उनके विकास के आधार के रूप में पहचाने गए–Ribo व Deoxy Nucleic Acids नामक दो विशिष्ट रासायनिक पदार्थों के मूल स्रोत क्या रहे हैं? यद्यपि वैज्ञानिक परीक्षणों द्वारा यह सिद्ध किया जा चुका है कि विद्युत् के कृत्रिम प्रभावों से मीथेन (Methane-CH_4), अमोनिया (Ammonia-NH_3) व ऑक्सीजन (Oxygen-O_2) के सम्मिश्रणों को एमिनो अम्ल में परिवर्तित किया जा सकता है, किंतु शारीरिक संरचना के लिए आवश्यक नाभिकीय अम्लों में से एक यानी DNA को जैविक प्राणी जहाँ वंशानुक्रम की शृंखला से प्राप्त करता है, वहीं अन्य (RNA आदि) को उपापचय (Metabolism) की यौगिक क्रियाओं द्वारा शरीर के अंदर ही अर्जित कर लेता है। जीव विज्ञान के अनुसार, उपापचय की ये प्रक्रियाएँ वनस्पतियों सहित **अमीबा** (Amoeba) जैसे एक कोशिकाई (Unicellular) व सूक्ष्मदर्शीय जीवों से लेकर **हाथी** जैसे बहुकोशिकाई (Multicellular) व दीर्घकाय जीवों तक में एक ही जैसे संपादित हुआ करती हैं। जैविक प्राणियों में होनेवाली उपापचय की इन यौगिक प्रक्रियाओं से विकसित हुई

कोशिकाओं के पूर्ण वयस्क हो जाने पर नर और मादा के बराबर गुणसूत्रों द्वारा बने **शुक्र** व **डिंब** के विशेष संयोग से ही भावी प्रजनन के लिए आवश्यक **जीवाणु** अस्तित्व में आता है। शरीर की इन यौगिक क्रियाओं के लिए **ऊर्जा** (कार्बोहाइड्रेट व वसा) तथा **सामग्री** (प्रोटीन) की आपूर्ति क्रमशः **वनस्पतिप्रदत्त** गेहूँ, चावल, जौ, बाजरा, ज्वार, मक्का, दाल, फल व सब्जियों तथा **पशुप्रदत्त** दूध, दही, घी व आमिष भोजनों के माध्यम से होती है। प्रोटीन वस्तुतः दाल व पशुप्रदत्त भोजनों में उपस्थित कार्बन, हाइड्रोजन, ऑक्सीजन, नाइट्रोजन व सल्फर, फास्फोरस और लौह का यौगिक घटक है, जबकि वनस्पतिजनित सीरियल्स, मिलेट्स, रुट्स, स्टेम्स व फ्रूट्स तथा पशु-जनित दूध, दही, मक्खन, घी व अंडों में विद्यमान कार्बन, हाइड्रोजन और ऑक्सीजन के जटिल मिश्रणों से क्रमशः कार्बोहाइड्रेट व वसा की ऊर्जा उत्सर्जित होती है। वनस्पति तथा पशुप्रदत्त इन आहारों में उपस्थित रासायनिक तत्त्वों को कार्बोहाइड्रेट, वसा व प्रोटीन में बदलने का कार्य प्राणी उपापचय के माध्यम से ही कर पाता है और उपापचय की इस प्रक्रिया के लिए प्राणी शरीर को आवश्यक **एंजाइम्स** (Enzymes) की आपूर्ति वनस्पतियों में उपलब्ध **पर्णहरित** (Chlorophyll) के सहयोग से ही संभव हो पाती है। वनस्पतियों के हरे भाग, विशेषकर पत्ते सूर्य-रश्मियों से निकलनेवाले नीले, बैगनी, नारंगी व लाल रंगों को तो शोषित कर लेते हैं, किंतु हरा रंग शोषित न होने के कारण प्रत्यावर्तित होने लगता है और इसी के परिणामस्वरूप यह भाग हरे रंग का आभासित होता है। सौर ऊर्जा के कारण वनस्पतियों के इसी हरे भाग में विशिष्टि तत्त्व **(क्लोरोफिल)** मिलता है। जड़ के माध्यम से मिट्टी व जल के अंश, हवा द्वारा प्राप्त कार्बन डाइऑक्साइड गैस तथा सूर्य-रश्मियों से प्राप्त ऊर्जा के संघटक को क्लोरोफिल अपने वैशिष्ट्य के कारण **एडीनोसिन ट्राइफास्फेट** (ATP) नामक रसायनों में परिवर्तित कर वनस्पतियों के संवर्धन हेतु भोजन की व्यवस्था कर देते हैं। वनस्पतियों द्वारा संचित की गई यही **ए.टी.पी.** सभी जीवित कोशिकाओं के लिए आधारभूत ऊर्जा का काम करती है। भोजन निर्माण की इस प्रक्रिया (Photosynthesis) के दौरान वनस्पतियाँ **ओषजन वायु** (ऑक्सीजन गैस) उत्सर्जित करती हैं, जो प्रकारांतर से अन्य जीवों की श्वसन-प्रणाली को बनाए रखने में सहयोगी होती हैं। इन्हीं वनस्पतियों द्वारा प्रदत्त खाद्य पदार्थ या फिर इन वनस्पतियों का भक्षण कर जीवित रहनेवाले जीवों से प्राप्त वसा आदि का सेवन करके ही अन्य जीवित प्राणी अपने शरीरों का संवर्धन करने तथा उन्हें बनाए रखने में सफल होते हैं। इस प्रकार प्राणी-पोषण के आधारस्रोत

रही इन वनस्पतियों की उत्पत्ति **पंचमहाभूतों** (पार्थिव, जलीय, वायवी, आग्नेय व आकाशीय तत्त्वों) के सहयोग से फूलों में पनपे **नर-पराग** (Pollen) व **मादा-अंड** (Ovule) के संयोग से बने **बीज** (Seed) से होती है। इस तरह **प्राणी-आहार** हो या जीनों में पाए जानेवाले **नाभिकीय अम्ल,** मामला घूम-फिरकर वनस्पतियों तथा अंत में पंचमहाभूतों पर ही आकर टिक जाता है। इनकी इसी अनिवार्यता को देखते हुए यह कहा गया है कि *'अन्न ही शरीर है'* या 'शरीर पंचभूतों से निर्मित हुआ है' ***(छिति जल पावक गगन समीरा, पंच रचित यह अधम सरीरा***—रामचरितमानस)।

शरीर निर्माण में पंचमहाभूतों के अप्रत्यक्ष तथा एंजाइम्स के प्रत्यक्ष योगदानों के इस रहस्योद्घाटन के उपरांत भी वैज्ञानिक परीक्षणों में यह पाया गया है कि जीवधारी की प्रामाणिक मृत्यु होने के तुरंत बाद कोशिका, गुणसूत्र व जीन ही नहीं अपितु उनमें पाए जानेवाले रासायनिक पदार्थ भी मृत शरीर में ज्यों-के-त्यों बने रहते हैं, किंतु निष्क्रियताओं के कारण उनमें उपापचय (Metabolism) के स्थान पर अनुपापचय (Catabolism) की विपरीत अवस्थाएँ उजागर होने लगती हैं। इससे यही प्रमाणित होता है कि जैविक शरीर में उपापचय की इस प्रक्रिया को गति देने के लिए पंचमहाभूतों व एंजाइम्स के अतिरिक्त एक अदृश्य शक्ति का भी योगदान होता है। इसी अदृश्य शक्ति के कारण पंचमहाभूतों से निर्मित प्राणी-शरीर में राग, द्वेष, भय, क्रोध, घृणा, प्रेम, स्वत्व आदि का बोध पनपता है। चूँकि वैज्ञानिक मर्यादाएँ रसायन व भौतिकी के इस अंतिम विश्लेषण-बिंदु पर जाकर समाप्त हो जाती हैं, अतः इससे आगे की यात्रा के लिए जिस पथ को चुना जाता है, वहीं से **अध्यात्म** (Metaphysics) का क्षेत्र प्रारंभ होता है। अध्यात्म के इसी पथ पर आगे बढ़ते हुए भारतीय मनीषियों ने **न्यूक्लीक एसिड** (नाभिकीय अम्ल) में विद्यमान रहनेवाली अज्ञात शक्ति स्रोत की जटिल गुत्थियों को सुलझाते हुए यह स्पष्ट किया कि सभी प्राणियों में पाई जानेवाली यह अदृश्य चैतन्य शक्ति वस्तुतः **प्राण** ही है, जो गर्भस्थ अंड में प्रवृष्ट होकर जैविक क्रियाओं का संचालन करने लगती है ***(अमीमेद्वत्सो अनु गामपश्चद्विश्वरुप्यं त्रिषु योजनेषु***-ऋग्वेद-1-164-9)। अब यहाँ प्रश्न यह उठता है कि प्राणीमात्र में प्रजनन की क्रियाएँ **पुरुष-कण** (Sperm) व **स्त्री-अंड** (Ovum) के संयोग से होती हैं और यह संयोजन (Zygote) **रेतस्** (Gametes) में उपस्थित चैतन्यता के कारण ही संभव हो पाती है, अतः ऐसी स्थिति में किसी अन्य तत्त्व के प्रयोजन की आवश्यकता क्यों कर पड़ती है? चूँकि रेतस् की यह चैतन्यता अपनी एकमेवता के कारण **भ्रूण** (Foetus) या शरीर-निर्माण तक में ही सीमित रहती है,

अतः जैविक विकास के लिए वह अपनी शक्ति के अनुरूप सर्वव्यापी चैतन्यता के आनुपातिक अंश को भी आकर्षित करती है और तदनुसार आमंत्रित अंश गर्भस्थ-अंड में प्रविष्ट होकर अपनी क्षमताओं के अनुरूप एक निश्चित अवधि तक उस जीवन-विशेष को गति देने लगता है। ऋग्वेद (1-164-1) में शरीर की चेतनाओं के इस तिहरे स्तर को *'अस्य वामस्य पलितस्य होतुस्तस्य भ्राता मध्यमो अस्त्यश्नः तृतीयो भ्राता घृतपृष्ठो अस्यात्रापश्यं विश्पतिं सप्तपुत्रम्'* के भाव द्वारा व्यक्त किया गया है। प्राणीमात्र में श्वसन क्रियाएँ, ग्रंथि व तंत्रिका-प्रणाली, ज्ञानेंद्रियों के गुण, रक्त-संचालन व शुद्धीकरण, पाचन-क्रियाएँ तथा मल-मूत्र निकासी के सभी कार्य इसी अदृश्य **महाप्राण** (Vital Essence) द्वारा नियंत्रित होते हैं। भारतीय मान्यताओं के अनुसार प्राण को **आत्मा** (self) की कृतित्व-शक्ति माना गया है और उभयरूप से यही आत्मा ही शरीर में परमात्मा के प्रतिनिधि के रूप में उपस्थित रहकर **चौबीस गणों** (यानी प्राण वं 23 युग्म गुणसूत्रों) द्वारा **जैविक-उत्सर्ग** क्रियाओं, अर्थात् ***सप्त गतेर्विशेषित्वाच्च*** (ब्र.सू.-2.4.5) यानी सात प्रकार के **प्राण-वायु** (**अपान, समान, व्यान, उदान, नाग, कूर्म** व **कृकल**) का संचालन करते हैं ***(एवं चतुर्विंशतिस्मितत्वे सिद्धे वपुगृहे, जीवात्मा नियेतेर्निघ्नो वसतिः स्वांतदूतवान्)***। **ब्रह्मसूत्र** (1-2-11) प्राणियों में **आत्मा** व इसकी कृतित्व शक्ति यानी **महाप्राण** की स्थिति को **मस्तिष्क की गुहा** के एक सूक्ष्म रिक्त स्थान में निश्चित करता है (***सप्तशीर्षण्याः प्राणाः गुहां प्रविष्टावात्मानौ हि तद्दर्शनात्***)। **गीता** (8/10) में **'भ्रुवोर्मध्ये प्राण'** कहकर श्रीकृष्ण ने इसी स्थिति का संकेत किया है। यद्यपि इस अदृश्य तत्त्व को ढूँढ़ नहीं पाने के कारण आधुनिक विज्ञान अभी तक इसकी सही व्याख्या नहीं कर सका है, तथापि ब्रह्मांड में व्याप्त सर्वव्यापी चैतन्यता (Cosmic Consciousness) के तथ्यों को स्वीकार करके या फिर **पोस्टमार्टम** की विधि द्वारा पूर्ण मृत्यु को **Brain Death** कहकर परिभाषित करते हुए आधुनिक चिकित्सा विशेषज्ञ अप्रत्यक्ष रूप से शरीर में विद्यमान रही इसी की एक इकाई की सहभागिता की ओर ही इंगित करते रहे हैं। Brain Research Laboratory (USA) के प्रसिद्ध तंत्रिका विशेषज्ञ **Dr. Robert White** तो स्पष्ट रूप से इस विषय में भारतीय मान्यताओं (ब्रह्मसूत्र) की एक प्रकार से पुष्टि करते ही दिखते हैं। उनके अनुसार—*"Since the brain is the place where the death occurs, the* ***brain is*** *undoubtly regarded as the* ***seat of the soul."*** अदृश्य शक्ति की इसी स्वीकार्यता के कारण ही भारतीय शास्त्रों में चौबीस के बजाय पच्चीस गुणों को ***(पुरुष इति पञ्चविंशतिर्गणः***-सांख्य) प्राणी

अस्तित्व का कारक माना गया है और यह अतिरिक्त पच्चीसवाँ गुण है—**जीवात्मा**, जो ईश्वर के प्रतिनिधि (**कैटेलिक एजेंट**) की भाँति प्राणियों की जीवंतता को बनाए रखती है। प्राणी-शरीर में जीवात्मा तो साक्षी भाव के रूप में ही बनी रहती है, किंतु मन, बुद्धि व अहंकार में लिपटा इसका आवरण प्रारब्ध द्वारा अर्जित वृत्तियों के अनुरूप ही शरीर को जीवन के अंतिम सोपान तक मार्गदर्शन कराता रहता है। **ऋग्वेद** (1-164-20) में जीवात्मा के इस द्वय भाव को ***'द्वा सुपर्णा सयुजा सखाया समानं वृक्षं परि षस्वजाते, तयोरन्यः पिप्लमं स्वाद्वत्त्यनश्नन्नन्यो अभिचाकशीति'*** (*अर्थात् दो सुंदर पंखवाले, समान संबंध रखनेवाले पंछी मित्र की ही भाँति एक वृक्ष यानी शरीर में आश्रय ले रखे हैं। इन दोनों में से एक तो वृक्ष के फलों का स्वाद लेता है, जबकि दूसरा मात्र दर्शक ही बना रहता है—Two bright-Feathered bosom friends, flit around one and same tree; One of them tastes the sweet berries, the other without eating merely gazes down.)* के रूप में व्यक्त किया गया है। इस प्रकार प्रारब्धजनित फलों का भोग कर तृप्त होने के पश्चात् ये दोनों एक-दूसरे का अनुगमन करते हुए शरीर की जैविक क्रियाओं को संपादित करनेवाले अवयवों के क्षतिग्रस्त होने पर उसे एक ही साथ त्याग देते हैं।

जैविक चैतन्यता के मूल स्रोत के रूप में चिह्नित 'जीवात्मा' तथा शरीर-निर्माण में सहयोगी माने गए एंजाइम्स के कारक रहे 'वनस्पतियों' के विषय में इतना जान लेने के पश्चात् यह प्रश्न खड़ा हो जाता है कि पृथ्वी पर इन वनस्पतियों व उनके विभिन्न प्रकारों का उद्‌भव कैसे हुआ और इन उद्‌भवों के लिए बीज कहाँ से आए? भारतीय शास्त्रों की यह मान्यता है कि पृथ्वी पर वायुमंडल, जल, भूमि आदि अनुकूल परिस्थितियों के निर्माण के पश्चात् एक समय ऐसा आया होगा, जब सौरमंडल की स्थिति के अनुरूप पृथ्वी रोहिणी नामक नक्षत्र के अति समीप से गुजरी होगी। इस परिस्थिति विशेष में सूर्य की विशिष्ट रश्मियों द्वारा रोहिणी की परिधि में सोम नामक रसायन विशेष के संयोग से जो **वीरुद** (वैज्ञानिक भाषा में **पॉलिमर** यानी जीवनदायिनी शक्ति) उत्पन्न हुए, वे ही पृथ्वी पर भूमि, जल व वायु के संसर्ग में आकर कालांतर में वनस्पतियों के रूप में विकसित हो गए। **जैमिनी ब्राह्मण** (1-355) में इस घटनाक्रम का वर्णन करते हुए यह बताया गया है कि सूर्य-रश्मियों द्वारा सोम के भेदन से जो छींटे पृथ्वी पर गिरे, वे ही औषधियों के रूप में उग आए ***(सोमं वै राजनं यत्र सुपर्ण आहरत् समभिनत् तस्यवा विपुणो अपतंस्ता एवेमा औषधयोऽभवन्)***। संभवतः सर्वव्यापी चैतन्यता

(Cosmic Consciousness) के प्रभाव से प्रकृति में रासायनिक संचेतनाओं के जो समूह (सोम) उमड़े, सूर्य-ऊष्मा के कारण उनके रिसने से गिरी बूँदें ही अपने रासायनिक गुणों के अनुरूप जल, मिट्टी व वायु का संसर्ग पाकर पृथ्वी पर विभिन्न प्रकार की वनस्पतियों के रूप में उग आई होंगी। सूर्य की रश्मि विशेष तथा सोम के आपसी संघात से सृजित पृथ्वी के इस दिव्य जैविक गर्भ को धारण करने के कारण ही **रोहिणी** को भारतीय ग्रंथों में जैविक सृष्टि की प्रथम **स्थानापन्न माता** (Surrogate Mother) होने का श्रेय प्रदान किया गया। **मैत्रेयी संहिता** (1-6-9/2) में इसकी व्याख्या इस प्रकार से की गई है कि लोमरहित पृथ्वी पर देवों अर्थात् प्राकृतिक शक्तियों ने रोहिणी के सहयोग से वीरुदों अर्थात् विभिन्न प्रकार की वनस्पतियों को प्रत्यारोपित किया था ***(ऋक्षा ह वा इयमग्र आसीत् तस्या देवां रोहिण्यां वीरुधोऽरोहयन्)***। इसी प्रकार अथर्ववेद में भी औषधियों आदि को सोम से ही उत्पन्न ***(सोम औषधीभिरुद क्रामत्)*** माना गया है। मैत्रेयी संहिता में निरूपित किए गए आधारों के परिप्रेक्ष्य में भारतीय दर्शन यह घोषणा करते हैं कि बीज से वृक्ष व वृक्ष से बीज का चक्र चिरकाल से अस्तित्व में बना हुआ है ***(पूर्वानुवृत्तिस्तु पुनश्चरेमं परंपरा व तरुबीजवृत्ति)***। बाइबिल (Genesis-11) के अनुसार भी ईश्वर की इच्छा से पृथ्वी ने वनस्पतियों, पौधे और फल देनेवाले वृक्षों, जो अपनी किस्म के बीज अपने अंदर सँजोए हुए थे, उपजाए *(The land produced vegetation, plants bearing seed according to their kinds and tree bearing fruits with seed in it according to their kinds)*। **कुरआन** में भी कुछ इसी तरह का उल्लेख हुआ। इन मान्यताओं को वैज्ञानिक आधार पर भी परखकर देखा जा सकता है। **नेशनल सेंटर फॉर बेसिक साइंसेज (कोलकाता)** के वैज्ञानिक संदीप चक्रवर्ती व **एम.एम.सी. कॉलेज** की प्रो. सोनाली चक्रवर्ती ने **'कंप्यूटर सिमुलेशन'** के द्वारा यह निष्कर्ष निकाला है कि पृथ्वी पर जीवन का प्रवेश करोड़ों वर्ष पूर्व अंतरिक्ष से ही हुआ था। **'एस्ट्रोनॉमी एंड एस्ट्रो फिजिक्स'** नामक पत्रिका के दिसंबर 1999 के अंक में प्रकाशित इनका यह रहस्योद्घाटन ब्रिटेन के खगोल विज्ञानी **फ्रेड हायल** व **चंद्रा विक्रमसिंघे** द्वारा पच्चीस वर्ष पूर्व प्रतिपादित **उल्का पिंडों** (Meteors) के माध्यम से पृथ्वी पर जीवन के प्रत्यारोपण सिद्धांतों के साथ-साथ भारतीय अवधारणाओं की भी वैज्ञानिक पुष्टि करता प्रतीत होता है। इन वैज्ञानिकों के निष्कर्ष के अनुसार, तारों व ग्रहों की उत्पत्ति से भी पहले अंतरिक्ष में हाइड्रोजन, कार्बन,

ऑक्सीजन, नाइट्रोजन आदि तत्त्वों के अणुओं से युक्त एक विशाल बादल (Nebula) मौजूद था। इस बादल में हुए आणविक विस्फोटों के कारण ही विभिन्न तारों व ग्रहों का अस्तित्व उभरकर सामने आया। विस्फोटों की इन्हीं प्रक्रियाओं के तहत जल, कार्बन डाइऑक्साइड, अमोनिया, हाइड्रोजन सायनाइड आदि सरल संरचनावाले अणुओं के क्रम से जटिलतम अणुओं का निर्माण हुआ और आगे चलकर इन्हीं से एलेनिन, ग्लीसाइन आदि उच्च गुणवत्तावाले अमीनो एसिड तथा थ्रेओस-डीऑक्सी-राइबो नामक न्यूक्लिक एसिड व उसके महत्त्वपूर्ण अवयय के रूप में चिह्नित किए गए एडवेनिन आदि अस्तित्व में आए। अमेरिका के मैसाच्युसेट्स जनरल हॉस्पिटल के अणुजीव वैज्ञानिक **जैक जोस्टॉक** ने अपने प्रयोगों द्वारा यह सिद्ध कर दिया है कि **'थ्रेओस न्यूक्लिक एसिड'** (TNA) प्राकृतिक एंजाइमों द्वारा जोड़ा जा सकता है। यद्यपि RNA व DNA की अपेक्षा इस मोलेक्यूल के शर्करा-फास्फेट आधार में एक कार्बन परमाणु कम है, तथापि यह आधार जोड़े बनाने के उत्कृष्ट गुणों से परिपूर्ण है। इन प्रयोगों से यह स्पष्ट हो जाता है कि सृष्टि में 'राइवो न्यूक्लिक एसिड' से पूर्व TNA का ही निर्माण हुआ होगा। वैज्ञानिकों के अनुसार प्राणी-संरचना के लिए आवश्यक तत्त्वों से परिपूर्ण **फार्मएल्डिहाइड** (Formaldehyde) या **फार्मएल्डिमाइन** (Formaldemine) नामक अंतरिक्ष के इन बादलों के रासायनिक अम्ल जब सौर ऊर्जाओं के प्रभाव से समीपस्थ ग्रह के चुंबकीय कवच को भेदकर उसके वायुमंडल में प्रवेश कर जाते हैं, तब उस ग्रह-विशेष में प्राणी-उत्पत्ति की प्रक्रियाएँ बलवती हो जाती हैं। मैलबोर्न (ऑस्ट्रेलिया) के वैज्ञानिकों को अंतरिक्ष में 300 प्रकाशवर्ष की दूरी पर फार्मएल्डिमाइन के 3000 मिलियन मील लंबे-चौड़े बादल दिखे हैं। सौर ऊर्जाओं के सकारात्मक सहयोगों के प्रभाव से ग्रह-विशेष के वायुमंडल में प्रविष्ट होने के उपरांत इन अम्लों की पाँच मूल श्रेणियाँ भूमि, जल व वायु का संसर्ग पाकर कार्बनिक तत्त्वों में परिवर्तित होकर विभिन्न प्रकार के प्रोटीनों को योजित करने लगती हैं एवं तदनुरूप सूर्य की किरणों से मिलनेवाली ऊर्जा के सहयोग से कार्बोहाइड्रेट्स व प्रोटीनों का स्ववर्धन कर धरती के ऊपर विभिन्न प्रकार की वनस्पतियों के रूप में उग आती हैं।

कालांतर में उद्भिजों तथा वनस्पतियों के औषधिय गुणों से परिपूर्ण अंचलों में, इन प्राकृतिक संघातों के परिणामस्वरूप क्षरित हुए जीवनदायक अम्लों (Formaldehyde या Formaldemine) की रासायनिक गुणवत्ताओं के आधार पर धरती के

ऊपर संसेचित हुई विविध प्रकार की आद्य कोशिकाएँ आवश्यकतानुरूप सकारात्मक तत्त्वों से परिपूर्ण सुरक्षात्मक आवरणों से भी ढक गईं। पृथ्वी की **ओजोन परत,** सूर्य का **क्यूपर बेल्ट** व जगत् के लिए प्रयुक्त **ब्रह्मांड** का संदर्भ, प्रकृति में कुछ इसी तरह के सुरक्षात्मक आवरणों की उपस्थिति को ही रेखांकित करते हैं। जागतिक संरचनाओं की ही भाँति जैविक गर्भों में भी भ्रूण की सुरक्षा व पोषण के लिए कुछ इसी तरह की **कलल** या **झिल्ली** का अस्थायी निर्माण होता है। कुछ जैविक गर्भों में निर्मित कललों के आवरण कठोर होने के कारण अंडे के रूप में शीघ्र स्खलित हो जाते हैं, जबकि मानव समेत कुछ जीवों के कलल (झिल्ली) कोमल होने के कारण प्रसव के क्षण गर्भाशय में ही फट जाते हैं और तदंतर प्रसवोपरांत योनि द्वारा बाहर गिर जाते हैं। आद्य कोशिकाओं के संरक्षण व पोषण के लिए धरती पर निर्मित विभिन्न प्रकार के इन्हीं खुरदरी परतों में निश्चित अवधि तक विकसित होने के उपरांत विभिन्न प्रकार के जीव-जंतुओं समेत अंततः मानव का अद्यतन स्वरूप प्रस्फुटित हुआ था। इन गर्भों को भूमि, जल व वायु तत्त्व **माता** यानी **पृथ्वी** से तथा अग्नि, आकाश तत्त्व एवं प्राण **पिता** यानी **सूर्य** से प्राप्त हुआ था और अंततः **परमात्मा** से प्राप्त सातवाँ अंश **जीवात्मा** के रूप में इन गर्भों में प्रविष्ट होकर जैविक क्रियाओं का संचालन करने लगा था ***(तिस्रो मातृस्त्रीन् पितॄन् विभ्रदेक उर्ध्वस्तस्थौ नेमव ग्लापयन्ति***-ऋग्वेद—1-164-10***)***। चूँकि अद्यतन जीवों के शैशव की अभिरक्षा के लिए कोई पूर्वज नहीं था, अतः धरती की खुरदरी परतों से निर्मित कललों का आकार आनुपातिक रूप से इतना बड़ा था कि संबंधित जीवगण पूर्ण वयस्क होकर इनमें से निकलने तक की अवधि की पोषकता को इसमें से प्राप्त कर सकते थे। इस प्रकार पृथ्वी के गर्भ में परिस्थितिजन्य कारणों से निर्मित हुए इन पर्याप्त आयतनोंवाली खुरदरी परतों से बाहर निकलनेवाले अमैथुनीय मानवों की कद-काठी भी तदनुरूप अठारह से लेकर बीस वर्ष के युवाओं की ही भाँति पुष्ट रही थी। प्राणी उद्भव संबंधी उपर्युक्त धारणाओं के आधार पर ही भारत में सूर्य को पिता व पृथ्वी को माता ***(द्यौर्मे पिता जनिता नाभिरत्र बन्धुर्मे माता पृथिवी महीयम्***-ऋग्वेद—1.164.33) मानने की परिपाटी विकसित हुई थी। *'माता भूमिः पुत्रोऽहं पृथिव्याः* (अथर्ववेद—12-1-12) की अनुभूति

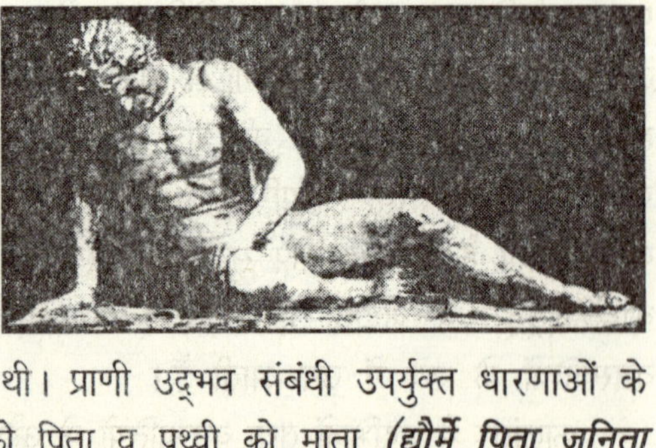

के कारण ही वैदिक ऋषि यह जान सके थे कि धरती माता अनेक भाषाओं को बोलनेवाले व अनेक धर्मों/विश्वासों का अनुसरण करनेवाले जनसमूहों को भी समान रूप से धारण करती है ***(जनं बिभ्रती बहुधा विवाचस नानाधर्माणं पृथिवी यथौकसम्)***। धरती को माता मानने की इसी अवधारणा के कारण ही वैचारिक विभिन्नताओं के उपरांत भी विश्व के सभी समाजों में जन्मभूमि को **मातृभूमि** (Mother Land) के एकमेव संबोधन से उद्बोधित किया जाता है ***(जननी जन्मभूमिश्च स्वर्गादपि गरीयसी)***।

उपर्युक्त भारतीय अवधारणाओं को वैज्ञानिक आधार पर भी परखा जा सकता है। सूर्य वस्तुतः **हाइड्रोजन** से भरा हुआ है। सूर्य के हाइड्रोजन अणुओं में होनेवाले विस्फोट से ही **हीलियम** उत्सर्जित हो रहा है और इसी हीलियम के कारण ही सौरमंडल में व्याप्त **परिमंडलों** (Particles) व अणुओं (Molecules) के आपसी संघातों से मूल तत्त्व व इनकी उत्पादक क्षमताएँ अस्तित्व में आती हैं। आधुनिक विज्ञान के अनुसार अणुओं के रासायनिक गुण उनमें उपस्थित इलेक्ट्रॉन की संख्या व स्थिति के अनुरूप नियोजित होते रहते हैं। इस तरह कॉस्मिक किरणों व हीलियम के प्रभाव से इलेक्ट्रॉन की संख्याओं में हुए परिवर्तनों से H_2 से N_{14} व फिर इसी से C_{14} व तदंतर के परिवर्तनों से C_{12} बनता है। यही C_{12}–भूमि, जल व वायु के संसर्ग में आकर पेड़-पौधे के रूप में धरती पर प्रकट हो जाती है। इस तरह वैज्ञानिक दृष्टिकोणों से भी जीवन का प्रारंभिक आधार **पृथ्वी व सूर्य से ही जुड़ा** होता है। यवन लेखक **अरस्तु** (Aristotle) भी अपनी पुस्तक **'डी जनरेशन एनिमिलियम'** में पृथ्वी को माता व द्यौ को पिता कहकर ही संबोधित किया है। यही नहीं, ई.पू. प्रथम सदी में हुए **लुकरीटियस** नामक एक अन्य विद्वान् ने भी अपने प्राकृतिक सृजन के सिद्धांत द्वारा यह प्रतिपादित किया था कि वनस्पति समेत सभी जीव-जंतु एवं प्रथम मानव शिशु, **पृथ्वी के ही गर्भ से** उत्पन्न हुए थे। इसी अवधारणा के अनुरूप भारत के पौराणिक चित्रों में पूर्ण वयस्क (आदि-पुरुष) को जहाँ कमल (यानी कमलवत पृथ्वी) से निकलते हुए दिखाया गया है, वहीं पाश्चात्य चित्रकारों ने सौंदर्य की देवी **वीनस** के जन्म-संबंधी दृश्यों को अपनी तूलिका के द्वारा **अंडे से प्रस्फुटित होती षोडशी** के रूप में ही उकेरा था। प्रकृति की

जन्म ग्रहण करती वीनस

यौगिक क्रियाओं के परिणामस्वरूप धरती की खुरदरी परतों में निर्मित इन दिव्य अंडों की वास्तविकता **पहले अंडा या फिर मुरगी** के यक्ष-प्रश्नों का भी स्वतः ही निराकरण कर देते हैं।

उपर्युक्त तथ्यों के साथ-साथ भारतीय शास्त्रों की ही भाँति आधुनिक विज्ञान भी इस बात पर सहमत है कि पृथ्वी पर वनस्पतियाँ पहले अस्तित्व में आई थीं, उसके बाद जीव-जंतु और अंत में मानव की सृष्टि हुई थी *(Man is the end towards which all the animal creation has tended from first appearance of vegetations and Palaeozoic fishes.* **Principles of Zoology,** By Dr. Agassiz)। भारतीय मान्यताओं के अनुसार जीवों की **चौरासी लाख योनियों** के उपरांत ही **मानवी-जीवन** प्राप्त होता है। विष्णुपुराण (1-5-5, 6, 8, 30) में पृथ्वी द्वारा धारण किए गए गर्भों के इन्हीं क्रमों का उल्लेख करते हुए यह बताया गया है कि **पञ्चपर्वा अविद्या** (पंचमहाभूत) के पश्चात् तमोमय **जड़ नगादि** (वृक्षादि) के क्रम से **तिर्यक** (पशु-पक्षी), **पितर, असुर, देव** तथा **विभिन्न वर्णवाले मनुष्य** उत्पन्न हुए थे। आधुनिक वैज्ञानिक भी धरती के जीव-जंतुओं की कुल अनुमानित संख्या लगभग अस्सी लाख आँकते हैं। इस प्रकार वनस्पतियों की विभिन्न प्रजातियों समेत ये संख्याएँ लगभग उसी चौरासी लाख के लगभग ही बैठती हैं। यद्यपि इन दृष्टांतों के आधार पर प्राच्य व पाश्चात्य दोनों ही विकासवाद के एक ही पायदान पर खड़े दिखते हैं, तथापि स्वरूपगत दृष्टि से इनमें आमूल-पार्थक्यता है। डार्विन का विकासवाद जहाँ जैविक-प्राणियों में परिस्थितिजन्य कारणों से घटित योनि-परिवर्तन की संभावनाओं की पुष्टि करता है, वहीं भारतीय मनीषा यह मानते हैं कि पूर्व संचित कर्मों के गुण-दोष के आधार पर ही जीव मृत्यु के उपरांत विभिन्न योनियों को ग्रहण करता है। इसमें मानव जैसे सर्वश्रेष्ठ योनि का पतन स्वरूप वृक्ष जैसे स्थावर योनि को ग्रहण करना या फिर स्थावर योनियों का निरंतर उन्नति करते हुए तिर्यक (पशु-पक्षी) आदि के क्रम से मानव योनि ही नहीं अपितु राष्ट्र विशेष, समाज विशेष, जाति विशेष, कुटुंब विशेष, वर्ण विशेष में नैसर्गिक ऊर्जा व निश्चित आयु परिणाम के साथ जन्म लेना भी कर्मों के अनुरूप ही फलित होता है। आधुनिक विज्ञान की यह मान्यता है कि जगत् के किसी पदार्थ का अस्तित्व मिटाया नहीं जा सकता है, बल्कि विखंडन या क्रम-संकोच के कारण उसका स्वरूप परिवर्तित हो जाता है। व्यष्टि रूप से प्रकृति के सूक्ष्मातिसूक्ष्म पदार्थों से लेकर समष्टि रूप से वृहद् ब्रह्मांड तक के लिए यही सिद्धांत लागू होता है। इस तथ्य को यदि ज्यामितीय

आधार पर परखा जाय तो यह स्पष्ट हो जाता है कि किसी सीधी रेखा को अनंत विस्तार देने पर वह वर्तुल के रूप में प्रारंभिक बिंदु से आकर मिल जाती है। इससे यही सिद्ध होता है कि प्रकृति का प्रत्येक कण गति अनुरूप स्वरूप लेता हुआ पुनर्वृति के सिद्धांत का ही अनुसरण करता है। चूँकि स्थूलकाय जैविक-देह से लेकर मन, बुद्धि व अहंकार जैसे सूक्ष्मातिसूक्ष्म स्वरूप प्राकृतिक पदार्थों के यौगिक घटक ही हैं, अतः स्वरूप परिवर्तन या फिर विघटन की स्थितियों के उपरांत भी उनका मूल अस्तित्व बना रहता है और संयोजन की अनुकूल परिस्थितियों के बनने पर संघटकों के गुण-दोष ***(योग्यं योग्येन युज्यते)*** के आधार पर ये पुनः उसी अनुरूप स्वरूपों को ग्रहण कर लेते हैं। किंचित् इन्हीं कारणों से प्राणियों की **जन्मजात-प्रवृत्ति** (Instinct) को वैज्ञानिक पूर्वानुभूति का ही प्रतिफल मानते हैं। अतः इस दृष्टि से पुनर्जन्म या प्रकृति की पूरक क्रियाओं **(प्रकृत्यापूरात्)** के आधार पर कर्मानुरूप योनि परिवर्तन की भारतीय अवधारणाएँ वैज्ञानिक कसौटी पर खरी उतरती हैं, जबकि एक ही जन्म की अवैज्ञानिक अवधारणा के कारण डार्विन का विकासवाद पाश्चात्य की मनःस्थिति को सहज एवं अनुकूल प्रतीत होता है।

इस प्रकार पृथ्वी पर विभिन्न प्रजातियों के अमैथुनीय प्राणियों की उत्पत्ति हो जाने के बाद योनि-समानता ***(योनेः शरीरम्*** यानी योनि के अनुरूप ही शरीर) के आधार पर नर-मादा की मैथुनिक प्रक्रियाओं द्वारा ये सभी प्राणी अपने-अपने वंशों की वृद्धि में उद्यत हुए। प्रथम अमैथुनीय प्राणियों की उत्पत्ति ही नहीं, बल्कि उनके जन्म-स्थान के विषय में भी वेदग्रंथ एक प्रकार से अधिकृत घोषणा करते ही दिखते हैं। **ऋग्वेद** (1-164-9) के अनुसार ध्रुव से दक्षिण किसी सुरक्षित स्थान पर (संभवतः तीन करोड़ वर्ष पूर्व उत्तरी हिमालय के आस-पास) सोम तथा रोहिणी के प्रभाव में सूर्य-रश्मियों के द्वारा पृथ्वी ने अंडज, स्वेदज तथा जरायुज—इन तीन प्रकार के गर्भों को अपने अंदर क्रमशः धारण किया था ***(युक्ता मातासीद्र धुनि दक्षिणाया अतिष्ठद्र गर्भो वृजनीष्वन्तः अमीमेद वत्सो अनु गामपश्यद्र विश्वरूप्य त्रिषु योजनेषु)***। अमेरिकी पुरातत्त्ववेत्ताओं को उत्तरी-पश्चिमी हिमालय की शिवालिक पहाड़ियों के निचले हिस्से में मिले एक करोड़ चालीस लाख वर्ष पूर्व के मानवी जीवाश्म व अन्य अवशेष वेदों में वर्णित उपर्युक्त धारणाओं की ही पुष्टि करते हैं। विज्ञान पर अंतरराष्ट्रीय ख्याति की पत्रिका **'नेचर'** के जनवरी 2001 अंक में प्रकाशित एक रिपोर्ट के अनुसार, **जीनोम** वैज्ञानिकों द्वारा संकलित किए गए विभिन्न मानवी जीनों के परीक्षण यही संकेत देते हैं कि इनके उद्भव-स्रोत एक ही युग्म

(नर-नारी) रहे थे, अर्थात् **परीक्षणगत विभिन्न मानवी जातियाँ** (Race) **एक ही माता-पिता के वंशज रहे हैं।** इस प्रकार **चार्ल्स डार्विन** द्वारा प्रतिपादित **'विकासवादी सिद्धांत'** तथा **पाश्चात्य भाषाविदों** द्वारा गढ़े गए **मंगोलियन** (आस्ट्रीक), **काकेशियन** (आर्य) व **ऑस्ट्रेलियन** (द्रविड़ या अनार्य) की परिकल्पनाओं पर **'विभाजित मानवीय जातियों (Race) की अवधारणाओं'** के विपरीत उपर्युक्त वैज्ञानिक निष्कर्ष भारतीय मान्यताओं के अनुरूप यही प्रमाणित करते हैं कि जीविका व सुरक्षित निवास की तलाश में आद्य मानव के वंशज ही विश्व के विभिन्न क्षेत्रों में फैलते चले गए। भारतीय शास्त्रों के अध्ययन से यह भी स्पष्ट हो जाता है कि **हिम क्षेत्र** (हिमालियन रीजन) से **उत्तर** (मंगोलियन रीजन), **पश्चिम** (काकेशियन रीजन) व **दक्षिण** (विंध्य-नीलगिरि-अन्नामलाई उपत्यका या ऑस्ट्रेलियाई क्षेत्र) को विस्थापित हुए **ब्रह्मा** या **आदि पुरुष** के वंशज ही क्रमशः दैत्य, देव, दानव, गंधर्व, आर्य, असुर, द्रविड़-अनार्य-मयांस व नीग्रो-अफ्रीकन आदि काले-गोरे, नाटे-लंबे मानवी जातियों के रूप में विकसित हुए थे। वैज्ञानिक निष्कर्षों के अनुसार भी विश्व के अलग-अलग क्षेत्रों में निवास कर रही इन विभिन्न जातियों के रंग तथा बनावटगत भेदों का कारण जीन विविधताएँ नहीं, बल्कि क्षेत्रगत जलवायविक व भूगर्भीय प्रभाव ही मुख्य रहे हैं। इस तरह यह स्पष्ट हो जाता है कि सृजन से अब तक व्यतीत हुए कालखंडों में घटित भूगर्भीय व जलवायविक आपदाओं से बची हुई आद्य प्राणियों की उत्तरजीवी वंशावलियाँ ही कीट-पतंग, पशु-पक्षी व मानवों के वर्तमान स्वरूप में आज हमें दृष्टिगोचर हो रही हैं।

□

सामाजिक संरचना के आरंभिक काल में भावों के आदान-प्रदान के लिए मानवों द्वारा आंगिक संकेतों का ही प्रयोग किया जाता रहा था। कालांतर में कुछ विशिष्ट प्रतिभासंपन्न पुरुषों द्वारा प्राकृतिक ध्वनियों का सम्यक् मनन कर उन्हें दुहराने का प्रयास किया गया। इस उपक्रम में उनके वाक्-अवयवों से प्रस्फुटित हुई एक, दो, चार, आठ व नौ पदोंवाली वाणियों से ही प्रथम मानवी बोलियों का अस्तित्व उभरकर सामने आया। वाक्-प्राकट्य के पश्चात् शब्द-शास्त्र की रचना की गई और इन्हीं के द्वारा परिनिष्ठित हुई मानवी-बोलियों को 'भाषा' कहा गया।

सौरी (सुरों में प्रवृत्त) व राष्ट्री के अपने आद्य उद्बोधनों से मानवों को संस्कारित करने के कारण कालांतर में भाषा को 'संस्कृत' (सम+कृत) की संज्ञा से चिह्नित किया जाने लगा। जनसंख्या बढ़ोतरी के साथ उत्पन्न हुए काल, स्थान व परिस्थिति-भेद के परिणामस्वरूप ध्वनि, शब्द, रूप, अर्थ एवं वाक्य के स्तरों पर भाषा में परिवर्तन आता गया। फलतः देश-काल के हिसाब से भाषाओं के स्वरूप भी बदलते गए। समयांतर के साथ भाषा में दक्षता प्राप्त करने के पश्चात् इसे आकार देने के उपक्रम में कुछ प्रतिभासंपन्न लोगों द्वारा खींची गई कुछ आड़ी-तिरछी रेखाओं से ही लिपियों का आद्य स्वरूप उभरकर सामने आया।

प्रस्तुत अध्याय में भाषा व लिपियों के प्राचीनतम स्वरूपों से लेकर वर्तमान तक की यात्रा का क्रमानुसार प्रामाणिक वर्णन किया गया है।

भाव अभिव्यक्ति के प्रतीक

प्राणी-उत्पत्ति के पश्चात् इनमें भूख, प्यास, भय, क्रोध, प्रेम, घृणा, हर्ष, विषाद आदि मानसिक (Psychical) भावों को व्यक्त करने के लिए **अंग-स्फुरण** तथा **ध्वनि-स्फुटन** की भौतिक (Physical) क्रियाओं का प्राकट्‌य हुआ। जैविक प्राणियों द्वारा किए गए **अंग-स्फुरणों** (आंगिक विधियों) में क्रोध प्रकट करने के लिए बंदरों द्वारा होंठों को विचित्र प्रकार से फैलाकर दाँतों का भींचना, प्रतिरोध के लिए सर्पों द्वारा फन फैलाना या ऊदबिलावों का अपने बालों का खड़ा कर लेना, बचाव के लिए कछुओं द्वारा अपने खोल में दुबकना, प्यार-प्रदर्शन के लिए श्वानों द्वारा पूँछ हिलाना व हर्षातिरेक होने पर मनुष्यों का हँसना या मुसकराना आदि तथा **ध्वनि-स्फुटनों** (वाचिक प्रवृत्तियों) के प्रारंभिक चरणों के रूप में मक्खियों का भिनभिनाना, पक्षियों का चहचहाना, मेढकों का टर्राना, साँपों का फुफकारना, भेड़ों का बिबियाना, बकरियों का मिमियाना, गधों का रेंकना, कुत्तों का भौंकना, घोड़ों का हिनहिनाना, हाथियों का चिंघाड़ना, शेरों का दहाड़ना व मानवों द्वारा उच्चारित ओ, आह, ओह, हिस्स, धिक्, छिह, हो-हो आदि भावबोधक ध्वनियां शामिल हैं। मानव तथा मानवेतर जीवों द्वारा भाव-अभिव्यक्ति के लिए प्रयुक्त किए गए इन्हीं प्रतीकों को क्रमशः **संकेत** (Symbol) व **बोली** (Dialect) की संज्ञाओं से चिह्नित किया गया है। इसी क्रम में व्यक्तिगत रूप से मानव विशेष द्वारा निःसृत ध्वनि को **वाक्** (Voice) तथा परिनिष्ठत रूप से मानवीय समाज द्वारा व्यवहृत बोली को **भाषा** (Language) कहा जाता है। यद्यपि व्यावहारिक दृष्टि से मानवी समाज द्वारा भाव प्रकट करने के लिए प्रयुक्त की गई बोलियों की उत्कृष्ट शैली को ही 'भाषा' की मान्यता दी गई है, तथापि व्यापक अर्थों में भावाभिव्यक्ति के समुच्चय का प्रतिनिधित्व करने के कारण जैविक प्राणियों द्वारा व्यवहृत किए गए तत्संबंधी प्रतीकों को भी भाषा की ही श्रेणी में रखा जा सकता है। इस आधार पर पशु-पक्षियों तथा अन्य मानवेतर जीवों में उनकी

संकुचित मानसिक व वाचिक क्षमताओं के कारण भाषा का स्वरूप **आंगिक** (सांकेतिक या Symbolic) तथा **ध्वन्यात्मक** (Onomotopoetic) के निम्न स्तरों तक ही सीमित रहा, जबकि ज्ञानेंद्रियों व कर्मेंद्रियों की नैसर्गिक उत्कृष्टताओं के कारण मनुष्यों में इसका स्वरूप अत्यधिक परिष्कृत व सुस्पष्ट रहा। मानवों द्वारा उच्चारित ध्वनियों की उत्पत्ति के विषय में **आचार्य पाणिनि** (पाणिनीय शिक्षा, 6-8 में) यह स्पष्ट करते हैं कि सर्वप्रथम **चेतनतत्त्व** (आत्मा) का **ज्ञानतत्त्व** (बुद्धि) के साथ संपर्क होता है और वह अपने अभीष्ट अर्थ को व्यक्त करने की इच्छा से मन को प्रेरित करता है तथा मन शारीरिक शक्ति को प्रेरित करता है, जिससे वायु में प्रेरणा उत्पन्न होती है (***आत्मा बुद्ध यासमेत्यार्थान् मनो युङ्क्ते विवक्षया, मनः कायाग्निमाहन्ति स प्रेरयति मारुतम्***)। यह प्रेरित वायु उरःस्थल, अर्थात् फेफड़ों में गतिशील होकर मंद्र ध्वनि को उत्पन्न करती है (***मारुतस्तूरसि चरन् मन्द्रं जनयति स्वरम्***), वही उर्ध्वगामी वायु मूर्धा में अवरुद्ध होकर मुख में पहुँचती है तथा पाँच प्रकार से विभक्त होकर ध्वनियों को उत्पन्न करती है (***सोदीर्णो मूर्ध्न्यभिहतो वक्त्रमापद्य मारुतः, वर्णान् जनयते तेषां विभागः पंचधा स्मृतः***)। चूँकि मानवेतर प्राणियों के विपरीत मनुष्यों में चेतना व बुद्धि का आनुपातिक समन्वय बना रहता है। अतः अन्य जीवों की अपेक्षा मानवी ध्वनियों की **प्रायिकताओं** या **आवृत्तियों** (Frequencies) में **विविधताएँ** (Variations) अधिक होती हैं। मानवीय ध्वनियों में पाई जानेवाली इन विविधताओं को मुख्यतः **उदात्त, उदात्तर, अनुदात्त, अनुदात्ततर, निघात, स्वरित** व **एकश्रुति**—इन सात भागों में बाँटा गया है। कालांतर में इन्हीं से सात प्रधान सुरों **षड्ज, ऋषभ, गंधार, मध्यम, पंचम, धैवत** व **निषाद्** का तथा चौबीस **श्रुतियों** का अस्तित्व उभरकर सामने आया। ध्वनि-उच्चारण के लिए मनुष्यों को **स्वर-यंत्र** (Larynx), **स्वर-तंत्री** (Vocal Chord), **ऊर्ध्व-कंठ** (Gutter), **आलिजिह्वा** (Uvula), **तालु** (Palate), **जिह्वा** (Tongue), **दाँत** (Teeth) व **ओष्ठ** (Lip) आदि **वाक्-अवयवों** (Vocal organs) का सहयोग लेना पड़ता है। इन अवयवों के माध्यम से उच्चारित की जानेवाली मानवी-ध्वनियों को दो भागों—**स्वर** (Vowel) व **व्यंजन** (Consonent) में बाँटा गया है। इसी तरह स्वरों को तीन भागों—**ह्रस्व, दीर्घ** व **प्लुत** तथा स्वरों के सहयोग से प्रस्फुटित व्यंजनों को दो मुख्य वर्गों—**अभ्यंतर** तथा **बाह्य** में विभाजित किया गया है। स्वघोष के वैशिष्ट्य के कारण **स्वरों** को **अक्षर** (अर्थात् जिसका क्षरण न हो-**न क्षरतीति**) या Syllable तथा सघोष की परावलंबिता के कारण **व्यंजनों** को **अनाक्षरित** (Non-Syllable) की

श्रेणियों में रखा गया है। मानवी-स्मृति (Human Memory) द्वारा चिह्नित किए गए इन्हीं स्वरों तथा व्यंजनों से **वर्ण** (Alphabet) तथा क्रियाओं पर आधारित अर्थों को प्रकट करने के लिए इन्हीं वर्णों के सुसंयोग से अर्थात् व्युत्पत्ति सिद्धांत (Etymology) अनुसार **पद** (शब्द) बने। फिर रचना के आधार पर इन शब्दों के तीन भेद—**रूढ़, यौगिक** व **योगरूढ़** किए गए। इन्हीं अर्थमूलक पदों या शब्दों के समूह (Vocabulary) से **पदबंध** (Phrase) व फिर इनसे **वाक्य** (Sentence) तथा वाक्य-विन्यास (Composition of Sentence) के आधार पर ही अंततः **भाषा** (Language) का निर्माण हुआ। कालांतर में ध्वनिमूलक भाषा की सुदृढ़ता को प्राप्त करने के उपरांत मानवों में **चित्रलिपि** (Pictographic), **सूत्रलिपि** (Logographic), **ब्राह्मीलिपि** के क्रम से लिखने की कलाओं, अर्थात् **आधुनिक लिपियों** (Scripts) का विकास हुआ। देश-काल के हिसाब से **ध्वनि, शब्द, रूप, अर्थ** व **वाक्य** में आए आंतरिक व बाह्य परिवर्तनों से भाषा के स्वरूप में आई विविधताओं के उपरांत आज भी मानवों द्वारा भाव-अभिव्यक्ति के इन तीनों आयामों, यानी **आंगिक भाषा** (Gesture or Body Language), **वाचिक भाषा** (Speech or Vocal Language) तथा **लिखित भाषा** (Pictography/Scripts or Written Language) का ही यथावत् प्रयोग किया जा रहा है।

भाव-अभिव्यक्ति के लिए प्रयुक्त किए गए इन सभी साधनों में सबसे विशिष्ट स्थान संवाद की मुखरता का ही रहा है। यही कारण है कि **नेत्रग्राह्य** (आंगिक), **कर्णग्राह्य** (वाचिक) व **स्पर्शग्राह्य** (लिखित) आदि प्रतीकों के माध्यम से अस्तित्व में आई **'भाषा'** मूल रूप से ध्वनियों के द्वारा ही निखरने में सफल रही है। स्थूल रूप से ध्वनियाँ अणुओं में होनेवाले **कंपनों** (Vibration) से उत्पन्न होती है तथा इन्हीं कंपनों के कारण उत्पन्न **बारंबारता** (Oscillation) व **प्रबलता** (Loudness) के अपने अंतर्निहित गुणों के परिणामस्वरूप **लहरों** (Wave) के माध्यम से कर्णग्राह्य होती है। सामान्यतः इन ध्वनि-तंरगों की गतियाँ 400 गज (Yards) प्रति सेकेंड की होती हैं, किंतु तरल व ठोस पदार्थों में इनकी गतियाँ कई गुणा अधिक बढ़ जाती हैं। आधुनिक प्रणाली में ध्वनियों की बारंबारता या निरंतरता को **हट्ज़** तथा तीव्रता या प्रबलता को **डेसीबल** में नापा जाता है। एक हलकी फुसफुसाहट को लगभग **दस डेसीबल** के बराबर, हलकी बातचीत को लगभग **बीस डेसीबल** के बराबर तथा सामान्य वार्त्तालाप को **तीस डेसीबल** के बराबर आँका गया है, जबकि साफ और समझने लायक बारंबारताओं को **नब्बे** से लेकर **दस हजार कंपन** यानी **हट्र्ज**

(Herts) प्रति सेकेंड का ही माना गया है। मानवी क्षमताओं के अनुरूप **एक सौ बीस डेसीबल** तक के दबाव को सुरक्षित झेल सकने वाले एक स्वस्थ मनुष्य के कान **बीस हजार कंपन** प्रति सेकेंड (20000Hz or 20 KHz) वाली ध्वनियों तक को ही सुन सकते हैं। इससे अधिक हट्र्जवाली ध्वनियों को **'पराश्रव्य'** (Ultra-sonic) कहा जाता है। वैज्ञानिक भाषा में **वायुकणों** (Air-particles) के **दबाव** (Compression) तथा **विरलन** (Rare faction) के कारण वायुमंडल में होनेवाले उतार-चढ़ावों या परिवर्तनों (Variations) से ही ध्वनियाँ निःसृत होती हैं। भारतीय संदर्भों में इन्हें **आधिभौतिक ध्वनियाँ** कहा गया है। इसी परिप्रेक्ष्य में भौतिक उपकरणों के कृत्रिम घर्षण या आघात द्वारा वायुकणों को उद्वेलित करके भी कुछ ध्वनियाँ प्रकट की जाती हैं। घंटा, घड़ियाल, ढोल-मंजीरा, कॉल-बेल, टेलीफोन की घंटी, गाड़ियों की गड़गड़ाहट आदि को इसी श्रेणी में रखा जा सकता है। इन्हें सामान्यतः **भौतिक ध्वनियों** की संज्ञा दी जा सकती है। वायुमंडलीय दबाव (Atmospheric Pressure) से होने वाले परिवर्तनों द्वारा निःसृत इन ध्वनियों के अतिरिक्त अंतरिक्ष में व्याप्त **आधिदैविक शक्तियों** के परस्पर आकर्षण-विकर्षण से **परमेष्ठिमंडलों** (Super Atomic Space) में भी कुछ अति विशिष्ट प्रकार की ध्वनियाँ प्रस्फुटित होती रहती हैं। **अपोलो** अभियान पर गए **नासा** के अंतरिक्ष यात्रियों को शून्य में अनुभूत हुई कुछ अद्भुत ध्वनि-तरंगें किंचित् इसी श्रेणी की ही रही होंगी। भारतीय मान्यताओं के अनुसार **नाद** (स्फोट) अर्थात् ध्वनि की मूल उत्पत्ति **परम् ब्रह्म** से निःसृत तेज से हुई थी और प्रकारांतर में इसका प्रसारण आधिदैविक तथा आधिभौतिक रूपों से होता हुआ **विद्युत्-चुंबकीय तरंगों** (Electro-Magnetic waves) के माध्यम से अंततः समस्त ब्रह्मांड में फैल गया। **ऋग्वेद** के प्रथम मंडल का मंत्र (163-1) इसी ओर संकेत करते हुए यह उद्घोषित करता है कि अनंत चेतना से सर्वप्रथम उत्पन्न हुई ऊर्जा (तेज) घोर नाद करती हुई तीव्र गति से अंतरिक्ष में सर्वत्र फैल गई थी ***(यदक्रन्दः प्रथमं जायमान उद्यन्त्समुद्राद्रुत वा पुरीषात्)***। आधुनिक विज्ञान भी यही मानता है कि समस्त ब्रह्मांड ऊर्जा से ही निर्मित है और इस ऊर्जा को नँ तो समाप्त किया जा सकता है, न ही विखंडित। कोई ऐसा उपाय भी नहीं है कि इसे उत्पन्न किया जा सके। उसके अनुसार इसी ऊर्जा से ध्वनि की उत्पत्ति हुई है। संभवतः सृष्टि के प्रारंभ में परम चेतना द्वारा **तेज** (ऊर्जा) व **नाद** (शब्द) एक साथ ही उत्सर्गित हुए होंगे, किंतु अपनी-अपनी नैसर्गिक गतियों के अनुरूप वे प्रकारांतर में ही अनुभूत हो पाए हों। उदाहरण के लिए, आकाश में **मेघों** के आपसी घर्षण से **विद्युत्** व **गर्जना**

एक ही साथ निःसृत होते हैं, परंतु अपनी चपलता के कारण प्रकाश की चमक गड़गड़ाहट से पूर्व ही प्रकट हो जाया करती है। किंचित् ऊर्जा से शब्द की उत्पत्ति-संबंधी अवधारणाओं के मूल में गति की विभिन्नताएँ ही कारण रही होंगी। इस मतांतर के उपरांत भी आधुनिक विज्ञान व भारतीय दर्शन इस बात पर एकमत दिखते हैं कि नाद और ऊर्जा—दोनों एक दूसरे के पूरक हैं। चूँकि ध्वनि भी ऊर्जा का ही एक रूप है। अतः यह भी आदि और अंत से रहित तथा सर्वव्यापक है। इस दृष्टि से सृष्टि-निर्माण में दोनों की सहभागिता स्पष्ट रूप से प्रमाणित होती है। इसी आधार पर भारतीय आस्थाओं में सृष्टि के कारक रूपी तेज व शब्द की अभ्यर्थनाएँ **ज्योतिर्ब्रह्म** व **नादब्रह्म** के आलंकारिक विशेषणों से भी की गई हैं। **घोरतम ब्रह्मनाद** तथा इसकी प्रतिध्वनियों के रूप में प्रसारित **घोर देववाक्** (आधिदैविक व आधिभौतिक ध्वनियों) की तुलनाओं में जैविक प्राणियों द्वारा उद्घोषित ध्वनियाँ अपेक्षाकृत अति सामान्य व सीमित स्तर की होती हैं। जैविक प्राणियों के क्रम में मानवों द्वारा उच्चारित **आक्षरिक** (Syllabic) तथा **अनाक्षरिक** (Non-Syllabic) ध्वनियों से प्रस्फुटित **वर्णों** (Alphabet) की नींव पर ही अंततः **आधुनिक भाषा** का यह बहुमंजिला भवन निर्मित हो पाया है।

अब प्रश्न उठता है कि **हूह, होह्, खिक्, ओह्, पूह्, फिस्स** आदि अस्फुट ध्वनियों को निकालनेवाले अद्यतन मानव, **आक्षरिक** तथा **अनाक्षरिक** जैसे स्पष्ट ध्वनियोंवाले **वर्णों** को उच्चारित तथा चिह्नित किस प्रकार से कर पाए होंगे? फिर आदि मानवों द्वारा इन वर्णों के संयोग से शब्दों की व्युत्पत्तियाँ किस प्रकार से संभव हो पाई होंगी तथा इन शब्दों का अर्थों से संबंध कैसे स्थापित हुआ होगा? भाषाविदों से लेकर साधारण जनों तक को उद्वेलित करनेवाले इन **यक्ष-प्रश्नों** के समाधान हेतु तात्कालिक मानवों का प्रकृति से सामंजस्य स्थापित करने की असाधारण क्षमताओं का आकलन किया जाना भी आवश्यक हो जाता है। **भर्तृहरि** के अनुसार ईश्वरीय देन के रूप में विद्यमान् यह **'प्रतिभा'** प्रत्येक जीव में पृथक्-पृथक् अंशों में रहती है और आवश्यकतानुसार विभिन्न स्थितियों में वह इन जीवों को क्षमतानुसार कार्य करने की प्रेरणा देती है (***यथा द्रव्यविशेषाणां परिपाकैरयत्नजाः मदादिशक्तयो दृष्टाः प्रतिभास्तद्वतां तथा***-वाक्यपदीय-2.148)। वसंत ऋतु में कोयल द्वारा उच्चारित मधुर ध्वनि; बया आदि पक्षियों द्वारा निर्मित सुंदर घोंसले; मकड़ी द्वारा बुना गया जटिलतम जाल; वर्षा से पूर्व चीटियों द्वारा निर्मित सुरक्षित विवरों में विस्थापन आदि असाधारण कृतित्व इन्हीं के कुछ

उदाहरण हैं। यह सर्वविदित है कि मानव स्वभावतः अनुकरणशील होता है। अनुकरण की इस प्रक्रिया में उसका **स्वत्व** उभरकर सामने आ जाता है। व्यक्ति का स्वत्व उसके **ज्ञान** के आधार पर विकसित होता है। ज्ञान की प्रखरता **चिंतन** व **मनन** से निखरती है। चिंतन व मनन की निपुणताएँ **स्मृति-तंत्र** की कुशलताओं पर निर्भर रहती हैं और स्मृति-तंत्र की कुशलताएँ **अभ्यास** के द्वारा ही उत्कृष्टताओं को प्राप्त करती हैं। मानवों का यही वैशिष्ट्य उसे इतर जीवों से अलग करता है, अन्यथा आहार, निद्रा, भय, मैथुन आदि स्वाभाविक प्रवृत्तियाँ तो सभी प्राणियों में समान रूप से विद्यमान रहती हैं (***आहार निद्रा भय मैथुनं च सामान्यमेतत्पशुभिः नराणाम्, ज्ञानं हि तेषामधिको विशेषो ज्ञानेन हीनाः पशुभिः समानाः***)। प्रसिद्ध समाजशास्त्री R.M. Maciver ने अपनी चर्चित पुस्तक **'Society'** में कुछ इसी तरह के भावों को व्यक्त किया है। मनुष्यों के स्वभाव का वर्णन करते हुए वे लिखते हैं—*"Human being are certainly imitative, but in the process of imitation their own social natures are gradually developed."* इस तथ्य के प्रमाण हेतु **तोता** और **मानव-शिशु** के दृष्टांतों का उल्लेख किया जा सकता है। मनुष्यों द्वारा सिखाए जाने पर तोता कुछ मानवी शब्दों को बोलना तो सीख लेता है, किंतु भावाभिव्यक्ति के लिए मनुष्यों जैसी भाषा का प्रयोग नहीं कर पाता है। इसके विपरीत मानव-शिशु अपनी **नैसर्गिक प्रतिभा** के बल पर परिवार व समाज के वरिष्ठ सदस्यों की बोली व व्यवहार की नकल करते हुए अंततः अपना **स्वतंत्र व्यक्तित्व** निर्मित कर लेता है। मनोवैज्ञानिकों द्वारा किए गए परीक्षणों से यह भी सिद्ध हो चुका है कि मानवी परिवेश से वंचित रखे गए शिशुओं का मस्तिष्क **अविकसित** ही रह जाता है, जबकि एकाकी परिवेश में पल्लवित किए गए शिशु प्रायः **गूँगे** ही निकलते हैं। इन साक्ष्यों से यह स्पष्ट हो जाता है कि मानवों को भाषा व व्यवहार-संबंधी प्राथमिक शिक्षाओं का पाठ पढ़ाने के लिए एक **अदद शिक्षक** व **सम्यक् मानवी परिवेश** की अनिवार्यता होती है। चूँकि अद्यतन मानवों का न तो कोई पूर्वज रहा था, न ही कोई अभिभावक और न ही कोई मानवी परिवेश। अतः उनके अंदर भाषा व व्यवहार-संबंधी मानवी गुणों का अंकुरण प्राकृतिक शक्तियों की अतिशय सहयोगी भूमिकाओं के कारण ही संभव हो पाया होगा। अनुभव बताते हैं कि **इंद्रियजनित अपंगताओं** की स्थिति में संबंधी मानव की **अतींद्रिय क्षमताओं** में अभूतपूर्व निखार आ जाता है। संभवतः संपूर्णतः प्रकृतिवत् रहे आद्य मानवों में विवेक की कोंपलें उनकी इन्हीं

अति विकसित अतींद्रिय क्षमताओं (प्रतिभाओं) के कारण ही अंकुरित हो पाई होंगी। जिस प्रकार **दृश्यग्राह्य यंत्र** (Spectrograph) प्रकाश व ध्वनि की आवृत्तियों को अलग करते हुए उन्हें पृथक्-पृथक् रूप से एकत्र कर लेती हैं, उसी प्रकार **प्रतिभा** भी मस्तिष्क ग्रंथियों द्वारा गृहीत ज्ञान व तत्त्व की मीमांसा करके यह निर्णय करती है कि उनमें से कितना अंश ग्राह्य है और कितना त्याज्य। प्रतिभा के इसी गुण-विशेष के कारण ही उसे शास्त्रों में **नवनवोन्मेषशालिनी प्रज्ञा** की संज्ञा से भी विभूषित किया गया है ***(प्रज्ञा नवनवोन्मेषशालिनी प्रतिभा मता)***। नव-नवोन्मेष प्रज्ञा की अपनी इसी विशिष्टता के कारण **प्रतिभा** व्यक्ति-भेद के आधार पर एक ही तत्त्व या ज्ञान को विभिन्न रूपों में प्रस्तुत करती है। इसी तरह व्यक्ति, काल तथा स्थान के आधार पर भाषा-भेद की संभावनाएँ भी बलवती हो जाती हैं। प्रकृति में व्याप्त ज्ञानवर्द्धक सूक्ष्मातिसूक्ष्म तरंगों को ग्रहण करने के लिए अपरिमित क्षमताओंवाले **दिव्य संकेतकों** की आवश्यकताएँ होती हैं। **रेडियो** तथा **दूरदर्शन प्रसारण केंद्रों** में लगे कुछ इसी तरह के साधारण उपकरणों (Modulator) के द्वारा इलेक्ट्रोमैग्नेटिक वेवों के माध्यम से संचारित की गई ध्वनियों व चित्रों को दूरदराज के श्रोता व दर्शक निश्चित प्रायिकताओं (Frequencies) पर अपने **घरेलू उपकरणों** (Radio/TV) की सहायता से समय के उसी अनंतर (Fraction of time) में बड़ी सहजता से सुन और देख सकते हैं। किंचित् कृत्रिम प्रदूषणों से सर्वथा मुक्त रहे तात्कालिक वातावरणों में जनमे आद्य मानवों की अति संवेदनशील मस्तिष्क ग्रंथियाँ प्रकृति में सतत प्रवाहित रही ध्वनि-तरंगों को ग्राह्य करने की परिणामजनित (Modulator जैसी) क्षमताओं से परिपूर्ण रही होंगी। इस प्रकार अद्यतन मानवों में से कुछ **विशिष्ट प्रतिभा** वाले चिंतकों ने अपनी प्रज्ञा के बल पर वातावरण में गुंजायमान हो रहे **विशिष्ट ध्वनि-तरंगों** (Unique Sound Waves) को सुनने, समझने व तदुपरांत मानवी सामर्थ्य के अनुसार उसे अपने **वाग्यंत्रों** (Vocal Organs) के माध्यम से दुहराने का प्रयास किया होगा। इसी उपक्रम में उनके द्वारा उच्चारित हुई ध्वनियों से ही **आक्षरिक** व **अनाक्षरिक** वर्णों व पदों का स्वरूप उभरा होगा। कालांतर में मानवीय समाज की संरचना के पश्चात् **संपर्क-सूत्र** हेतु उत्पन्न हुई आवश्यकताओं के अनुरूप इन्हीं **आद्य-उद्घोषकों** द्वारा क्रियात्मक गुणों को प्रकट करनेवाले आशयों को संकेत देने के लिए चिह्नित किए गए **अर्थमूलक शब्दों** के आधार पर सृजित हुए वाक्यों से ही **प्रथम मानवी भाषा** का आविर्भाव हुआ होगा। इस **दैवीय**

सिद्धांत के तहत ही विश्व की सभी आस्थाओं में उनके पूर्व या प्रथम पुरुष के साथ **आद्य गुरु** की मान्यताएँ भी पल्लवित हुई थीं।

वैदिक ग्रंथों के संदर्भ तो ज्ञान व भाषा से संबंधित उपर्युक्त संभावनाओं को प्रामाणिक ही सिद्ध करते हैं। **ऋग्वेद** (1-163/1/2/3) के अनुसार, परम चेतना से स्फूर्त हुई अप्रतिम ऊर्जा के वेग से ही प्रकृति का शैथिल्य उत्सारित हुआ था। इस संघात के परिणामस्वरूप सुसुप्त प्रकृति में तेज व नाद के रूपों में व्याप्त हुई **ऊर्जा** के द्वारा ही सृष्टि की कारक शक्तियाँ जाग्रत् हो पाई थीं। **ऋग्वेद** (1-164-42) के अनुसार, सृष्टि-रचना के साथ ही वाणी का प्राकट्य हुआ था और तदंतर प्रकृति के परमाणुओं के साथ ही यह प्रसारित होती गई ***(तस्याः समुद्रा अधिविक्षरिन्त तेनजीवन्ति प्रदिशश्चतस्त्रः, ततः क्षरत्यक्षरं तद्द विश्वमुपजीवति)***। **शतपथ ब्राह्मण** (11/1/6/1) के अनुसार, प्रकृति के स्पंदित होने से उत्सर्जित हुई ध्वनियों (स्फोट) का मूल स्वरूप **एकाक्षरिक** (Mono-syllabic) तथा **द्वयाक्षरिक** (Bi-syllabic) स्वरों की भाँति का रहा था। **ऋग्वेद** (1-164/24) में इसी भाव को ***'गायत्रेण प्रतिमिमीते अर्कमर्केण सामत्रैष्टुभेन वाकम्, वाकेन व्राकंद्विपदा चतुष्पदा अक्षरेणमिमते सप्तवाणीः'*** के रूप में प्रकट किया गया है। सृष्टि-संरचना के इसी क्रम में परमाणु आदि के निर्माणोपरांत प्रकट हुई विभिन्न प्राकृतिक-शक्तियों के आपसी आकर्षण-विकर्षण से प्रस्फुटित हुए कलरवों से ही **त्रयाक्षरिक, चतुराक्षरिक, पंचाक्षरिक** व **अनाक्षरिक ध्वनियों** का स्वरूप उभरकर सामने आया था। वेदों में इन्हीं परिदृश्यों का आलंकारिक वर्णन करते हुए कहा गया है कि *'अपने आविर्भाव के पश्चात्* ***विश्वेदेवाः*** *(यानी विश्व के देवता या जगत् के दिव्य पदार्थ) ब्रह्म द्वारा प्रदत्त सामर्थ्य के अनुरूप विभिन्न छंदों का उच्चारण करने लगे थे।'* **ऋग्वेद** (10-130/4,5) के अनुसार **अग्नि** नामक रौद्र शक्ति के प्रभाव से उत्सर्जित हुई ध्वनियों को **गायत्री छंद** के रूप में, **सविता** नामक प्राणदायिनी शक्ति के सहयोग से **उष्णिक् छंद, सोम** नामक अमृतमयी शक्ति के सहयोग से **अनुष्टुप् छंद, बृहस्पति** नामक प्रज्ञाशक्ति द्वारा **बृहती छंद, मैत्रावरुण** नामक युग्म शक्तियों के प्रभाव से **विराट् छंद, इंद्र** नामक उद्क्रांतिदायक शक्ति के सहयोग से **त्रिष्टुप छंद** तथा शेष अन्य दिव्य शक्तियों के सहयोग से गुंजायमान हुई ध्वनियों को **जगती छंद** के रूप में चिह्नित किया गया है ***(अग्नेर्गायत्र्य भवत्सयुग्वोष्णिह्या सविता सं बभूव अनुष्टुभा सोम उक्थैर्महस्वान्बृहस्पतेर्बृहती वाचामावत्, विराण्मित्रावरुणयोरभिश्रीरिन्द्रस्य त्रिष्टुविहभागो अह्नः विश्वान्देवांजगत्या विवेश)***।

गायत्री छंद **चौबीस अक्षरों** का, उष्णिक् छंद **अट्ठाईस अक्षरों** का, अनुष्टुप् छंद **बत्तीस अक्षरों** का, विराट् छंद **चालीस अक्षरों** का, त्रिष्टुप छंद **चौवालीस अक्षरों** का व जगती छंद **अड़तालीस अक्षरों** का होता है। प्रकृति के परमाणुओं में हुए उद्वेलनों से निःसृत हुए इन **सप्तवाणीः** या **मूल सात छंदों** (ध्वनिस्वरूपों) की प्रतिध्वनियों से ही **पंक्ति, ककुप** आदि **उपछंदों** का अस्तित्व उभरकर सामने आया था। इन्हीं छंदों व उपछंदों के द्वारा **मंत्रों** तथा **पदों** का स्वरूप प्रकट हुआ। **ऋग्वेद** (8-109/10) के अनुसार, *'निगूढ़ अर्थोंवाली वाणी सर्वप्रथम देवता में स्थापित हुई और फिर ज्ञान को दुहनेवाली ऊर्जा की भाँति चारों दिशाओं में फैलकर बरसने लगी'* (***यद्वाग् वदन्त्याविचेतनानि राष्ट्री देवानां निषसाद मंद्रा, चतस्त्र ऊर्ज दुदुहे पयांसि क्व स्विदस्याः परम जगाम्)***। अंतरिक्ष में व्याप्त इन सूक्ष्म ध्वनि-तरंगों को अपनी प्रज्ञा के बल पर अनुभूत कर तथा इनके अर्थों का अनुमान लगाकर ज्ञानवान हुए कुछ विशिष्ट प्रतिभावान आद्य-पुरुषों (ऋषियों) ने सम्यक् मनन व अभ्यास के उपरांत इन्हें उसी लय में दुहराने का प्रयास किया। इस प्रकार इन प्रतिभासंपन्न आद्य पुरुषों की स्वर-तंत्रिका से उच्चारित हुई विशिष्ट ध्वनियों (मंत्रों) से ही पदों (शब्दों) तथा इन्हीं अर्थमूलक शब्दों के आधार पर सृजित हुए वाक्यों से ही मानवी-भाषा का प्रथम स्वरूप अस्तित्व में आया ***(सहस्तोमाः सह्छन्दसः आवृतः सहप्रमाऋषयः सप्त दैव्याः***-ऋग्वेद-10-130/7*)*। **ऋग्वेद** का दसवाँ मंडल (10-130/6) यह बताता है कि *'देवताओं द्वारा उच्चारित इन्हीं छंदों व उपछंदों का अनुभव ऋषिगण अपने मन के चक्षुओं से करके इसके मनन द्वारा स्वयं ज्ञानवान हुए, फिर इस देववाक् को अपनी वाणी द्वारा प्रकट करते हुए अन्य मनुष्यों (पितरों) को भी ज्ञानवान किया'* ***(चाक्लृपे तेन ऋषयो मनुष्या यज्ञे जाते पितरो नः पुराणे, पश्यन्मन्ये मनसा चक्षसा तान्य इमं यज्ञमयजंत पूर्वे)।*** भारतीय ग्रंथों में प्रत्येक मंत्र से पूर्व के विनियोग प्रभाग में उल्लिखित मंत्र प्रणेता ऋषि, उद्गमित स्रोत अर्थात् प्राकृतिक (दैविक) शक्ति के नाम व ध्वनि-प्रभाव (बीज) सहित इंद्रादि का संदर्भ इन तथ्यों का अकाट्य प्रमाण प्रस्तुत करता है। मंत्र संस्कार ***(वागर्थाविव संपृक्तौ)*** के उपर्युक्त आधार पर निरूपित **ऋग्वेद** (8-100-11) के इस कथन को कि *'वाग्देवी (भाषा) को देवों ने उत्पन्न किया था और इसे ही सभी प्राणी बोलते हैं'* (***देवी वाचमजनयन्त देवास्तां विश्वरुपाः पशवो वदन्ति***) जर्मन तथा ग्रीक के विद्वानों ने भी माना था। प्रसिद्ध जर्मन विद्वान् **सुसमिल्श** यह मानते थे कि *'भाषा मानवकृत नहीं है, अपितु परमात्मा से साक्षात् उपहार के रूप*

*में प्राप्त हुई है' (Language could not have been invented by man, but was a direct gift from God.—**Sussmilch,** as quoted by Otto Jespersen in **'Language'**, Page No. 27)*।

छंदमय होने के कारण मनुष्यों द्वारा व्यवहृत हुई इस **'आद्य भाषा'** को वेदों में जहाँ **'राष्ट्री'** की संज्ञा से विभूषित किया गया है, वहीं **शौनकीय बृहद्देवता** (4/113) में इसे **'सौरी'** (सुरों में प्रवृत्त रहनेवाली) कहकर भी चिह्नित किया गया है **(*तस्मै तु सौरीं नाम्ना वाचे*)**। आधुनिक भाषाविदों द्वारा किए गए अध्ययनों से भी यह प्रमाणित हो चुका है कि आज की तुलना में अद्यतन भाषाओं का स्वरूप अधिक क्लिष्ट व स्वराघातों (सुरों) से परिपूर्ण रहा था। **वैदिक संस्कृत** व **होमरिक ग्रीक** में संगीतात्मक स्वरों की उपस्थिति इन्हीं तथ्यों को पुष्ट करती है। विश्व की प्रथम कृति के रूप में विख्यात **ऋग्वेद** तो संपूर्णतः **पद्यमय** ही है। अफ्रीका की पुरातन बोलियों व भाषाओं में भी कुछ इसी प्रकार के संकेत मिलते हैं। इन आधारों से यह स्पष्ट हो जाता है कि आरंभिक चरण में भाषा का स्वरूप पद्यमय या गीतमय ही रहा था। इस प्रकार **देववाक्** के अनुकरण द्वारा **अर्थमूलक वाणी** के प्रयोगादि में पारंगत हो जाने के पश्चात् छंदों के माध्यम से अंतरिक्ष में कट-कटकर तरंगित हो रहे एक, दो, चार, आठ व नौ पदोंवाले मंत्रों ***(गौरीर्मिमाय सलिलानि तक्षत्येकपदी द्विपदी सा चतुष्पदी अष्टापदी नवपदी बभूवुषी सहस्त्राक्षरा परमे व्योमन्***-ऋग्वेद-1-164/41*)* के भावों को हृदयंगम कर ऋषियों ने इन्हें **ऋचाओं** व **सूक्तों** में निरूपित करना प्रारंभ किया। अंतरिक्ष में प्रवाहित हो रही दिव्य ध्वनियों को श्रवण कर उन्हें मंत्रों के माध्यम से **वेद** (यानी ज्ञानपुंज) के रूप में प्रकट किए जाने के कारण ऋषियों के इन संकलनों को भारतीय वाङ्मय में जहाँ **'श्रुति'** कहकर चिह्नित किया गया, वहीं अंतरिक्ष में व्याप्त ध्वनि-तरंगों को अपनी प्रज्ञा-चक्षु से अनुभव करके इन्हें मंत्रों के रूप में प्रकट करनेवाले ऋषियों को **'द्रष्टा'** तथा इन द्रष्टाओं द्वारा निरूपित किए गए आप्त विचारों को **'दर्शन'** की यथायोग्य संज्ञाओं से भी विभूषित किया गया। इसी परिप्रेक्ष्य में मानवों को संस्कारित करने के उद्देश्य से व्यक्त की गई इन सारगर्भित श्रुतियों की भाषा (अर्थात् राष्ट्री या सौरी) को भी तदनुरूप **सम+कृत** (**'संस्कृत'**) के भावबोधक संबोधन से ही उद्बोधित किया जाने लगा। इस तरह देववाक् (अंतरिक्ष की ध्वनि-तरंगों) के मानवी संस्करण के रूप में परिणित हुई राष्ट्री या सौरी ही 'संस्कृत' के अपने पर्याय के साथ **विश्व की प्रथम भाषा** होने के श्रेय को प्राप्त करने में सफल रही। चूँकि वेदों की रचना संस्कृत भाषा में हुई है और

इन्हें विश्व की प्राचीनतम कृति माना जाता है, अतः ऋग्वेद में उल्लिखित सरस्वती व दृषद्वती नामक नदियों के भौगोलिक संदर्भ तथा ***'भारतस्य प्रतिष्ठे द्वे संस्कृत चैव संस्कृति'*** की प्रसिद्ध युक्ति इसके (अर्थात् संस्कृत भाषा के) **उद्भव-स्थान** के रूप में **'भारत'** को ही रेखांकित करती है। कालांतर में **परिस्थिति-भेद, स्थान-भेद** व **काल-भेद** के कारण ध्वनि, शब्द, रूप, अर्थ एवं वाक्य के स्तरों में इनमें परिवर्तन आता गया (***अवस्थादेशकालानां भेदाद् भिन्नासु शक्तिषु***—वाक्यपदीय, 10-1-32) और इस प्रकार स्थान, काल व सभ्यताओं के अनुरूप भाषा व लिपि के विभिन्न स्वरूप उजागर होने लगे।

भारतीय शास्त्रों के संदर्भ यह इंगित करते हैं कि श्रुतियों के संकलनों के पश्चात् **औपमन्यव, स्थौलाष्ठोवि, वार्ष्यायणि, क्रौष्टुकि** आदि आद्य भाषाविदों ने इनमें प्रयुक्त शब्दों की स्पष्टता के लिए **'निघंटु'** नामक शब्द-शास्त्रों की रचना की थी। इन निघंटुओं के अनुसार, तात्कालिक समय में आक्षरिक तथा अनाक्षरिक वर्णों की कुल संख्या लगभग 76 रही थी। परिस्थितिजन्य कारणों से संस्कृत वर्णों में आए सामयिक क्षरणों के साथ-साथ इसकी कुछ क्लिष्ट ध्वनियाँ व कठिन शब्द भी तदनुरूप लुप्त होते गए। इस क्षरण के परिणामस्वरूप **यास्क** द्वारा रचित **'निरुक्त'** नामक व्युत्पत्ति-शास्त्र तक इनकी संख्या घटकर 63 या 64 (***त्रिषष्टिश्चतुःषष्टिर्वा वर्णाः शम्भुमते मताः***-पाणिनीय शिक्षा-3) एवं **पाणिनि** के पश्चात् सिमटकर 53 (यानी 16 स्वर तथा 37 व्यंजन) हो गई। **'प्रपंचसार'** आदि ग्रंथों के अनुसार इन 53 वर्णों के प्रणेता ऋषि, छंदादि व इनमें निहित प्रभाव निम्नांकित हैं—

वर्ण	**प्रणेता ऋषि**	**ध्वनि-प्रभाव**	**छंदादि**
अ	अर्जुन्यायन	मृत्युबीज	मध्या
आ	"	पूषाबीज	"
इ	भार्गव	पुष्टिबीज	प्रतिष्ठा
ई	"	आकर्षणबीज	"
उ	अग्निवेश्य	बलदायकबीज	सप्रतिष्ठा
ऊ	"	उच्चाटनबीज	"
ऋ	"	स्तंभनबीज	"
ॠ	गौतम	मोहनबीज	गायत्री
लृ	"	विद्वेषणबीज	"

वर्ण	प्रणेता ऋषि	ध्वनि-प्रभाव	छंदादि
लृ	”	मरुतबीज	”
ए	”	सोमबीज	”
ऐ	लौहित्यायन	सविताबीज	अनुष्टुप्
ओ	”	वसुबीज	”
औ	वसिष्ठ	आदित्यबीज	बृहती
अं	”	पशुवश्यबीज	”
अः	मांडव्य	मृत्युनाशकबीज	दंडक
क	मौद्‍गायन	विषबीज	पंक्तिम्
ख	अज	स्तंभनबीज	त्रिष्ठुप
ग	”	सोमबीज	”
घ	”	मारणबीज	”
ङ	”	त्वष्टाबीज	”
च	योग्यायन	चंद्रबीज	जगती
छ	गोपाल्यायन	मृत्युनाशक	अतिजगती
ज	नषक	ब्रह्मबीज	शक्वरी
झ	अज	चंद्रबीज	”
ञ	कश्यप	मोहनबीज	अतिशक्वरी
ट	शुनक	क्षोभणबीज	अष्टि
ठ	सौमनस्य	घातबीज	अत्यष्टि
ड	करण	आपःबीज	धृति
ढ	मांडव्य	श्रीबीज	अतिधृति
ण	”	असुरबीज	”
त	सांकृत्यायन	अष्टशक्तिबीज	कृति
थ	”	यमबीज	”
द	”	शक्तिबीज	”
ध	”	मित्रबीज	”
न	कात्यायन	पुष्टिबीज	प्रकृति
प	”	वरुणबीज	”
फ	”	अरुणबीज	”

वर्ण	प्रणेता ऋषि	ध्वनि-प्रभाव	छंदादि
ब	दाक्षायण	विष्णुबीज	आकृति
भ	व्याघ्रायण	भद्रकालीबीज	विकृति
म	शांडिल्य	रुद्रबीज	संकृति
य	कांडिल्य	वायुबीज	अतिकृति
र	”	अग्निबीज	”
ल	दांड्यायन	इंद्रबीज	उत्कृतिं
व	जातायन	वरुणबीज	दंडक
श	लाट्यायन	कल्याणबीज	”
स	जय	वाणीबीज	”
ष	”	आकाशबीज	”
ह	”	सूर्यबीज	”
ळ	मांडव्य	अग्निबीज	”
क्ष	”	पृथ्वीबीज	”
त्र	क्रौष्टुकि	मेधाबीज	संकृति
ज्ञ	”	भगबीज	”

संस्कृत भाषा के अध्ययन के उपरांत जर्मन मूल के प्राध्यापक **विंटर्निट्ज** ने भी कुछ इसी प्रकार के मतों को व्यक्त किया था—*(Thus for instance, Ancient High Indian, has a subjunctive which is missing in Sanskrit, it has a dozen different infinitive-endings, of which but one single one remains in Sanskrit. The aorists, very largely represented in the Vedic language, disappear in the later Sanskrit more and more. Also the case and personal endings are still much more perfect in the oldest language than in the later Sanskirt.* - Ref. **History of Indian Literature** by Prof. M Winternitz, Vol.-I, page-42)। प्रसिद्ध इतिहासज्ञ **रैपसन** का भी यही मानना था कि पाणिनि के व्याकरण-शास्त्र के पश्चात् परिवर्तित हुए संस्कृत के रूप पुराने **लौकिक** तथा अतिपुरातन **वैदिक संस्कृत** की अपेक्षा प्रकारांतर में संकुचित होते गए *(The Language also of the Vedic Literature is difinitely anterior to the classical speech as prescribed in the epoch-making work of Panini;*

even the Sutras, which are undoubtedly later than the Brahmans, show a freedom which is hardly conceivable after the period of the full influence of Panini. Ref.-**Cambridge History of Ancient India** by E.J. Rapson, Vol. I, Page 113)। कालांतर में नवीन भाषाओं के आधिपत्य के कारण लोक-व्यवहार में उपेक्षित सी हो गई संस्कृत के वर्ण भी तदनुसार घटकर 48 ही प्रचलन में रह गए।

संस्कृत की **'भाष्'** धातु (**भ्वादिगणी**, जिसका आशय होता है—बोलना या कहना) से व्युत्पन्न हुई **'भाषा'** में प्रकारांतर आए इन परिवर्तनों या क्षरणों के मुख्य कारण वाचिक असंगतियाँ ही रही हैं। भाषा की निरंतरता सामान्यतः अभ्यास व अनुकरण की प्रणालियों पर ही अवलंबित रहती हैं। लिपियों का प्रचलन न होने के कारण आदिम युग में श्रुतियों के रूपों में परिवर्धित हुई भाषा को पीढ़ी-दर-पीढ़ी बनाए रखने के लिए अभ्यास व अनुकरण के अचूक सिद्धांत के तहत **गुरु-शिष्य परंपरा** का विकास किया गया। इस प्रक्रिया के तहत **मंत्रों** से लेकर **श्लोकों** या फिर **ऋचाओं** व **सूक्तों** से लेकर **मंडलों** व **कांडों** तक को कंठस्थ ही नहीं किया जाता रहा, अपितु इनके उच्चारणों तथा गायन विधाओं का सम्यक् अभ्यास द्वारा यथावत् दुहराने का प्रयास भी किया जाता रहा। वैदिक वाङ्मय के विशाल स्वरूप को सँजोए रखने के उद्देश्य से विषयानुरूप पारंगत रहे आचार्यों ने उचित स्थानों पर अपने-अपने **गुरुकुलों** को स्थापित कर रखा था। विषयानुरूप प्रतिष्ठित रहे इन गुरुकुलों की शाखाओं से दीक्षित होकर निकले शिष्यों को समाज में उनके संबंधित गुरुओं के प्रवरों व गोत्रों (यथा **भार्गव, भरद्वाज, कौशिक, काश्यप** आदि) या फिर विषयानुरूप उनकी सिद्धताओं (अर्थात् **यजुर्वेदी** या **द्विवेदी, सामवेदी** या **त्रिवेदी, चतुर्वेदी, ब्राह्मण, शास्त्री** आदि) के आधारों पर ही चिह्नित किया जाता रहा था। वस्तुतः ये सब उपाधियाँ आधुनिक युग के **कैंब्रिज प्रोडक्ट, ऑक्सफोर्ड प्रोडक्ट, सिलिकॉन प्रोडक्ट, साइंटिस्ट, डॉक्टर, इंजीनियर, बिजनेस-मैनेजर** या **आई.टी. प्रोफेशनल** जैसी ही थीं। कालांतर में जनसंख्या वृद्धि के फलस्वरूप विस्तारित हो रहे मानवी समाज को अनुशासित करने के लिए नित-नवीन **स्मृतियों** की रचनाओं के साथ-साथ इन गुरुकुलों में इन्हीं के पठन-पाठन पर जोर दिया जाने लगा। इस प्रकार **नए विषयों** (स्मृतियों) के आगमन से **पुराने** (श्रुतियों) के प्रति अपनाई गई स्वाभाविक उदासीनताओं ने भाषा के आदिम प्रवाह को एक नया मोड़ दे दिया। **काल-भेद** के तात्कालिक परिवेश के अनुरूप अपनाई गई स्मृतियों की अपेक्षाकृत सरलतम शैलियों

ने अंततः ध्वनि, शब्द, रूप, अर्थ व वाक्य के स्तरों पर श्रुतियों की भाषा को अपने ढंग से प्रभावित करना प्रारंभ कर दिया। उदाहरण के लिए, वैदिक भाषा में प्रयुक्त ळ, ळ्ह, जिह्वामूलीय व उपध्मानीय **ध्वनियाँ**; लृ, उदात्त व प्लुत **स्वर**; ईम्, सीम्, वै आदि **निपात**; अक्तु, अर्जुनी, श्वेत्या, गातु, ग्मा, ज्मा आदि **शब्द** शनैः-शनैः लुप्त हो गए और इसी के साथ-साथ अच्, अम्, क्षद्, जिन्व्, ध्रज् आदि **धातुएँ** भी अप्रयुक्त होती गईं। इधर भौगोलिक, जलवायविक व सामाजिक निर्वासनों के कारण यायावर बनने के लिए बाध्य हुए कुछ समूह भी प्रकारांतर में गुरुकुलों के आधार-स्रोत से मूलतः कटते ही गए। **स्रोत-विहीनता** की इस स्थिति में इनके द्वारा कुछ भाषिक तथ्यों को या तो छोड़ दिया गया या फिर कुछ नए रूपों को अपनी सुविधानुसार जोड़ लिया गया। **स्थान-भेद** द्वारा उत्पन्न इसी छोड़ने व जोड़ने की प्रवृत्तियों के कारण पीढ़ी-दर-पीढ़ी विकसित हुई इनकी भाषाओं में आमूल बदलाव भी आता गया। इसके अतिरिक्त इन विस्थापनों के फलस्वरूप बदले जलवायविक व भौगोलिक प्रभावों के कारण आए शारीरिक परिवर्तनों, नए परिवेश में जीविकोपार्जन से संबंधित उदित हुई समस्याओं व व्यस्तताओं के कारण खंडित हुई एकाग्रताओं या फिर शिक्षा-संबंधी व्यवधानों ने देश-काल के हिसाब से रूपांतरित हो चुकी इनकी बोलियों को **परिस्थिति-भेद** के अनुरूप अनेकानेक ढंग से संक्रमित करना प्रारंभ कर दिया। वैदिक ऋषि **अत्रि, गाथ, गालव** के आश्रमों से बिछुड़े शिष्यों द्वारा सुदूर पश्चिम में विस्थापित हुए समाज द्वारा उच्चारणगत दोषों सहित प्रकारांतर में अपनाई गई शैलियों से निःसृत हुई **एट्टिक** (ग्रीस पूर्व की भाषा), **गॉथिक** (जर्मनिक शाखा की प्राचीन भाषा), **गेलिक** (मध्य यूरोप की मृत भाषा) तथा **किरात, पुलिंद, मय** परिवारों द्वारा प्रसूत समाज की बोलियों से ही **चीनी, ऑस्ट्रो-एशियाटिक** तथा **अमेरिका की प्राचीन भाषाओं** का स्वरूप उभरकर सामने आ पाया था। इस प्रकार **काल-भेद** के प्रभावों द्वारा प्रकारांतर में सरलतम हुई मूल वैदिक भाषा से लौकिक व पाणिनि-पश्चात् की संस्कृत, **स्थान-भेद** के कारण फिर इनके अपभ्रंश से निःसृत हुई प्राकृत, अवेस्ता, म्लेच्छ, दरद, आसुरी, यवन, पहलवी, पालि आदि प्राचीन भाषाएँ एवं **परिस्थितिजन्य कारणों** से कालांतर में इन्हीं के ही गर्भ से विश्व की अन्यान्य भाषाओं व बोलियों का क्रमशः विकास होता गया।

आधुनिक भाषाविद् भी यही मानते हैं कि आरंभिक अवस्था में भाषाओं के शब्द अपेक्षतया लंबे व उच्चारण की दृष्टि से अधिक क्लिष्ट रहे थे *(It is observed that everywhere the tendency to make pronunciation more easy, so as to lesser the muscular efforts; difficult combinations of sounds are discarded...Modern research has shown that the Proto-Aryan sound systems and vocabularies were much more complicated than was imagined in the reconstruction of the middle of the nine-teenth century*-Ref. **Language**, page-409)। **एट्रस्कुन** (इटली की मृत भाषा) से स्वरूप में आई प्राचीन लैटिन, **कोइने** (Koine—a dead Language of Europe) के स्रोत से निःसृत हुई पुरानी ग्रीक व **लौकिक संस्कृत** से अस्तित्व में आई पाणिनि-पश्चात् की संस्कृत भाषा-संरचना की दृष्टि से अति असाधारण बनावटवाली ही रही थी। कालांतर में उच्चारण व वाक्य-विन्यास के स्तरों पर अपनाई गई सरलतम शैलियों के उपरांत भी इन भाषाओं का स्वरूप आधुनिक भाषाओं की तुलना में अधिक श्रेष्ठ व परिपक्व ही बना रहा। किंचित् इनकी विशेषताओं से अभिभूत होकर ही **भाषाविद् जे. वेंड्रियस** (Mr. J. Vendrys) को अपनी पुस्तक **'Language'** (Page-346) में यह लिखना पड़ा कि *'भले ही अंग्रेजी, फ्रांसीसी आदि आधुनिक भाषाएँ बहुत लचकदार, सरल व कोमल हों, किंतु ग्रीक व लैटिन भाषा* (जिनसे ये पोषित हुई हैं) *तुलनात्मक रूप से इनसे अधिक प्रभावशाली ही रही हैं' (Certainly modern languages such as English and French rejoice in an extreme suppleness, ease and flexibility ---but can we maintain that the classical tongues like Greek or Latin are inferior to it? If we have once acquired the taste for it, all other Languages seem insipid or harsh after it.)*। इसी कड़ी में किए गए अध्ययनों के उपरांत भाषाविद् **सर विलियम जोन्स** (Sir W. Jones) भी इसी निष्कर्ष पर पहुँचे थे कि ग्रीक, लैटिन आदि उत्कृष्ट भाषाओं की तुलना में संस्कृत अपनी प्राचीनता के साथ-साथ अधिक परिष्कृत, पूर्ण तथा आश्चर्यजनक बनावटवाली भाषा ही सिद्ध होती है (*"The Sanskrit Language, whatever be its antiquity, is of wonderful structure, more perfect than the Greek, more copious than the Latin and more exquisitively refined than either."* Quoted by R.H. Robins : **A short History of Linguistics**-page No.134)। इसी तरह **एडूवर्ड पोकॉक** (Edward Pocoke) अपनी चर्चित पुस्तक **'India in Greece'** में रॉयल एशियाटिक सोसाइटी द्वारा जारी किए गए **डब्ल्यू.सी. टेलर** (W.C. Taylor) के एक शोध-प्रबंध का हवाला देते हुए संस्कृत की प्राचीनता व महत्ता को ही सर्वोपरि ठहराते हैं। **जर्नल**

ऑफ द रॉयल एशियाटिक सोसाइटी के खंड-दो (Appendix-xvi) में प्रकाशित इस प्रबंध-पत्र के अनुसार—*"संस्कृत के वैभव की तो कोई सीमा ही नहीं है। यह ग्रीक से भी अधिक लचीली और रोमन भाषा से भी अधिक सशक्त है। इसके दर्शनशास्त्र की तुलना में पायथागोरस का कथन सद्यःजात शिशु की भाँति बचकाने लगते हैं। इसकी वैचारिक उड़ान के समक्ष प्लूटो की ऊँची कल्पनाएँ निष्प्रभ और साधारण सी दिखती हैं। इसके काव्यों में व्यक्त प्रतिभा अकल्पित सी प्रतीत होती है और इसके शास्त्रीय ग्रंथ तो इतने प्राचीन हैं कि उनका कोई अनुमान लगाना ही दुष्कर लगता है। एकाकी बल पर टिका हुआ संस्कृत का यह विपुल साहित्य विश्व की भाषाओं में अपना एक विशिष्ट स्थान रखता है।"* ऐतिहासिक सूत्र यह बताते हैं कि **आद्य शंकराचार्य** ई.पू. चौथी शताब्दी के कालखंड में भारत भर में घूम-घूमकर सामान्य जनों के मध्य संस्कृत भाषा में ही प्रवचन किया करते थे। यह वही काल है, जिसमें ग्रीक व लैटिन भाषाएँ अपने प्रारंभिक अवस्थाओं में रही थीं, जबकि संस्कृत को भारतवर्ष में जन-भाषा की प्रतिष्ठा प्राप्त थी। उपर्युक्त उद्धरणों से यह प्रमाणित हो जाता है कि पूर्ववर्ती भाषाएँ आज की प्रचलित भाषाओं की तुलना में अधिक परिपक्व तथा पूर्ण रही थीं और लौकिक व उत्तर वैदिक के क्रम से ज्येष्ठ रही वैदिक संस्कृत ही मानव की प्राचीन से प्राचीनतम भाषा होने के साथ-साथ अन्य सभी भाषाओं की अपेक्षा अधिक व्यवस्थित, उन्नत तथा परिपूर्ण रही थी।

लाखों वर्ष पूर्व उत्पन्न हुए भाषा-संबंधी इस भारतीय दृष्टिकोण के प्रति अपने सीमित कालगत दृष्टिबोधों के कारण आधुनिक भाषाविद् प्रायः असहमत ही दिखते हैं। इनकी दृष्टि में भाषा-उत्पत्ति विषयक उपर्युक्त सामग्री कोई ठोस साक्ष्य उपस्थित नहीं कर पाती है *(After much futile discussion Linguistics have reached the conclusion that the data with which they are concerned yield little or no evidence about the origin of human speech.* Ref. **An Introduction to Linguistic Science** by Edger H. Sturtevent*)*। किंचित् यही कारण रहा कि सन् 1866 में पेरिस में स्थापित हुई **'ला सोसिएते द लेंगिस्तीक'** *(La societe de Linguistique)* नामक भाषा विज्ञान की **विश्वस्तरीय समिति** ने अपने अधिनियम (सेक्शन-2) में स्पष्ट रूप से **'भाषा की उत्पत्ति'** से संबंधित विषयों पर विचार करने पर ही प्रतिबंध लगा दिया। चूँकि वैज्ञानिक दृष्टि से यह निर्णय तर्कसंगत नहीं था, अतः गियांबटिस्टा, ब्रासेस, काडिलॉक, रूसो, हर्डर, न्यावर, ग्रिम, राये, डार्विन, हंबोल्ट, श्लाइखर, येस्पर्सन, गाइगर, स्टाइंथल, स्वीट, रेगनॉड, टेलर,

वुंट, डिलैगुना, वर्नार्ड शॉ, रेवेज, जोहांसन, हंफरी, समरफेल्ट आदि पाश्चात्य विद्वानों ने समय-समय पर अपने-अपने तर्कों के माध्यम से भाषा की उत्पत्ति-संबंधी **यक्ष प्रश्नों** का उत्तर देने का अथक प्रयास भी किया। किंतु पाश्चात्य जगत् के इन मूर्धन्य विद्वानों के प्रयासों से निरूपित हुए **प्रत्यक्ष** तथा **परोक्ष** सिद्धांतों के निष्कर्ष भी अंततः यही घोषणा करते दिखते हैं कि **मानवी-बोली की समस्या** अभी तक यथावत् ही बनी हुई है *(If there is one thing which all linguistcs are fully agreed, it is that the problem of the origin of human speech is still unsolved.— Ref. The Story of Languages)*। इसी क्रम में **सर विलियम जोन्स** ने सन् 1786 में कोलकाता के एक सभागार में दिए गए अपने एक भाषण द्वारा संस्कृत की यूरोपीय भाषाओं से समानताओं को रेखांकित करते हुए इसके तुलनात्मक पहलुओं के अध्ययन पर बल दिया *("No philologer could examine the Sanskrit, Greek and Latin without believing them to have sprung from common source, which, perhaps, no longer exists. There is a similar reason, though not quite so forcible, for supposing that both the Gothic and the Celtic had the same origin with the Sanskrit."*- **A Short History of Linguistics**, page 134)। श्री जोन्स द्वारा प्रकट किए गए इसी अभिमत के आधार पर **याकोब ग्रिम, फ्रांत्स बोप, कार्ल वर्नर, वेनफे** आदि भाषाविद्रों की शृंखला ने 'Proto-Indo-European' (मूल भारोपीय) या फिर 'Wiros' (विरोस्) नामक एक काल्पनिक भाषा के अस्तित्व को गढ़ते हुए इन्हें विभिन्न पारिवारिक सूत्रों में पिरोने का प्रयास भी किया। इस प्रकार अपने सीमित दृष्टिबोधों के आधार पर किए गए विभिन्न सर्वेक्षणों द्वारा आधुनिक भाषाविद् आज के संदर्भ में प्रचलित **विश्व** की लगभग 2796 **भाषाओं** और **बोलियों** को मुख्यतः **दस** (कुछ विद्वान् इनकी संख्या को अठारह तक आँकते हैं) के निम्नांकित समूहों में वर्गीकृत करते हैं—

1. **सेमेटिक-हैमेटिक** : इंजील की पौराणिक कथा के अनुसार **हजरत नूह** (Noah) के पुत्र **सेम** और **हेम** इन भाषाओं के प्रणेता माने जाते हैं। इन भाषाओं को **सामी-हामी** भी कहा जाता है। इसके अंतर्गत **सुमेरियन, प्राचीन मिस्री, अकादियन, हिब्रु, कौप्टिक, सोमाली, अरबी, गल्ला, बेजा, नामा** व **फुला** (कैमरून) आदि भाषाएँ आती हैं।
2. **यूराल-अल्टाइक** : इसके अंतर्गत **मगयार, एस्थु, लैप, वागुल, इस्तोनियन,**

फिनिश, हंगेरियन, तुर्की, मंगोलियन, ऐजरबैजानी, उज्वेक, कजाक, माँचू, किरगिज आदि भाषाएँ आती हैं।

3. **चीनी-तिब्बती :** इस समूह के अंतर्गत आनेवाली भाषाओं के जन्मदाता **किरात** लोग रहे थे। इनमें **चीन की भाषाएँ** (मदारिन, कैटनी, वुव, फुकिनी, हक्का, झुआंग, मिन आदि), **तिब्बत** की भाषाएँ (भोट, लेपिया, रोंग आदि) **ल्हो-के** (भूटान), **लेप्चा, धीमाल, लिंबू-खंभू, दांजोंग** आदि सिक्किम व उत्तरी बंगाल की भाषाएँ, **मैते** (मणिपुर); **नगा** (नगालैंड); **वोडो** (असम); **गारो** व **दीमा** (अरुणाचल प्रदेश); **कचारी** व **भ्रुंग** (त्रिपुरा); **नेवारी** (नेपाल); **कोडो** (जापान) तथा **कोरियाई** भाषाएँ आती हैं।

4. **मलय-पॉलिनेशियन :** इसके अंतर्गत **माओरी** (न्यूजीलैंड), **मलागासी** (मेडागास्कर), **मलय** (मलेशिया), **जावानीज** व **कावी** (जावा), **वालीनीज** (वाली), **हवाईयन** (हवाई द्वीप), **इंडोनेशियन** (इंडोनेशिया), **ताहितियन, समोअन** (सुमात्रा), **फ्रीजियन** (फिजी), **सेलिवीज, तगलोग** (फिलीपींस), **विसय** आदि भाषाएँ व बोलियाँ आती हैं।

5. **ऑस्ट्रो-एशियाटिक :** इन भाषाओं के जनक **पुलिंद, सौद्युम्न, कोल्ल** आदि प्राचीन जातियाँ रही थीं। इनमें मुंडा, कोल, संथाली (साओताली), मुंडारी, भूमिज, खासी, शबर, कूर्क, हो, निकोबारी आदि **भारतीय भाषाएँ, मोनख्गेर, वर्मी** व **म्रानमा** (म्याँमार), **अन्नामी, मुआंग, स्यामी** या **दाई** (थाईलैंड) आदि भाषाएँ आती हैं।

6. **कॉकेशियन :** इनमें **सर्क्यूशियन, मिंग्रेलियन, जार्जियन, चेचेन, अवर, कवार्दियन, अवसरवासियन** आदि प्रमुख हैं।

7. **अफ्रीकी :** इस समूह में **वुले, मन-फू, कनूरी, नीलोटिक, बंतूइड, हौंसा, सोंहगई, इवे, न्युवियन, योऊबा, यरुबा, अशानी, स्वाहिली, जुलू, सेसुतो, हेरेरो, कांगो, रुआंदा, होतेंतोत, दामरा, संदवे, उंबुंदु, बाँटू, गिनियन, वंटु, लुगंदा** आदि को सम्मिलित किया गया है।

8. **अमरीकी नीग्रो :** इसके अंतर्गत **एस्किमो** (ग्रीनलैंड), **अथपस्कन** व **अल्गोनकिन** (कनाडा व संयुक्त राज्य), **चेराकी** (पनामा), **नहुअत्ल** व **अजतेक** (मेक्सिको), **करीब, गुअर्नी** (गुयाना), **क्वेचुआ** (पेरु), **एल्यूटो, नूत्का, अरवक, मय** आदि भाषाएँ आती हैं।

9. **द्रविड़ :** इस समूह की मूल भाषा के जनक **ऋषि अगस्त्य** थे। इनमें **तमिल**

(तमिलनाडु), **तेलुगु** (आंध्र प्रदेश), **कन्नड़** (कर्नाटक), **मलयालम** (केरल), **गोंड** (बुंदेलखंड), **ओराँव** (झारखंड), **ब्राहुई** (बलूचिस्तान), **कोलामी** (पश्चिमी बरार), **तुलु** (कुर्ग-मुंबई), **कुई** (उड़ीसा), **माल्टो** (बंगाल), **कुरुख** आदि भाषाएँ व बोलियाँ आती हैं।

10. **इंडोयूरोपीय (भारोपीय)** : भौगोलिक दृष्टि से विश्व के बहुत बड़े भाग में प्रयुक्त होने के कारण अन्य समूहों की तुलना में इसके अंतर्गत आनेवाली भाषाओं व बोलियों की संख्या अत्यधिक है। **सौ की संख्या** के लिए प्रयुक्त होने वाले शब्दों की समानता के आधार पर भाषाशास्त्री **वान ब्रेडले** ने इस समूह को **सतम्** व **केंतुम**—दो वर्गों में बाँटा था। शतम् या सतम् क्रमशः संस्कृत व अवेस्ता का शब्द है, जबकि लैटिन में सौ की संख्या को केंतुम कहा जाता है। **सतम्** (अवेस्ता), **शतम्** (संस्कृत), **सद्** (फारसी), **स्तो** (रूसी), **सुतो** (बल्गेरियन), **जिम्तस** (वाल्टिक), **स्जिम्तास** (लिथुआनियन) व **सौ** (हिंदी) तथा **केंतुम** (लैटिन), **केंतो** (इटेलियन), **सेंट** (फ्रेंच), **हेकतान** (ग्रीक), **कैंट** (ब्रीटन), **हुंद** (गाथिक), **हुंडर्ट** (जर्मनिक), **क्युड** (गेलिक), **कंध** (तोखारी) के समतामूलक आधारों पर विभाजित किए गए **सतम्** व **केंतुम वर्गों** में क्रमशः **इलीरियन** (अल्वेनिया व यूनान), **वाल्टिक, स्लाव** (रूसी वल्गेरियन, पोलिश), **आर्मीनियन** (कुस्तुंतुनिया आदि) व **ईरानी-भारतीय** तथा **केल्टिक** (आयरिश व स्कॉच), **जर्मनिक** (जर्मन, अंग्रेजी, स्वीडिश), **लैटिन** (इतावली, स्पेनी, फ्रांसीसी, पोर्तुगीज आदि), **ग्रीक** व **तोखारी** जैसी प्राचीन भाषाओं को समावेशित किया गया था। कालांतर में भाषाई स्तर पर की गई सूक्ष्म विवेचनाओं में विद्वानों को केंतुम वर्ग में जहाँ सतम् के ही तत्त्व मिले; वहीं 1893 ई. में टर्की के **'बोगाजकोई'** (अंकारा से 90 मील पूर्व) नामक स्थान की खुदाई से ज्ञात हुई केंतुम वर्ग की **'हित्ती'** भाषा के अध्ययन इसके सूत्रों को सतम् वर्ग से ही जोड़ते सिद्ध हुए। भाषाशास्त्रियों के अनुसार, हित्ती भाषा ई.पू. 2000 के लगभग तक बनी रही थी। एनाटोलियन, लीसियन, लीडियन आदि भाषाओं का इससे अति निकट का संबंध रहा था। बोगाज कोई (Boghoz Kuei) से प्राप्त **हिताइत व मितन्नी के संधि-पत्र** में उल्लेखित **इन्-द-र** (इंद्र), **अ-रुन** या **उ-रु-वू-न्** (वरुण), **मि-इति-र**(मित्र), **न-स-अत्-ति-इआ** (नासत्य), **शु-ब्बि-लि-यू-मा** (सूरियास् या सूर्य), **दु-स्र-त्त** (दस्त्र), **म-र-उत-श्** (मरुत) आदि संदर्भ इसके स्रोतों को संस्कृत से जोड़ते प्रतीत होते हैं। इस आधार पर भारोपीय समूह के

अंतर्गत आनेवाली प्राचीन तथा आधुनिक भाषाओं में **केल्टिक**-गॉलिक, मैक्स, वेल्श, आयरिश (आयरलैंड) व स्कॉच (स्कॉटलैंड); **जर्मनिक**-या **ट्यूटॉनिक**-आइसलैडिक (आइसलैंड), डैनिश (डेनमार्क), नार्वेजियन (नार्वे), स्वीडिश (स्वीडेन), अंग्रेजी, जर्मन (इनमें स्वाबियन, बवेरियन, अलमानिक आदि शामिल हैं) एवं डच (नीदरलैंड); **लैटिन**-इतावली (इटली व सिसली), रोमानियन (रोमानिया), फ्रांसीसी (फ्रांस, बेल्जियम व कनाडा), फ्लेमिश (बेल्जियम), स्पेनिश (स्पेन व लैटिन अमेरिका), कैटालन (स्पेन) व पोर्तुगीज (पुर्तगाल व ब्राजील); **ग्रीक** या **हेलेनिक**; **तोखारी** (तुषार); **इलीरियन**-अल्बेनियन (अल्बेनिया) व यूनानी (यूनान); **बाल्टिक**-लिथुआनियन (लिथुआनिया) व लिट्टश (लेटाविया); **स्लाव**-रूसी (रूस), उक्रेनियन (उक्रेन), पोलिश (पोलैंड), चेक व स्लोवक (चेकोस्लोवाकिया), वाइलोरशियन (वेलारूस), बुल्गारियन (बुल्गेरिया), सर्वो-क्रोशियन (क्रोएशिया व सर्विया), स्लोवेनियम (युगोस्लाविया); **आर्मीनियन**-स्तंबुल व अराराट; **एनाटोलियन**-लीडियन, फ्लेइक, लूवियन, लीसियन, हिट्टाइट आदि; **ईरानी**-अवेस्ता, पह्लवी (हुज्बारेश व पाजद), दरद (बर्गिस्ता, पश्तो, देवारी, बलूची, ताजिक, ओसेटिक, यगनोबी, घलचा, कुर्दिश, कोहिस्तानी व कश्मीरी आदि) व आधुनिक फारसी तथा **भारतीय भाषाओं** में संस्कृत (वैदिक व लौकिक), प्राकृत, पालि, अपभ्रंश (इनमें **शौरसेनी** से कौरवी या खड़ी बोली अथवा आधुनिक हिंदी, ब्रज, हरियाणवी, बुंदेली, कन्नौजी, अवधी, बघेली, जौनसारी, चंपाली, कुलूई, मंड्याली, क्योंठली, गढ़वाली, कुमाऊँनी, गुजराती, मारवाड़ी, जयपुरी, मेवाती, मालवी व छत्तीसगढ़ी आदि; **ब्राचड़** से बिचौली, सिरैकी, लाड़ी, थरेली व कच्छी आदि सिंधी भाषाएँ; **पैशाची** से लहँदा, लाहौरी, मुल्तानी, माझीं व डोगरी आदि पंजाबी भाषाएँ; **महाराष्ट्री** से कोंकणी व मराठी तथा **मागधी** से भोजपुरी, मगही, मैथिली, बंगाली, उड़िया, असमी, गोरखाली आदि) **उर्दू** व संस्कृत-प्राकृत-पालि के मिश्रण से बनी **सिंहली** (श्रीलंका) एवं **महल** (मालद्वीप) को समावेशित किया गया है।

भाषाओं का यह वर्गीकरण मुख्य रूप से भौगोलिक तथा जातिगत आधारों पर चिह्नित किए गए इनके आपसी सूत्रों द्वारा ही प्रतिफलित हुआ प्रतीत होता है। उदाहरण के लिए, अंग्रेजी, फ्रेंच, जर्मन आदि भाषाओं का आधुनिक स्वरूप जहाँ लैटिन व ग्रीक साहित्य की भित्ति पर ही अवलंबित दिखता है, वहीं ईरानी तथा भारतीय भाषाएँ मूलतः आर्यभाषा के परवर्ती संस्करणों (प्राकृत या अपभ्रंश) से ही

पोषित रही हैं। वस्तुतः परस्परताओं के ये दृष्टांत तो एक प्रकार से पत्तों व टहनियों के संबंधों तक को ही उजागर कर पाते हैं, जबकि डाल आदि के क्रम से ये टहनियाँ अंततः एक पुष्ट तने से भी जुड़ी होती हैं, जो प्रकारांतर में अपने अदृश्य (भूगर्भीय) स्रोतों द्वारा ही अस्तित्व में आ पाती हैं। भाषाई **वटवृक्ष** का यह आधुनिक स्वरूप अपनी आरंभिक अवस्था में कुछ इसी तरह से पनपा रहा होगा, परंतु समय की बाढ़ के साथ-साथ इसकी शाखाओं से प्रस्फुटित हुए जटाओं (स्थानिक सूत्रों) के सघन घेरे ने शनैः-शनैः मूल तना को ही चारों ओर से ढक लिया। इस प्रगाढ़ता के कारण प्रायः स्थानीक सूत्रों (यानी जटाओं) को ही भ्रमवश भाषा रूपी वृक्ष का मूल आधार मान लिया जाता है। विश्व की संपूर्ण भाषाओं को दस परिवारों में विभाजित करने की मानसिकताओं के पीछे कुछ इसी तरह की मृग-मरीचिकाएँ रही होंगी। भाषा व वृक्ष के इस दृष्टांत के आधार पर अपने स्तरों से निकाले गए निष्कर्षों द्वारा कुछ पाश्चात्य विद्वान् भी मूल भाषा से संबंधित भारतीय अवधारणाओं की ही पुष्टि करते हैं। 'The Story of Civilization' में **Will Durant** विश्व की सभी भाषाओं का विश्लेषण करने के उपरांत लिखते हैं कि *''संस्कृत भाषा के गुण विशेष संसार भर की सभी भाषाओं में मिलते हैं। इस आधार पर संस्कृत ही सभी भाषाओं की जननी सिद्ध होती है।''* **लॉरा एलिजाबेथ पुअर** (Laura Elizabeth Poor) नामक एक विदुषी लेखिका अपनी पुस्तक *'Sanskrit and its Kindred Literatures'* में यह स्वीकार करती हैं कि संस्कृत भाषा का गठन स्वयंप्रेरित रहा था और यह सभी भाषाओं को एक सूत्र में पिरोती है। **थॉमस मॉरिस** (Thomas Maurice) तो अपनी पुस्तक 'Indian Antiquities' (Vol-IV, page-415) में प्रसिद्ध भाषाविद् Hollhead का हवाला देते हुए स्पष्ट रूप से संस्कृत को ही पृथ्वी की मूल भाषा घोषित करते हैं। विश्व की पुरातन से लेकर नवीनतम भाषाओं में संस्कृत से ही मिलते-जुलते शब्दों के पाए जाने से भी उपर्युक्त विद्वानों के निष्कर्ष सही ठहरते हैं। उदाहरण के लिए, संस्कृत **पितर-मातृ-भ्राता** से बने **अश्वेता** या पुरानी पारसी के Pitar-Matar-Bratar, **ग्रीक** के Pater-Meter-Pharter, **लैटिन** के Pater-Mater-Prater, **फ्रेंच** के Pere-Mere-Frere, **जर्मनी** के Vater-Mutter-Bruder, **अंग्रेजी** के Father-Mother-Brother व आधुनिक **फारसी के पिदर-मादर-विरादर;** भारतीय बहन, भाई, जँवाई, सास-ससुर, ब्याह के लिए **रोमानी** भाषा में प्रयुक्त फेन, फ्रल, जामुत्रो, सासुए-सासरो, बियाह आदि संबोधन तथा संस्कृत (माँ) के लिए **असीरियन** (Ummu), **हिब्रू** (Em), **बास्क** व **अल्बेनियन** (Ama), **माँचू** (Eme), **मिस्र**

(Amon) व **द्रविड़** (**अम्मा**) को अनुभूत किया जा सकता है। इसी प्रकार संस्कृत (**त्वम्**), रूसी (**तोत**), ग्रीक (To), लैटिन (Tu), अंग्रेजी (Thou) तथा संस्कृत (**मयूर**) के समानार्थी शब्दों के रूप में मलय (**मेर**), सुमेरियन (**मारी-क**), संताली (**मरक**), शबर (**मर**), अश्वेता (**मरुक**) को रेखांकित किया जा सकता है। संस्कृत के **सप्त** से फारसी-**हफ्त, ग्रीक**-Hepta, लैटिन-Septem, जर्मनी-Sieben, अंग्रेजी-Seven व हिंदी-**सात;** संस्कृत के **मानव** से कोरियाई शब्द **मान,** जर्मन शब्द Mann, अंग्रेजी शब्द Man; या फिर संस्कृत के जातिसूचक **'दस्यु'** के ईरानी रूपांतर **'दह्यु'** तथा इनके निवास-स्थली के रूप में आधुनिक फारसी में व्यवहृत **'देह्'** से बने हिंदी के **'देहात'** (गाँव) एवं संस्कृत का **जाल्मः** (निर्दयी) और अरबी का **ज़ालिम** (अत्याचारी), संस्कृत का **सूप** (दाल) और अंग्रेजी का Soup (सूप यानी शोरबा), संस्कृत का **युयुत्स** (लड़ने को इच्छुक) और जापानी-**जुजुत्सु** (कुश्ती), संस्कृत या पालि का **बुद्ध** (गौतम बुद्ध) और फारसी का **बुत** (मूर्ति), संस्कृत का **नास्ति-नाभूत** (न है, न था) और फारसी का **नेस्त-नाबुद** (सर्वनाश) व संस्कृत के **तरु** (वृक्ष) से बने अंग्रेजी के Tree एवं संस्कृत/अंग्रेजी के समानार्थी शब्दों के रूप में **द्वार**-Door, **संत**-Saint, **पुरोहित**-Priest, **प्रचारक**-Preacher, **नव**-New, **कोहल्** (चावल से बने आसव) में अरबी के **अल्** उपसर्ग जोड़कर बने Alcohol (मदिरा), क्रूर-Cruel, कुटीर-Cottage, पंख (लिखने के लिए प्रयुक्त पंक्षी के पंख, जिसे लैटिन में Penna कहा जाता था) से अंग्रेजी का Pen (पेन यानी कलम), हृत् या हृदय-Heart, सर्प-Serpent, ग्रंथि-Gland आदि को इसी संदर्भ में उल्लेखित किया जा सकता है। इसी तरह **पी.जी. सुब्बाराव** ने भी अपनी पुस्तक 'Indian Words in English' में इसी तरह के सैकड़ों समानार्थी शब्दों की सूची दी है। इन भाषाई आधारों के अलावा वैज्ञानिक प्रमाणों द्वारा भी मूल भाषा के रूप में संस्कृत के औचित्य को सिद्ध किया जा सकता है। आधुनिक विज्ञान के अनुसार ऊर्जा से ही इस जगत् का निर्माण हुआ है और शब्द इस सर्वव्यापी ऊर्जा का ही एक रूप है। इस दृष्टि से सृष्टि-निर्माण में इनकी सहभागिताएँ स्पष्टतः प्रमाणित होती हैं। सृष्टि-निर्माण में रही भूमिकाओं के कारण जिन-जिन शब्दों से जगत् के जिन-जिन पदार्थों का स्वरूप उभरा, प्रारंभिक स्तर पर उन सभी का नामकरण उन्हीं शब्दों के क्रियात्मक संकेतों के आधार पर ही सुनिश्चित किया गया (***तत्रनामान्या ख्यातजानीति शाकटायनो नैरुक्तसमयश्च***-निरुक्त-1.12)। पदार्थों का वास्तविक आशय प्रकट करने के लिए व्यवहृत हुए **अर्थः पदम्** का यह विशिष्ट गुण केवल वैदिक संस्कृत में ही मिल पाता है। इस तरह

वैज्ञानिक व भाषाई परिमाणों के आधारों पर संस्कृत न केवल **अद्यतन** बल्कि मानवों की **नैसर्गिक भाषा** होने की कसौटी पर भी खरी उतरती है।

लिपियों का वृत्तांत (Palaeography)

सामान्यतः **शिलाओं, प्रस्तरों, धातुओं, मृत्तिकापट्टिकाओं** आदि पर उत्कीर्ण पुरालिपियों/चित्रों या संकेत-चिह्नों के उपलब्ध साक्ष्यों के आधार पर निष्पन्न निष्कर्ष लिपियों के प्रारंभिक काल को ई.पू. 10,000 से लेकर ई.पू. 4,000 के मध्य का ही ठहराते हैं; किंतु मानवी सृष्टि के साथ-साथ विकसित हुई भाषाई सामर्थ्य के अति पुरातन तथ्यों के समक्ष ये आकलन अपेक्षतया गौण ही प्रतीत होते हैं। वस्तुतः पत्थरों व धातुओं पर संकेत-चिह्नों व चित्रों के क्रम से वर्णों के अंकन में सिद्धहस्त हो चुके कुशल **शिल्पकारों** या **लिपिकारों** द्वारा ही अभिलेखों को उत्कीर्ण करने की विधा का विकास हुआ था। इस प्रकार **सामाजिक अनुशासन, राजज्ञा, प्रशस्ति, संधि, दान, स्मृति** आदि स्थायी अभिलेखों की प्रवृत्तियाँ मानवी समाज में इन परंपराओं के प्रचलन को सामंती व्यवस्थाओं के उदयोपरांत का ही सिद्ध करती हैं, जबकि लेखन-कार्यों के लिए **पत्तों, भोज-पत्रों** (हिमालयी उपत्यका में पाए जानेवाले भूर्ज वृक्ष की छाल) व **ताड़-पत्रों** (दक्षिण भारत के एक देशज वृक्ष की छाल) का प्रयोग मानवों द्वारा अद्यतन काल से ही किया जाता रहा था। भूर्ज व ताड़-पत्रों के आकार प्रायः सवा गज लंबे व नौ इंच चौड़े हुआ करते थे। इन पत्रों को कड़ा व चिकना करने के लिए तेल की पॉलिश कर सुखा लिया जाता था। इस तरह के पत्रों के संग्रह को इकट्ठा रखने के लिए इनके मध्य भाग में छेद करके एक डोरे से गूँथ दिया जाता था। यह डोरा काष्ठ की दो ठोस पट्टियों से बँधा रहता था। इन दो तख्तियों के मध्य डोरे से गुँथे हुए भूर्ज या ताड़-पत्रों के संग्रहों पर लिखित आलेख को समुच्य रूप से **पुथी, पोथी** या **पुस्तक** के नाम से संबोधित किया जाता था। यद्यपि इन पत्रों पर लेखन की कला के विकास

के काफी पश्चात् ही पोथी का यह स्वरूप अस्तित्व में आ पाया था, तथापि विश्व की सभी प्राचीनतम पांडुलिपियाँ व ग्रंथ इन्हीं रूपों में ही मिलते हैं। कालांतर में देश-काल के हिसाब से विकसित हुए मानवी-समाज में लेखन-कार्यों के लिए **काष्ठ-फलकों, बाँस की शलाकाओं** आदि के क्रम से कपास को कूटकर बनाए गए **कार्पासिक-पट्टिकाओं** तथा **पशु-चर्मों** का भी प्रयोग किया जाने लगा। वर्णमाला आदि सुलेखों के अभ्यास के लिए काष्ठ-फलक का उपयोग जहाँ आधुनिक स्लेटों की ही भाँति किया जाता था, वहीं वार्षिक पंचांग, अभिज्ञान-मुद्रा (पासपोर्ट) तथा पाती (पत्र) आदि अस्थिर लेखों के लिए कार्पासिक-पट्टिका, बाँस की शलाका, सूती वस्त्र, पशु-चर्म आदि साधनों का व्यवहार किया जाता था। बाद में इन्हीं कार्पासिक-पट्टिकाओं में किए गए संस्कारों से ही **कागज** का प्रारंभिक स्वरूप उभरकर सामने आया। सामान्यतः कागज के आविष्कार का श्रेय चीन के **'साई लुन'** नामक व्यक्ति को दिया जाता है, जिसने ईसा के बाद सन् 105 में वृक्षों की कूटी हुई छाल, सन, पुराने कपड़े तथा मछली के पुराने जालों के मिश्रण को सड़ाकर कागज बनाया था। इस प्रकार पाँच सौ वर्षों तक चीन में ही विकसित रहने के पश्चात् सातवीं सदी के प्रारंभ में जापान पहुँची इस विधा का विश्व-प्रसार बौद्धों के प्रयासों से ही संभव हो पाया था। इस स्वीकृत मत के विपरीत ई.पू. 327 में सिकंदर के साथ भारतीय अभियान पर आए यवन विद्वान् **निआर्क्स** ने भारतीयों द्वारा कपास को कूटकर तैयार किए गए टुकड़ों से लिखने हेतु निर्मित कागज के प्रयोगों का उल्लेख अपने संस्मरणों में किया है (Ref. - **Indian Palaeography** by G. Buhler, page No.-98)। चूँकि पत्तों, पत्रों, मानव-निर्मित कागज आदि नश्वर साधनों को सुदीर्घ काल तक सुरक्षित नहीं रखा जा सकता था, अतः संरक्षा के दृष्टिगत नियमित अंतरालों पर नई पीढ़ियों द्वारा इन पांडुलिपियों की प्रतिलिपियाँ तैयार करवा ली जाती थीं। **कृष्ण द्वैपायन व्यास** द्वारा किया गया वैदिक संहिताओं का लिखित वर्गीकरण, **परीक्षित** की छठी पीढ़ी में सम्राट् बने **अधिसीमकृष्ण** के राज्य-काल में **शौनक** आदि ऋषियों द्वारा **नैमिषारण्य-सत्र** के माध्यम से स्मृतियों व पुराणों का संकलन-कार्य, **पाणिनि** पश्चात् की भाषा के आधार पर **शुंग, कण्व, गुप्त** व **वर्द्धन** कालीन विद्वानों द्वारा यथोचित संस्कारोपरांत पुरानी कृतियों के नवीनीकरण इत्यादि को इन्हीं कड़ियों के रूप में ही चिह्नित किया जा सकता है। संभवतः आद्य कृतियों से संबंधित इन्हीं **संस्कारित प्रतिलिपियों** की उपलब्धताओं के आधार पर पाश्चात्य विद्वानों के दृक्क्षेपों ने **ऋग्वेद** के रचना-काल को ई.पू. 1500 से लेकर 1000, **उत्तर-वैदिक साहित्य** के रचना-काल को ई.पू. 1000 से लेकर

600, **सूत्रों** को ई.पू. 600 से 300 तथा **रामायण** व **महाभारत** आदि महाकाव्यों की रचनाओं को ई.पू. चौथी शताब्दी का मानने के लिए बाध्य किया हो। इस प्रकार यह स्पष्ट हो जाता है कि शिलाओं व धातुओं पर उत्कीर्ण स्थायी अभिलेखों की प्रामाणिकता की तुलना में पत्रों व पुथियों जैसे अस्थायी साधनों पर अंकित कृतियों को कालगत नश्वरता से बचाने के लिए अपनाई गई विधियों के कारण इनकी संस्कारित प्रतिलिपियों के आधार पर स्थापित की गईं ऐतिहासिकताएँ भ्रममूलक ही सिद्ध होती हैं।

स्थायी तथा अस्थायी साधनों पर अंकित लेखों के इन तथ्यपरक भेदों को जान लेने के पश्चात् यह प्रश्न उत्पन्न होता है कि आखिर लिपियों का वास्तविक विकास कब और कैसे संभव हुआ होगा? यह सर्वविदित है कि भाषा की परिनिष्ठता **व्याकरण** की बनावट पर ही निर्भर होती है तथा व्याकरण की रचना के लिए **लिपि-ज्ञान** एक आवश्यक बिंदु है। भारत तथा पश्चिम के सभी भाषाविद् एक मत से **आचार्य पाणिनि** को विश्व का प्राचीन व मूर्धन्य वैयाकरण मानते हैं। इन विद्वानों के अनुसार, आचार्य पाणिनि का कार्यकाल ई.पू. आठवीं शताब्दी से लेकर ई.पू. चतुर्थ शताब्दी ई.पू. के मध्य में रहा था। **'अष्टाध्यायी'** नामक ग्रंथ में यास्क से लेकर अपने काल तक हुए पूर्ववर्ती व्याकरणाचार्यों के रूप में पाणिनि कुल सात नामों (**आपिशलि, काशकृत्स्न, कश्यप, भारद्वाज, स्फोटायन, चक्रवर्मन** व **सेनक**) का उल्लेख करते हैं। इसी तरह **यास्क** भी अपने ग्रंथ **निरुक्त** में पूर्ववर्तियों के रूप में **औदुंबरायण, अग्रायण, अरुणाभ, औपमन्यव, गार्ग्य, गॉलव, काट्ठक्य, कौत्स, चर्मशिरस्, तैत्तिक, मौद्गल्य, वार्ष्यायणि, शाकल्य, शतबलाक्ष, मध्यंदिन, शाकटायन, शाकपुर्णि** व **स्थौलस्थिवन्** आदि अठारह व्याकरणाचार्यों के नामों को स्मरण किया है। यद्यपि इन व्याकरणाचार्यों में से एक की भी कृति उपलब्ध नहीं है, अतः इनके पूर्ववर्तियों की प्रामाणिक सूची नहीं मिलती है। फिर भी भारतीय अनुश्रुतियों के आधार पर **ब्रह्मा, इंद्र, रुद्र, भृगु, उशना, बृहस्पति, मधुच्छंद, कुत्स, असित, वाक्, मैत्रेयी, मेधा, क्रौष्टुकि** आदि के क्रम से अद्यतन वैयाकरणों की एक सतत शृंखला का संकेत अवश्य मिल जाता है। प्रारंभिक विद्वानों द्वारा शब्द-शास्त्र के रूप में **पदपाठों, प्रतिशाख्यों** व **शिक्षा-ग्रंथों** के क्रम से **निघंटुओं** की रचनाएँ की गई थीं, जबकि यास्क कृत **निरुक्त** के पश्चात् ही व्याकरणों का व्यवस्थित स्वरूप उभरकर सामने आ पाया था। इस प्रकार इन ग्रंथों की उपर्युक्त शृंखलाएँ लेखन-कार्यों तथा लिपियों की

प्राचीनता को पर्याप्त पीछे की ओर ही खिसका देती हैं। **रुडोल्फ रॉथ** आदि संस्कृत के पाश्चात्य विद्वानों का भी यही मत रहा था कि भारत में अति प्राचीन काल से ही लेखन-कला अस्तित्व में रही थी, क्योंकि वेदों की प्रतिशाख्य आदि प्रकार की कृतियों की रचना बिना इसके संभव नहीं हो सकती थी। यही नहीं, वैदिक संहिताओं से लेकर ब्राह्मणों तथा आरण्यकों के अति प्राचीन कालखंडों तक सामान्य स्तर पर प्रचलित रही **श्रवण-वाचन** (श्रुतियों) की मौखिक परंपराओं में भी लिपियों के प्रारंभिक प्रयोग के अपेक्षित संकेत मिल जाते हैं। **ऋग्वेद** (10-62-7) में वर्णित राजा सावर्णि द्वारा एक हजार **'अष्टकर्णी'** (कान में अंकित की गई आठ अंक के चिह्नवाली) गायों को दान करने का कृतित्व ***(सहस्रं मे ददतो अष्टकर्ण्यः)***; आकृतिमूलक लिपियों को संकेत देने के लिए **अथर्ववेद** में व्यवहृत हुए ***'अप शीर्षण्यं लिखात्'*** (14-2-68) या फिर ***'क एषां कर्करी लिखत्'*** (20-138-8) के संदर्भ; **छांदोग्य उपनिषद्** में वर्णित ***'हिंकार उति त्र्यक्षरं प्रस्ताव इति अक्षरं तत्सम'*** तथा **तैत्तिरीय उपनिषद्** के ***'वर्णः स्वरः मात्रा बलम्'*** की उक्तियाँ एवं **ब्राह्मण ग्रंथों** में **'लिख्'** धातु से संबंधित लिखति, लिलेख, अलिलिखित्, लेखीः, लिखित्, लिख्य आदि शब्दों का प्रयोग स्पष्ट रूप से लिपियों के तात्कालिक प्रयोग के ही प्रमाण प्रस्तुत करते हैं। संभवतः **वाचिक** की दक्षता को प्राप्त कर लेने के पश्चात् नक्षत्र-विद्या के अति गूढ़ रहस्यों को जानने के उपक्रम में अपनाए गए गणितीय सूत्रों को चिह्नित करने के उद्देश्य से अद्यतन विद्वानों द्वारा जिन टेढ़ी-मेढ़ी रेखाओं का प्रयोग किया गया होगा, उन्हीं आड़ी-तिरछी रेखाओं से ही **अंक-लिपि** के रूप में लिपियों का प्रारंभिक स्वरूप उभरा होगा। इन आड़ी-तिरछी रेखाओं के अंकन की प्रेरणा उन्हें **यज्ञपीठिका** को सजाने के लिए की जानेवाली चित्रकारियों से ही मिली होगी। **ऋग्वेद** (10-

अंक-लिपियों का क्रमिक विकास

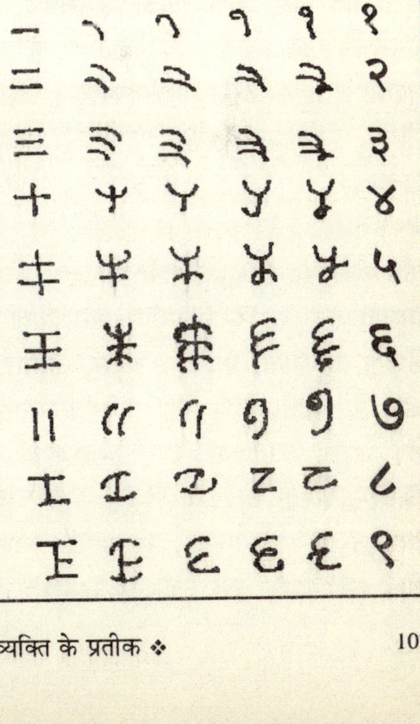

62-7) के **'अष्टकर्णी'** संदर्भ से लेकर **यजुर्वेद** (17-2) में प्रयुक्त एक पर बीस शून्यों वाली अतिविशद् संख्याओं के नामकरण तथा **शतपथ ब्राह्मण** (12/3/2/1) में दिन-रात की समय इकाई को 15, 18, 750 प्राणों के अति सूक्ष्म स्वरूप में विभक्त करने के दृष्टांत स्पष्टतः तात्कालिक विद्वानों के मौखिक सामर्थ्य से परे की लिखित क्षमताओं यानी **अंक-लिपि** संबंधी प्रवीणताओं को ही उजागर करते हैं। कालांतर में व्यक्ति-भेद के कारण उत्पन्न होती गई उच्चारणगत विसंगतियों के निवारण हेतु कुछ परवर्ती विद्वानों ने इन्हीं टेढ़ी-मेढ़ी रेखाओंवाले अंक-चिह्नों के आधार पर वैदिक ध्वनियों के लिए पृथक्-पृथक् **संकेत-चिह्न** बना दिए। वैदिक संहिताओं में पाए जानेवाले ꣲ, ꣳ, ꣴ, ꣵ, ँ, ꣶ, ऽ, ꣷ, ꣸, ꣹, ÷, ω, ꣻ, ⁚, ⁏, ', _ आदि ध्वनि-चिह्न इन्हीं संभावनाओं की पुष्टि करते हैं। इस तरह ध्वनि-उच्चारण के लिए प्रारंभिक स्तर पर प्रयुक्त किए गए इन्हीं संकेत-चिह्नों से प्रेरणा लेकर परवर्ती ऋषियों ने आक्षरिक तथा अनाक्षरिक वर्णों के उच्चारण के लिए जिन पृथक्-पृथक् चिह्नों को आवंटित किया उन्हीं के गर्भ से ही ध्वनिमूलक लिपियों का व्यवस्थित स्वरूप उभरकर सामने आया। कुछ इसी प्रकार के संकेत **Charles Berlitz** की पुस्तक **'Mysteries from forgotten Worlds'** में भी दिखाई पड़ता है। अपनी इस पुस्तक में **हग मोरेन** व **साइरस गारडॉन** के शोध-निष्कर्षों का हवाला देते हुए चार्ल्स यह स्पष्ट करते हैं कि वर्णमाला का प्राकट्य राशि-चिह्नों व चांद्रमास को गिनने के लिए प्रयुक्त अंक चिह्नों से ही हुआ था *(A most interesting theory on the origin of the alphabet is suggested by the work of Hugh Moran in his thesis "The Alphabet and the Ancient Calander Signs" and the researches of Dr. Cyrus Gordon, author of numerous books on ancient Mediterranean Culture and Scripts. It is briefly stated that our alphabet came from the signs of the Zodiac added to by signs for counting days in a lunar month.)*। चूँकि अद्यतन काल के विभिन्न खंडों में विद्यमान रहे विवेकशील पुरुषों के गवेषणापूर्ण उद्यमों द्वारा ही टेढ़ी-मेढ़ी रेखाएँ अंक तथा ध्वनि-चिह्नों के क्रम से अंततः लिपियों का व्यवस्थित आकार ग्रहण कर पाई थीं, अतः इनकी उद्भव-संबंधी प्राचीनता को तदंतर विकसित हुए मानवी समाजों ने अपनी-अपनी अवधारणाओं के अनुरूप प्रतिष्ठित किए गए ज्ञात **आद्य-पुरुषों** से ही जोड़ दिया। ***'ब्राह्मी ब्रह्मोद्भवा'*** की भावपूर्ण अभिव्यक्ति के साथ भारतीय अवधारणाएँ जहाँ ब्राह्मी-लिपि को अपने प्रथम-पुरुष **(ब्रह्मा)** द्वारा ही प्रसूत मानती हैं, वहीं मिस्री लोग अपनी लिपि का जन्मदाता **थॉथ** (Thoth) या

आइसिस (Isis) को, बेबीलोनिया के लोग **नेबो** (Nebo) को, पुराने यहूदी लोग **मूसा** (Moses) को तथा यूनानी लोग **हर्मेस** (Hermes) आदि अपने पौराणिक पुरुषों को ही मानते रहे हैं।

वस्तुतः मानवी समाज की गतिशीलताओं के परिणामस्वरूप जनभाषा में आए विकारों से वैदिक वाङ्मय को अक्षुण्ण रखने के लिए भारतीय ऋषियों ने अपनी प्रज्ञा द्वारा चित्र, अंक व ध्वनि-चिह्नों के आधार पर जिस लेखन-शैली को प्रसूत किया, **ब्रह्म-ज्ञान** से संबंधित होने के कारण लेखन की इस शैली को तदनुसार **ब्राह्मी-लिपि** के सार्थक नाम से ही चिह्नित किया गया। प्रसिद्ध भाषाविद् **प्रो. ब्यूलर** (G. Buhler) भी ब्राह्मी के उत्पत्ति संबंधी इसी तथ्य को स्वीकार करते थे। उनके अनुसार *"यद्यपि ब्राह्मी का अद्यतन स्वरूप नहीं मिल पाता है, फिर भी पाँचवीं सदी ई.पू. के इसके ज्ञात रूप की बनावट यही सिद्ध करती है कि ब्राह्मणों द्वारा इसे संस्कृत को लिखने के अनुरूप ही गढ़ा गया था।"* ब्यूलर की ही भाँति **डाउसन, कर्निघम, लासन, थॉमस, डॉसन** आदि पाश्चात्य विद्वानों की दृष्टि में ब्राह्मी-लिपि की उत्पत्ति भारत की ही किसी **पुरानी वैदिक चित्रलिपि** से हुई थी। ब्राह्मी लिपि में 41 अक्षर (यानी 9 स्वर तथा 32 व्यंजन) हुआ करते थे। कालांतर में गुरुकुलों की भौगोलिक स्थितियों के अनुरूप यह लिपि **उत्तरी** व **दक्षिणी शैली** के दो रूपों में विभाजित हो गई। इसी क्रम में विभिन्न गुरुकुलों के आचार्यों द्वारा विकसित की गई **उत्क्षेप** (ऊपर की ओर प्रकृष्ट), **निक्षेप** (नीचे की ओर प्रकृष्ट), **विक्षेप** (चारों ओर विस्तारित), **प्रक्षेप** (एक विशेष ओर प्रकृष्ट) तथा **मध्यक्षर-विस्तार** आदि लेखन-शैलियों के कारण ब्राह्मी की उत्तरी शाखा से **प्राचीन देवलिपि** व **शारदा लिपि** का तथा इसकी दक्षिणी शाखा से **ब्रह्मवल्ली, द्रविड़** व **कनारि** लिपियों को प्रादुर्भाव हुआ। धार्मिक तथा सामाजिक मर्यादाओं के परिप्रेक्ष्य में इन गुरुकुलों द्वारा स्थापित की गई पद्धतियों का अनुसरण करने के कारण तात्कालिक मानवी-समूह विभिन्न

ब्राह्मी से देवनागरी वर्णमालाओं का क्रमिक विकास

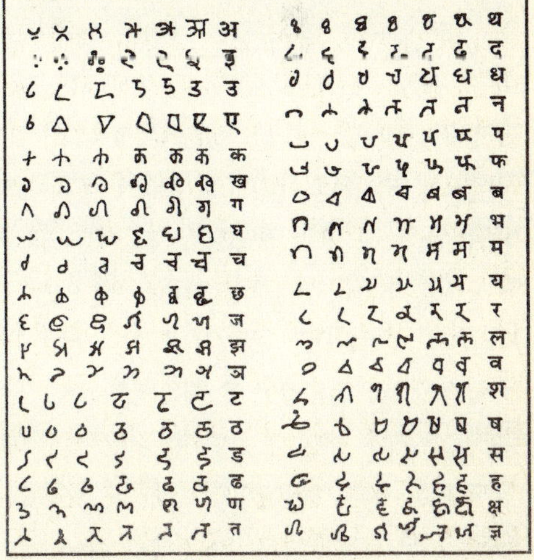

वर्गों में भी संगठित होने लगा। आचार-व्यवहार की भिन्नताओं के आधार पर **जाति विशेष** के नए रूप से चिह्नित किए जाने लगे इन समाजों में अन्य परिवर्तनों के साथ-साथ लेखन शैलियों में भी अपेक्षित संशोधन दृष्टिगोचर होने लगे। इस प्रकार सिंध व दृषद्वती के तटों से लेकर अंग-बंग तक फैले क्षेत्र में धार्मिक तथा सामाजिक कार्यकलापों के लिए **देवलिपि** के परिवर्धित संस्करण के रूप में क्रमशः **भौमदेव** व **मानुषी लिपियों** का एवं सिंध से उत्तर व पश्चिम के क्षेत्रों में बसे जनपदों में जातिगत आधारों पर **शारदा** के नवीन संस्करणों के रूप में विकसित **यक्ष, गंधर्व, किन्नर, गरुड़, अहि (नाग), खस्य** आदि लिपियों का प्रयोग किया जाने लगा। महाभारतकालीन उथल-पुथल के पश्चात् सिंध व गांधार से पश्चिम की ओर विस्थापित हुए मानवी समाजों द्वारा शारदा के इन परिवर्तित स्वरूपों से ही **दरद, तिब्बती, तोखारी** व **पुरानी खोतानी** लिपियों का तथा प्रकारांतर से इन्हीं से ही सुदूर पश्चिम की अन्य लिपियों का अस्तित्व उभरकर सामने आया। **ऋग्वेद** (6/51, 61 व 7/6) में वर्णित **फोनिशियनों** के भारतीय मूल का होने संबंधी संदर्भो के अतिरिक्त यूनानी इतिहासज्ञ (**हेरोडोटस**-2,44) व टायर के विद्वानों की मान्यताओं में भी इन्हें भूमध्यसागर के पूर्वी तट पर समुद्र मार्ग द्वारा पूर्व से आया हुआ ही स्वीकार किया गया है। **सर जॉन मार्शल** आदि कुछ पाश्चात्य इतिहासकारों का भी यह मानना है कि सप्तसिंधु क्षेत्र से बलूचिस्तान व करमान (ईरान) के रास्ते ही **प्रोटोइलामाइट** लोग मेसोपोटामिया में आकर बसे थे। भारत से पश्चिम की ओर विस्थापित हुए इन लोगों की भाषा व लिपि में परिस्थितिजन्य कारणों से विकार आते गए। पुरातत्त्व शोध संस्थान (जोधपुर) के डॉ. फतेह सिंह के अनुसार मिस्री, सुमेरियन व सेमिटिक लिपियों की व्युत्पत्तियाँ वैदिक भाषा व ब्राह्मी लिपि के प्रकारांतर स्वरूपों से ही फलित हुई थीं। ब्राह्मी व सेमिटिक लिपियों की कुछ आपसी साम्यताएँ भी इन्हीं तथ्यों को ही उजागर करती हैं। आधुनिक भाषाविद् मेसोपोटामिया में कभी प्रचलित रही **सेमिटिक लिपि** से निकली **आर्मेइक** से ही **हिब्रू, खरोष्ठी, पहलवी** और **नेवातेन** लिपियों का तथा इसी **नेवातेन** से **पुरानी अरबी** व **पुरानी पारसी** का प्रसूत स्वीकार करते हैं। **खरोष्ठी** का प्रचलन भारत के पश्चिमोत्तर क्षेत्रों में ई.पू. चतुर्थी शताब्दी से लेकर ईस्वी की तीसरी सदी तक रहा था। यह दाएँ से बाएँ की शैली में लिखी जाती थी। इसमें कुल 37 वर्ण (यानी 5 स्वर तथा 32 व्यंजन) होते थे। बौद्धग्रंथ **'ललितविस्तार'** व जैनियों के **'पन्नवणा'** तथा **'समवायांग'** सूत्रों के अनुसार प्राचीन भारत में ज्ञात देशी व विदेशी लिपियों की सूचियाँ इस प्रकार रही थीं—

1. ब्राह्मी/बंभी, 2. खरोष्ठी/खरोत्थि, 3. देवलिपि, 4. महेश्वरी/माहेसरी (शैव लिपि), 5. भौमदेव लिपि (भूमि के देवताओं यानी ब्राह्मणों की लिपि), 6. यक्ष लिपि/अक्खरपिट्टिया, 7. किन्नर लिपि, 8. गंधर्व लिपि/गंधव्व लिवि, 9. गरुड़ लिपि, 10. नाग लिपि, 11. उग्रलिपि, 12. वायुमरु लिपि, 13. पोलिंद/पोलिम्दि, 14. द्रविड़ लिपि/दामिलि लिवि, 15. कनारि/कन्नाड़ी लिपि, 16. दक्षिण लिपि, 17. अपर गौड़ी लिपि, 18. पूर्व विदेह लिपि, 19. अंग लिपि, 20. बंग लिपि, 21. पुष्करसारि लिपि/पुक्खर सारिया लिवि, 22. पहारैय लिपि/पहाराइया लिवि, 23. मगध लिपि, 24. सागर लिपि (तटवर्ती क्षेत्र की लिपि), 25. उत्तर कुरु लिपि (हिमालय से सुदूर उत्तर की लिपि), 26. असुर लिपि (पश्चिम एशिया व सिंधुघाटी की प्राचीन लिपि), 27. हूण लिपि, 28. चीन लिपि, 29. खस्थ लिपि, (खासी-यानेशकों की लिपि), 30. दरदलिपि (पहाड़ी जाति की लिपि), 31. यवनानि या यवनालि लिपि/जवणालिय लिवि (ग्रीक लिपि), 32. शकारि लिपि, 33. उत्क्षेप लिपि, 34. निक्षेप लिपि, 35. विक्षेप लिपि, 36. प्रक्षेप लिपि, 37. मध्यक्षर विस्तार लिपि, 38. उत्क्षेपावर्त लिपि, 39. विक्षेपावर्त लिपि, 40. वज्र लिपि, 41. अनुद्रुत लिपि, 42. विमिश्रित लिपि, 43. चक्र लिपि, 44. गणावर्त लिपि, 45. शास्त्रावर्त लिपि, 46. पुष्प लिपि, 47. मंगल्य लिपि, 48. अंगुलीय लिपि, 49. उर्ध्वधनु लिपि, 50. मृगचक्र लिपि, 51. मनुष्य लिपि, 52. आदंश लिवि या आयस लिपि, 53. ब्रह्मवल्लि लिपि, 54. महोरग लिपि, 55. अंतरिक्ष लिपि, 56. लेख प्रतिलेख लिपि, 57. संख्या लिपि, 58. अंक लिपि/आंक लिपि, 59. अनुलोम लिपि, 60. पाद लिखित लिपि, 61. गणित लिपि, 62. अध्याहारिणि लिपि, 63. सर्वरुत्संग्रहणि लिपि, 64. विद्यानुलोम लिपि, 65. ऋषितपस्तोत लिपि, 66. घरणि प्रेक्षण लिपि, 67. सर्वभुतरुद्ग्रहणि लिपि, 68. सर्वौसघ निष्यंद लिपि, 69. सर्वसारसंग्रहणि लिपि, 70. संज्ञा लिपि।

भाषाविदों के अनुसार, 350 ई. के उपरांत ब्राह्मी की उत्तरी शाखा से निःसृत हुई **'प्राचीन नागरी लिपि'** से **देवनागरी, गुजराती, महाजनी, राजस्थानी, महाराष्ट्री, कैथी, मैथिली, बंगाली, असमिया, उड़िया, मणिपुरी, नेवारी** आदि तथा **'शारदा'** की परिवर्धित शाखाओं से **टाकरी, सिरमौरी, डोगरी, चमेआली, मंडेआली, जौनसारी, कोछी, कुल्लई, कश्तवारी, लंडा, मुल्तानी, वानिको, गुरुमुखी** आदि लिपियों का क्रमवार विकास संभव हुआ था। उत्तर की ही भाँति ब्राह्मी की दक्षिणी शाखा यानी **'द्रविड़'** से **तमिल, ग्रंथ, तुलू** व **मलयालम** लिपियों का तथा **'कनारि'** से **तेलुगु** व

कन्नड़ लिपियों का एवं फिर इनके मिश्रित अपभ्रंशों से **सिंहली, इंडोनेशियाई, मान, तलग, आधुनिक बर्मी, कोरियाई, स्यामी, कंबोडियाई** व **जावा, बाली, सेलिबीज, फिलीपींस** आदि देशों की लिपियाँ अस्तित्व में आईं।

एशियाई अंचलों में विकसित इन लिपियों की तुलना में यूरोपीय लिपियों की ऐतिहासिक स्थितियाँ अपेक्षाकृत भिन्न रही थीं। शताब्दियों तक हिमयुगीन त्रासदियों से आक्रांत रहने के उपरांत यहाँ मानवों के रहने योग्य परिस्थितियों का निर्माण ई.पू. दस हजार वर्ष के लगभग ही संभव हो पाया था। इस तरह ई.पू. दस हजार वर्ष के लगभग अस्तित्व में आए यहाँ के मानवी समाज में भाषाई विकास के क्रम से लिपियों का चित्रात्मक स्वरूप (Pictographic) ई.पू. चार हजार वर्ष में ही उभरकर सामने आ पाया था। प्रारंभिक स्तर पर इसका विकास चित्रों के रूप में हुआ था। मेसोपोटामिया सहित दक्षिण यूरोप की आदम जातियाँ अपने भावों को व्यक्त करने के लिए पत्थर, हड्डी, काष्ठ, सींग, हाथी-दाँत, पेड़ की छाल, जानवरों की खाल व मिट्टी के पात्रों पर इस तरह के चित्रों को उत्कीर्ण किया करते थे। कालांतर में चित्रात्मक से विकसित होकर इसका स्वरूप तिकोनी रेखात्मक व फिर कोणाक्षर हो गया। सुमेरियन, बेबीलोनियन, अक्कादियन, पर्सियन के अतिरिक्त हिट्टाइट, मितन्नी, इलामाइट, कस्साइट आदि ने अपनी भाषाओं के लिए इसी **तिकोनी** या **कीलाक्षर** (Cuneiform) लिपियों का ही प्रयोग किया। सुमेरियनों की इस चित्रात्मक लिपि से प्रेरणा लेकर मिस्र के निवासियों ने ई.पू. तीसरी सहस्राब्दी के लगभग अपनी एक स्वतंत्र लिपि विकसित कर ली। चूँकि मिस्र की यह लिपि अधिकतर रूप से मंदिरों की दीवारों पर ही उत्कीर्ण की गई थी, अतः यूनानियों ने इसे **'खुदे हुए पवित्र अक्षर'** मानकर इसका नाम **गूढ़ाक्षर** या **पवित्राक्षर** (Hieroglyphic) रख दिया। ई.पू. 1100 के लगभग यह दो स्वरूपों **'हेराटिक'** (Hieratic) व **'डेमोटिक'** (Demotic) में विभाजित हो गई। 640 ईस्वी में अरब द्वारा किए गए आक्रमण के उपरांत यहाँ के लोगों द्वारा अरबी लिपियों को अपना लिये जाने के कारण मिस्र से हमेशा के लिए इन लिपियों का लोप हो गया; किंतु कुछ अंशों तक **'कॉप्टिक'** (Coptic) नाम से पहचानी गई मिस्र की एक प्राचीन लिपि का अस्तित्व यहाँ 1500 ईस्वी तक बना रहा। हीरोग्लाइफिक लिपि के स्वरूप से विकसित हुई **'क्रीट'** व **'हिट्टाइट'** लिपियों के क्रम से चीन तथा सिंधुघाटी की **'ध्वन्यर्थ-चित्रात्मक लिपि'** (Logographic script) का अस्तित्व उभरकर सामने आया। वस्तुतः विश्व की प्राचीन जातियों में से एक रहे असुरों की लिपि व इनमें काफी समानताएँ रही थीं।

ब्राह्मी एवं विश्व की अन्य लिपियों की आपसी समानताएँ

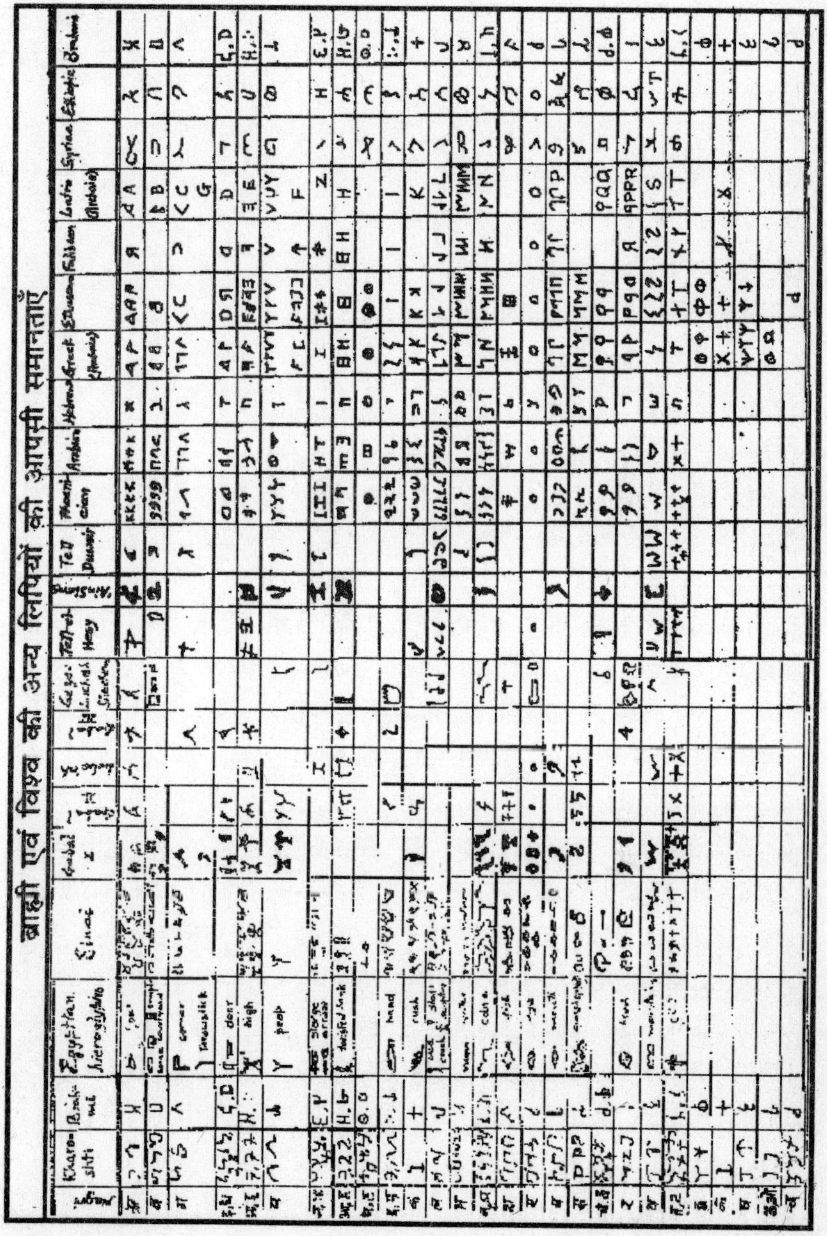

इस आधार पर कुछ विद्वानों ने इसकी उत्पत्ति को असुरों या फिर असीरियनों द्वारा व्यवहृत अक्काडियन भाषा व लिपि से भी संबद्ध किया है। **महाभारत** (भीष्मपर्व-90/29) के अनुसार पूर्वी भूमध्यसागरीय अंचल के असुर सम्राट् 'विप्रचित्ति' द्वारा भारत का सिंधु प्रदेश (मानव लोक) आक्रांत किया गया था, जिसे पुरंदर इंद्र द्वारा समूल नष्ट किया गया था। महाभारतकालीन यहाँ की छुद्रक व मालव जातियाँ इन्हीं असुरों की वंशज रही थीं। इस प्रकार सिंधु प्रदेश के पौराणिक वृत्तांत भी इन लिपियों को असुरों से ही जोड़ते हुए प्रतीत होते हैं।

चित्रात्मक व भावमूलक लिपियों की इन्हीं विकास-यात्राओं के दौरान अनुकूल जलवायविक परिस्थितियों के प्रभाववश दक्षिणी यूरोप तथा भूमध्यसागरीय अंचलों की जनसंख्याओं में भी अभूतपूर्व वृद्धि दृष्टिगोचर होने लगी। विस्थापन आदि के कारणों से संक्रमित हुए यहाँ के समाज की बोलियाँ, अनातोलियन, अक्कादियन आदि के सम्मिश्रंण से बनी यहाँ की 'भाषा' (सामी लोगों की अधिकता के कारण इसे सामी या Samitic के नाम से ही पुकारा गया) में कुल 22 वर्ण थे। कालांतर में यह लिपि उत्तरी व दक्षिणी के दो भागों में विभाजित हो गई। इसी क्रम में उत्तरी सामी लिपि से **आर्मेइक** (Armaic) व **फोनीशियन** (Phoenician) नामक दो लिपियों का तथा दक्षिणी सामी लिपि से **पहलवी** (Pahlavi) व **नेवातेन लिपि** का तथा नेवातेन से निकली **सिनेतिक से पुरानी अरबी** लिपि का प्राकट्य हुआ। आर्मेइक लिपि दाएँ से बाएँ की ओर लिखी जाती थी और इसमें कुल 22 वर्ण (सभी व्यंजन) ही हुआ करते थे। इसी से हिब्रु व अरेबिक लिपियों का अस्तित्व उभरा था। हिब्रु में 26 वर्ण तथा अरेबिक में 32 वर्ण हैं। यहूदियों की भाषा के रूप में मात्र इजराइल में सीमित रही हिब्रु के विपरीत सातवीं व आठवीं सदी में अरेबिक लिपि **कूफी** (Kufic) व **नस्खी** (Naskhi) के दो स्वरूपों में बँटकर मध्य पूर्व, अरब, इराक, ईरान, सीरिया, मिस्र, अल्जीरिया व उत्तरी अफ्रीका के क्षेत्रों में फैल गई। इधर कैनान के तटवर्ती क्षेत्र में निवास करनेवाले लोगों ने ई.पू. 1500 के लगभग उत्तरी सामी लिपि के परवर्धित स्वरूपों से जिस ध्वन्यात्मक लिपि का विकास किया, उसे तदंतर **फोनेटिक लिपि** (Phonetic Script) के नाम से ही जाना जाने लगा। ग्रीक भाषा में फोन का अर्थ 'ध्वनि' होता है, जो संस्कृत के 'भण्' (ध्वनि करना या कहना) धातु का ही परिवर्तित रूप है। ग्रीक भाषा में संस्कृत के चतुर्थ वर्ण का रूप द्वितीय वर्ण में परिवर्तित हो जाता है। इसी सिद्धांत के तहत संस्कृत-**'भ'** का ग्रीक उच्चारण-**'फ'** हो गया। ध्वनि उत्पन्न करने के कारण दूरभाष यंत्र (भण् यंत्र) को अंग्रेजी में ग्रीक

शब्द से बने टेलीफोन (Telephone) के नाम से चिह्नित किया जाता है। इस प्रकार कैनान तथा उसके निकटवर्ती क्षेत्रों में प्रयुक्त रही ध्वन्यात्मक लिपि का Phonetic नामकरण यूनानियों द्वारा प्रदत्त ही प्रतीत होता है। सेमिटिक की ही भाँति इसमें भी कुल 22 वर्ण (सभी व्यंजन) ही हुआ करते थे। यह दाईं से बाईं की ओर ही लिखी जाती थी। ई.पू. 900 के लगभग यूनानियों द्वारा अपनी भाषा के लिए इस लिपि को अपना लिया गया और तदंतर अपनी भाषा की व्यावहारिकता के अनुरूप उन्होंने फोनेशियन के चार ध्वनि-चिह्नों को हटाकर स्वर (Vowel) उच्चारण के लिए छह नए चिह्नों को सम्मिलित कर इसे 24 वर्णों (स्वर व व्यंजन) वाली एक नई लिपि का व्यवस्थित रूप दे दिया। यूनानी भाषा के अल्फा, बेटा, गम्मा, डेटा आदि शब्द सेमिटिक भाषा के अलेफ, बेथ, गमेल और दामेथ के ही समानार्थी हैं। ग्रीक भाषा के इन्हीं प्रारंभिक वर्णों अल्फा व बेटा के आधार पर ही यूरोप की भाषाओं में वर्णमाला के लिए **'अल्फाबेट'** (Alphabet) शब्द प्रयुक्त किया जाने लगा। कालांतर में भूमध्यसागर के उत्तरी तटों पर रहनेवाले **एट्रुस्कनों** ने अपनी भाषा (एट्टिक) के लिए ग्रीक अल्फाबेट के 22 वर्णों में 4 नए वर्णों को जोड़कर ई.पू. आठवीं शताब्दी में 26 अक्षरोंवाली एक नई लिपि का विकास किया। इसी प्रकार स्लाविक भाषाभाषियों ने ग्रीक अल्फाबेट के सहयोग से 42 अक्षरोंवाली **सिरिलिक लिपि** (Cyrillic Script) का आविष्कार किया, जिसके ही गर्भ से रशियन, उक्रेनियन, बलेरियन व सर्व लोगों के लिए 32 अल्फाबेटवाली वर्तमान **रूसी लिपि** (Russian Script) व 30 अल्फाबेटवाली **बल्गेरियन** (Bulgarian) लिपि का विकास हुआ।

इधर यूरोप की धरती पर शनैः-शनैः एट्रुस्कनो की इस परिवर्धित लिगि से ही **अब्रिअन, रूनी, ओस्कन** लिपियों का अस्तित्व उभरकर सामने आता गया। रोमनों द्वारा ई.पू. सातवीं सदी के लगभग एट्रुस्कन से लिये गए 21 अल्फाबेट (A, B, C, D, E, F, G, H, I, K, L, M, N, O, P, Q, R, S, T, U, V, W, X) में अपनी ध्वनियों के अनुरूप Y व Z तथा फिर U, W व J को जोड़कर 26 वर्णोंवाली जिस लिपि को प्रसूत किया, उसे ही **लैटिन** (Latin) या **रोमन** (Roman) लिपि के नाम से जाना गया। अपने आरंभिक काल में यह दाईं से बाईं ओर लिखी जाती थी, किंतु बाद में इसकी शैली को परिवर्तित कर बाएँ से दाएँ के क्रम में लिखना प्रारंभ किया गया। रोमन वर्चस्व के बढ़ते प्रभावों के कारण अंग्रेजी, फ्रांसीसी, स्पेनी, इटली, पोर्तुगीज, रोमानियन, जर्मनी आदि भाषाओं के लिए तथा कालांतर में चेक, पोलिस, तुर्की तथा कुछ स्लाविक व अफ्रीकी भाषाओं ने अपनी लिपि के रूप में इसे स्वीकार

कर लिया। इस तरह अठारहवीं सदी के औपनिवेशिक परिवेश के कारण विस्तारित हुई **अंग्रेजियत** ने कुल 26 अल्फाबेट (5 Vowels व 21 Consonants) वाली इस संकुचित लिपि (Roman Script) को धीरे-धीरे संसार की सबसे महत्त्वपूर्ण लिपि तथा अंग्रेजी को अंतरराष्ट्रीय भाषा के रूप में प्रतिष्ठित कर दिया। लैटिन से प्रारंभ हुआ वर्णों का यह ह्रास तो कंप्यूटर के इस आधुनिक युग में मात्र दो अक्षरों **(बिट-बाइट्स)** पर ही आकर सिमट गया है।

□

भाषा में महारत हासिल कर लेने के पश्चात् मानवों का ध्यान गरमी, सर्दी व बरसात की निश्चित अवधियों और दिन के पश्चात् होनेवाली रात पर आकृष्ट हुआ। सूर्योदय से लेकर सूर्यास्त तक की अवधियों का अंदाज जमीन में गाड़े गए कील की बदलती छाया से लगाते हुए समय की नाप निश्चित कर लेने के पश्चात् जलवायु विशेष के अनुभवों से तात्कालिक मानवों ने ऋतुचक्र को परिभाषित किया। इसी क्रम में आकाश के नक्षत्रों व चंद्रमा की गतिविधियों का अध्ययन करके इन आद्य मानवों ने पक्ष, मास व वर्ष की गणना करना सीख लिया। इन गणनाओं को आधार देने के लिए उन लोगों ने संकेत के तौर पर कुछ आड़ी-तिरछी रेखाओं के चिह्नों को भी विकसित कर लिया। कालांतर में इन्हीं टेढ़ी-मेढ़ी रेखाओं से अंक-लिपि का सूत्रपात हुआ।

प्रस्तुत अध्याय में कालगणना के विभिन्न प्रसंगों के साथ-साथ समयमापक प्राचीन यंत्रों तथा खगोलीय व गणितीय सूत्रों के आधार पर महायुगों की कल्पना के साथ-साथ कलियुग प्रारंभ होने की निश्चित तिथि एवं मानुषी व खगोलीय परिमाणों के साथ विश्व की विभिन्न सभ्यताओं में प्रचलित संवतों का वर्णन किया गया है।

कालगणना

सृष्टि की जटिल गुत्थियों की तरह ही काल के गराल की विवशताओं का प्रत्युत्तर देने की नीयत से मानवों ने इसे गणना द्वारा सीमित करना चाहा। इसके लिए जिस विधा को विकसित किया गया, उसे ही **कालगणना** कहते हैं। सूर्योदय से सूर्यास्त तक की अवधि के अध्ययन से **समय का माप**, रात में चंद्रमा की घटती-बढ़ती कलाओं के अनुमान से **तिथि** व **पक्ष** तथा गरमी, सर्दी व बरसात के जलवायु विशेष के अनुभवों से **ऋतु-चक्र** परिभाषित किए गए। चूँकि सृष्टि-उत्पत्ति अंतरिक्ष की घटना थी, अतः इसके विषय में गणना के लिए अंतरिक्ष और इसमें गतिमान नक्षत्रों व ग्रहों का गहन अध्ययन किया गया। इन अध्ययनों से यह पता चला कि नक्षत्रों की अपेक्षा ग्रहों की गति अधिक तीव्र होती है। अतः गति-भिन्नता के आधार पर इनके समय का शुद्ध मान निर्धारित करने के लिए गणन-पद्धति को दो भागों **सायन** व **निरयन** में बाँटा गया। पृथ्वी की सापेक्ष गति के अनुसार सौरमंडल को **बारह क्रांतिवृत्त** या **राशियों** (मेष, वृष, मिथुन, कर्क, सिंह, कन्या, तुला, वृश्चिक, धनु, मकर, कुंभ व मीन आकृति रूपी नक्षत्रमंडलों) में विभाजित कर, प्रति राशि (30 अंश) में सूर्य के प्रवेश को संक्रांति मानते हुए एक संक्रांति से अगली संक्रांति के काल को **सौर-मास** व ऐसे बारह सौर मासों (360 अंश) का एक **सौर-वर्ष** निश्चित किया गया। इस खगोलीय गणना के अनुसार एक सौर-वर्ष में कुल 360 दिन ही बैठते हैं। प्रसिद्ध खगोलवेत्ता **प्रो. इनामुल वेलिकोभ्सकी** ने अपनी बहुचर्चित पुस्तक **'वर्ल्ड इन क्वालिजन'** में इस बात का रहस्योद्घाटन किया है कि ईसा पूर्व आठवीं शताब्दी तक एक सौर वर्ष में कुल 360 दिन ही हुआ करते थे। उनके अनुसार ईसा पूर्व 687 में शुक्र ग्रह मंगल के कुछ नजदीक आ गया था। इस कारण हुए खगोलीय उलट-फेर से पृथ्वी की कक्षा प्रभावित हुई थी और तदुपरांत पृथ्वी की परिभ्रमण अवधि में हुए 5¼ दिन की बढ़ोतरी के साथ एक सौर

वर्ष 365¼ दिन के होने लगे। यही कारण रहा था कि विश्व की सभी प्राचीनतम सभ्यताओं में प्रचलित कालगणनाओं में एक सौर वर्ष कुल 360 दिनों का ही हुआ करता था। संभवतः आजकल के प्रचलित मास, घंटा, मिनट, घटी व पल के लिए निर्धारित किए गए 30 व 60 के परिमान भी किंचित् 360 के प्राचीनतम गुणनफल के आधार पर ही निश्चित किए गए होंगे। प्राचीन काल में पृथ्वी के गति सापेक्ष **अंतरराष्ट्रीय समय** की यह गणना भारत के **उज्जैन** (82°-30' देशांतर) को केंद्र मानकर ही की जाती थी, जिसका आधुनिक पैमाना, अर्थात् GMT (Greenwich Mean Time) से कुल अंतर 5.30 घंटा पूर्व का रहा था। इसी तरह काल की बृहद् इकाइयों के निर्धारण के लिए सौरमंडल के ग्रहों का अवधि विशेष में एक ही स्थान पर एकत्र होने की स्थिति का अध्ययन कर जहाँ **युगों** को परिभाषित किया गया, वहीं नक्षत्रों की गतिशीलता के आधार पर **मन्वंतरों** व **कल्पों** की रचना की गई। इसी क्रम में अंततः ब्रह्मांड की आयु-सीमा को तय करने के लिए **ब्रह्मदिन** व **ब्रह्मवर्ष** जैसी अति बृहत्तम काल इकाइयों की भी परिकल्पना की गई।

ईसा पूर्व अस्तित्व में रहीं सुमेरियन, बेबीलोनियन, असीरियन, कैल्डियन, मिस्र, यूनानी आदि प्राचीन सभ्यताओं में कालगणना की विभिन्न पद्धतियाँ प्रचलन में तो अवश्य रही थीं, किंतु इनके सूत्र किसी-न-किसी रूप में भारत के गणन-सूक्तों से ही जुड़े हुए थे। यही नहीं, विद्वानों की तो यह मान्यता है कि इन प्राचीन सभ्यताओं से भी बहुत पहले के काल में सूर्य-सिद्धांत नामक भारतीय गणना-सूत्र में निष्णात होकर ही **मय दानव** ने वास्तुशास्त्र की रचना की थी। शंकर द्वारा विध्वंस की गई **त्रिपुर** (वर्तमान में लीबिया का जल में आधा डूबा **त्रिपोली** शहर) नामक असुर राजधानी, **मिस्र के पिरामिडों** व **पांडवों** तथा **सोलोमन** के राजप्रासादों के अद्भुत शिल्पी इसी दानव के वंशज यानी असुर ही रहे थे। **महाभारत** (सभापर्व) के अनुसार युधिष्ठिर के राजमहल में दानव-शिल्पियों द्वारा स्फटिक का प्रयोग इस प्रकार किया गया था कि भूमि जल-सदृश्य तथा कुंड थल-सदृश्य आभासित होते थे। **ओल्ड टेस्टामेंट** में भी कुछ इसी तरह के भवन-निर्माण का प्रसंग मिलता है। अरब की रानी **शेबा** जब यहूदी सम्राट् **सोलोमन** (हजरत सुलेमान) से मिलने इज़राइल पहुँची, तब उसकी लँगड़ी टाँग को देखने की नीयत से सोलोमन ने असुर वास्तुकारों से ऐसा फर्श बनवाया, जो पानी की तरह दिखाई देता था। इसी भ्रम में रानी ने स्वागत के लिए फर्श के दूसरे छोर पर खड़े सोलोमन से मिलने के लिए अपने स्कर्ट को ऊपर उठाकर बढ़ना शुरू किया और इस प्रकार सोलोमन उसकी सुंदर टाँगों को

देखकर उसके लँगड़ी होने की भ्रांति से मुक्त हुआ। चूँकि महाभारत-काल व यहूदियों के अस्तित्व में कुछ ही वर्षों का अंतर रहा था, अतः इनके ग्रंथों में प्रयुक्त इस क्षेपक को मूल घटना की अनुकृति ही माना जा सकता है। इसके अनुरूप मेक्सिको में असुर वास्तुकारों द्वारा बनाए गए एक अद्भुत पिरामिड पर आज भी प्रतिवर्ष मेष संक्रांति के दिन सूर्य की किरणों से बननेवाली छाया से एक ऐसे विशालकाय सर्प का आभास होता है, जो समय के अंतर के साथ अपनी पूँछ को धीरे-धीरे मुँह में डाल रहा होता है। किंचित् यही कारण रहा होगा कि आश्चर्यजनक रूप से भारत की सुदूर विपरीत स्थिति के उपरांत भी अमेरिकावासी **'मयांस'** अपने शून्य व दशमलव ज्ञान के माध्यम से 365.2420 दिनों के सौर वर्ष की गणना करने में सफल रहे थे। उनकी यह गणना सौर वर्ष में वास्तविक घटित दिनमान अर्थात् 365.2422 से आंशिक तौर पर ही कम रही थी। प्राचीन सभ्यताओं की तरह ही पाश्चात्य धर्मग्रंथ भी भारतीय गणना-पद्धति का अनुसरण करते दिखाई देते हैं। **तैत्तिरीय संहिता** के इस तथ्य को कि 'मानवों का संवत्सर देवताओं का एक दिन है' ***(एक वा इदं देवानामहः यत्सम्वत्सरः)*** को **पवित्र बाइबल** (एजकील-14.30) में इस प्रकार व्यक्त किया गया है—*'मैंने तुम्हारे लिए एक वर्ष के बदले एक दिन निश्चित किया है'* या *'जीवन का एक दिवस एक वर्ष के समान है।'*

धार्मिक ग्रंथों के इन उद्धरणों के अतिरिक्त अब तक किए गए विभिन्न शोधों द्वारा भी यह सिद्ध किया जा चुका है कि प्राचीन ही नहीं, अपितु आधुनिक अंक व समय-पद्धतियाँ भी भारत से अरब होते हुए ही पाश्चात्य देशों में पहुँची थीं। अंक तथा गणित विद्या की इस भारतीय पहचान के प्रतीक स्वरूप ही अरब में जहाँ इन्हें **'इल्मे हिंदीसा'** कहकर संबोधित किया जाता रहा, वहीं अरब के रास्ते पाश्चात्य देशों में पहुँचने के कारण वहाँ इसकी पहचान **'अरेबिक न्यूमिरिक्लस'** के रूप में ही की जाने लगी। भारतीय ज्योतिष (खगोलशास्त्र) का सर्वप्रथम प्रसार-प्रचार अरबी में **खलीफा अल-मंसूर** व **खलीफा हारूँ रशीद** के जमाने में (सन् 753 से 806 तक) हुआ था। इस तरह भारतीय गणित-विद्या को अरबी स्रोतों से यूरोप तक पहुँचाने तथा आधुनिक गणित को जन्म देने का श्रेय **सेविल के जान** (सन् 1135) को जाता है। उसके पश्चात् **सैंट प्लैसिदस** ने इसका अनुवाद स्पैनिस भाषा में किया और तदनुसार प्रचारित इस विधा के आधार पर पोलैंड के **कोपरनिकस** ने सन् 1543 में आधुनिक खगोलिकी को जन्म दिया। प्रसिद्ध वैज्ञानिक अलबर्ट आइंस्टीन की यह स्वीकारोक्ति कि *'हम भारतीयों के बहुत ऋणी हैं, जिन्होंने हमें गणना करना*

सिखाया, जिसके बिना कोई महत्त्वपूर्ण खोज हो ही नहीं सकती थी,' स्वतः ही इस शृंखला को प्रमाणित कर देती है। इस तरह अंक विद्या व समय-पद्धति के मूल स्रोत के विषय में जानकारी प्राप्त कर लेने के पश्चात् भारतीय अवधारणाओं की पृष्ठभूमि पर ही कालगणना की विवेचना प्रासंगिक हो जाती है।

भारतीय अवधारणाओं के अनुसार आदिकाल में प्रतिपादित कालगणना के जिन अठारह स्वतंत्र सिद्धांतों की चर्चा की गई है, सुधाकररचित **गणतरगिंणी** के श्लोकों में उन्हें इस प्रकार से व्यक्त किया गया है—

ब्रह्म सूर्य्य सोमः वशिष्ठोऽत्रिः पराशरः कश्यपो नारदो गर्गो मरीचमनुर्रगिंरा,
लोमशः पौलिश्चैव च्यवनो यवनो भृगुः शौनकोऽष्टादश्चैते ज्योतिशास्त्रः प्रर्वतका।

इन अठारह आदि ग्रंथों में से केवल तीन को ही **अपौरुषेय (दिव्य)** माना गया और वे हैं—**ब्रह्म, सूर्य** व **सोम सिद्धांत**। अपने नाम के अनुरूप ब्रह्म सिद्धांत में नक्षत्रों की आपसी गतिशीलता के सापेक्ष गणन की बृहत्तम इकाइयाँ यानी ब्रह्मदिन व ब्रह्मवर्ष द्वारा जहाँ ब्रह्मांड की अवधि को मापने का प्रयास किया गया, वहीं सूर्य सिद्धांत में सौरमंडल के सापेक्ष सूर्य व उसके ग्रहों के अस्तित्व में आने तथा विघटन की गणना के लिए काल-खंडों को सौर-वर्षों, युगों, मन्वंतरों तथा कल्पों में विभाजित किया गया। इसी प्रकार सोम सिद्धांत में चंद्रमा की घटती-बढ़ती कलाओं के आधार पर गणना का विभाजन पक्षों, तिथियों, घटिकाओं, अंशों तथा विकलाओं में करके समय के सूक्ष्मतम मापों का निर्धारण किया गया। **'वेदांग ज्योतिष'** नामक एक अन्य प्राचीन ग्रंथ में चंद्रमा के पूर्ण परिक्रमा-पथ को 13.3 अंश प्रति नक्षत्र की गति से कुल **सत्ताईस नक्षत्रों** (अश्विनी, भरणी, कृतिका, रोहिणी, मृगशिरा, आद्रा, पुनर्वसु, पुष्य, आश्लेषा, मघा, पूर्वा-फाल्गुनी, उत्तर-फाल्गुनी, हस्त, चित्रा, स्वाति, विशाखा, अनुराधा, ज्येष्ठा, मूल, पूर्वाषाढ़ा, उत्तराषाढ़ा, श्रवण, धनिष्ठा, शतभिषा, पूर्वाभाद्रपद, उत्तर-भाद्रपद व रेवती) में विभाजित किया गया। चूँकि पृथ्वी के सापेक्ष चंद्रमा को अपनी परिक्रमा पूर्ण करने में विशुद्ध $27\frac{1}{3}$ दिन लगते हैं, अतः इस अंतर को नियमित करने के लिए उन्नीस घटी के **अभिजित** नामक अट्ठाईसवें नक्षत्र की तदर्थ व्यवस्था भी की गई। ये सभी मूल ग्रंथ अब अप्राप्य हैं। कालांतर में प्रायः विलुप्त से हो चले गणन-सूत्रों को पुनः स्थापित करने के उद्देश्य से प्रसिद्ध अंतरिक्ष विद्वान् **वराहमिहिर** ने अपने समय में उपलब्ध ब्रह्म, सूर्य, सोम, रोमक तथा वसिष्ठ सिद्धांतों के सूत्रों को अपने गणितीय अनुभवों के आधार पर समन्वय करते हुए

'पंचसिद्धांतिका' नामक ग्रंथ की रचना की। लगभग इन्हीं के काल में **'लाट'** नामक एक अन्य विद्वान् ने मूल सूर्य तथा ब्रह्म सिद्धांतों के गूढ़ सूत्रों का सरलीकरण करते हुए आज के प्रचलित तथा प्रामाणिक **'सूर्य सिद्धांत'** की पुनः रचना की। इसी तरह **वर्गमूल, घनमूल, अंकवर्धन क्रमनांक** आदि गूढ़ अंकगणितीय सूत्रों के साथ **एक पर बीस शून्यों** की संख्याओं {**इकाई, दहाई, शत** (सौ), **युत** (हजार), **अयुत** (दस हजार), **लक्ष** (लाख), **नयुत** (दस लाख), **अर्वुद** (कोटि या करोड़), **न्यर्वुद** (दस करोड़), **खर्ब, निखर्ब, बृंद, शंख, पद्म, सागर, अंत्य, मध्य, परार्द्धय, नील** व **लोक**} के गणन का दृष्टांत प्रस्तुत करनेवाले महान् भारतीय गणितज्ञ **आर्यभट्ट** ने गणित के अपने अभूतपूर्व ग्रंथ **'आर्य सिद्धांत'** में कालगणना के सभी आयामों का विस्तृत वर्णन किया है। ग्रंथों के दृष्टांत यह प्रमाणित करते हैं कि **एक से लेकर परार्ध तक** के गणन का सिद्धांत आर्यभट्ट से भी बहुत पूर्व यानी 'यजुर्वेद' (17/2) के काल से ही व्यवहृत होता चला आ रहा था ***(इमामेऽअग्नऽइष्टका धेनवः सन्त्वेका च दश च शतं च सहस्रं चायुतं नियुतं च प्रयुतं चार्बुदं च न्यर्बुदं च समुद्रश्च मध्यं चान्तश्च परार्धश्चैतामेऽअग्नऽइष्टका धेनवः सन्त्वमुत्रामुष्मिंल्लोके)***।

कालक्रम में सूर्य-रश्मियों से धरती में गड़ी कील की बदलती छायाओं के अनुमान से समय ज्ञात करने की विधि को शनैः-शनैः उन्नत करते हुए मयूर, वानर व मानव कपाल यंत्रों तथा जल एवं रेत-कण यंत्रों का क्रमशः निर्माण किया गया ***(तोय यंत्र कपालाद्यैर्मयूर नर वानरैःससूत्र रेणु गर्भैश्च सम्यक कालं प्रसादयेतु***-सूर्य सिद्धांत-1.21)। इसके साथ ही समय की सूक्ष्मतर इकाइयों को निर्धारित करने के लिए भारतीय गणितज्ञों ने पलक झपकने में लगनेवाले समय को **'निमेष'** की संज्ञा देते हुए ऐसे तीन निमेषों का एक क्षण के क्रम से पचहत्तर क्षणों की एक **'कला'** व पंद्रह कलाओं की एक **'घटिका'** निरूपित की। घटिकाओं का मान निकालने के लिए ताँबे के पात्र के पेंदे में इस प्रकार से छेद किया जाता था कि वह स्वच्छ जल में एक दिन-रात में कुल साठ बार डूब जाता था (***ताम्रपात्रमधश्छिद्रंन्यस्ते कुण्डे अमलाम्भसि, षष्टिर्मज्जत्यहोरात्रं स्फुटं यंत्रं कपालकम्***-सू.सि.-1.23)। इस तरह साठ घटिकाओं की एक **'अहोरात्रि'** (दिन-रात) के क्रम से तीस अहोरात्रियों का **'माह'** व बारह मासों के एक **'वर्ष'** या दिव्य (देव) अहोरात्रि का सृजन किया गया ***(नाड़ी शष्ट्यातु नाक्षत्रमहोरात्रं प्रकीर्तितम् तत्त्रिंशता भवेन्मासः मासैर्द्वादशभिर्वर्षं दिव्यं तदह्न उच्यते***-सू. सि.-1.12/13)। यही नहीं, कालक्रम में अपनी विधाओं का विकास करते हुए भारतीय गणितज्ञों ने निमेष जैसे न्यूनतम मान को भी पुनः लाखों में विभाजित करते

हुए समय के सर्वकालिक सूक्ष्मातिसूक्ष्म मान यानी **'परमाणु'** (सेकेंड के 3,79,675 वें हिस्से के बराबर) को निर्धारित करने का कीर्तिमान भी स्थापित किया।

इधर पश्चिमी जगत् में **'सेविल के जॉन'** (सन् 1135) द्वारा प्रतिपादित गणितीय सूत्रों के आधार पर पाश्चात्य विद्वानों द्वारा आजकल की प्रचलित समय-पद्धति की न्यूनतम इकाई यानी **'सेकेंड'** की परिभाषा को सन् 1884 में ही निश्चित किया जा सका था। इन विद्वानों द्वारा सेकेंड का मान निकालने के लिए पृथ्वी को अपनी धुरी के संपूर्ण चक्कर में लगनेवाले समय के 86400 वें हिस्से को प्रमाण माना गया था। सन् 1960 मे पुनः यह निर्णय लिया गया कि सेकेंड का मान पृथ्वी का अपनी धुरी पर लगने वाले चक्कर के आधार के बजाय सूर्य की पूर्ण परिक्रमा अवधि के 3,15,56,92,59,747वें हिस्से के बराबर होना चाहिए। अंततः सन् 1970 में परमाणु घड़ियों के आविष्कार के पश्चात् इसका मान इतना विशुद्ध कर लिया गया कि अब तीन सौ वर्षों में खगोलीय काल से इसका अंतर मात्र एक सेकेंड ही रहता है। इस प्रकार पाश्चात्य विधि में सेकेंड को समय की प्रारंभिक इकाई मानते हुए ऐसे साठ सेकेंडों का एक **मिनट,** फिर साठ मिनटों के एक **ऑवर** (घंटा) के क्रम से चौबीस घंटों के एक पूर्ण दिन **(डे)** में काल को बाँटा गया। इसी के अनुरूप समय की उत्तरोत्तर इकाइयों को निर्धारित करने के लिए सात दिनों को **वीक** (सप्ताह), दो सप्ताहों को एक **फोर्ट नाइट** (पक्ष) या चार सप्ताहों के एक **मंथ** (माह) के क्रम से बारह महीनों को एक **ईयर** (वर्ष) की संज्ञाएँ दी गईं। कालगणना की यह पाश्चात्य विधि मूलतः भारतीय अवधारणाओं के लगभग अनुरूप ही नहीं रही है, अपितु इनमें प्रयुक्त होनेवाली समय-सूचक शब्दावली भी भारतीय भाषा का ही एक प्रकार से अपभ्रंश मानी जा सकती है। उदाहरणार्थ, **क्षण** से सेकेंड, **मित** (छोटा) से मिनट, **होरा** से ऑवर, **दिवस** से डेज, **पक्ष** से फोर्ट-नाइट, **मास** से मंथ, **वर्ष** से ईयर्स, **युग** से एज, **आरोहणम् मार्तण्डस्य** से ऐंटे-मेरिडियन **(ए.एम.)** व **पतनम्-मार्तण्डस्य** से पोस्ट-मेरिडियन **(पी.एम.)** आदि की आपसी साम्यता इसके प्रमाण के रूप में देखे जा सकते हैं। इसी तरह काल की बृहद् इकाइयों को तय करने के लिए पाश्चात्य विधि में जहाँ **डिकेड** (दस वर्ष), **सेंटिनरि** (शताब्दी), **मिलेनियम** (सहस्राब्दी) की परिभाषाएँ तय की गई हैं, वहीं भारतीय गणितज्ञों ने 360 मानव वर्षों को एक **देववर्ष** में परिभाषित करते हुए बारह हजार देव वर्षों के एक **महायुग** के क्रम से हजार महायुगों (अथर्ववेद के अनुसार, जिसकी कुल अवधि चार अरब बत्तीस करोड़ वर्ष यानी सूर्य की संपूर्ण आयु होती है-***शततेऽयुतं हायनान् द्वेयुगे त्रीणि चत्वारि***

कृण्मः) को एक **कल्प** *(सहस्र युगपर्यन्तम् अहर्यद् ब्रह्मणो विदुः)*, फिर ऐसे बहत्तर हजार कल्पों को ब्रह्मांड (ब्रह्मा) की संपूर्ण आयु का आधार माना। **योगवासिष्ठ** तो इससे भी कहीं दूर की कौड़ी तलाशते हुए ब्रह्मा की संपूर्ण आयु को विष्णु का एक दिन तथा विष्णु के इस प्रकार के सौ वर्ष की पूर्ण आयु को भगवान् शंकर का एक दिन और फिर चित्तवृत्ति निरोध की शिव की समाधिस्थ अवस्था को ऐसा अवरोध माना है कि काल भी वहाँ जाकर ठहर जाता है *(जीवितं यद् विरिंचस्य तद्दिनं किल चक्रिणः विष्णोर्यज्जीवितं तद् बृषांकस्य वासरः ध्यान प्रक्षीण चित्तस्य न दिनानि न रात्रयः)*। किंचिंत् इसी कालातीत भाव के प्रतीकात्मक ही भारतीय शास्त्रों ने शिव को **'महाकाल'** की संज्ञा से भी विभूषित किया गया है।

भारतीय द्रष्टाओं ने देव वर्षों के उपरांत जिस **महायुग** की तरफ संकेत किया है, उसे भी उन्होंने पुनः **चार युगों** (सत्, त्रेता, द्वापर व कलि) में विभाजित किया। सूर्य-सिद्धांत के अनुसार अपनी गति के अनुसार चक्कर काटते हुए सौरमंडल के सभी ग्रह जब शून्य भोगांश के साथ एक ही स्थान पर आ जाते हैं (*अस्मिन् कृतयुगस्यान्ते सर्वे मध्यगता ग्रहाः*–सू.सि.-1.57), तो ऐसी खगोलिक स्थिति से **नए युग** का प्रारंभ माना जाता है। भारतीय मनीषाओं के अनुसार **सत् युग** के प्रारंभ के समय सातों ग्रह शून्य भोगांश के साथ **मेष राशि** में, **त्रेता युग** के प्रारंभ के समय **कर्क राशि** में, **द्वापर** के प्रारंभ के समय **तुला राशि** में तथा कलियुग के प्रारंभ के समय **मकर** राशि में स्थित होते हैं। चूँकि इन राशि विशेष में शून्य भोगांश के साथ एकत्र हुए सप्त-ग्रहों की संयुक्त गतिशीलता ही युग-प्रारंभ का द्योतक होती है, अतः युग-चक्र को गति प्रदान करने के प्रतीकस्वरूप ही ज्योतिष शास्त्र में इन चारों राशियों (मेष, कर्क, तुला व मकर) को **चलित** या **चर संज्ञक** माना गया है। इसी प्रकार आकाशगंगा के सातों सूर्यों के शून्य भोगांश के साथ एक स्थान पर एकत्रित होने से *(ततौ दिनकरै दींप्तै सप्तभिर्मनु जाधिप)* **महायुग** (इनके ताप से सभी प्रकार के जैविक सृष्टियाँ भस्म हो जाती हैं तथा जल सूख जाते हैं, यानी प्रलयकाल होता है) का प्रारंभ होता है तथा इसका एक चक्र खगोलीय गणना के अनुसार 43,20,000 वर्षों का होता है। **'थियोगोनी ऑफ द हिंदू'** नामक पुस्तक में वर्णित तथ्यों के अनुसार **यूरोप** के प्रसिद्ध **गणितज्ञ बैली** (Bailly) ने खगोलीय गणना कर यह पाया था कि ईसा पूर्व **3101** यानी आज (अर्थात् ईसाई वर्ष **2003**) से **5104** वर्ष पहले **17/18 फरवरी** को भारतीय समयानुसार **मध्य रात्रि में 2 बजकर 27 मिनट 10 सेकेंड** पर **सभी सातों ग्रह** शून्य भोगांश के साथ **मकर राशि** में ही रहे थे। इसके

अतिरिक्त एक अद्भुत खगोलीय घटनाक्रम के तहत उक्त समय में रोहिणी तथा ज्येष्ठा तारे क्रमशः मेष व तुला राशियों एवं पूर्वाफाल्गुनी तथा शतभिषा तारे क्रमशः मिथुन व धनु राशियों में स्थित होकर अंतरिक्ष में एक **बृहद् गुणन-चिह्न** बना रहे थे। भारतीय मान्यताओं के अनुसार, खगोलीय महायुग के प्रारंभ का यही समय माना गया है और नक्षत्रों द्वारा बनाए गए **कलह के प्रतीक (X)** के आधार पर ही इस महायुग को **कलियुग** के रूप में परिभाषित किया गया। इन **खगोलीय परिमाणों** के अनुरूप ही **मानवी-वृत्तियों** के काल निर्धारण के लिए **मानुषी-आयु** के अनुपात से **कल्प, मन्वंतर** व **युगाब्दियों** की व्याख्याएँ भारतीय शास्त्रों में अलग से की गई हैं (***इत्येतत्पंचवर्ष हि युगं प्रोक्तं मनीषिभिः***-वायु पुराण-31/49)। वायु पुराण की ही भाँति **वेदांग ज्योतिष** नामक एक अन्य ग्रंथ में भी **पाँच वर्षों की अवधि** को ही एक युग का परिमाण माना गया है। इसके अतिरिक्त **तैत्तिरीय ब्राह्मण** व **काठक संहिता** आदि वेदांतों में भी **पाँच वर्षों के युग** का ही प्रमाण दिया गया है। इस तरह **सत्तर युगों** को काल के **एक डग** की संज्ञा देते हुए पुराणकर्ताओं ने ऐसे ही **सत्तर डगों** की अवधि को **मानुषी मन्वंतर** के रूप में चिह्नित किया है ***(विक्रमस्य पदान्यस्य पूर्वाक्तान्येकसप्ततिः तानि मन्वन्तराणीह परिवृतयुगक्रमात्, एकं पदं परिक्रम्य पदानामेकसप्ततिः यदा कालः प्रकमते तदा मन्वन्तरक्षयः***-वायु पुराण-32/31-32)। प्रायः ऐसे ही आशय के साथ आयुर्वेदिक संहिता में मानुषी मन्वंतर को **'उत्सर्पिणी'** तथा **'अवसर्पिणी'** में विभक्त करते हुए **आदि युग, देवयुग** व **कृतयुग** को उत्सर्पिणी एवं **त्रेता, द्वापर** व **कलियुग** को अवसर्पिणी में बाँटा गया है।

'ज्योतिर्भिद्भरणम्' (अध्याय-1, श्लोक-10) में उपमा अलंकार के धनी महाकवि कालिदास **'विक्रमी संवत्'** के प्रारंभ का ***'युधिष्ठिरात् वेद युगाम्बराग्नयः'*** के अर्थपूर्ण भावों से संकेत करते हैं। भारतीय मान्यताओं के अनुसार **सत्, त्रेता, द्वापर** व **कलि** तथा **ऋग, यजुर, साम** व **अथर्व** के क्रमों से युग तथा वेद क्रमशः चार-चार होते हैं, जबकि पंच स्थूल भूतों (**पृथ्वी, जल, अग्नि, वायु** व **आकाश**) के क्रम से **अग्नि** तीसरे व **अंबर** शून्य का परिचायक है। इस प्रकार उपर्युक्त श्लोक में प्रयुक्त **अग्नि** (3), **अंबर** (0), **युग** (4) व **वेद** (4) के क्रम से अंकीय आशय 3044 बनता है, जो प्रमाणित करता है कि युधिष्ठिर से 3044 वर्ष बाद ही विक्रमी संवत् का प्रारंभ हुआ था। महाराज युधिष्ठिर भारत-युद्ध के उपरांत ही सम्राट् बने थे। उनका राज्यकाल कुल 36 वर्ष 8 माह 25 दिन तक का रहा था। श्रीकृष्ण के परलोक गमन के 8 माह 25 दिनों के पश्चात् परीक्षित को राज्य भार सौंपकर ही युधिष्ठिर भाइयों समेत

महाप्रस्थान को निकले थे। इस प्रकार श्रीकृष्ण की मृत्यु का महाभारत युद्ध से कुल अंतर 36 वर्षों का सिद्ध होता है। वायु पुराण (99/429) के अनुसार, जिस दिन कृष्ण ने शरीर त्यागा था, उसी दिन से कलियुग प्रारंभ हुआ था (*यस्मिन्कृष्णो दिवं यातस्तस्मिन्नेव तदा दिने, प्रतिपन्नः कलियुगस्तस्य संख्या निबोधत*)। इस गणना से विक्रमी संवत् का आरंभ कलियुग के 3045वें वर्ष में सिद्ध होता है। इस तरह कलियुग से अब तक व्यतीत वर्ष (3044+चल रहे विक्रमी संवत् यानी 2060) का योग =5104 बनता है। विक्रमी संवत् का प्रारंभ ई.पू. 57 माना गया है। परिणामतः आंग्ल गणना (बैली के परीक्षणों) के अनुसार भी खगोलीय कलियुग का प्रारंभ (18/2/2003+57+3044)=5104 वर्ष पूर्व, अर्थात् (5104-18/2/2003) ई.पू. 3101 में ही प्रमाणित होता है।

कलियुग प्रारंभ होने की तिथि के निर्धारण की एक अन्य विधि भी है—**नक्षत्र सापेक्ष गणना**। इस गणना को **सप्तर्षि** के परिभ्रमण का अनुमान लगाकर भी तय किया जा सकता है। वायु पुराण के अनुसार सप्तर्षि प्रति नक्षत्र में सौ वर्ष तक रहते हैं। इस प्रकार प्रति नक्षत्र सौ वर्ष के हिसाब से अंतरिक्ष के कुल सत्ताईस नक्षत्रों के चक्र को पूरा करने में उन्हें 2700 वर्ष लगते हैं *(सप्तविंशतिपर्यन्ते कृत्स्ने नक्षत्र मण्डले, सप्तर्षयस्तु तिष्ठन्ति पर्यायेण शतंशतम्)*। खगोल प्रामाणिक सप्तर्षि के इस संपूर्ण परिभ्रमण काल को **'सप्तर्षि संवत्सर'** के नाम से जाना जाता है। वायु पुराण के अनुसार, महाराज प्रतीप के समय प्रारंभ हुआ सप्तर्षि का यह संवत्सर चक्र आंध्रों के राज्य-प्रारंभ के समय पूरा हुआ था। *(सप्तर्षयस्तदा प्राहुः प्रतीपे राजि वैशतम्, सप्तविंशैः शतैर्भाव्या आन्ध्राणां तेऽन्वया पुनः)*। महाराज प्रतीप से परीक्षित तक का अंतर 300 वर्षों का रहा था और महाराज परीक्षित से ही कलियुग का प्रारंभ माना गया है। इस प्रकार परीक्षित से आंध्र राज्य-स्थापना का समय 2700-300 यानी 2400 वर्ष का बनता है और आंध्र राजवंश से प्रारंभ आभीर, गर्दभिल्ल, शक आदि राजवंशों सहित विक्रमादित्य द्वारा विक्रमी संवत् चलाए जाने तक का कुल समय अंतर 644 वर्षों का बनता है। इस तरह परीक्षित से लेकर विक्रमी संवत् प्रारंभ होने की कुल अवधि होती है = 2400 + 644 यानी 3044 वर्ष। इस समय अर्थात् सन् 2003 के अप्रैल माह से विक्रमी संवत् का 2060वाँ वर्ष प्रारंभ हुआ है, अतः कलियुग प्रारंभ से अप्रैल 2003 तक व्यतीत हुए कालखंड का कुल योग 3044 + 2060 = 5104 वर्ष बैठता है।

इसके अतिरिक्त भारत में व्यवहृत पंचांगों में भी *'वर्तमानोवैवस्वतमनुस्तस्य*

प्रवृत्तस्य सप्तविंशतिमितानि महायुगानि व्यातीतानि अष्टाविंशतितमे युगे, त्रयो युगचरणा गताः चतुर्थो चरणे कलौ कलेरारंभतो तवनवत्युत्तरपंचसहस्त्रमितानि 5104 वर्षाणि व्यतीतानि' के माध्यम से इन्हीं तथ्यों की पुष्टि की गई है। मिस्र, पारसी, यहूदी, ईसाई, मुसलिम आदि मतावलंबी जब अपनी सभ्यताओं के प्रतीकस्वरूप प्रचलित अपने संवत्सरों को प्रामाणिक मानते हैं, ऐसी स्थिति में **'विश्वगुरु'** के गरिमामयी पद पर अधिष्ठित रहे भारतीयों तथा विश्व के अन्य समुदायों को प्रसिद्ध गणितज्ञ बेली के गणन-सूत्रों की कसौटी पर खरे उतरे, **भारतीय पंचांगों** की तथ्यात्मक गणितीय विश्वसनीयता को किसी किंतु-परंतु के स्वीकार करना ही चाहिए।

इस तरह गणना-सूत्रों की जानकारी प्राप्त कर लेने के पश्चात् मानव-सापेक्ष घटनाओं का ठीक-ठीक हिसाब रखने के लिए सौर तथा चंद्र पद्धतियों का समन्वय करते हुए संवत्सरों की रचनाएँ की गईं और तदनुसार आजकल के प्रचलित पंचांग स्वरूप में आए। प्रति राशि सूर्य की स्थिति के बारह मासों के एक सौर-वर्ष में कुल 365 दिन, 15 घड़ी, 31 पल तथा 30 विपल होते हैं, जबकि शुक्ल पक्ष की प्रतिपदा तिथि से कृष्ण पक्ष की अमावस्या तिथि तक के बारह मासों का एक चांद्र-वर्ष कुल 354 दिन, 22 घड़ी, 1 पल व 24 विपल में पूरा होता है। इस प्रकार प्रतिवर्ष 10 दिन, 53 घड़ी, 30 पल व 6 विपल के साथ पौने तीन वर्षों में कुल तीस दिन का अंतर पड़ जाता है। चूँकि पृथ्वी के गति-चक्र के कारण प्रति तैंतीसवें सौर मास में सूर्य का राशि-परिवर्तन (संक्रांति) नहीं होता है। अतः प्रति 32 मास, 16 दिन व 4 घड़ी के पश्चात् अधिक मास **(पुरुषोत्तम/मलमास)** की कल्पना करते हुए 33/34 के अनुपात से सौर व चांद्र मासों का प्रति तीन वर्षों में समन्वय करते हुए वर्ष-चक्रों में पड़नेवाले इस अंतर को नियमित किया गया।

इन सभी गणन-सूत्रों के आधार पर **भारतीय कालगणना** का जो स्वरूप उभरकर सामने आया है, वह इस प्रकार से बनता है—

(क) मानुषी परिमाण

1 परमाणु	- एक सेकेंड का 3,79,675वाँ हिस्सा।
2 अणु	- 1 त्र्यसरेणु
3 त्र्यसरेणु	- 1 त्रुटि
100 त्रुटि	- 1 वेध
3 वेध	- 1 लव

3 **लव**	- 1 निमेष (आँख झपकने का काल-0.17 सेकेंड)
3 **निमेष**	- 1 क्षण (0.51 सेकेंड)
5 **क्षण** या 16 विपल	- 1 कष्ट
15 **कष्ट**	- 1 लघु/कला (1 मिनट 36 सेकेंड)
15 **लघु/कला** या 60 पल	- 1 घटिका (24 मिनट)
30 **कला**/2 **घटिका**	- 1 मुहूर्त (48 मिनट)
$3\frac{3}{4}$ **मुहूर्त**	- 1 प्रहर (तीन घंटा)
60 घटिका/30 मुहूर्त/8 **प्रहर**	- 1 अहोरात्रि (दिन/रात-24 घंटा)
15 **अहोरात्रि**	- 1 पक्ष
2 **पक्ष** (कृष्ण पक्ष—पितरों का दिन तथा शुक्ल पक्ष—पितरों की रात)	- 1 मास
2 **मास**	- 1 ऋतु
3 **ऋतु**	- 1 अयन
2 **अयन *या देव अधोरात्रि*** (**उत्तरायण**—देवो का दिन यानी 23 दिसंबर से 20 जून व **दक्षिणायण**—देवों की रात यानी 21 जून से 22 दिसंबर तक की अवधि)	- 1 सौर वर्ष (छह ऋतु-**वसंत, ग्रीष्म, वर्षा, शरद, हेमंत** तथा **शिशिर**) या **360** अधोरात्रि

(ख) खगोलीय परिमाण

360 **सौर (मानव) वर्ष**	- 1 देव (विश्वदेवों का) वर्ष
12000 **देववर्ष**	- 1 महायुग या चतुर्युगी (**सत्र, त्रेता, द्वापर** व **कलि**-43,20,000 सौरवर्ष)
71.42857129 **चतुर्युगी**	- 1 मन्वंतर (30,85,71,429.9 सौरवर्ष)
1000 चतुर्युगी/14 **मन्वंतर** (स्वायंभुव, स्वारोचिष, उत्तम, तामस, रैवत, चाक्षुष, वैवस्वत, सावर्णि, दक्षसावर्णि, ब्रह्मसावर्णि, धर्मसावर्णि,	

रुद्रसावर्णि, देवसावर्णि व इंद्रसावर्णि)	-	1 कल्प (4,32,00,00,000 सौरवर्ष यानी सूर्य व उसके सौरमंडल की आयु)
2 कल्प	-	1 ब्रह्म अहोरात्रि (ब्रह्मांड का एक दिन/रात)
360 ब्रह्म अहोरात्रि	-	1 ब्रह्मवर्ष (720 कल्प)
$12\frac{1}{2}$ ब्रह्मवर्ष	-	1 ब्रह्म युग (9000 कल्प-शकधूम या आधुनिक भाषा में व्यवहृत-आकाशगंगा की आयु)
ब्रह्मा (ब्रह्मांड) की आयु	-	100 ब्रह्म वर्ष (72,000 कल्प)

उपर्युक्त आधार पर गणना करके भारतीय खगोलशास्त्रियों ने यह उद्‌घाटित किया कि ब्रह्मांड को अस्तित्व में आए अब तक कुल पचास ब्रह्मवर्ष व्यतीत हो चुके है और ब्रह्मा (ब्रह्मांड की कारक शक्ति) की संपूर्ण आयु का दूसरे **परार्ध** (यानी भाग) का पहला दिन **(वाराह नामक कल्प)** इस समय चल रहा है। इस कल्प के भी छह मन्वंतर अब तक बीत चुके हैं और सातवें मन्वंतर (यानी ***स्वरोचिसश्चोत्तमश्च तामसो रैवतस्तथा चाक्षुषश्च महातेजो विवस्वत्सुत एव च*** अर्थात् **स्वयंभुव, स्वारोचिष, उत्तम, तामस, रैवत, चाक्षुष** व वर्तमान का यह ***वैवस्वत*** मन्वंतर) की अट्‌ठाईसवीं चतुर्युगी के आखिरी युग यानी **कलियुग** (सू.सि.-1.22/23) का इस समय यानी अप्रैल 2003 में 5104वाँ सौर वर्ष चल रहा है। **दि एज ऑफ अर्थ** नामक वैज्ञानिक पुस्तक में जहाँ पृथ्वी की अब तक की आयु को विभिन्न दृष्टिकोणों से 370 मिलियन वर्ष आँका गया है, वहीं **एस.एन.वी.एन.सी.वी.** के विज्ञानियों ने सूर्य तथा सौरमंडल की कुल आयु को साढ़े चार अरब वर्ष ही माना है। ये दोनों वैज्ञानिक गणनाएँ भारतीय पद्धति द्वारा उद्‌घाटित किए गए समय परिमाण के समकक्ष ही बैठती हैं। इससे यह सिद्ध हो जाता है कि काल-निर्धारण की भारतीय गणन-पद्धति तुलनात्मक दृष्टि से दोषरहित एवं वैज्ञानिंक कसौटी पर अधिंक खरी है। भारतीय अवधारणाओं के अनुसार सृष्टि-उत्पत्ति से लेकर अब तक के व्यतीत हुए कालखंडों को प्रत्येक भारतीय अनुष्ठानों में पढ़े जानेवाले संकल्प मंत्र यानी ***श्री पुराणपुरुषोत्तमस्य सकल जगदाधारस्य आदि नारायणस्य श्री महा विष्णोराज्ञया प्रवर्त्तमानस्याद्य परार्धद्वय जीविनो श्री ब्रह्मणस्ये द्वितीयपरार्द्धे*** (ब्रह्मा के इक्यानबे वर्ष के) ***श्री श्वेत वाराह कल्पे प्रथम दिने अन्हो द्वितीये यामे*** (पहले दिन के) ***चतुर्दश मन्वन्तराणां मध्ये***

संप्रति वैवस्वत नाम सप्तम मन्वंतरे (सातवें मन्वंतर के) ***युगानां त्रिध्ने याते अष्टविंशातिं चतुर्युगांतरे*** (अट्ठाईसवें महायुग के) ***कलियुगे कलि प्रथम चरणे*** (यानी ई.पू. 3102 से प्रारंभ हुए कलियुग के पहले भाग में) ***त्रयनाभिचक्रे मध्ये तदंतर्वर्तिनि चतुर्दशभुवन तलांतर्गतेऽस्मिन् मार्त्तण्डऽऽदि ग्रह मण्डले*** (यानी आकाशगंगा के चौदह तारक समूहों में स्थित सौर नामक ग्रहमंडल में) ***भूलोके*** (यानी पृथ्वी पर) ***ब्रह्मावर्तक क्षेत्रे*** (यानी ब्रह्मा की भूमि पर) ***जम्बूदीपान्तर्गते*** (यानी एशिया में) ***आर्यावर्त्ते*** (अर्थात् दजला-फरात से लेकर चंपादेश यानी वियतनाम तक का क्षेत्र) ***भरत खंडे*** (यानी अपगणस्थान या अफगानिस्तान से लेकर ब्रह्मदेश या बर्मा या आजकल के म्याँमार तक का क्षेत्र) ***भारतवर्षे*** (भारत के) ***पुण्य अमुक प्रदेशे अमुक ग्रामे*** (...प्रांत के...शहर या कस्बा या गाँव में) ***श्रीमन्नृप विक्रमार्क समयातीत संवत् अमुक सहस्त्र अमुक शत अमुक तमे वर्षे प्रभवादि षष्टि संवत्सराणां नाम्नि मध्ये वर्तमाने यथा नाम अमुक संवत्सरे तद् द्वय अयनेषु मध्ये अमुकायने वसन्तादि षट् ऋतुषु मध्ये अमुक ऋतौ महामाङ्गल्यप्रदे मासानाम उत्तमे चैत्रादि द्वादश मासानां मध्ये अमुकमासे कृष्णशुक्लयोर्मध्ये अमुक पक्षे पञ्चदशतिथिनां मध्ये अमुक तिथौ तद् शुभ सप्तवासराणां मध्ये अमुक वासरे, सप्तविंशति नक्षत्राणां मध्ये अमुक नक्षत्रे सप्तविंशति योगानां मध्ये अमुक योगे, सप्तकरणानां मध्ये अमुक करणे, द्वादश लग्नां मध्ये अमुक लग्नें च त्रिंश मुहूर्त मध्ये अमुक मुहूर्ते तद् भुक्त यथा संख्यानाम क्षणे प्रारंभ धर्मसंस्थापनार्थम् अनुष्ठानाय अमुक गोत्र प्रवर च अमुक कुलस्यः उत्पन्न श्रीमन्न नामाहं ..आत्मजः...तद् सौभाग्यवती भार्याम***..(यानी वर्तमान पंचांग के अनुसार वर्ष, अयन, ऋतु, माह, पक्ष, दिन व समय, मुहूर्त व क्षण विशेष में...कुल/गोत्र में उत्पन्न श्री...व श्रीमती...के पुत्र व उनकी सौभाग्यवती भार्या द्वारा किए जा रहे इस संस्कार...) के द्वारा स्मरण करा करके अनुष्ठानकर्ता को काल से, ब्रह्मांड से, प्रकृति से, सौरमंडल से, भूमि व स्थान विशेष तथा पूर्वजों से जोड़ने का जो अभिनव प्रयास किया जाता है, उसके इस अद्भुत गणितीय आधार तथा विराटत्व पर गंभीरता से शायद ही कोई मनन करता होगा।

भारतीय पंचांगों की ही तरह पाश्चात्य देशों में वर्ष-दिन पद्धति का हिसाब रखने के लिए अपने समय के विख्यात यूरोपीय सम्राट् **जूलियस सीजर** ने मिस्री ज्योतिषी **सोसिजेनस** के सुझाव पर रोमन महीनों में सुधार करके आजकल के प्रचलित अंग्रेजी कैलेंडर को ई.पू. 46 में लागू किया था। जूलियस सीजर द्वारा प्रतिपादित होने के कारण इसे **'जूलियन कैलेंडर'** भी कहा जाता है। कैलेंडर मूलतः

लैटिन शब्द है। प्राचीन समय में रोमवासियों को सूर्य च चंद्र से संबंधित घटनाओं की पूर्व-सूचनाएँ धर्मगुरुओं द्वारा आवाज लगाकर दी जाती थीं। अतः यूनानी शब्द **'कालेंड'**, जिसका शाब्दिक अर्थ **'मैं चिल्लाता हूँ'** के प्रतीक स्वरूप लैटिन में दिन-वर्ष पद्धति के लिए **'कैलेंडर'** शब्द का प्रयोग किया जाने लगा। सन् 1582 में पोप ग्रेगोरी (तेरहवें) ने वास्तविक घटित वर्ष-मान से जूलियन वर्ष में पड़ रहे 0.0078 दिन के अधिक अंतर को सुधारकर इसकी वर्ष अवधि 365.2425 तय कर दी। इस सुधार के कारण वर्तमान कैलेंडर को **ग्रिगोरियन कैलेंडर** भी कहा जाने लगा। सूक्ष्म गणितीय गणना के कई दोषों के उपरांत भी पाश्चात्य बयार के कारण पूरे विश्व में इसका उपयोग हो रहा है, जबकि खगोलीय वृति के सूक्ष्मतम मानों के अनुरूप अधिक प्रामाणिक तथा वैज्ञानिक माने जानेवाले भारतीय पंचांगों की उपयोगिता भारतवर्ष में ही मात्र संस्कारों तक सीमित होकर रह गई है।

यह सर्वविदित है कि सृष्टि का प्रारंभ वनस्पतियों से ही हुआ था। वनस्पतियों को आह्लादित करनेवाला मधुरस प्रकृति को वसंत-ऋतु में ही मिल पाता है। ***मधुमाधवौ वसन्तस्य*** के प्राकृतिक सौहार्द के कारण इस ऋतु में मानव-चित्त ही कोमल वृत्ति से आपूरित नहीं होता है, अपितु नई कोपलों के द्वारा सृष्टि भी चराचर जगत् में नवीनता की हरियाली बिखेर देती है। प्राणी मात्र में नूतन स्फूर्ति का संचार करनेवाली इस प्राकृतिक हरीतिमा के प्रमाणस्वरूप, **बसंत ऋतु** में पड़नेवाले **चैत्र शुक्ल प्रतिपदा** से ही संवत्सरों को प्रारंभ करने की परिपाटी शुरू की गई। अनुमान-प्रमाण के इसी दर्शन के आधार पर पल्लवित हुई आस्थाओं ने यह माना कि चैत्र मास की शुक्ल प्रतिपदा के सूर्योदय के समय ही ब्रह्माजी ने सृष्टि-रचना का यज्ञ प्रारंभ किया था। हिमाद्रि नामक प्रसिद्ध ज्योतिष ग्रंथ में इसी भाव पर एक श्लोक की रचना भी की गई है-***चैत्र मासि जगद् ब्रह्म सृजर्स प्रथमेऽहनि, शुक्ल पक्ष समग्रन्तु तदा सूर्योदये सति।*** **'स्मृति कौस्तुभ'** के अनुसार चैत्र शुक्ल प्रतिपदा को रेवती नक्षत्र के विष्कुंभ योग में विष्णु का मत्स्य अवतार हुआ था और इसी मत्स्य के सहयोग से वैवस्वत मनु जल-प्रलय से मानवों को बचाकर उन्हें पृथ्वी पर पुनः विस्थापित कर पाए थे। भारतीय परंपरा में इन्हीं प्रतीकों के आधार पर प्रारंभ किए गए **सृष्टि संवत्, पृथ्वी संवत्, वैवस्वत संवत्, कलि संवत्** आदि की गणनाएँ चैत्र शुक्ल प्रतिपदा से ही की जाती रही हैं। आंध्र में इसी दिन ***'उगादि पर्व'*** यानी युग-प्रारंभ का उत्सव मनाया जाता है। राजा वसु के विजय की स्मृति में महाराष्ट्र तथा पश्चिम भारत में ***'गूढ़ी पाड़वा'*** के रूप में इस तिथि को मनाने की प्रथा है।

सिंधु प्रांत में *'चेटी चंडी'* (चैत्र का चंद्र) कहकर और इरानियों में इस तिथि को *'नौरोज'* (नया दिन) कहकर मनाया ज़ाता है। इसलामिक मान्यताओं के अनुसार उनकी वर्ष गणना **(हिजरी)** का प्रारंभ भी भारतीय चैत्र-वैशाख मास से ही होता है। **चीन** व **जापान** इत्यादि पूर्व के देशों में भी उनका नववर्ष इसी तिथि के आस-पास से प्रारंभ होता है। यही नहीं, सन् 1752 तक **इंग्लैंड** में 25 मार्च तथा **रोम** में 15 मार्च को ही वर्ष का पहला दिन माना जाता रहा है। संभवतः 687 ईस्वी पूर्व की पृथ्वी की परिभ्रमण गति के कारण 360 दिनों के एक वर्ष के अनुरूप ही विश्व के विभिन्न अंचलों में चैत्र शुक्ल की प्रतिपदा की तात्कालिक तिथि के प्रतीकात्मक पड़े दिन को ही नए वर्ष का पहला दिन मान लिया गया होगा। **लैटिन भाषा** में सात को **सेप्टम,** आठ को **ओक्टो,** नौ को **नवेम** तथा दस को **डिसेम** कहा जाता है। किंचित् यही कारण रहा था कि **मार्च** (कूच करना) से प्रारंभ हुए जूलियन कैलेंडर के सातवें, आठवें, नौवें व दसवें माह को इन्हीं नामावलियों के अनुरूप क्रमशः **सेप्टेंबर, अक्टूबर, नवंबर** तथा **दिसंबर** कहा गया है। कालांतर में **ब्रिटिश पार्लियामेंट** द्वारा पारित एक विधेयक के अनुसार **इग्लैंड** में सन् 1753 से पहली **जनवरी** को वर्ष का पहला दिन मानने का एक नया नियम बनाया गया। बिना किसी सम्यक् विवेचना के आपाधापी में क्रियान्वित किए गए इस अनुपालन के परिणामस्वरूप मार्च के क्रम से पड़नेवाले उपर्युक्त महीनों की नामावलियों में तदनुसार कोई परिवर्तन नहीं हो पाया। **पोप** द्वारा मान्यता दिए जाने के बाद अपनी क्रम तथा अंकगत त्रुटियों के उपरांत भी **जूलियन कैलेंडर** का यह परिवर्तित स्वरूप ईसाई मतावलंबी राष्ट्रों, ब्रिटेन के उपनिवेशों तथा बाद में अंग्रेजियत के बढ़ते प्रभाव के कारण एक प्रथा के रूप में विश्व स्तर पर धीरे-धीरे प्रचलित हो गई। इस प्रकार यह स्पष्ट हो जाता है कि पहली जनवरी को साल का पहला दिन मनाने का कोई परंपरागत आधार ईसाई धर्म के अनुसार भी नहीं बनता है, बल्कि इसे पाश्चात्य अपसंस्कृति की मानसिकता में आकंठ डूबे समाज द्वारा एक पराए राष्ट्र (यूनाइटेड किंगडम) की विधायिका द्वारा पारित की गई त्रुटिपूर्ण नियमावली का अंधा अनुसरण मात्र ही माना जा सकता है।

नक्षत्रों एवं ग्रहों की खगोलीय गति के अनुरूप समय का मान निकालने के लिए बनाए गए सृष्टि तथा युग संवत्सरों के अलावा भारतीय शास्त्रों में उन राजाओं को भी अपना-अपना अलग संवत् चलाने का अधिकार दिया गया, जिन्होंने राज्य-विस्तार के साथ-साथ प्रजा को सुसंस्कृत व समृद्ध बनाने का भी यत्न किया था। महान् प्रतापी सम्राट् विक्रमादित्य के सिंहासनारूढ़ होने के प्रतीकस्वरूप प्रचलित **विक्रमी**

संवत्, शालीवाहन द्वारा शकों पर विजय प्राप्त करने की स्मृति में अपनाया गया **शक संवत्**, गौतमबुद्ध के बोधिसत्त्व से प्रेरित **बुद्ध संवत्**, महावीर के निर्वाण पर **जैन संवत्, बंग संवत्, कोल्लम संवत्** आदि इसके प्रमाण हैं। इसी आधार पर विश्व की विभिन्न सभ्यताओं—यूनान, मिस्र, यहूदी, ईसाई, इसलाम आदि ने समय-समय के अपने उद्भवों की स्मृति को सँजोए रखने के लिए अपने अलग-अलग संवतों को प्रारंभ किया था। पं. रघुनंदन शर्मा की पुस्तक **'वैदिक संपत्ति'** में वर्णित संदर्भों तथा **कल्याण** (चौबीसवें विशेषांक) में प्रकाशित विश्व की विभिन्न सभ्यताओं में प्रचलित संवतों से संबंधित-लेख (पृ. 755) में ज्योतिर्विद् पं. देवकीनंदनजी द्वारा किए गए तार्किक विश्लेषण के आधार पर सृष्टि-उत्पत्ति से लेकर अब तक (जूलियन कैलेंडर के अप्रैल 2003 तक) के व्यतीत काल-खंड का स्वरूप इस प्रकार बनता है—

सृष्टि-प्रारंभ	-	15,55,21,97,19,61,681 वर्ष
पृथ्वी संवत् (पृथ्वी की आयु)	-	1,97,29,49,104 वर्ष
वैवस्वत संवत् (पृथ्वी पर वनस्पति-सृष्टि)	-	12,05,33,104 वर्ष
चीनी संवत्	-	9,60,02,495 वर्ष
खताई संवत्	-	8,88,40,375 वर्ष
आदि ब्रह्मा (मानवी) संवत्	-	3,41,33,003 वर्ष
काल्डियन संवत्	-	4,70,035 वर्ष
कमलवत् ब्रह्मा (प्रथम ज्ञात पुरुष) संवत्	-	1,95,104 वर्ष
ईरानियन संवत्	-	1,89,982 वर्ष
पारसी संवत्	-	1,89,970 वर्ष
मिस्र राज्य स्थापना संवत्	-	28,656 वर्ष
कालयवन संवत् (डायोनीसियस)	-	6,045 वर्ष
इबरानियन संवत्	-	6,006 वर्ष
यहूदी संवत्	-	6,007 वर्ष
युधिष्ठिर संवत् (भारत युद्ध से व्यतीत काल)	-	5,140 वर्ष
कलि संवत् (परीक्षित के समय से व्यतीत काल)	-	5,104 वर्ष
अब्राहम (इब्राहिम) संवत्	-	3,923 वर्ष
मूसा के धर्मप्रचार का संवत्	-	3,572 वर्ष
यूनानी संवत्	-	2,769 वर्ष

शुद्रक (मालवांचल में) संवत्	-	2,759 वर्ष
रोम संवत्	-	2,755 वर्ष
बुद्ध संवत्	-	2,546 वर्ष
महावीर संवत्	-	2,529 वर्ष
पारद संवत् (पंजाब से पश्चिमोत्तर में मान्य रहा)	-	2,249 वर्ष
विक्रमादित्य संवत्	-	2,060 विक्रमी
यूरोप में ईसा का संवत्	-	2,003 ईसवी
भोज संवत्	-	1,975 वर्ष
शालिवाहन संवत्	-	1,925 शक
बल्लभी (काठियावाड़ में प्रचलित) संवत्	-	1,683 बल्लभी
इसलामिक संवत्	-	1,422 हिजरी
बांग्ला संवत्	-	1,411 बंगाब्द
कोल्लम संवत्	-	1,179 कोल्लम वर्ष
भारतीय गणराज्य संवत्	-	54 गणतंत्र वर्ष

वस्तुतः मानव सापेक्ष इन कालमापक इकाइयों द्वारा ही सृष्टि उद्भव, प्राणी अस्तित्व तथा सभ्यताओं व संस्कृतियों की क्रमिक विकास-यात्राओं का सहज अनुमान लगाकर इन्हें काल-खंड विशेषों में नियमित किया जा सकता है। अतः खगोल-प्रमाणित पूर्वजों की इस अनुपम थाती को गर्व के साथ आत्मसात् करते हुए भावी पीढ़ी के लिए सँजोए रखने का हमारा गुरुतर दायित्व बनता है।

□

कालगणना में सिद्धहस्त हो जाने के पश्चात् मनुष्यों की उत्सुकताएँ सृष्टि में घटनेवाली हर छोटी-बड़ी घटनाओं के कारण व कारक पर आकर केंद्रित हो गईं। रचना व विघटन प्रकृति का नियम है। रचना का आशय सृष्टि से व विघटन यानी प्रकृति के लय होने की दशा को प्रलय के नाम से चिह्नित किया गया है। द्रष्टव्य जगत् का प्रकृति में विसर्जन होना एक बड़ी घटना मानी जा सकती है; किंतु मानवों का सरोकार उसके जीवनकाल में घटित होनेवाली प्राकृतिक त्रासदियों से रहता है। अतः परिणाम की गुरुता के अनुसार घटित इन त्रासदियों को मानवों ने विभिन्न नामों से पुकारा और फिर अपने अनुभवों के आधार पर इन घटनाओं में से कुछ की पुनरावृत्ति की निश्चित अवधियों को निर्धारित करने का प्रयास किया। विश्व के प्रायः सभी प्राचीन ग्रंथ अपने मापदंडों के आधार पर प्रलय की इन घटनाओं को अलग-अलग ढंग से रेखांकित करते हैं।

शास्त्रों, ग्रंथों व भूगर्भीय अन्वेषणों पर आधारित विश्व की विभिन्न प्राकृतिक घटनाओं के साथ-साथ खगोलीय कारणों से पृथ्वी पर हर 26000 वर्ष के अंतराल पर घटनेवाली हिमयुगीन त्रासदियों तथा ग्रीनहाउस गैसों के कारण भूमंडलीय तापमान के बढ़ते आसारों से समुद्र के जलस्तरों में होनेवाले अनुमानित उछालों पर भी इस अध्याय में विस्तृत चर्चा की गई है।

प्रलय

कालगणना के अनुसार तैंतालीस लाख बीस हजार वर्ष की अवधि के प्रति महायुगों के हिसाब से एक हजार महायुगों के एक कल्प को जहाँ सूर्यादि ग्रहों की संपूर्ण आयु की मान्यता दी गई है, वहीं ऐसे ही बहत्तर हजार कल्पों की समय-सीमा को ब्रह्मांड की पूर्ण अवधि माना गया है। आधुनिक एस्ट्रोनॉमी भी सोलर-सिस्टम के संपूर्ण अस्तित्व को इसी अवधि के समकक्ष यानी साढ़े चार अरब वर्ष तक का मानते हुए यह स्वीकार करता है कि कालक्रम में एस्ट्रो-एक्सपैंसन की चरम स्थिति पर यूनीवर्स में सिकुड़न आनी प्रारंभ हो जाएगी, जो अंततः इसे सूक्ष्मातिसूक्ष्म पिंड में परिवर्तित कर प्रकृत में विलीन होने को बाध्य कर देगी। उपर्युक्त खगोलीय आकलनों के आधार पर इतना सिद्ध हो चुका है कि हमारा सोलार-सिस्टम तथा यूनीवर्स—दोनों ही अपनी निर्धारित अवधि के लगभग आधे भाग को अब तक पार कर चुके हैं और शेष इतने ही समय के उपरांत क्रमशः इनका विसर्जन प्रकृत में हो जाएगा। चूँकि इन घटनाओं की अंतिम परिणति **द्रष्टव्य जगत्** (Galatic Universe) का प्रकृत में विलीन होना ही है, अतः भारतीय शास्त्रों में इन्हें **प्राकृतिक विलय** या **प्र-लय** (Quiescent state of Nature) की संज्ञा दी गई है। इन दोनों ही घटनाक्रमों में ब्रह्मांड का प्रकृत में विसर्जन होना आनुपातिक दृष्टि से एक बड़ी घटना मानी जाती है, अतः परिणाम की गुरुता के अनुरूप इसे **ब्राह्म-प्रलय** (Universal Dissolution) के नाम से परिभाषित किया गया है। इसी प्रकार ब्रह्मांड के अस्तित्व में बने रहने तक इसकी विभिन्न आकाशगंगाओं में भ्रमणशील अनगिनत सूर्यादि नक्षत्रों तथा उनके ग्रह-मंडलों का हजार महायुगों (चार अरब बत्तीस करोड़ वर्ष) के अंतराल पर क्रमानुसार घटनेवाले नियमित विघटनों को उनकी प्रवृत्ति के अनुरूप **नैमित्तिक प्रलय** (Solar Disannul) की संज्ञा दी गई है।

उपर्युक्त वर्णित गंभीर घटनाक्रमों के अलावा प्राकृतिक नियमों के अनुरूप

ग्रह-मंडलों पर भी अलग से निश्चित अंतरालों पर कुछ प्रलयंकारी घटनाएँ घटती रहती हैं, जिन्हें उनके स्वभाव व स्वरूप के अनुसार पुनः दो भागों में वर्गीकृत किया गया है। इसी तरह के एक घटना-क्रम में जब आकाशगंगा के सातों सूर्य अपनी निश्चित गति से अंतरिक्ष में चक्कर लगाते हुए प्रति तैंतालीस लाख बीस हजार वर्षों में कुछ समय के लिए आनुपातिक दृष्टि से एक-दूसरे के नजदीक पहुँच जाते हैं तो इनके संयुक्त प्रभाव से सूर्य-रश्मियों की उष्मा में सात गुणा वृद्धि हो जाती है ***(ते सप्त रश्मयो भूत्वा ह्यैकैको जायते रविः***—वायु पुराण-7.46)। सूर्य-रश्मियों के इस भयंकर ताप के प्रभाव से भूमंडल के सभी जलाशय सूख जाते हैं और भू-मंडल जलने लगता है। भारतीय शास्त्रों के अनुसार **संवर्तक** नामक इस विनाशक कालाग्नि के सर्वत्र फैल जाने से संपूर्ण जैविक सृष्टियाँ इस दाह में भस्म हो जाती हैं। इस घटना का वर्णन करते हुए महाभारत के वनपर्व में कहा गया है कि ***'युगान्तकाले संप्राप्ते कालाग्निर्दहते जगत्'***। फिर इन सातों सूर्यों के स्थिति-परिवर्तन की दशा में वायुमंडल घने मेघों से आच्छादित हो उठता है और तदनुसार घनघोर वृष्टियों का एक अनवरत दौर प्रारंभ हो जाता है। 'मत्स्य पुराण' में इस स्थिति का वर्णन करते हुए लिखा गया है कि ***'आद्यप्रभृति अनावृष्टिर्भविष्यति महीतले'***। इस अनावृष्टि के प्रभाव से धरती पर व्याप्त संवर्तक अग्नि बुझ जाती है और पृथ्वी जलमग्न हो जाती है। इस तरह मेघों के प्रकोपों के छँटने पर सूर्य-रश्मियों की उष्माओं से जल सूखने लगता है। इस प्रकार जल के सूखने पर धीरे-धीरे भूमि का निकलना प्रारंभ हो जाता है और भूमि के निकलने के पश्चात् सृष्टि-चक्र पुनः चल पड़ता है। भारतीय मान्यताओं के अनुसार मानवी उत्पत्ति के उपरांत घटित इस प्रकार के नौ महाविनाशों से जैविक-सृष्टि की रक्षा भगवान् विष्णु द्वारा अब तक की जा चुकी है। कुछ इसी तरह के विश्वासों के साथ मयांस आस्थाओं में भी पृथ्वी तत्त्व, वायु तत्त्व, अग्नि तत्त्व तथा जल तत्त्व के प्रभाव से अब तक हुए चार महाविनाशों को मान्यताएँ प्रदान की गई हैं, जबकि अगले महाविनाश के बारे में उनकी मान्यताएँ भूकंप से संबंधित हैं। **अरस्तू** (अफलातून) जैसे विद्वान् भी इन घटनाक्रमों को किसी-न-किसी रूप में स्वीकार करते थे। **प्लूटो** का यह वक्तव्य कि *"Both Human race and the globe they inhabit shall successively perish by water and fire."* इन घटनाओं की सम्यक् पुष्टि करते हैं। **सिएटल** स्थित वाशिंगटन विश्वविद्यालय के भूविज्ञानी **पीटर वार्ड** द्वारा हाल में किए गए दक्षिण अफ्रीका के कुछ चट्टानों के विश्लेषणों से यह रहस्योद्घाटित हुआ है कि आज से पच्चीस करोड़ दस लाख वर्ष

पूर्व नदियाँ अचानक ही तलछट या अवसाद से भर गई थीं। इससे यह संकेत मिलता है कि उस समय पृथ्वी पर सर्वाधिक विनाशकारी **'प्रलय'** हुई थी, इसके फलस्वरूप पेड़-पौधों व जैविक प्रजातियाँ पूरी तरह से विलुप्त हो गई थीं। श्री वार्ड के अनुसार यह महाप्रलय आज से साढ़े छह करोड़ वर्ष पूर्व हुई प्रलय (जिसमें **डायनासोर** जैसे विशालकाय प्राणियों की प्रजातियाँ विलुप्त हो गईं) से भी कहीं अधिक भयंकर थी। अतः निर्विवाद रूप से इसे वनस्पतियों तथा जैविक प्रजातियों को समाप्त कर देनेवाले सारे विनाशों की **'जननी'** कहा जा सकता है। प्रो. वार्ड द्वारा लगाए गए अनुमान के अनुसार, यह घटना पर्मियन काल के अंत तथा ट्रियासिक काल के प्रारंभ में घटी थी (स्रोत : दैनिक जागरण, नई दिल्ली 14-2-2000)। भारतीय गणना के अनुसार प्रति मन्वंतरों की अवधि 30,85,71,429.9 वर्ष की हुआ करती है। इस प्रकार प्रो. वार्ड द्वारा निकाला गया यह घटना-काल संभवतः वर्तमान मन्वंतर (यानी वैवस्वत मन्वंतर) के प्रारंभ होने के समय को ही इंगित करता है। ऑस्ट्रेलिया, अंटार्कटिका और उत्तरी यूरोप में किए गए इसी तरह के अन्य वैज्ञानिक शोधों के द्वारा भी लाखों वर्षों के अंतरालों पर नियमित रूप से घटनेवाले विभिन्न भौगोलिक परिवर्तनों की पुष्टि की गई है। प्राकृतिक नियमों के अनुरूप इस तरह की घटनाएँ महायुगों के संधि-काल में (प्रति तैंतालीस लाख बीस हजार वर्षों के उपरांत) नियमित रूप से घटती रहती हैं। प्रत्येक युगों के अंत में प्रारंभ होनेवाली इन प्राकृतिक आपदाओं को इनकी प्रवृत्ति के अनुरूप **युगांतर-प्रलय** (External/ Internal Collision) नाम से संबोधित किया जाता है।

इस युगांतर प्रलय के अतिरिक्त पृथ्वी के समशीतोषण कटिबंधों में हिम तथा अंतर्हिम युगों तथा उष्णकटिबंधों में वृष्टि एवं अंतर्वृष्टि युगों के साथ-साथ अन्यान्य स्थानों में जल-प्लावनों का दौर भी निश्चित अंतरालों पर चलता रहता है। प्रसिद्ध भूतात्त्विक विशेषज्ञ **लीकी** के अनुसार, अकेले यूरोप में ही कालगत समतावाले चार हिमयुगों एवं उनके मध्य घटे तीन अंतर्हिम युगों के साक्ष्य अब तक मिल चुके हैं। इसी प्रकार भूगर्भशास्त्रियों के अनुसार अफ्रीका के अंचलों में चार वृष्टि तथा इसके अनंतर तीन अंतर्वृष्टियों का युग भी घट चुका है। हिम तथा वृष्टि युगों की यह खोज **ए. वर्नहार्डी** तथा **लुईस अगासिज** द्वारा उन्नीसवीं शताब्दी में प्रतिपादित की गई अवधारणाओं के आधार पर प्रारंभ हुई थी। प्रो. **चार्ल्स हैपगुड** के **'आइसोस्टैसी'** नामक सिद्धांत के अनुसार भू-चुंबकीय तनावों के कारण पृथ्वी के ध्रुवों की दिशाएँ परिवर्तित होती रहती हैं *(Shifting or revers-*

ing of the poles may be due to magnetic tensions and stress built-up within a gigantic generator-the Earth itself.) और इन्हीं के फलस्वरूप हिम तथा वृष्टि युगों का अस्तित्व भी उभरता रहता है। प्रो. चार्ल्स की ही भाँति हिम तथा वृष्टि युगों के सूक्ष्म खगोलीय कारणों पर प्रकाश डालते हुए **इनसाइक्लोपीडिया ब्रिटानिका** स्पष्ट करता है कि 23½ अंश झुकाव के साथ पृथ्वी अपनी धुरी पर लट्टू की भाँति घूमती हुई झूम भी रही है। पृथ्वी के इस प्रकार **झूमने** (Spin) से बननेवाले **शंकु** (Cone) का एक चक्कर **छब्बीस हजार वर्ष** में पूरा होता है *(In astronomy, an effect connected mainly with a gradual change of the direction of the earth's axis of rotation. There is a general resemblance between the motion of the earth and that of a spining top. It is well known that when a spining top is slightly disturbed, its axis gyrates, or precesses round the vertical so that it traces out a cone; the earth's axis similarly describes a cone at the rate of one revolution in about 26,000 year. ... In this way the North Pole of the celestial sphere describes among the constelations a circle of 23½ degree radius, making a revolution in 26,000 years -* **En. Brit.**-Vol.-18)। झूमने की इस प्रक्रिया में पृथ्वी के उत्तरी ध्रुव का झुकाव प्रति **तेरह हजार वर्ष** के क्रम से एक बार सूर्य के ठीक सम्मुख तथा विपरीत होता रहता है। उत्तरी ध्रुव का झुकाव जब सूर्य की विपरीत दिशा में गमन कर रहा होता है तो ताप न्यूनता के कारण पृथ्वी के उत्तरी गोलार्ध में शीत का अत्यधिक प्रकोप हो जाता है। वैज्ञानिक भाषा में तेरह हजार वर्ष की इस शीतलहरी को **Glacial Period** के नाम से चिह्नित किया जाता है। शीत की चरम स्थिति के कारण इस अवधि में उत्तरी गोलार्ध पर कहीं-कहीं दस से पंद्रह हजार फीट ऊँचाई तक बर्फ की परतें जम जाती हैं {*Nearly half of the Europe was covered by a single vast sheet (commonly known as Scandinavian Ice Sheet), which is believed to have attained a maximum thickness of 10,000. to 15,000 ft. Similarly much of North America and Siberia including Green land were overspread by mountain glaciers by great ice-sheets with varying thickness of 5,000 to 10,000 ft. from the surface.*—**En. Brit.**-Vol.-18}।

इसी प्रकार उत्तरी ध्रुव के 23½ अंश झुकाव का सूर्य के सम्मुख आने की प्रक्रिया के साथ-साथ उत्तरी गोलार्ध के तापक्रमों में वृद्धि और इसके फलस्वरूप जमी हुई बर्फ की परतों का धीरे-धीरे पिघलना शुरू हो जाता है। भौगोलिक संदर्भ

में तेरह हजार वर्ष की इस आनुपातिक ऊष्मता को **Inter-glacial Period** कहा जाता है। तदनुसार सूर्य-ताप के बढ़ते प्रभाव से बर्फ के पिघलने व फिर वाष्पीकरण के परिणामस्वरूप अनावृष्टियों के अनवरत दौर के कारण यहाँ के निचले भू-भागों में जलप्लावनों की भयानक घटनाएँ घटती हैं। सौर-परिभ्रमण की यथावर्णित शैलियों के फलस्वरूप पृथ्वी पर हिम तथा जलप्लावनों के इस क्रम को प्रति तेरह हजार वर्ष के नियमित अंतरालों पर अबाध रूप से ही घटते रहना चाहिए। विश्व मौसम अनुसंधान संगठन (World Meteorological Organisation-**WMO**) व राष्ट्रसंघ के पर्यावरण कार्यक्रम (United Nation's Environment Programme-**UNEP**) के संयुक्त तत्त्वावधान में गठित हुई वैज्ञानिकों की सक्षम पीठ (Intergovernmental Panel on Climate Change's-**IPCC**) द्वारा विश्व का ताप-वृद्धि (Global warming) पर किए गए अध्ययनों से भी भू-तापमान में कुछ इसी तरह के अंतरालों पर नियमित उतार-चढ़ाव के संकेत मिले हैं। IPCC से संबद्ध रहे भारतीय तकनीकी संस्थान **(IIT, New Delhi)** के प्रमुख वैज्ञानिक अधिकारी (CSO) **डॉ. मुरारी लाल** द्वारा अंटार्कटिका की हिम-गुदाओं (Ice-Core) के विश्लेषणों के आधार पर बनाए गए रेखाचित्र (Graph) पिछले 1,60,000 वर्षों में आई ताप की इस नियमित अस्थिरताओं को बहुत ही प्रभावी ढंग से प्रतिबिंबित करते हैं—

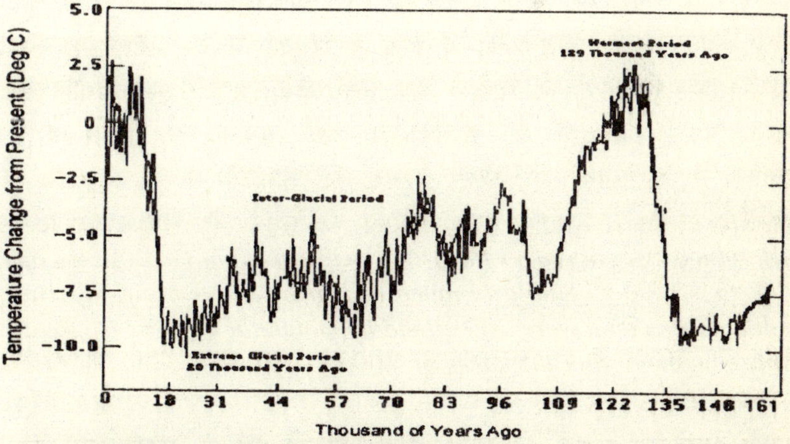

Figure above exhibits the changes in Earth's mean surface temperature from 160 thousand years ago until present.

पिछले 1,60,000 वर्षों के भू-तापमानों में आई अस्थिरताओं को दरशाने हेतु

बनाए गए इस संवेदी सूचकांक के फलक प्रति तेरह हजार वर्षों की नियमित अवधियों के अतिरिक्त एक लाख वर्षों से अधिक के अंतरालों पर हुए तापक्रम-संबंधी व्यापक उतार-चढ़ावों को भी इंगित करते हैं। तापक्रमों में आए उछाल की अधिकतम सीमाएँ जहाँ एक लाख उन्नीस हजार व फिर पंद्रह हजार वर्ष की अवधियों को निर्दिष्ट करती हैं, वहीं इसकी न्यूनतम सीमाएँ भी बीस हजार वर्ष पूर्व तथा एक लाख छत्तीस हजार वर्ष पूर्व के आनुपातिक अंतरालों को ही रेखांकित करती हैं। हिम विशेषज्ञों के आकलनों के अनुसार एक लाख उनतीस हजार वर्ष पूर्व भू-तापमानों में आई इस अभूतपूर्व वृद्धि के परिणामस्वरूप पृथ्वी के अधिकांश हिमखंड पूर्णतः पिघल गए थे और तदनुरूप महासागरों के जलस्तरों में भी आज की तुलना में 300 से लेकर 400 फीट का उछाल आया था। **ऋग्वेद-कालीन** संदर्भों (दसवें मंडल) में विंध्य पर्वतमाला से दक्षिण समुद्र होने का उल्लेख संभवः इसी स्थिति मात्र को इंगित करके सीमित नहीं रहता है, अपितु वैदिक रचनाकाल के प्रामाणिक समय की ओर भी येन-केन-प्रकारेण संकेत करता ही प्रतीत होता है। **मैसोजोइक काल** में भी किचिंत् कुछ ऐसी ही परिस्थितियों वश **लैमूरिया** के विस्तृत भूखंड के जलमग्न हो जाने पर **लंका, सुमात्रा, जावा, वोर्नियो, न्यूजीलैंड, तस्मानिया, ऑस्ट्रेलिया** आदि द्वीपों तथा **अफ्रीका** जैसे महाद्वीपों के अस्तित्व में आने का प्रमाण दिया जाता है। यही नहीं, उपर्युक्त ग्राफ में निर्दिष्ट पंद्रह हजार वर्ष पूर्व से प्रारंभ हुई अस्वाभाविक तापवृद्धि के अति नूतन चरणों में हिमादि के पिघलने से देश-काल के अनुरूप घटित विभिन्न जलभरावों के प्रतीकात्मक ही आधुनिक विश्व के प्रायः सभी प्राचीन ग्रंथों में बाढ़-विभीषिकाओं (जल-प्रलय या Deluge) का आलंकारिक वर्णन समान रूप से मिलता है। कालांतर में कालासागर व कश्यप सागर की सीमाओं में हुई बढ़ोतरी के साथ-साथ खंभात व युक्तान समेत द्वारिका की संपूर्ण जल-समाधि की क्रमिक घटनाओं द्वारा ही जलप्लावन के इस भयानक चक्र का समापन हो पाता है। भू-तापक्रमों में आई विविधताओं की इन स्थितियों से यह अनुमान सहज ही लगाया जा सकता है कि सौर-कारणों से प्रति तेरह हजार वर्षों की चक्रगत अस्थिरताओं की अपेक्षा पृथ्वी पर व्यापक जलवायविक उतार-चढ़ावों की अस्वाभाविक प्रक्रियाएँ खगोलीय प्रभावों के कारण लंबे अंतरालों पर ही घटती रही होंगी। मौसम विशेषज्ञों की दृष्टि में भी यद्यपि पृथ्वी के तापक्रमों में आई विविधताओं के कारण CO_2 गैसों में आई घनत्वों तथा अन्य प्राकृतिक उद्वेलनों के ही परिणाम

रहे थे, तथापि सौर-ऊर्जाओं के मूल प्रभावों को सर्वोपरि स्वीकार करने में इन्हें कोई हिचक प्रतीत नहीं होता है। डॉ. मुरारी लाल इस तथ्य को स्पष्ट करते हुए कहते हैं कि *"The earth's Climate is the result of extremely complex interactions among the atmosphere, the Oceans, the land masses and living organisms, which are all continuously warmed by primary source of energy ie Solar irradiance."* तापक्रम में हुई आनुपातिक वृद्धि के प्रभाववश हिम-खंडों के पिघलने की अंतिम बड़ी घटना (**जलप्रलय** या **Deluge**) को विशेषज्ञ आज से साढ़े ग्यारह से लेकर साढ़े दस हजार वर्ष पूर्व घटित होने का अनुमान लगाते हैं। विश्वप्रसिद्ध भविष्यवेत्ता **'मिशेल द नास्त्रेडमस'** (फ्रांस) ने 3797 ईस्वी में विश्व के महाविनाश की संभावना व्यक्त की है। उनकी इस भविष्यवाणी के अनुसार, संभावित त्रासदी को घटने में अब से कुल 1796 वर्ष ही शेष हैं। इस अनुमानित समय-सीमा को यदि साढ़े ग्यारह हजार वर्ष पूर्व घटित पिछले प्रलय की अवधि से जोड़ दिया जाए तो अनुमानित त्रासदी का कालचक्र, खगोलीय आकलनों के अनुरूप लगभग तेरह हजार वर्ष की अवधि के आस-पास ही बैठता है। इसके अतिरिक्त विभिन्न मानव-प्रजातियों के अस्तित्व में आने में व्यतीत हुए समयांतरों को भी तेरह हजार वर्षों के निश्चित अंतराल पर घटित होनेवाली इन प्रलयंकारी घटनाओं के प्रमाणस्वरूप अनुभव किया जा सकता है। मानवशास्त्रियों के अनुसार 38000 वर्ष पूर्व यूरोप की धरती पर अस्तित्व में आई नियोंथ्रोपिक समूह के **क्रोमैग्नन** मानव-प्रजातियाँ 25000 वर्ष पूर्व तक बनी रही थीं। तत्पश्चात् यहाँ पर बारह हजार वर्ष पूर्व तक आधुनिक मानव प्रजाति **(होमोसैपिगंस)** की **मैग्डेलियन** सभ्यताएँ कायम रही थीं। इस तरह यह स्पष्ट अनुभव किया जा सकता है कि क्रोमैग्नन से लेकर मैग्डेलियन तक व फिर मैग्डेलियन सभ्यता के प्रारंभ से लेकर पश्चिमी धरती पर घटित हुए पिछले महाप्रलय का आपसी अंतर प्रति 13000 वर्षों का ही रहा था। निश्चित रूप से प्रजातियों एवं सभ्यताओं के इस उतार-चढ़ाव का संबंध नियमित अंतरालों पर घटनेवाली विविध प्राकृतिक त्रासदियों से ही रहा था। इन तथ्यों के आधार पर यह अनुमान लगाया जा सकता है कि पृथ्वी पर प्रति 13000 वर्षों के अंतराल से घटनेवाली हिम तथा वृष्टि (जलप्लावन) की इन प्राकृतिक आपदाओं से प्रभावित क्षेत्रों में रहनेवाली जैविक सृष्टियों को आघात पहुँचता रहता है। तदनुसार यह सभी क्षेत्र प्राणीविहीन हो जाया करते हैं। क्रमिक अंतरालों पर घटनेवाली इन

आंशिक आपदाओं को भारतीय शास्त्रों में **नित्य-प्रलय** (Periodical Catastrophe) की संज्ञा दी गई है।

इन निश्चित क्रमों के अतिरिक्त अकाल, महामारी, चक्रवाती बाढ़, भूकंप तथा ध्रुवीय क्षेत्रों के हिमों के पिघलने से भी पृथ्वी का जनजीवन यदा-कदा प्रभावित होता रहता है। सुमेरु, मेसोपोटामिया, मोरक्को, ग्वाटेमाला, निकारागुआ, हांडुरास, तंजानिया व 1790, 1877, 1899, 1918 में घटित भारत के विश्वप्रसिद्ध **दुर्भिक्ष**; सन् 1917-18 के विश्वव्यापी **इन्फ्लूएंजा** व **प्लेग** महामारी; ई.पू. 413, सन् 1000, सन् 1900 व सन् 1993 में टाईबर, डेन्यूब, व्हांग-हो, मिसिसिपी व मिसौरी आदि नदियों में क्रमशः आई **बाढ़-विभीषिकाएँ**; सन् 1607 में ब्रिटेन के सोमरसेट व ब्रिस्टल, जून 1889 में पेनसिल्वानिया के जॉन्सटाउन, सन् 1900 में गैल्वेस्टन (टेक्सास) तथा सन् 1977 व 1999 में भारत के आंध्र प्रदेश व उड़ीसा में क्रमशः घटित **चक्रवाती बाढ़** की त्रासदियाँ एवं सन् 1920 में चीन, सन् 1939 व 1975 में तुर्की, सन् 1966 व 1991 में ईरान, सन् 1973 में जापान व पचास व साठ के दशक में भारत के असम व बिहार, सन् 1991 में गढ़वाल, सन् 1993 में लातूर, 26-1-2001 को गुजरात व फरवरी 2001 में एल-सेल्वाडोर तथा सुमात्रा में आए भयंकर **भूकंप** आदि की घटनाएँ इनके कुछ ज्वलंत प्रमाण हैं। मौसम विशेषज्ञों के अनुसार पृथ्वी द्वारा धुरी परिवर्तन किए जाने से भी उत्तरी तथा दक्षिणी गोलार्ध की जलवायु में अभूतपूर्व परिवर्तन हो जाता है। **हग ब्राउन** नामक एक मौसम विशेषज्ञ का यह मानना है कि पृथ्वी को अपनी वर्तमान धुरी पर दिशा-परिवर्तन किए लगभग पाँच हजार वर्ष व्यतीत हो चुके हैं। ज्ञातव्य रहे कि भारतीय मान्यताओं में कलियुग को प्रारंभ हुए भी लगभग इतने ही वर्ष हुए हैं। ब्राउन के अनुसार, पृथ्वी द्वारा किए गए इस धुरी-परिवर्तन के उपरांत उत्तरी गोलार्ध शनैः-शनैः गरम होता गया व इसका कमोवेश प्रभाव दक्षिण ध्रुवीय क्षेत्रों (अंटार्कटिका) के तापक्रमों में भी अनुभूत हो रहा है। हरित पट्टी से संबंधित **नासा** (अमेरिका) स्थित प्रयोगशाला (Laboratory for Hydrospheric Science) के मौसम विज्ञानियों के अनुसार **ग्रीन हाउस गैसों** {अर्थात् कार्बन-डाइऑक्साइड (Carbon dioxide-$\mathbf{CO_2}$), मिथेन (Methane - $\mathbf{CH_4}$), ओजोन (Ozone-$\mathbf{O_3}$) व नाइट्रस ऑक्साइड (Nitrous Oxide - $\mathbf{N_2O}$)} जैसे **प्राकृतिक** तथा कार्बन टेट्राफ्लोराइड (Carbon Tetrafluoride-$\mathbf{CF_4}$), सल्फर हेक्साफ्लोराइड (Sulfer Hexafluoride - $\mathbf{SF_6}$), क्लोरोफ्लूरो कार्बंस (Clorofluoro Carbons-**CFCs**) व हाइड्रोफ्लूरो कार्बंस (Hydrofluoro Carbons - **HFCs**)

आदि **उद्योग-उत्सर्जित** गैसों के घनत्वों में लगातार हो रही बढ़ोतरी के परिणामस्वरूप पिछले सौ वर्षों में पृथ्वी के तापमान में औसतन 0.6 डिग्री सेल्सियस की वृद्धि हुई है। धरातलीय तापक्रमों में हो रही इस वृद्धि के कारण ध्रुवीय क्षेत्रों के हिम जहाँ तैंतीस किलोमीटर प्रति दशाब्दी की दर से पिघल रहे हैं, वहीं इनके प्रभाव से समुद्र का जल स्तर भी 2.5 मिलीमीटर प्रतिवर्ष की दर से बढ़ रहा है। अमेरिका स्थित कोलोराडो विश्वविद्यालय के **National Snow and Ice Data Centre** ने अपने अध्ययनों में यह पाया है कि अंटार्कटिका प्रायद्वीप में द्रुतगति से बढ़े तापक्रमों के कारण इक्कीसवीं शताब्दी के उत्तरार्ध में यहाँ के हिमखंडों के पिघलने की प्रक्रिया में अस्वाभाविक तेजी आई है। **रायटर** (लंदन) के सौजन्य से 'The Times of India' (22 मार्च, 2002 के नई दिल्ली संस्करण) में प्रकाशित एक समाचार के अनुसार, बारह हजार वर्ष पुराना **'लार्सन-बी'** (Larsen-B) नामक बहत्तर हजार खरब (7.2 billion) टन के लगभग भारवाला एक अति विशालकाय हिमखंड (Ice-Shelf) अंटार्कटिका प्रायद्वीप के मुख्य भाग से एकाएक अलग होकर इसके पूर्वी तटों पर स्वच्छंद तैरने लगा है। मेरीलैंड विश्वविद्यालय के हिम विशेषज्ञ, **प्रो. टेड स्कांबोस** (Prof. Ted Scambos) के अनुसार, सन् 1940 के दशकों से अंटार्कटिका के तापमान में हुई 2.5 डिग्री सेल्सियस की बढ़ोतरी के कारण 31 जनवरी, 2002 से प्रारंभ हुई 35 दिनों के अनवरत् विखंडन की प्रक्रिया से पूर्व ही यह स्वयं पिघलकर अपने मूल आकार का मात्र 40 प्रतिशत अर्थात् 1250 वर्गमील का ही रह गया था। इस तरह **सी-17** नामक 58 वर्गमील आयताकारवाले एक अन्य हिमखंड का भी अंटार्कटिका के पूर्वी छोर से अलग होकर समुद्र में तैरने की घटना की सूचना फरवरी 2002 के प्रथम सप्ताह में ही मिली है। हिम विशेषज्ञ निकट भविष्य में इस प्रकार के कई Ice-Shelves के पूर्णतः पिघलने या हिम विखंडनों की आशंकाओं को स्पष्ट रूप से स्वीकार करते हैं। प्रो. स्कांबोस के अनुसार—*"The next Shelf to the south, the* ***Larsen-C,*** *is very near to its stability limit & may start to recede in coming decades if the warning trends continues. Giant* ***Ross Ice shelf*** *will also have the same destiney."* कोलोरोडो विश्वविद्यालय के प्रोफेसर **मार्क मेअर** (Mark Meier) की यह मान्यता है कि ग्रीन हाउस गैसों के दुष्प्रभावों से पिछले 5000 वर्षों की तुलना में हिम के पिघलने में आई इस तेजी के फलस्वरूप अगले 100 वर्षों में महासागरों का जल स्तर 11 से लेकर 88 सेंटीमीटर के उछाल को भी पार कर सकता है। इस प्रकार पर्यावरणीय असंतुलनों के द्विगुणित

प्रभावों के कारण ध्रुवीय क्षेत्रों में जमे उन्नीस क्वाड्रलियन (19×10^{24}) टनों के लगभग हिमखंडों (Ice Caps या Ice bergs) के पिघलने की दशा में समुद्र का जल स्तर 300 फीट की नई ऊँचाई को लाँघ सकता है, जिसके परिणामस्वरूप समुद्र तल के बराबर या कम ऊँचाईवाले भू-भागों के संपूर्णतः जलमग्न होने की संभावनाओं को नकारा नहीं जा सकता है। इस तरह अकाल, महामारी, चक्रवाती बाढ़, भूकंप व हिमों के पिघलने जैसे विविध कारकों द्वारा घटनेवाली अपेक्षाकृत सीमित तथा आंशिक त्रासदियों को **लघु-प्रलय** या फिर Routine Disaster के प्रतीकात्मक नाम से चिह्नित किया जा सकता है।

उत्तर में हिमालय, दक्षिण में विंध्य पर्वत श्रेणियाँ व पूर्व में बंगाल की ढलान की अपने अद्भुत भौगोलिक बनावटों व भूमध्य रेखा के उत्तर में 8^0-4' से लेकर 37^0-6' **उत्तरी अक्षांश** (Latitude) में स्थित होने के कारण भारतीय उपमहाद्वीप हिम, जलप्लावन तथा वृष्टि जैसे नित्य-प्रलय की विभीषिकाओं से विश्व के अन्य क्षेत्रों की अपेक्षा अधिक सुरक्षित रहा है। पुराणों में भारतवर्ष के विषय में यह कहा गया है कि यहाँ सभी कालों में लोग निर्बाध रूप से बसे रहते हैं ***(यदिदं भारत वर्ष यस्मिन्स्वायंभुवादयः, चतुर्दशैते मनवः प्रजासर्गे भवन्त्युत***—वायु-45.69 व मत्स्य पुराण-144.1)। यही कारण है कि मानवी सभ्यता के क्रमिक विकास व तात्कालिक भौगोलिक स्थितियों का जितना सजीव व प्रामाणिक चित्रण भारतीय साहित्य में मिलता है, उतना ठोस वृत्तांत अन्यत्र कहीं भी उपलब्ध नहीं है। गुरु-शिष्य परंपरा की अपनी अनूठी विधा के कारण गाथाओं तथा शास्त्रार्थों के माध्यम से भारतीय मनीषियों ने उपर्युक्त पाँचों प्रकार के प्रलयों की घटनाओं तथा उनके पूर्व व बाद की स्थितियों के अलावा अति प्राचीन काल में विश्व के विभिन्न अंचलों में अस्तित्व में रहीं देव, दैत्य, दानव, सुर, असुर, यक्ष, गंधर्व, नाग, किन्नर, गरुण, राक्षस, पिशाच आदि मानव-जातियों की वंशावलियों तक को अपनी स्मृतियों में सँजोए रखा था। कालांतर में इन्हीं मनीषीयों के कालदर्शी उत्तराधिकारियों ने भावी पीढ़ियों को इन घटनाओं से परिचित कराए रखने के उद्देश्य से, कुशल आर्चायों के नेतृत्व में **दीर्घ विद्वत् सत्रों** का आयोजन करके पुराण आदि की रचनाओं द्वारा सभी घटित महत्त्वपूर्ण संदर्भों को लिपिबद्ध भी कराया।

भारतीय वृत्तांतों में युगांतर प्रलय के पश्चात् कमलवत् भूमि का जल से बाहर उभरना व फिर प्राकृतिक (उत्तरी गोलार्ध में घटित हिमयुगों के) कारणों से सप्तऋषियों एवं उत्तानपाद शाखा के दृढ़व्रत आदि उत्तराधिकारियों का ध्रुव से दक्षिण के क्षेत्रों में

विस्थापित होना तथा तारकासुर संग्राम के काल से लेकर मान्धाता (माण्डाटे), सत्यव्रत (त्रिशंकु), राम और कृष्ण (गोवर्धन पर्वत धारण करनेवाली घटना) के कालों में अलग-अलग हुए निरंतर बारह वर्षों के अतिवृष्टियों के संदर्भ भी निश्चित रूप से क्रमिक अंतरालों पर घटित होनेवाली इन नित्य प्रलयों की ओर ही संकेत करते प्रतीत होते हैं। अकेले महाभारत में ही युगांतर तथा नित्य प्रलयों के कुल 195 दृष्टांतों का उल्लेख हुआ है। पुरातत्त्व सर्वेक्षणों में पाए गए साक्ष्य भी कुछ इसी तरह की घटनाओं के घटित होने की पुष्टि करते हैं। उन्नीसवीं शताब्दी में उत्तरी साइबेरिया के बर्फीले क्षेत्रों में पाए गए मृत जानवरों के शीलीभूत ढेर तथा उनके आमाशयों में सुरक्षित अधपके भोज्य पदार्थ ईसा पूर्व लगभग 9000 के आस-पास अचानक ही घटित किसी भयंकर त्रासदी के प्रमाण प्रस्तुत करते हैं। इसी प्रकार प्रो. **एल्वर्ट गाडरी** द्वारा की गई एक खोज में **लॉस एंजिल्स** (कैलिफोर्निया) के निकट मिले बाघ, हाथी, ऊँट, घोड़े आदि प्रवासी व अन्य विशालकाय जानवरों के अस्थि-पुंज उपर्युक्त काल के आस-पास घटित किसी विश्वव्यापी उथल-पुथल का ही संकेत देते हैं। इसी क्रम में मिस्र के अबाइडॉस क्षेत्र तथा यूनान में हुए उत्खननों से पुरातत्त्ववेत्ताओं को इन क्षेत्रों में ईसा पूर्व क्रमशः 8000 व 6000 के आस-पास घटित आंशिक प्रलयों के प्रमाण मिले हैं। अब तक हुए विभिन्न पुरातत्त्व सर्वेक्षणों से यह निष्कर्ष भी निकलता है कि उपर्युक्त कालखंड के लगभग तीन सहस्राब्दि के पश्चात् विश्व के विभिन्न अंचलों में प्राकृतिक उथल-पुथल की कुछ भयानक घटनाएँ पुनः घटित हुई थीं। इसी तरह के मिले एक साक्ष्य के अनुसार ईसा पूर्व लगभग साढ़े तीन हजार वर्ष से प्रारंभ हुए तीन सौ वर्षों के लगातार सूखा व दुर्भिक्ष के कारण सीरिया, जॉर्डन समेत अरब प्रदेश का जन-जीवन ही प्रभावित नहीं हुआ था, बल्कि इसके परिणामस्वरूप लाल सागर से पूर्व का अधिकतर क्षेत्र रेगिस्तान (मरुथल) में परिवर्तित भी हो गया था। सुमेरिया (इराक के तटवर्ती क्षेत्रों) में हुई खुदाई से प्राप्त तलछट, 3200 वर्ष ईसा पूर्व यहाँ घटित बाढ़ के प्रकोप का प्रमाण प्रस्तुत करते हैं। मध्य अमेरिका की मयांस सभ्यता में भी 3113 वर्ष ईसा पूर्व घटित एक बाढ़-विभीषिका की चर्चा की गई है। भारतीय आख्यानों में अतिवृष्टि के कारण कृष्ण का गोवर्धन पर्वत धारण करने का संदर्भ तथा कलियुग का प्रारंभ व द्वारिका की जल-समाधि आदि घटनाओं का काल **(ईसा पूर्व 3103 वर्ष)** भी उपर्युक्त अवधि (ईसा पूर्व चौथी सहस्राब्दि के अंतिम चरणों) के आस-पास का ही बैठता है।

उपर्युक्त वर्णित इन प्राकृतिक आपदाओं के अतिरिक्त जल-प्लावन (Deluge)

की एक अभूतपूर्व घटना विशेष का उल्लेख विश्व के प्रायः सभी धर्म ग्रथों तथा सभ्यताओं में समान रूप से किया गया है। कालगत व भाषागत कारणों से नामों में आई भिन्नताओं के उपरांत भी भारतीय **'मनु'** की ही भाँति जेंद अवेस्ता (पर्शिया या पुराने ईरान) के **'यिम'**

(यानी भारतीय **'यम'** या पाश्चात्य मान्याओं के अनुसार **'एडम/आदम'**); सुमेरियन **'नापश्तिम'**; यूनानी-रोमन गाथाओं के **'डियुकेलियन'**; यहूदी, ईसाई व इसलामिक **'नोह/नूह'**; युक्तान की एजटिक मान्यताओं के **'तेजपि'** या फिर ब्राजील, पैरागुआ तथा अर्जेंटीना आदि 'गुआरैनी गाथाओं' के **टे-मेंडर** ने बाढ़ की विभीषिकाओं से प्रायः एक जैसे ही उपायों द्वारा कुछ जैविक प्रजातियों की रक्षा एवं उन्हें पुनर्स्थापित करने का कार्य किया था। **'Mysteries from Forgotten World'** नामक अपनी पुस्तक में **चार्ल्स बर्लिट्ज** विश्व-व्यापी जलप्रलय की इस कथा की व्याख्या मानवीय सभ्यताओं की साझी विरासतों के रूप में ही करते हुए प्रतीत होते हैं। उनके अनुसार—*'Through out the World there are certain legends or traditions, so similar in basic content that it is hard to believe that they did not have a common origin. The most dramatic among these is the flood legend. From ancient India to ancient America, through all the intervening lands going both ways around the World, we find this same pattern of recurring Catastrophe that almost wiped out mankind leaving on earth but a few survivors who escaped the common doom by hiding in caves, seeking refuge on high mountains or floating it out in boats or arks. In most traditional cases the survivors comprised one choosen man, accompained by one or more women, sometimes with families and some times with a selection of animals and birds, varying in spices according to the part of earth where the legend was in current. Although there seems to be no linguistic connection between the names of the Survivors, but in each tradition they returned to start afresh the difficult upword climb to civilization in almost similar fash-*

ion." चूँकि विश्व के विशिष्ट धर्मों तथा अधिकतर सभ्यताओं के उद्भव-स्थल एक क्षेत्र विशेष **(कर्क रेखा से उत्तर के क्षेत्र)** ही रहे थे, अतः भारतीय तथा इनके ग्रंथों

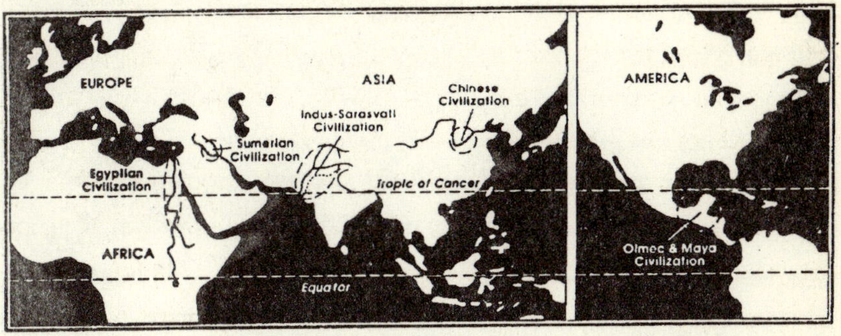

में वर्णित संदर्भों के आधार पर यह अनुमान सहज ही लगाया जा सकता है कि जलप्लावनों की इन घटनाओं का संबंध संभवतः अरल, कश्यप, अजोब, काला, बासपोरस, भूमध्य व लाल सागरों तथा फारस की खाड़ी के मध्य घिरे हुए क्षेत्रों या फिर मेक्सिको की खाड़ी या दक्षिणी अमेरिका के पूर्वी तटों पर घटित किन्हीं भयानक जल भरावों से ही रहा होगा। इनके फलस्वरूप मिस्र, जॉर्डन, तुर्की, सीरिया, अर्मेनिया, जार्जिया व अजरबैजान, ईरान, इराक, उजबेकिस्तान व अफगानिस्तान समेत युक्तान व दक्षिण अमेरिका के पूर्वी तटों का समूचा क्षेत्र परिस्थिति व काल के अनुरूप जलमग्न होता रहा होगा। प्रकरांतर में किसी तरह से बच निकले कुछ उत्तरजीवियों व उनके आश्रितों को छोड़कर प्रभावित क्षेत्रों की शेष जैविक सृष्टियाँ विनाश को प्राप्त होती रही होंगी।

अपेक्षाकृत छिछली सतहों से प्राप्त तलछटों. के विभिन्न नमूनों के आधार पर किए गए शोधों के द्वारा **समुद्र विज्ञानी** (Marine Geologist) इस निष्कर्ष पर पहुँचे हैं कि आज से लगभग बीस हजार वर्ष पूर्व महासागरों का जल-स्तर आधुनिक परिमाण की तुलना में कम-से-कम 400 फीट नीचे रहा था। मौसम विशेषज्ञों द्वारा एकत्र किए गए भू-तापमान (Global temperature) के आँकड़े भी उपर्युक्त कालखंड को हिमयुगी पराकाष्ठा (Extreme Glacial Period) का अंतिम बिंदु ही घोषित करते हैं। उक्त अवधि में 50^0 उत्तरी अक्षांश से ऊपर का संपूर्ण भू-भाग सघन हिमपट्टियों से आवृत रहा था एवं **बेरिंग सागर** के स्थान पर उत्तरी अमेरिका का पश्चिमी सिरा (अलास्का) उत्तरी एशिया के पूर्वी छोर (साइबेरिया के उत्तदिर पर्वतांचल) से संबद्ध रहा था। अधिकतर मानवशास्त्रियों की भी यही मान्यता है कि

अमेरिकी आदिवासियों के पुरखे बेरिंग जलडमरूमध्य के संकीर्ण मार्ग द्वारा साइबेरिया के क्षेत्र से अलास्का होते हुए ही दक्षिण के **टेइरा-देल-फ्यूगो** (Tierra-del-Fuego) के निकटवर्ती अंचलों में विस्थापित हुए थे। मयांस अभिलेखों में इसी घटना का वर्णन इस प्रकार किया गया है—*"The early natives believe that their ancestors were have to crossed the Sea, from where the day star (the Sun) is born, by a narrow passage which was opened for them."* इस तरह हिमयुगी प्रभावों के कारण महासागरों के जलस्तरों में आई इस आनुपातिक गिरावटों के कारण अधिकांश तटीय भू-भागों का विस्तार जहाँ पचहत्तर से लेकर एक सौ पचास मील तक अधिक फैला रहा था, वहीं पश्चिम के ब्रिटिश द्वीप समूहों सहित पूर्व के जापान, ताइवान, इंडोनेशिया व ऑस्ट्रेलिया आदि द्वीप-पुंज भी क्रमशः यूरोपीय तथा एशियाई भू-भागों से ही सीधे जुड़े रहे थे। अमेरिकी भूगर्भशास्त्री **विलियम रेयन** व **वाल्टर पिटमैन** के अनुसार 'जलस्तरों में रही पाँच सौ से लेकर छह सौ फीट की तुलनात्मक गिरावटों के कारण उक्त अवधि में **काला सागर** व **कश्यप सागर** का आकार एक बड़ी झील सदृश्य ही रहा था, जबकि **अजोब सागर, अरल सागर** व **फारस की खाड़ी** समेत पूर्वी चीन का **पीला सागर** शुष्क भूमि के रूप में उभरे हुए थे। जलवायविक अनुसंधानों द्वारा इस बात की पुष्टि हो चुकी है कि अठारह हजार वर्ष पूर्व द्रुत गति से बढ़े धरातलीय तापक्रमों के कारण उत्तरी गोलार्द्ध के हिमखंडों का एकाएक पिघलना प्रारंभ हो गया था। एक अनुमान के अनुसार इस घटना के समय दो वर्षों की अल्पावधि में ही लगभग बाईस क्वाड्रलियन (22×10^{24}) टन हिम· पिघल चुकी थी। इनके परिणामस्वरूप महासागरों के जलस्तरों में आए 330 फीट के अस्वाभाविक उछालों ने तटवर्ती क्षेत्रों को मीलों तक उदरस्थ कर लिया। तलछटों के परीक्षणों (Carbon Dating) पर आधारित अपने निष्कर्षों द्वारा **रेयन** व **पिटमैन** यह उद्घाटित करते हैं कि उत्तरी हिमों के पिघलने से जहाँ **काला सागर** व **सफेद सागर** समेत **वाल्टिक** व **उत्तरी सागरों** का अस्तित्व उभरा था, वहीं महासागरों के जलस्तरों में हुई बढ़ोतरी के कारण भूमध्य सागर में आए उफान ने ई.पू. 8000 के लगभग वास्पोरस के छिछले स्तरों के माध्यम से **काला सागर** क्षेत्र को जल से आपूरित कर दिया था। इस प्रकार काला सागर के वर्तमान आकार के साथ-साथ **अजोव सागर** का भी अस्तित्व उभरकर सामने आया। कुछ इन्हीं अवधियों में उत्तरी हिम के पिघलने से **कश्यप** समेत **अरल सागर** का भी वर्तमान स्वरूप उभरा था। भूगर्भशास्त्रियों के अनुसार पचास लाख वर्ष पूर्व की कुछ ऐसी ही परिस्थितियों में

अंधमहासागर (Atlantic Ocean) में आए उछाल के कारण **जिब्राल्टर** की संकीर्ण घाटियों के रास्ते हुए जल भराव ने अफ्रीका के उत्तरी मरुस्थलों के निचले भाग को जिस सागर में परिवर्तित कर दिया था, उसे ही आज **भूमध्यसागर** के रूप में चिह्नित किया जाता है। इस प्रकार ई.पू. 5600 से लेकर ई.पू. तृतीय सहस्राब्दी के अंतिम चरणों तक निरंतर बढ़े तापमानों व तदनुसार पिघले हिमों के कारण बढ़े जलस्तरों ने **खंभात** (भारत) सहित **युक्तान** (मेक्सिको) के अधिकतर हिस्सों व **द्वारिका** (भारत) को ही नहीं निगल लिया, बल्कि **फारस की खाड़ी** के रूप में मध्य पूर्व एशिया में एक नए समुद्री पथ का निर्माण करते हुए सिंहल सहित भारत के पश्चिमी व पूर्वी तटों तथा संबंधित द्वीपों के आयतनों को भी सिकोड़ दिया। सन् 1929 में मेसोपोटामिया के **उर प्रांत** में किए गए उत्खननों से भी प्रसिद्ध पुरातत्त्ववेत्ता **प्रो. लियोनार्ड वूली** (C. Leonard Woolley) को भू-स्तर से 60 मीटर नीचे लगभग 12 मीटर मोटी बाढ़ की मिट्टी की परत व तलछट के जमाव मिले थे। प्रो. वूली के अनुसार, इस क्षेत्र में पाए गए तलछटों का यह जमाव **दजला फरात** नदी में ई.पू. 3200 आई किसी अति भयंकर बाढ़, जिसे महाप्रलय भी कहा जा सकता है, के ही परिणाम रहे थे। भारतीय ग्रंथों में वर्णित संदर्भों के आधार पर यदि इस क्षेत्र विशेष की विवेचना की जाए तो यह स्पष्ट हो जाता है कि बेबीलोनिया का यह **'उर-प्रदेश'** चाक्षुष मनु के चौथे पुत्र **'ऊरु'** द्वारा ही बसाया गया था। प्रो. वूली को इस जमाव के नीचे एक संपूर्ण विकसित .संस्कृति, जिसे वे लोग **'प्रोटोइलामाइट सभ्यता'** कहते हैं, के अवशेष भी मिले थे। **सर जॉन मार्शल** आदि कुछ पाश्चात्य इतिहासकारों का यह मानना है कि **सप्तसिंधु क्षेत्र** से बलूचिस्तान व करमान (ईरान) होते हुए ही प्रोटोइलामाइट लोग मैसोपोटामिया में आकर बसे थे। इसी तरह के कुछ अन्य खोजों से यह पता चलता है कि ईसा पूर्व 1628 के लगभग हुए ज्वालामुखी विस्फोटों में यूनान का **थेरा द्वीप** संपूर्णतः नष्ट हो गया था। प्रमाण यह बताते हैं कि ईसा पूर्व 1250 में आई भयानक बाढ़ के कारण **आनातोलिया** (आधुनिक तुर्की) का **ट्रियॅन** नामक शहर उजड़ गया था और इसी समय आए भूकंप के परिणामस्वरूप **ट्रॉय** नामक बहुचर्चित प्राचीन नगर का अस्तित्व भी समाप्त हो गया। देश-काल के आधार पर अन्वेषित किए गए उपर्युक्त भौगोलिक तथ्य इस बात का संकेत देते हैं कि साइबेरिया, ग्रीनलैंड सहित ध्रुवीय प्रदेशों में कभी मानवी परिवेशों के अनुकूल ग्रीष्म आदि ऋतुएँ होती रही होंगी तथा सहारा, लूट, थार व गोबी के विकट मरुस्थल भी जलवायविक परिस्थितियों के अनुरूप कभी उपजाऊ रहे होंगे।

प्राकृतिक उथल-पुथल के यह सभी साक्ष्य विश्व के विभिन्न अंचलों में परिस्थितिजन्य कारणों से घटित त्रासदियों तथा उनके गर्भ से प्रस्फुटित सभ्यताओं की अनंत शृंखलाओं का जहाँ सम्यक् ब्योरा उपस्थित करते हैं, वहीं विश्व-प्रसिद्ध **जलप्लावन** (Deluge) की घटना के बारे में उपजे **'काल्पनिकता के दोषों'** (Mythical Stigma) का भी निराकरण कर देते हैं। देश-काल के हिसाब से घटित इन घटनाओं के आधार पर प्रलय के विषय में परिभाषागत मतांतर बहस का एक मुद्दा तो अवश्य हो सकता है; परंतु उपलब्ध प्रमाणों के आधार पर इतना तो निश्चित रूप से कहा ही जा सकता है कि कालक्रम में घट रही इन प्राकृतिक आपदाओं से स्थान विशेष की जैविक सृष्टियाँ कमोबेश रूप से प्रभावित होती रही हैं और भविष्य में भी प्रभावित होती रहेंगी।

□

सृष्टि-रहस्य, पृथ्वी व प्राणी उद्भव तथा उनके द्वारा विकसित मानवी पद्धतियों को जान लेने के पश्चात् प्रथम मानव के क्रिया-कलापों के विषय में जानकारी हासिल करने की इच्छाएँ बलवती हो जाती हैं और यहीं से ही मानवी इतिहास की आदि रूप-रेखा भी बननी प्रारंभ हो जाती है। ब्रह्म प्रतीक है शाश्वत सत्ता का, जबकि ब्रह्मा उस अदृश्य शक्ति का प्रकृतियुक्त सगुण रूप है। ब्रह्मा से ही इस द्रष्टव्य ब्रह्मांड का अस्तित्व उभरकर सामने आ पाया है।

सृष्टि-रचना के प्रथम स्रोत रहे ब्रह्मा के ही प्रतीकात्मक मानवी-सृष्टि के प्रथम ज्ञात-पुरुष को भी भारतीय शास्त्रों में 'ब्रह्मा' के ही अलंकरण से विभूषित किया गया। इसी भारतीय अवधारणा के अनुरूप विश्व की विभिन्न आस्थाएँ तदंतर जनमी अपनी-अपनी सभ्यताओं के मूल पुरुष को ब्रह्मा के समकक्ष का ही सम्मान प्रदान करती हैं।

प्रस्तुत अध्याय में मानवी ब्रह्मा की उत्पत्ति से लेकर उसके मानवोपयोगी कृतित्वों के साथ परिस्थितिजन्य कारणों से उसके बदलते स्वरूपों एवं भावी व्यवस्था को आकार देने के लिए उसके द्वारा चयनित किए गए कुछ विशिष्ट मानवों (मानस तथा औरस पुत्रों) का भी परिचय दिया गया है।

ब्रह्म, ब्रह्मा तथा आदि-पुरुष

'ब्रह्म' शब्द की व्युत्पत्ति **बृह्'** धातु से हुई है, जिसका आशय है अनंत विस्तार। चूँकि शाश्वत सत्ता के विराटत्व को शाब्दिक आधार देने के लिए भारतीय मनीषाओं को **'बृह्'** का यह भाव अधिक उपयुक्त लगा, अतः उन्होने सर्वव्यापी उस अज्ञेय अधिष्ठाता को संबोधित करने के लिए बृह् धातु से बने **'ब्रह्म'** शब्द का ही चयन किया। **तैत्तिरीयोपनिषद्** में 'ब्रह्म' की व्याख्या करते हुए इसे ***'यतो वा इमानि भूतानि जायन्ते येन जातानि जीवन्ति यत् प्रयन्त्यभिसंविशन्ति तद्विजिज्ञासस्व तद् ब्रह्म'*** (अर्थात् समस्त भूत जिसमें पैदा होते हैं, जन्म पाकर जिसके कारण जिसमें जीवित रहते हैं और नष्ट होकर जिसमें समाहित हो जाते हैं, वही अनंत जिज्ञासा योग्य ब्रह्म है) यानी जन्म-स्थिति-लय (**जन्माद्यस्य यतः**) का समष्टि ही माना गया है। अनंत को परिभाषित करनेवाले इस सार्थक शब्द को स्वीकार्य करने के उपरांत भी इन ऋषियों की प्रज्ञा तृप्त नहीं हो पाई, फलतः यजुर्वेद की ऋचाओं में ब्रह्म के विस्तार को **आकाशवत्** के अतिरिक्त विशेषण से संयुक्त करते हुए उन्हें ***'ॐ खम्ब्रह्म'*** का भी उद्घोष करना पड़ा। इतने से भी जब उन्हें आत्म संतोष नहीं हुआ तो **छान्दोग्य उपनिषद्** के माध्यम से ***'सर्व खल्विंद ब्रह्म'*** (यानी सबकुछ ब्रह्म ही है) की घोषणा द्वारा ब्रह्म के अंतहीन विस्तार को शब्दों की सीमा में व्यक्त करने का साहस भी उन्होंने कर दिखाया। इस प्रकार ***'एको ब्रह्म द्वितीयो नास्ति'*** या ***'एकमेवाद्वितीय'*** के भारतीय अवधारणाओं के अनुसार ब्रह्म की यह परम सत्ता अपने निराकार तथा साकार, दोनों ही स्वरूपों में समभाव से सर्वत्र विद्यमान रहती है। मनुस्मृति में ब्रह्म के इन द्विस्वभावों की सम्यक् व्याख्या इस प्रकार से की गई है—

> *'यत्तत्कारणम व्यक्तं नित्यं सद सदात्मकम्।*
> *तद्विसृष्टः स पुरुषो लोके ब्रह्मेति कीर्त्यते।।'*

(मनुस्मृति-1.13)

अर्थात् जगत् के निमित्त और उत्पादन का कारक होते हुए भी दृष्टिगोचर न होनेवाले परमपुरुष (ब्रह्म) का प्रकृति युक्त रूप ही **'ब्रह्मा'** है। इस तरह यह स्पष्ट हो जाता है कि परम सत्ता के इंद्रियातीत अज्ञेय प्रवृत्तियों को जहाँ **'ब्रह्म'** के नाम से स्मरण किया जाता है, वहीं प्रकृति के साथ संयुक्त उसके ज्ञेय प्रवृत्तियों का उद्‌बोधन **'ब्रह्मा'** के नाम से होता है। इस प्रकार ब्रह्मा का तात्पर्य ब्रह्म की उस कारक शक्ति से है, जिसके द्वारा द्रष्टव्य जगत् अस्तित्व में आता है। इसी तरह ब्रह्मा को प्रतीकात्मक मानते हुए, इसके परिवर्धित अंशों से प्रस्फुटित सृष्टि के आवर्तन *(तत अंड७ समवर्तत*-शतपथ ब्राह्मण) को **'ब्रह्मांड'** के ही नाम से परिभाषित किया गया है।

इस द्रष्टव्य जगत् को मूर्त रूप देने के लिए ब्रह्मा को अन्य रचनात्मक शक्तियों को भी प्रसूत करना पड़ा था। इस तरह सहयोगी शक्तियों के रूपों में प्रादुर्भूत हुई सृजनशीलता को **धाता,** जल के कारक को **वरुण,** चुंबकीय स्रोतों को **मित्र,** घर्षण की शक्ति को **भग,** प्राण के कारण को **विवस्वान,** जीवनदायिनी शक्ति को **सोम,** गति के कारक को **मरुत,** उत्पादनशीलता को **पूषा,** वाणी के आधार को **वाक्,** समयबोध को **काल,** रासायनिक शक्ति को **अंश,** विघटनशीलता को **अर्यमा,** ईच्छणता को **आत्मा,** उत्क्रांति के कारक को **इंद्र,** नियंता शक्ति को **रुद्र** आदि के नामों से जाना गया। दाता की नैसर्गिक भूमिकाओं के कारण कालांतर में इन प्राकृतिक शक्तियों को भारतीय शास्त्रों में **देवत्व** की संज्ञा दी गई। **वाल्मीकि रामायण** में इस भाव को स्पष्ट करते हुए कहा गया है कि सृष्टि-रचना के लिए ब्रह्मा अन्य देवताओं सहित अवतरित हुए थे ***(ततः समभवद्‌ ब्रह्मा स्वयंभूर्दैवतैः सह*** -वा.रा. अयोध्या-110. 3)। भगवत् गीता (10/41) में इसी भाव को ***'यद्यद्विभूतिमत्सत्त्वं श्रीमदूर्जितमेव वा तत्तदेवावगच्छ त्वं मम तेजोऽशसम्भवम्'*** (अर्थात् जगत् के सभी ऐश्वर्य, सौंदर्य व तेजस्वी तत्त्व ब्रह्मतेज के अंश से ही उद्‌भूत हुए हैं) के रूप में प्रकट किया गया है। यही कारण रहा कि धाता, वरुण, मित्र, अर्यमा, अंश, भग, इंद्र व विवस्वान नामधारी इन आठ मूल प्राकृतिक शक्तियों के अलावा अग्नि, वायु, मरुत, रुद्र, त्वष्टा, पूषा, अश्विनौ, सविता, द्यौ, पृथ्वी, सोम, औषधयः, अन्न, वाक्, ज्ञान, काल, आत्मा आदि कल्याणकारी तत्त्वों को विश्व के देवता (**विश्वेदेवाः**) स्वीकार करते हुए वैदिक ऋषियों ने अपनी ऋचाओं के माध्यम से स्थान-स्थान पर इनकी अभ्यर्थनाएँ भी की हैं। इन सभी **आधिदैविक प्राकृतिक शक्तियों** (देवताओं) की कार्यवृत्तियों से आमजनों को अवगत कराने के लिए ही पौराणिक चित्रों में इनकी भाव-भंगिमाओं को गुण-धर्म के अनुरूप विभिन्न आकार-प्रकार के मानवी रूपकों में दरशाया गया।

उदाहरण के लिए, पौराणिक चित्रों में मुँह से अग्नि या वायु निकालते हुए क्रमशः अग्नि तथा वायु देव का स्वरूप हो या फिर हाथों में चमकते वज्र को धारण किए हाथी पर आरूढ़ इंद्र हों, ये सभी रूपक संबंधित देवताओं के स्वभाव तथा शक्ति की ही अभिव्यक्ति करते हैं। इसी प्रकार अनंत सृष्टि के रचयिता ब्रह्मा का चतुर्मुखी स्वरूप भी अंतरिक्ष में चतुर्दिक् हो रही रचना के क्रम को समझाने का एक सहज प्रयास मात्र ही है।

सृष्टि-रचना के लिए प्रगट हुई आद्य-शक्ति को चूँकि ब्रह्मा कहा गया, अतः इसी भाव के अनुरूप पृथ्वी पर मानवी-सृष्टि के प्रारंभ होने पर उत्पन्न हुए **प्रथम ज्ञात् पुरुष** का भी प्रतीकात्मक नामकरण **'ब्रह्मा'** ही किया गया (***भूतानां ब्रह्मा प्रथमोत जज्ञे***-अथर्ववेद)। भारतीय मान्यताओं के अनुसार युगांतर प्रलय के पश्चात् जैविक सृष्टि के अनुकूल परिस्थितियों के बनने पर, जल से बाहर निकली कमलवत् भूमि से मानवी-सृष्टि का यह दिव्य आदि-पुरुष (**ब्रह्मा**) स्वतः ही उत्पन्न हुआ था। (***ततस्तेजोमयं दिव्यं पदमं सृष्टं स्वयंभुवा, तस्मात् पद्मात् समभवद् ब्रह्मा वेदमयो निधिः***-महाभारत शांतिपर्व-181.15)। वैज्ञानिक शोधों के अनुसार लगभग तीन करोड़ वर्ष पूर्व घटित विशिष्ट प्राकृतिक संयोगों से धरती की खुरदरी परतों में निर्मित हुए अति विशेष प्रकार के अंडों से जनमे अमैथुनीय मानवों के क्रम में ही इस ज्ञात आदि-पुरुष का अस्तित्व उभरा होगा। पुरातत्त्ववेत्ताओं को उत्तर-पश्चिमी हिमालय की शिवालिक पहाड़ियों के निचले हिस्से में मिले एक करोड़ वर्ष पूर्व के मानवी जीवाश्म इसी आधार की पुष्टि करते हैं। महाभारत (शांति-पर्व-188/37) के अनुसार ब्रह्मा के नाम से विख्यात हुए इस प्रथम पुरुष की देह-आकृति मानवों की ही भाँति पंच-भौतिक कायावाली ही रही थी। भारतीय ग्रंथों में वर्तमान मानवी श्रृंखला के आदि-पुरुष को मानवी-सृष्टि का **सातवाँ ब्रह्मा** माना गया है (***इदं च सप्तम जन्म पद्मजन्मेति वै ब्रह्मणा***-महाभारत, शांतिपर्व 347.43)। भारतीय मान्यताओं के अनुसार चूँकि युगांतर प्रलयों अर्थात् 43,20,000 वर्षों के नियमित अंतरालों पर घटित होनेवाली प्राकृतिक त्रासदी से

पृथ्वी की संपूर्ण जैविक सृष्टियाँ नष्ट हो जाती रही हैं, अतः सातवें ब्रह्मा का यह संदर्भ संकेत करता है कि प्रथम मानवी-सृष्टि की घटना से लेकर कमलवत् ब्रह्मा तक इस प्रकार के कुल छह युगांतर प्रलय घट चुके थे और तदनुसार इतने ब्रह्मा भी पैदा हो चुके थे। आधुनिक विकासवादियों का भी यही मत रहा है कि कालगत असमानताओं के उपरांत **पिथेकांथ्रोपस, सिनांथ्रोपस, इयानथ्रोपस, नियंडथैंलियन, पेलेस्टाइन** व **रोडेशियन** इन छह प्रकार की मानवी प्रजातियों की क्रमवार उत्पत्ति के पश्चात् ही आधुनिक मानव जाति का पूर्वज **होमोसैपियन** अस्तित्व में आया था। भारतीय ग्रंथों में पूर्ववर्ती छह ब्रह्माओं की उत्पत्तियों के विषय में क्रमवार प्रकाश डालने के अतिरिक्त इनसे प्रसूत हुई मानवी वंशावलियों का विस्तृत वृत्तांत अब उपलब्ध नहीं है, परंतु सातवें ब्रह्मा यानी वर्तमान काल-खंड के आदि-पुरुष तथा उसके उपरांत विकसित मानवी सभ्यता का क्रमिक विवरण भारतीय शास्त्रों में सहजता से मिल जाता है।

वर्तमान मानवी कालखंड का यह **ज्ञात आदि-पुरुष** अपने पूर्ववर्ती ब्रह्माओं के अनुरूप धरती से उत्पन्न एक **अमैथुनीय प्राणी** ही रहा था, जिसकी उत्पत्ति पिछले प्रलयांतर हुए महाविनाश के लाखों वर्ष पश्चात् अनुकूल जलवायविक परिस्थितियों के बनने पर हुई थी। **ऋग्वेद** के अनुसार, ध्रुव से दक्षिण किसी सुरक्षित स्थान पर (संभवतः हिमालय के आस-पास) पृथ्वी के गर्भ से यह प्रथम-पुरुष आज से लगभग दो लाख वर्ष पूर्व उत्पन्न हुआ था (***युक्ता मातासीद्द धुरि दक्षिणाया अतिष्ठद्गर्भो वृजनीष्वन्तः*** ऋग्वेद-1.169-9)। संभवतः इस ज्ञात प्रथम-पुरुष के पूर्व या फिर साथ-साथ हिम-क्षेत्र में प्रकटे नील-लोहित वर्ण के **रुद्र** नामक बलिष्ठ पुरुष के अतिरिक्त धरती के अन्य क्षेत्रों में भी इसी तरह के कुछ और अमैथुनीय प्राणी भी उत्पन्न हुए होंगे, जो प्राकृतिक तथा अन्य कुप्रभावों के कारण या तो अधिक दिनों तक अस्तित्व में नहीं रह पाए होंगे या फिर अपनी-अपनी दूरस्थ स्थिति तथा आपसी संपर्क के अभाव में सामाजिक धरातल पर चर्चित नहीं हो पाए होंगे। इसलामिक मान्यताओं के भी अनुसार ***'पहले इनसान*** *(आद्यतम पूवर्ज) या 'इनसानी कौम के पहले पैगंबर'* ***(हजरत आदम) वहिश्त*** *(स्वर्ग) से निकाले जाने के बाद* ***हिंदुस्तान*** *में ही आकर उतरे थे। हिंदुस्तान के बर्फीले दर्रों में जो खुशबूदार चमन और जड़ी-बूटियाँ मौजूद हैं, उन्हें हजरत आदम ही वहिश्त से यहाँ लाए थे। अल्लाह ने अपना हुक्म सबसे पहले उन्हें ही सुनाया था। चूँकि आदम उस समय हिंदुस्तान की सरजमीं में दाखिल हुए थे, इसलिए इस मुल्क को ही सबसे पहले*

अल्लाह का पैगाम सुनने का फक्र हासिल हुआ था।' इसलाम की इस धारणा की पुष्टि करते हुए **हजरत मुहम्मद मुस्तफा सल्लाह अलैहिवसल्लम** ने फरमाया था कि *'हिंदुस्तान से आती हुई अल्लाह के मारिफत की पाकीजी खुशबू को मैं सूँघ रहा हूँ।'* पूर्णतः प्रकृति की अनुकंपा पर आश्रित अपने जैसे अयोनिज-मानवों के संरक्षण व अतिजीविता से संबंधित स्थितियों का सूक्ष्मता से अध्ययन करता हुआ, धरती का यह **सातवाँ ब्रह्मा** निरंतर अपने ज्ञान व अनुभवों का सिर्फ विकास ही नहीं करता गया, अपितु भावी पीढ़ियों के ज्ञानरंजन के लिए विविध प्रकार की विद्याओं के सृजन के साथ-साथ जीवनोपयोगी पदार्थों की खोज व संकलन आदि के कार्यों में भी प्रयासरत रहा। **सप्तऋषियों** (जिन्हें पाश्चात्य अवधारणाओं में सात बुद्धिमान व्यक्ति या Seven wisemen of the world कहा जाता है) को अंतरिक्ष से प्रसारित प्रतिध्वनियों (वेद-मंत्रों) को समझने तथा उन्हें मानवी भाषा में व्यक्त करने का ज्ञान ब्रह्मा ने ही दिया था। इसके अतिरिक्त स्वभावों के अनुरूप पदार्थों का नामकरण तथा भाषा, लिपि आदि का ज्ञान भी मानवों को सर्वप्रथम इसी ब्रह्मा यानी प्रथम ज्ञात-पुरुष द्वारा ही मिला था। पाश्चात्य अवधारणाओं के अनुसार **'वर्णमाला'**, जो फोनेशियनों की देन मानी गई है, का प्रचलन दो हजार वर्ष ईसा पूर्व के आस-पास ही प्रारंभ हुआ था। भाषाशास्त्री **हग मोरेन** व **साईरस गोरडॉन** के अनुसार, भूमध्यसागरीय अंचलों में इससे पूर्व चीन, जापान व कोरियाई क्षेत्रों की ही भाँति चित्र या संकेत लिपियों का प्रचलन रहा था। इन्हीं चित्रलिपियों यानी **पिक्टोग्राफी-आइडियोग्राफी-लोगोग्राफी** के क्रम से ही आधुनिक लिपियों का अस्तित्व उभरकर सामने आया है। इसी क्रम में भाषाविद् जहाँ आस्ट्रिक या आग्नेय भाषा के काल को ईसा पूर्व 14000 से 9000 वर्ष का मानते हैं, वहीं लिपि-प्रयोग के काल के प्रति उनका आकलन ईसा पूर्व 10,000 वर्ष का है। पाणिनि (2700 ईसा पूर्व) के पश्चात् की लौकिक संस्कृत से बहुत पूर्व की **मानुषी भाषा** (वैदिक संस्कृत) में रचित वेद ग्रंथ को विश्व की सबसे प्राचीन पुस्तक माना गया है। इस मानुषी भाषा से पूर्व **सौरी** (सुरों में प्रवृत्त) भाषा का प्रचलन रहा था और इसका उद्‌भव आद्य ऋषियों द्वारा अंतरिक्ष में व्याप्त ध्वनि-तरंगों को दुहराने के प्रयास में संभव हो पाया था। इसी प्रकार भारतीय अवधारणाओं में ब्रह्मा द्वारा प्रकट करने के कारण मूल लिपि को **ब्राह्मी लिपि (ब्राह्मी ब्रह्मोद्‌भवा)** ही कहा गया है। ब्रह्मा द्वारा प्रदत्त नामकरण की भारतीय मान्यताओं के सदृश्य **बाइबिल** भी सभी प्रकार के जीवों तथा भौतिक पदार्थों के नामों का **एडम** द्वारा ही रखे जाने की उद्‌घोषणा करती है, जबकि मिस्री **थॉथ**

को, बेबीलोनियन **नेबो** को, यूनानी **हर्मेस** सदृश्य अपने पौराणिक पूर्वजों को यह श्रेय देते हैं। ब्रह्मा के विषय में भारतीय शास्त्रों में यह भी कहा गया है कि वह सभी विद्याओं के ज्ञाता थे (***ब्रह्मात्वो वदति जातविद्याम्***-निरुक्त)। यही कारण था कि परवर्ती ऋषि तथा आचार्य त्रिवर्गशास्त्र, आयुर्वेदशास्त्र, शिल्प व वास्तुशास्त्र, ज्योतिष व अंकशास्त्र, व्याकरणशास्त्र, रसायनशास्त्र, कामशास्त्र आदि ग्रंथों के मूल रचयिता इसी आद्य-पुरुष को मानते थे। किंचित् अपने इन्हीं नैसर्गिक रचनात्मक वैशिष्ट्य के कारण अपने काल के अन्य अमैथुनीय मानवों की अपेक्षा केवल ब्रह्मा ही भावी पीढ़ियों के लिए प्रेरणा-स्रोत व इतिहास-पुरुष बन पाए थे।

इस प्रकार जैविक सृष्टि के उत्तरोत्तर वृद्धि तथा सुसंस्कृत मानवी समाज के लिए कृतसंकल्प इस दिव्य पुरुष (**ब्रह्मा**) के संसर्ग में आए रुद्र के कुछ काल उपरांत चार अन्य अमैथुनीय पुरुषों **सनक, सनंद, सनातन** व **सनत कुमार** का संपर्क हुआ। इनका नामकरण करते हुए ब्रह्मा ने इन्हें तत्त्वज्ञान से दीक्षित किया, जिससे अभिभूत होकर ये सभी वीतरागी मुनि बन गए। इनके पश्चात् ब्रह्मा का संपर्क छह अमैथुनीय पुरुषों तथा छह अमैथुनीय स्त्रियों से हुआ। इन सभी स्त्री-पुरुषों का नामकरण कर इन्हें युग्मों में बाँटते हुए ब्रह्मा ने इनको वेदज्ञान से प्रदीप्त किया। **मरीचि-सन्नति, अत्रि-अनुसूया, अंगिरा-स्मृति, पुलत्स्य-भूति, पुलह-संभूति** तथा **क्रतु-क्षमा** नामधारी इन युगल समूहों को विधिवत दीक्षित करके ब्रह्मा ने इन्हें **रुद्र** द्वारा प्रतिपादित मैथुनीय प्रक्रिया का अनुसरण करते हुए प्रजा-वृद्धि के लिए प्रेरित किया। इसी तरह कुछ काल के पश्चात् चार और अमैथुनीय पुरुष तथा तीन अमैथुनीय स्त्रियाँ भी ब्रह्मा के सान्निध्य में आईं। तदनुसार नामकरण व दीक्षा आदि देकर ब्रह्मा ने इन्हें भी सांसारिक कार्यों में सहयोग करने का निर्देश दिया। इस समूह में से केवल **नारद** ने स्वच्छंद विचरण करने की इच्छा व्यक्त की तथा शेष **भृगु-ख्याति, वसिष्ठ-उर्ज्जा** तथा **दक्ष** (अग्नि)-**स्वाहा** नामधारी युग्मों ने सांसारिक कामनाओं में ही अपनी अभिरुचियाँ प्रकट कीं। चूँकि उपर्युक्त सभी अमैथुनीय मानवों तथा ब्रह्मा के बीच उम्र के अंतर के साथ गुरु-शिष्य का भी संबंध रहा था, अतः ये सभी ब्रह्मा के **मानस** (अर्थात् मन से स्वीकृत) **संतान** ही कहलाए। ब्रह्मा के इन सभी मानस-पुत्रों ने अपने सहगामिनियों

शारदा

सहित अलग-अलग स्थानों पर अपने-अपने आश्रमों को स्थापित करके ब्रह्मा द्वारा निर्देशित संकल्पों को साकार करने लगे। कालांतर में ब्रह्मा को **शारदा** नामक अपनी शिष्या से एक औरस-पुत्र भी प्राप्त हुआ, जिसे स्वयं प्रकट ब्रह्मा के चरित्र के अनुरूप संज्ञा देते हुए **'स्वायंभुव'** के नाम से अलंकृत किया गया (**मिथुनानां विसर्गादौ मनुःस्वायंभुवोऽब्रवीत्**-निरुक्त-3.4)। ब्रह्मा द्वारा सांसारिक विद्याओं में प्रवीण होकर इस व्यक्ति ने **'शतरूपा'** नामक स्त्री के सहयोग से स्थान-स्थान पर अलग-थलग बिखरे पड़े मानवों को सामाजिक सूत्र में पिरोना तथा उन्हें सुसंस्कृत बनाना प्रारंभ कर दिया। उसके महती प्रयासों के कारण विकसित हो रहे मानवी समाज में उसकी ख्याति बढ़ती चली गई और मानवी सुधार के अपने प्रयासों के कारण वह **'मनु'** के अतिरिक्त विशेषण यानी **'स्वायंभुव मनु'** के नाम से पुकारा जाने लगा।

इधर ब्रह्मा के मानस-पुत्रों ने अपने-अपने आश्रमों को विभिन्न विद्याओं के केंद्र के रूप में स्थापित करके मानवी उपयोगिता से संबंधित विषयों पर गहन शोध तथा अन्वेषणात्मक प्रक्रियाओं का सूत्रपात किया। वेद की ऋचाओं को मानवी भाषा में सूक्तबद्ध करना, अग्नि तथा धातुओं की खोज तथा उनकी प्रयोग-विधि; वेद के अंग-उपांग-दर्शन तथा उपनिषदों की रचनाएँ; यज्ञ-विधि; वाद्य-संगीत-नृत्य व कलाएँ; औषधि, रसायन, कृषि, यंत्र तथा शस्त्र विज्ञान; अर्थ, न्याय, योग व धर्मशास्त्र आदि उनके इन्हीं प्रयासों के ही प्रतिफल रहे थे। इनके अतिरिक्त आध्यात्मिक, सामाजिक, राजनैतिक व गवेषणात्मक द्विविधाओं तथा विवादों के सर्वमान्य हल के लिए इन मानस-पुत्रों ने ब्रह्मा की अध्यक्षता में एक सर्वोच्च पीठ की भी स्थापना की थी। चूँकि इस पीठ की अध्यक्षता अपने जीवनकाल पर्यंत तक ब्रह्मा ही करते रहे थे, अतः उनके उपरांत गठित इस प्रकार के पीठ के चयनित अध्यक्षों को भी **'ब्रह्मा'** के ही नाम से संबोधित किया जाने लगा। यही कारण रहा कि हिरण्यकशिपु से लेकर हरिश्चंद्र, भागीरथ, रावण तथा कृष्ण के कालों तक में ब्रह्मा का अस्तित्व किसी-न-किसी रूप में उपस्थित होता रहा था। कालांतर में व्यास आदि के प्रखर वर्चस्व के कारण ब्रह्मा का यह दीर्घजीवी व्यक्तित्व तो अवश्य लुप्त हो गया, किंतु **यज्ञ-अनुष्ठान** आदि भारतीय संस्कारों में आज भी मुख्य आचार्य को ब्रह्मा की उपाधि से विभूषित करके परंपरा का क्षण मात्र के लिए ही सही, अक्षरशः पालन किया जाता है।

इन सबके अतिरिक्त एक और ब्रह्मा का आख्यान भी पुराने साहित्य में मिलता है। वृत्तांत के अनुसार विश्वप्रसिद्ध जलप्लावन की घटना के पश्चात् अदिति पुत्र

वरुण ने अपने भतीजे यम का सहयोग करते हुए प्रभावित क्षेत्र में रुके जल को नहरों की खुदाई करके समुद्र में बहाकर इस स्थान को मानवों के रहने योग्य बनाया था। प्राकृतिक आपदाओं से वीरान हुए स्थानों पर मानवी बस्ती को पुनर्स्थापित करने की वरुण की इन श्रम-साध्य रचनात्मक कृतियों के कारण उन्हें विधाता, विरंचि, ब्रह्मा आदि नामों से ही संबोधित किया जाने लगा।

इस प्रकार सृजनशीलता व विस्तरणशीलता के पर्यायवाची रहे **'ब्रह्मा'** का यह उद्‌बोधन **आधिदैविक सृष्टिकर्ता ब्रह्मा** के अलावा अलग-अलग कालखंडों व स्थानों में अस्तित्व में बने रहे कुछ इसी प्रकार के चरित्रों को निभानेवाले दिव्य आदि-पुरुष, सर्वोच्च पीठों के शृंखलाबद्ध अध्यक्षगणों तथा वरुण के रूप में परिभाषित **तीन प्रकार के मानवी व्यक्तित्वों** के लिए भी प्रयुक्त होता रहा है।

□

रुद्र को भारतीय शास्त्रों में शाश्वत तथा अविनाशी माना गया है। वस्तुतः रुद्र का निर्गुण स्वरूप प्रकृति की मूल शक्ति से ही संबंधित है। अतः सृष्टि-स्थिति-विनाश के नियति-चक्र से सदैव ही अप्रभावित रहते हुए रुद्र नामक ऊर्जा इन तीनों ही स्थितियों को नियंत्रित करती रहती है। सौम्य तथा उग्र जैसी दो विपरीत ध्रुवोंवाली प्राणऊर्जाओं के अवचनीय मिश्रण के अतिरिक्त भारतीय शास्त्रों में रुद्र के सगुण रूप की भी चर्चा हुई है। पुराणों के अनुसार मानवी-ब्रह्मा (आदि-पुरुष) की सर्वप्रथम भेंट जिस नील-लोहित काया के बलिष्ठ अमैथुनीय मानव से हुई थी, उसे ही **'रुद्र'** कहा गया है। इस प्रकार रुद्र का मानवी स्वरूप ब्रह्मा के पश्चात् या लगभग समकक्ष का ही प्रकट होता है। इसलिए ब्रह्मा के संदर्भ में चर्चा करने के पश्चात् ही इस पुस्तक में रुद्र का प्रसंग रखा गया है।

रुद्र के इन्हीं अवर्णनीय आधिदैविक, आधिभौतिक तथा आध्यात्मिक स्वरूपों के साथ इनके प्राकृतिक तथा मानवी रूपकों, कृतित्वों एवं इनसे प्रसूत परंपराओं का यथासामर्थ्य वर्णन इस अध्याय में करने का प्रयास किया गया है।

रुद्र-महेश्वर एवं शैव परंपराएँ

'महिम्नः पारं ते परंविदुषो यद्यसदृशी,
स्तुतिर्ब्रह्मादीनामपि तदवसन्नास्तवयि गिरः।
अथावाच्यः सर्वःस्वमतिपरिणामावधि गृणन्,
ममाप्येष स्तोत्रे हर निरपवादः परिकरः।।
अतीतः पन्थानं तव च महिमा वाङ्मनसयो,
रतद्व्यावृत्त्या यं चकितमभिधत्ते श्रुतिरपि।
स कस्य स्तोतव्यः कतिविधगुणः कस्य विषयः,
पदे त्वर्वाचीने पतति न मनः कस्य न वचः।।'

(पुष्पदंत कृत शिव-महिम्ने स्तोत्र से)

अर्थात् ब्रह्मा आदि परम वेत्ताओं द्वारा भी जिसके संपूर्ण स्वरूप की व्याख्या नहीं की जा सकी हो तथा जिसके गुणों का वर्णन करते हुए वेद व श्रुतियाँ भी स्तंभित हो जाया करती हों, ऐसे अवर्णनीय रुद्र के जटिल व गूढ़ चरित्र का बखान करना साधारण मनुष्यों के सामर्थ्य से परे का ही विषय है। इस वास्तविकता को आत्मसात् करने के उपरांत भी असीम गगन में उड्डीयमान् हो रहे पक्षियों के छुद्र उद्वेगों की ही भाँति रुद्र के अवर्चनीय चरित्र की झलकियों के आंशिक वर्णन की उदात्त चेष्टाओं से विमुख भी तो नहीं हुआ जा सकता है। निश्चय ही रुद्र से संबंधित अनुभूतियों व अनुभवों के शतांश को शब्दों की सीमा में बाँधते क्षण पुष्पदंत के उपर्युक्त उद्गार सर्वथा प्रासंगिक ही प्रमाणित होते हैं।

शब्द-व्युत्पत्ति के आधार पर **'रुदिर अश्रुविमोचने'** धातु से और **'णिच्'** प्रत्यय करने के बाद **'रोदेर्णिलुक्च'** इस उणादि सूत्र के अनुसार **'रक्'** प्रत्यय का आगम और **'णिच्'** प्रत्यय का लोप हो जाने से **'रुद्र'** शब्द सिद्ध होता है। संस्कृत भाषा में

निहित भाव-विन्यास की दृष्टि से **रुक्** से तेज (to produce energy), **रुत्** से शब्द (to produce sound) तथा **द्रा** से द्रवित करने (to melt) का आशय प्रकट होता है। भारतीय वाङ्मय में इन्हीं बोधगम्य भावों के प्रतीकात्मक रुद्र को जहाँ ***'रुक् तेजः वर्णव्यावृत्त्या रुद्रस्तेजस्वीति'*** (यानी देदीप्यमान तेजस्वी) या फिर ***'रुत् रौतीति रोरुयमाणो द्रवति प्रविशति मर्त्यानिति रुद्रः'*** (अर्थात् नाद रूप से सब भूतों में विद्यमान) कहकर परिभाषित किया गया है, वहीं इनके बीभत्स स्वरूप को सृष्टि के विनाश का कारक मानते हुए ***'द्रापयतीति द्रापिः इति रुद्रः'*** (यानी गलानेवाला) के घोरतर अलंकरणों से भी संयुक्त किया गया है। श्रुतियों में रुद्र को **'अग्नि'** भी कहा गया है। वेदों में वर्णित अग्नि का यह भाव **'भौतिक अग्नि'** (Fire) से नहीं, अपितु **'दिव्य तेज'** (यानी अंतरिक्ष ऊर्जा या Supernatural Energy) जैसे अनुपम तत्त्व से ही संबंधित है। भारतीय मनीषा के अनुसार प्रकृति से भी अतीत इस अद्वितीय ऊर्जा की अंशकलाओं से ही जगत् की उत्पत्ति, पालन व संहार विषयक मूल शक्तियाँ उत्सर्गित होती हैं ***(एकस्त्वं पुरुषः साक्षात् प्रकृतेः पर ईर्यसे यः स्वांशकलया विश्वं सृजत्यवति हन्ति च)***। **ऐतरेय ब्राह्मण** में रुद्र रूपी इस प्राणऊर्जा (अग्नि) के दो स्वरूप निर्धारित किए गए हैं—एक घोर तथा दूसरा सौम्य यानी शिवा ***(अग्निर्वा रुद्र तस्यैते द्वे तन्वौ घोरान्या च शिवान्या च)***। वैदिक वाङ्मय में बाह्य गतिशील **घोर प्राणशक्ति** को इसकी **भेदक** व **संवर्धक** क्षमताओं के अनुरूप क्रमशः **'रौद्राग्नि'** व **'अमृताग्नि'** नामक गुणवाचक विशेषणों तथा प्रजनन के गुणों से परिपूर्ण अंतर्गतिशील शिवा या **सौम्य प्राणशक्ति** को **'सोम'** की भाववाचक संज्ञा से चिह्नित किया गया है। इस प्रकार भारतीय शास्त्रों में रुद्र का यह उद्बोधन **सृष्ट** (उपादान), **प्रविष्ट** (संयोजन) व **असंस्पृष्ट** (लय) नामक तीन विभिन्न स्थितियों को समष्टि रूप से इंगित करने के लिए ही व्यवहृत हुआ है। सृष्टि, स्थिति व लय की कारक शक्तियों का अधिष्ठाता होने के कारण रुद्र को श्रुतियों में जहाँ **'त्र्यंबक'** कहकर स्मरण किया गया है ***(त्र्यम्बकं यजामहे सुगंधिपुष्टिवर्द्धनम्***-ऋग्वेद-7/59/12 व यजुर्वेद-3/10), वहीं पौराणिक चित्रों में इस गूढ़ रहस्य को सहजता प्रदान करने के लिए रुद्र को **'त्रिनेत्रधारी'** ***(सोमसूर्य्याग्निनयनस्त्रिनेत्रस्तेन)*** के विचित्र रूप में दरशाया गया है।

भारतीय शास्त्रों के अनुसार व्योम में अग्नि की स्थिति को **सूर्यमंडलों** (नाभिचक्र या Galaxy) में तथा सोम की स्थिति को इसके ऊपर के **परमेष्ठि मंडलों** (शून्य या Space) में आँका गया है। अग्नि का स्वभाव प्रसरणशील है, जबकि सोम का स्वभाव संकुचनशील। अग्नि विरल भाव या तरलता का कारक है तो सोम घनीभाव

या ठोसपन का। अग्नि भेदक है तो सोम संयोजक। अग्नि ऊर्ध्वगामी है तो सोम अधोगामी। अग्नि ऊर्ध्वशक्तिमय होकर सोम में समाहित हो जाता है और सोम अधःशक्तिमयी होकर अग्नि को प्रखरता प्रदान करती है। सोम भोज्या है तो अग्नि भोक्ता। इसलिए सोम को **स्त्री** (शिवा) और अग्नि को **पुरुष** (उग्र) की श्रेणी में रखा गया है। सोम का आनुपातिक संसर्ग पाकर अग्नि का यह उग्र रूप जहाँ कुछ समय के लिए शांत (**शिव**) हो जाता है, वहीं अग्नि की प्रबलता सोम को भी **उग्र** बना देती है। उदाहरण के लिए, संहारक अग्नि में पड़ी गोघृत की आनुपातिक आहुति से वातायन में जहाँ लाखों गुणा स्वास्थ्यवर्द्धक ओषजन (Oxygen) उत्सर्जित होती है, वही अग्नि से आवृत होने पर, घृत भी **लौ** रूप में जाज्वल्यमान होकर इसकी प्रचंडता को द्विगुणित कर देता है। यही कारण है कि **शिवा** (या सोम) से विरक्त होते ही **शिव** (या अमृताग्नि) जहाँ **महाकाल** (या रौद्राग्नि) के अपने नैसर्गिक रूप में अनुभूत होने लगते हैं, वहीं **शिवा** (या सोम) भी रौद्रप्रधान गुणों (अग्नि) की बाहुल्यता पर अपने मूल स्वभाव को तजकर **महाकाली** के प्रलयंकारिणी स्वरूपों को धारण कर लेती है। यही कारण है कि प्रलय-काल को भारतीय मान्यताओं में महाकाल के तांडव का ही प्रतिफल माना गया है। वस्तुतः अग्नि का सम्यक् विस्तार ही सोम के सृजनात्मक निखार को तथा सोम की मात्रात्मक हवि ही अग्नि की आनुपातिक निरंतरता को बनाए रखने में सहायक होती है। अस्तित्व की दृष्टि से एक दूसरे का पूरक होने के नाते इनकी आपसी संबद्धताएँ अभेद्य भी हैं। पौराणिक चित्रों में प्रदर्शित शिव का **अर्धनारीश्वर** स्वरूप, सोमाग्नि के इसी ऐक्य भाव को ही प्रतिबिंबित करता है। अपनी इसी अद्‌भुत संयोगात्मक स्थिति के कारण ही सोमाग्नि की यह ऊर्जा समष्टि रूप से समस्त ब्रह्मांड में तथा व्यष्टि रूप से सभी पदार्थों में व्याप्त है ***(ॐ ईशानः सर्वविद्यानाम् ईश्वरः सर्वभूतानां ब्रह्माधिपतिर्ब्रह्मणोऽधिपतिर्ब्रह्मा शिवामेऽस्तु सदाशिवोम्)।*** संभवतः सोमाग्नि के इसी विराटत्व (Omnipresence) को शाब्दिक आकार देने के लिए ही यजुर्वेदीय संहिताओं में इन्हें **'व्योमकेश'** के महिमामय संबोधनों से भी उद्‌बोधित किया गया है। चूँकि शिव यानी सोमाग्नि को व्योमकेश माना गया है, अतः व्योम की ही भाँति उनके शरीर का रंग भी शुभ्र-श्वेत **(रजत गिरिनिभं)** जैसा ही उद्‌भाषित होता है। **'ईश्वरः शर्व ईशानः'** की व्यापक अनुभूति के परिप्रेक्ष्य में ही शिव को **'विरुद्धधर्माश्रय'** (अर्थात् अच्छे-बुरे—सभी का कारक) भी माना गया है। किंचित् यही कारण है कि शिव में **घोरतर** (अग्नि या उग्र) तथा **अघोर** (सोम या शांत) जैसी दो विपरीत ध्रुवोंवाली प्राण-ऊर्जाओं के साथ-साथ

इनके मिश्रण से प्रसूत **घोर** (अर्थात् सृष्टि के कलरव की सूचक) नामक कल्याणकारी ऊर्जा भी समान रूप से विद्यमान रहती हैं **(अघोरेभ्योऽथ घोरेभ्यो घोरघोरतरेभ्यः सर्वेभ्यः सर्वशर्वेभ्यो नमस्तेऽस्तु रुद्ररुपेभ्यः)**। यही कारण है कि ब्रह्मांड में समष्टि रूप से व्याप्त सौम्य व घोर प्राण ऊर्जाओं के संयोग को उनकी स्थितियों के अनुरूप सांकेतिक आकार प्रदान करने के लिए ही पौराणिक चित्रों में **शिवा** (महाकाली) को **शिव** के वक्षःस्थल पर आरूढ़ भी दिखाया गया है।

ब्राह्मण ग्रंथों में गुण-दोष के आधार पर **सौरमंडल** (Solar system) में व्याप्त उर्ध्वगामी प्राणऊर्जा को क्रमशः **अग्नि, मरुत** व **आदित्य** के रूपों में तथा इसके

शिवा ↓	अपः ↓ वायु ↓ सोम	परमेष्ठिमंडल
रुद्र ↑	आदित्य ↑ मरुत ↑ अग्नि	सौरमंडल

ऊपर के **परमेष्ठिमंडल** (Extreme space) में व्याप्त अधोगामी प्राणऊर्जा को क्रमशः **अप्, वायु** व **सोम** की तीन कलाओं में विभाजित किया गया है। सूर्य तथा पृथ्वी के मध्य के अंतरिक्ष में मरुत का एवं सूर्य तथा परमेष्ठिमंडल के मध्य के अंतरिक्ष में सौम्य वायु का स्थान सुनिश्चित किया गया है। घनीभूत सौम्य वायु ही अपने अधोगामी स्वरूप में आदित्य का संसर्ग पाकर मरुत के स्तर पर पहुँचते-पहुँचते **'भौतिक वायु'** (Air/Wind) का तथा मरुतों के निम्नतर स्तर पर पहुँचकर **'भौतिक अग्नि'** (Fire) का प्रकट स्वरूप ग्रहण कर लेती है। वैज्ञानिक अन्वेषणों में भी कुछ इसी से मिलते-जुलते साक्ष्य दिखे हैं। कभी-कभी सूर्य की कुछ सतहों का तापमान सामान्य से अपेक्षाकृत (1/4 अंश के लगभग) कम हो जाता है। यद्यपि इस क्षणिक ताप-न्यूनता का पता ठीक से नहीं चल पाया है, तथापि इस घटना के क्षण सामान्यतः सूर्य को प्रभावित भाग काले धब्बे के रूप में स्पष्टतः दृष्टिगोचर होने लगता है। इस परिवर्तन से सूर्य की सतह से हाइड्रोजन व हीलियम की आयनीय गैस उत्सर्जित होने लगती है, जो 640 किमी प्रति सेकेंड की गति से पूरे सौरमंडल में फैल जाती है। प्रोटोन व इलेक्ट्रॉन की बराबर मात्रावाली इन गैसों को विज्ञान की भाषा में **'सौर-वायु'** कहा जाता है। इस सौर-वायु में बहनेवाले

विद्युतीकृत कण कभी-कभी पृथ्वी के चुंबकीय कवच को भेदकर इसके वायुमंडल में प्रवेश कर जाते हैं। पृथ्वी के वायुमंडल से होनेवाले घर्षण के कारण सौर-वायु के ये कण जल उठते हैं। भारतीय ग्रंथों में इन उल्काओं को भौतिक अग्नि, अंतरिक्ष में प्रवाहित विद्युत् की उत्क्रांति को रौद्र, विद्युत् (या रौद्र) के प्रभाव से बने प्रोटॉन व इलेक्ट्रॉन के मोलेक्यूलस को मरुत या फिर इन्हें रुद्र का पुत्र ***(मरुतो रुद्रपुत्रासः)*** तथा सौर-वायु को भौतिक वायु के रूप में चिह्नित किया गया है। संभवतः अंतरिक्ष में क्षरित हो रही सोम नामक घनीभूत तरल ऊर्जा के संघात के कारण सूर्य की अति-तप्त सतहें कभी-कभी अपेक्षाकृत शीतल हो जाती हैं, जिसके फलस्वरूप हमें उपर्युक्त वर्णित काले धब्बे दृष्टिगोचर होने लगते हैं, और यही संघात सौर-वायु के उत्सर्जन का कारण बनती है। चूँकि भौतिक अग्नि को रौद्राग्नि का ही प्रकट स्वरूप माना गया है, अतः रुद्र के एकादश स्वरूपों की भाँति अग्नि (Fire) को भी गुण-दोष के आधार पर **गार्हपत्य** (पुराणगार्हपत्य व नूतनगार्हपत्य), **आह्नीय** तथा **धिष्णय** (यानी आग्निध्रीय, अच्छावाकीय, नेष्ट्रीय, पौत्रीय, ब्राह्मणाच्छंस्रीय, होत्रीय, प्रशास्त्रीय व मार्जालीय) के ग्यारह भागों में वर्गीकृत किया गया है। रुद्र-प्राण की प्रचुरता के कारण आदित्य-मंडल से प्रवाहित हो रही **उष्माओं** (सूर्य-ताप) को इसी के अनुरूप प्रायः **रौद्र** या **रौद** भी कहा जाता है। इसी तरह अग्निमय रुद्र के ऊपर **अप्** (जल), **वायु** (प्राण) व **सोम** (अमृत) के क्रमों से क्षरित हो रही ऊर्जाओं को प्रतीकात्मक अभिव्यक्ति प्रदान करने के लिए ही पौराणिक चित्रों में शिव के भाल पर **अमृतमय चंद्रमा** के साथ वायु रूपी लहराती **जटाएँ** और जलरूप से उसमें समाहित हो रही **गाम् गताम् इति 'गंगा'** का चित्रण किया गया है। चूँकि रुद्र के इस स्वरूप में ही सौरमंडल स्थित है और इसी सौरमंडल में **नौ प्रमुख ग्रहगण** निरंतर परिक्रमा कर रहे हैं, अतः इनके परिभ्रमणों से उद्भाषित हो रहे **कुंडलाकार वृत्तों** को सांकेतिक आकार देने के लिए ही शिव की मूर्ति में भूषणस्वरूप **नौ सर्पों** को दरशाया जाता है। **एस्ट्रोनॉमी** के अनुसार सूर्य के दोनों

ओर स्थित **नोडल पॉइंट्स** के प्रभाव में आकार ही ग्रहगण अपने अंडाकार परिभ्रमण पथ पर गतिमान बने रहते है। पाश्चात्य खगोलवेत्ता सौरमंडल के इन्हीं दोनों नोडल पॉइंट्स को सर्प रूपको में **ड्रैगन हेड** (राहु) व **ड्रैगन टेल** (केतु) कहकर ही चिह्नित करते हैं। विश्व के कारणभूत शिव की **'विरुद्धधर्माश्रय'** छवि के कारण ही पौराणिक चित्रों में उन्हें अमृतमय चंद्रमा के साथ-साथ **करालतम विष** का धारक मानते हुए जहाँ **'नीलकंठ'** के आलंकारिक रूप से चित्रित किया गया है, वहीं **'शैवसिद्धांतसार'** के अनुसार **आधिदैविक, आधिभौतिक** व **आध्यात्मिक** जैसे तीन प्रकार के **शूलों** (व्याधियों) का कारक व निवारक मानकर उन्हें **'त्रिशूलधारी'** (या फिर तीन फलकवाले त्रिशूल नामक आयुध के धारक) के रूप में भी स्मरण किया जाता है ***(शूलत्रयं संसारदुःख द्रावयतीत त्रिशुलधारिन् नियमेन इति शोभसे)।***

अर्धनारीश्वर समेत इन विविध मानवी-रूपकों के अतिरिक्त शिव का एक प्राकृतिक स्वरूप भी स्वीकार किया गया है। ब्रह्मांड सदृश्य शिव का यह गुह्यतम प्राकृतिक स्वरूप ही जगत् में **'लिंग'** रूप से विख्यात है। चूँकि सृष्टि की रचना परम चेतना से उत्सर्जित तेज के सुसुप्त प्रकृति से हुए संयोग के कारण ही घटित हुई थी, अतः दृश्यादृश्य सभी तत्त्वों में **आधेय** रूपी चैतन्यता व **आधार** रूपी प्रकृति को सहजता से अनुभव किया जा सकता है। इनमें आधेय बीज प्रदाता है और आधार बीज को धारण करनेवाली। इन दोनों के संयोग से ही यह चराचर जगत् अस्तित्व में आता है। सृष्टि के बीज को देनेवाला आधेय ही **लिंग रूप** में तथा उसको धारण करनेवाली प्रकृति का आधार ही **योनि रूप** में सिद्ध है। शिव पुराण (विद्ये सं.अ.-9) में अर्धनारीश्वर शिव के इस प्राकृतिक स्वरूप को ***'पीठमम्वामयं सर्व शिवलिंगश्च चिन्मयम्'*** (अर्थात् आधार रूपी योनि-पीठ ही जननी व आधेय रूपी लिंग ही चिन्मयजनक है) कहकर पारिभाषित किया गया है। जीव-विज्ञान के अनुसार चराचर प्राणियों में प्रजनन नर-नारी के मिथुन संयोग से होता है। इस क्रिया में **पुरुष** (लिंग) भेदन व **स्त्री** (योनि) संयोजन की भूमिका निभाती है। पुरुष **शुक्राणु** व स्त्री **डिंब** के संयोग से ही आधार **(गर्भाशय)** में एक नए कोष का अंकुरण होता है और गर्भाशय में पोषित ये

कोष भेदन व संयोजन विधि से असंख्य सजातीय कोषों (Cells) का निर्माण कर नए **स्थूल-शरीर** का ढाँचा बना देते हैं। आश्चर्यजनक रूप से **पुरुष शुक्राणु** का स्वरूप **लिंग** की भाँति तथा **स्त्री डिंब** का आकार **योनि** से काफी मिलता-जुलता है। इस प्रकार **शिवलिंग** का यह प्रतीक, वस्तुतः प्रकृति व चेतन के संयोग से अस्तित्व मे आई सृष्टि के मूल का द्योतक होने के कारण परम परात्पर **'जगत्पिता'** व करुणामयी **'जगन्माता'** के **अविभाज्य आदिभाव** को ही उद्‌भासित करता है। विश्व के कारणभूत इस पवित्र भाव के कारण ही **'शिवलिंग'** विश्व स्तर पर भी सुपूजित रहे थे। मिस्र के **'ओसिरिस'** (ईश या ईश्वर), रोम के **'प्रियेपस'** (पाशुपत), यूनान के **'ओपोलो'** (कपाली), फीजियन के **'एटिस'** व निनवा के **'एषीर'** (ईश्वर), बाइबिल के **'शिउन'** (शिशन देव), मुहम्मद पूर्व अरब के **'लाट'** (लिंग का ही एक रूप), काबुल के **पंजशेर** व बलख-बुखारा के **पंचवीर** नामक देवता वस्तुतः शिवलिंग के ही विभिन्न स्वरूप रहे हैं। इसी तरह तुर्किस्तान के **बाबीलन** नगर का 1,200 फुट का शिवलिंग, जर्मनी के **शेचिफर्स्ताद्** (Schifferstadt) शहर का शिवलिंग, **हेड्रॉपोलिस** नगर का तीन सौ फुट का शिवलिंग, **स्कॉटलैंड** के ग्लासगो नगर का सुवर्णच्छादित शिवलिंग, अमेरिका के **ब्राजील** प्रदेश तथा **चंपादेश** (वियतनाम) के **ट्राक्य, यानमुम, डांगफुक** शहरों व **कंबोडिया** (कंबोज), **अनाम** (इंडो-चाइना), **जावा** (यवद्वीप), **सुमात्रा** (सुवर्णद्वीप) के शिवालय एवं शिवलिंग स्पष्टतः रुद्र की विश्वव्यापी मान्यताओं का ही प्रमाण प्रस्तुत करते हैं। **नेपाल** (काठमांडू) के प्रसिद्ध **पशुपतिनाथ** समेत भारत के द्वादश ज्योतिर्लिंग (***सौराष्ट्रे सोमनाथं च श्रीशैले मल्लिकार्जुनम उज्जयिन्यां महाकालं ओंकारं अमलेश्वरं परल्यां वैद्यनाथं च डाकिन्यां भीमशंकरं सेतुबन्धे तु रामेशं नागेशं दारुकावने वाराणस्यां तु विश्वेशं त्र्यम्बकं गौतमीतटे हिमालय तु केदारं घुश्मेशं च शिवालये***) एवं कांचीपुरम् के **पृथ्वी लिंग,** जंबुकेश्वर के **अप् लिंग,** तिरुवण्णामलै के **तेजो लिंग,** कालहस्ती के **वायुलिंग** व चिंदबरम् के **आकाश लिंग** समेत **ताड़केश्वर** (पं. बंगाल), **बेलखरनाथ** (उ.प्र., प्रतापगढ़) आदि अन्यान्य लिंग इसी शृंखला के प्रामाणिक स्रोत हैं। फ्रांस के पेरिस नगर के संग्रहालय में उल्लिखित **Nama Sebasio** (नामा सेबासियो) नामक पूजा-पद्धति प्रकटतः संस्कृत का **'नमः शिवाय'** नामक पंचाक्षर मंत्र का ही अपभ्रंश है। इसी तरह मध्य अफ्रीका का **सूडान** भी भारतीय शास्त्रों में वर्णित कुश द्वीप के **'शिवदान'** नामक क्षेत्र का ही अपभ्रंश प्रकट होता है।

इस प्रकार अग्नि रूपी रुद्र तथा सोम रूपी शिवा के परस्पर हविर्यज्ञ से ही

आधिदैविक, आधिभौतिक व **आधिदैहिक** (आध्यात्मिक) शक्तियों का प्राकट्य और प्रकारांतर में इन्हीं से यह द्रष्टव्य जगत् अस्तित्व में आता है। इसी क्रम से नियत समय पर पड़नेवाले रौद्राग्नि के विध्वंसक आघातों से इस सृष्टि का विनाश भी हो जाता है। **वैज्ञानिक अर्थों** में यूनीवर्स से संबंधित **बिग-बैंग** व **टपल्सेटिंग** सिद्धांतों की बुनियाद भी **सोमाग्नि** के इन्हीं आकर्षण-विकर्षण पर ही आधारित है। **रेडियंट इनर्जी** से उद्वेलित होकर ही **कॉस्मिक डस्ट** का घनीभूत फैलाव **नेबुला** के रूप में परिवर्तित हो जाता है और कालांतर में इन्हीं नेबुलाओं में अणुओं के आपसी संघातों से अंतरिक्ष में **गैलेक्सियों** का समूह अस्तित्व में आता है। आकाश में दृश्यमान नक्षत्र व ग्रहगण इन्हीं गैलेक्सियों के ही प्रतिफल हैं। पाश्चात्य विज्ञान के अनुसार प्रोडक्टिविटी के चरमोत्कर्ष पर इनमें सिकुड़न की प्रक्रिया प्रारंभ हो जाएगी, जो प्रकृति को अंततः उसके मूल स्वरूप में लाकर रख देगी। **उपनिषदों** में सृष्टि, स्थिति व विनाश की इन तीनों क्रियाओं को **'ॐ'** (अ, उ, म्) का सांकेतिक आकार देते हुए यह बताया गया है कि *जो ऊँकार है, वही प्रणव है, जो प्रणव है वही सर्वव्यापी है, जो सर्वव्यापी है वही अनंत है, जो अनंत है वही सूक्ष्म है, जो सूक्ष्म है वही शुद्ध है, जो शुद्ध है वही ऊर्जामय है, जो ऊर्जा है वही परमब्रह्म है, वही एक अद्वितीय रुद्र है, वही भूतनाथ है, वही महेश्वर है और वही मंहादेव है* ***(य ऊँ कारः स प्रणवो यः प्रणवः स सर्वव्यापी यः सर्वव्यापी सोऽनन्तो योऽनन्तस्तत्तारं यत्तारं तत्सूक्ष्मं यत्सूक्ष्मं तच्छुल्कं यच्छुल्कं तद्वैद्युतं यद्वैद्युतं तत्परं ब्रह्म, स एको रुद्रः; स भूतनाथः स महेश्वरः स महादेवः)***। जगत् की कारणभूत **दैविक, दैहिक** व **भौतिक** शक्तियों का स्रोत होने के कारण रुद्र को शास्त्रों में **महादेव, महेश्वर** तथा **भूतनाथ** के पर्यायों से भी संबोधित किया गया है। भारतीय मान्यताओं में जगत् की कारक रही विभिन्न दैविक शक्तियों के मूलाधार रहे **आधिदैविक रुद्र** (यानी महादेव) को उनके एकादश रूपों में **अज, अहिर्बुध्न्य, विरूपाक्ष, अयोनिज, रैवत, स्थाणु, बहुरूप, त्र्यंबक, सावित्र, संध्य** व **लुब्धक** के गुणबोधक उद्बोधनों से संबोधित किया गया है, जबकि जैविक-उत्सर्ग क्रियाओं के सोपान माने गए **आध्यात्मिक रुद्र** (यानी महेश्वर) को **प्राण, अपान, समान, व्यान, उदान, नाग, कूर्म, कृकल, देवदत्त** व **धनंजय** नामधारी दस **प्राण-वायु** (Bio-motor Force) तथा **जीवात्मा** (Soul) के एकादश ***(दशमे पुरुषे प्राणाः आत्मैकादशः*-वृहदारण्यक उपनिषद्*)*** अनुभूतियों में अनुभव किया गया है। इसी तरह भौतिक स्रोतों के आधार रहे **आधिभौतिक रुद्र** (यानी भूतनाथ) के एकादश स्वरूपों को **भूमि, जल, तेज** (अग्नि), **वायु, पर्जन्य**

(आकाश), **आदित्य, ज्योत्स्ना** (चंद्रकांति), **विद्युत्, पवमान, पावक** व **शुचि** के सांकेतिक नामों से चिह्नित किया गया है।

रुद्र की इस परम अलौकिक अनुभूति के अलावा **पुराण-वृत्तांत,** मानवों की अमैथुनीय सृष्टि में **आदि पुरुष ब्रह्मा** के साथ-साथ रौद्र ऊर्जाओं से परिपूर्ण एक **दिव्य पुरुष** के आविर्भाव का भी संकेत देते हैं। आदि-पुरुष ब्रह्मा ने अपने संसर्ग में सर्वप्रथम आए नील-लोहित वर्ण के इस सौष्ठव शरीरधारी पुरुष से भलीभाँति परिचित होते हुए उन्हें उनके स्वभाव के अनुरूप **'रुद्र'** कहकर ही संबोधित किया था ***(रुद्रस्त्वं देव नाम्नासि***-विष्णु पुराण**)**। तत्पश्चात् यह दिव्य पुरुष **रुद्र** के नाम से ही जनमानस में विख्यात हुए। स्वयं-प्रकट अस्तित्व के कारण रुद्र को **'अकुल'** (बिना किसी पूर्व कुल या खानदान के) कहकर भी पुकारा जाता रहा है। रुद्र की अर्धांगिनी का नाम **'सुवर्चला'** रहा था (वायु पुराण-27/49)। रुद्र की पीढ़ियों में देव-दैत्य युग में हुए अमृत-मंथन के काल तक, मूल पुरुष **रुद्र** के अलावा **उग्र, शर्व, कपर्दी, भीम, ईशान, ईश्वर, भव, सवित्र, शिव** व **महादेव**—ये कुल ग्यारह रुद्र हुए। पुराणों में इनकी पत्नियों के रूप में क्रमशः **दीक्षा, विकेशी, रोहणी, दिशा, शिवा, महामाया, ऊषा, स्वाहा, सती** व **उमा** का उल्लेख किया गया है। घोर रौद्र स्वरूपों के विपरीत रुद्र का निर्विकल्प भाव संभवतः इनकी छठी पीढ़ी यानी ईशान से ही प्रारंभ हुआ था। इसका संकेत उनके बाद की पीढ़ियों के लिए प्रयुक्त सौम्य नामावली से भी स्पष्ट अनुभव किया जा सकता है। शीघ्र संतुष्ट होने के अपने नैसर्गिक गुणों के कारण वे **'आशुतोष'** के नाम से भी प्रसिद्ध हुए। इसके अतिरिक्त रुद्र विश्व के कल्याणार्थ कंठ में विष को धारण करने के कारण **'नीलकंठ'**, सहज स्वभाव के कारण **'भोलेनाथ'** और अपनी सौम्यता के कारण **'चंद्रमौलि'** नामों से भी विख्यात रहे हैं।

रुद्र का मूल स्थान **गिलगित** (कश्मीर) से ठीक सुदूर उत्तर में स्थित **हेमकूट** (हिंदुकुश पर्वत) व **क्रौंचगिरि** (काराकुरम पर्वत अंचल) के भी उत्तर में स्थित **मूजवान पर्वत** क्षेत्र में रहा था। इस अंचल में ही **सोम** पैदा हुआ करता था और यहीं **कल्पतरु** नामक यथेष्ठ फल देनेवाले वृक्षों के वन भी हुआ करते थे। इन्हीं वृक्षों के फलों द्वारा उस हिम क्षेत्र में आए आगंतुकों तथा आश्रितों की क्षुधापूर्ति करने के कारण ही रुद्र-पत्नी को **'अन्नपूर्णा'** भी कहा जाता रहा। रुद्र के इस स्थान से उत्तर में **मरुतगण**, पश्चिम में **नाग-गंधर्व** तथा पूर्व व दक्षिण में **यक्ष, किन्नर, वृषभ, पिशाच** आदि जातियाँ निवास करती थीं। पड़ोसियों के प्रति रुद्र की विशेष अनुकंपा

रही थी और वे इन जातियों के **अधीश्वर** के रूप में भी पहचाने जाते रहे हैं।

'ऋग्वेद' के अनुसार बृषभ के समान दुर्धर्ष शक्ति के स्वामी रुद्र एक अति प्रचंड योद्धा भी रहे थे। विभिन्न प्रकार के आयुधों के निर्माण व अन्वेषणों के अलावा रुद्र धनुर्विद्या से लेकर सभी अस्त्रों के प्रयोगों में भी निपुण रहे थे; किंतु उनका परंपरागत शस्त्र सदैव **तीन फलक वाला त्रिशूल** ही रहा। कुशल योद्धा के अतिरिक्त रुद्र महायोगी तथा महाज्ञानी भी रहे थे (***ईशानः सर्वविद्यानामीश्वरः सर्वभूतानाम्***-ऋग्वेद)। शिव पुराण (वायवीय संहिता, अ.-22) के अनुसार रुद्र अपने इन एकादश क्रमों से प्रति युग के प्रारंभ में योगाचार्य के रूप में अवतीर्ण होकर सभी को ज्ञान से प्रदीप्त किया करते हैं (***युगावर्त्तेषु शिष्येषु योगाचार्यस्वरुपिणा तत्र तत्रावतीर्णेन शिवेनैव प्रवर्तते***)। ज्ञानरंजन के इसी वैशिष्ट्य के कारण भारतीय वाङ्मय में उन्हें ***'गुरुदेव महेश्वरः'*** के अलंकरण से भी विभूषित किया गया है। भारतीय मान्यताओं के अनुसार रुद्र के **डमरू** से निःसृत (अ-इ-उ-ण्, ऋ-लृ-क्, ए-ओ-ङ्, ऐ-औ-च्, ह-य-व-र-ट्, ल-ण्, ञ-म-ङ-ण-न-म्, झ-भ-ञ, घ-ढ-ध-ष्, ज-ब-ग-ड-द-श्, ख-फ-छ-ठ-थ-च-ट-त-व्, क-प-य्, श-ष-स-र, ह-ल्) ध्वनियाँ ही व्याकरण शास्त्र के मूल 14 सूत्रों के रूप में प्रसिद्ध हुईं। **अक्षर-विद्या** एवं **स्वर मंडलों** की रचनाओं के अतिरिक्त **योगसूत्र, शल्य, रसायन** व **कामशास्त्र** आदि शरीर विज्ञान के आविष्कर्ता के रूप में भी वे जाने जाते हैं। किंचित् इन्हीं कारणों से उन्हें **'विद्यातीर्थ महेश्वरम्'** कहकर नमन भी किया जाता है। इसके अलावा **नाद-विद्या** तथा **नृत्य-कला** के भी वे विशारद रहे थे। उन्हें **डमरू-वाद्य** तथा **नट** व **तांडव** नृत्य का प्रवर्तक माना गया है। यही कारण है कि उन्हें **'डमरूधर'** या फिर **'नटराज'** के नाम से भी स्मरण किया जाता है। रुद्र जटिल कर्म-कांडों में उलझी देव-पूजा जैसे व्यक्ति आधारित स्वार्थपरक निष्ठाओं की अपेक्षा आत्म-शुद्धि तथा दीन-हीन हितार्थ कार्यों को अधिक महत्त्व देते थे। रुद्र का ***'एकोऽहं वहुस्यामि'*** के दर्शन पर आधारित ***'वसुधैव कुटुम्बकम्'*** की परिकल्पना ***'सर्वे भवन्तु सुखिनः'*** की भाव-भूमि पर ही निर्मित होता है। रुद्र का आदर्श आसक्ति, स्वार्थ व अहंकार से परे सार्वभौम चेतना से अनुप्राणित उस **'शिवत्व'** से रहा था, जहाँ प्राणीमात्र ही नहीं, बल्कि ब्रह्म व जीव के आपसी विभेद भी मिट जाया करते हैं। कालांतर में रुद्र के **'शिवत्व'** का यही भाव ही **'सत्यं शिवं सुन्दरम्'** के रूप में भारतीय संस्कृति का आधार-स्तंभ भी बना।

दक्ष-यज्ञ में पत्नी के देहत्याग के बाद समाधिस्थ हुए रुद्र की दसवीं पीढ़ी ने तो

'शिवत्व' को पूर्ण रूप से प्राप्त ही कर लिया था। किंचित् यही कारण रहा था कि वैदिक मंत्रों में **रुद्र, कपर्दी** व **उग्र** के रूप में उद्‌बोधित हुए इस दिव्य पुरुष को तदंतर **'शिव'** के रूप में ही जाना जाने लगा। रुद्र के इस निरपेक्ष स्वभाव के कारण देव उन्हें अपनी जाति के स्तर का नहीं मानते थे (***ततो देवैः स तैः सार्ध नेज्यते पृथ मिज्यते। न मे सुराः प्रयच्छन्ति भागंयज्ञस्य धीमतः***-वायु पुराण, अध्याय-30); किंतु अमृत-मंथन के दौरान उत्पन्न **'हलाहल'** संकट से उबारने के कारण कृतार्थ देवों ने उन्हें **'देवाधिदेव महादेव'** के अलंकरण से अंततः सम्मानित भी किया। **तारकामय** नामक पाँचवें देवासुर संग्राम के पश्चात् **रुद्र-महादेव** (ग्यारहवीं पीढ़ी) ने लोक-कल्याण के लिए आततायी तारकासुर व उसकी सैन्य-शक्ति सहित उसके अभेद्य समझे जानेवाले नगर **त्रिपुर** का विध्वंस किया था। भूमध्य सागर के दक्षिणी तट पर **लीबिया** के उत्तरी हिस्से में स्थित **'ट्रिपोली'** नामक प्रदेश का आधा हिस्सा आज भी समुद्र में तिरछा डूबा हुआ है। पुरातत्त्ववेत्ताओं के अनुसार इस जलमग्न हिस्से में पाए गए भग्नावशेष यहाँ किसी अति प्राचीन वास्तुकला पर आधारित सामरिक कौशल से परिपूर्ण नगरी होने का प्रमाण देते हैं। आश्चर्यजनक रूप से समुद्र में डूबने से शेष बचे 'ट्रिपोली' के एक शहर का भी नाम **'शिव'** ही है। भारतीय शास्त्रों के अनुसार त्रिपुर का निर्माण प्रसिद्ध वास्तुकला विशेषज्ञ मय दानव ने किया था। मिस्र व लीबिया के पुराने ग्रंथों में **'एपिस'** नामक सांड की पूजा का उल्लेख मिलता है। यहाँ के पुराने आदिवासियों में अज्ञात आपदाओं से बचने के लिए गले में लिंगनुमा तावीज धारण करने की प्रथा भी प्रचलित रही। लिंग व बैल के इन प्रामाणिक तथ्यों के परिप्रेक्ष्य में यह स्वतः सिद्ध हो जाता है कि **ट्रिपोली** ही महादेव (रुद्र) द्वारा विध्वंस किए गए **त्रिपुर** का भाषाई अपभ्रंश है। तारक वध व त्रिपुर (ट्रिपोली) के विध्वंसक होने के नाते रुद्र-महादेव को **'ताड़केश्वर'** तथा **'त्रिपुरारि'** के नामों से भी संबोधित किया गया है। त्रिपुर-विध्वंस की घटना के पश्चात् रुद्र (**महादेव**) का कोई उल्लेखनीय संदर्भ या वंश-वृत्तांत नहीं मिलता है। इसी के साथ सोम व कल्पवृक्ष का भी अस्तित्व आगे दृष्टिगोचर नहीं होता है। कदाचित् रुद्र-महादेव का कोई उत्तराधिकारी नहीं रहा होगा या फिर योग-समाधि की चरम स्थिति के कारण स्थूल शरीर की समयबद्ध सीमाओं को पार करके वे आत्मतत्त्व में अधिष्ठित हो गए होंगे। संभवतः जल-प्लावन आदि की भौगोलिक उथल-पुथल के कारण कालक्रम में सोम व कल्पवृक्ष का अस्तित्व भी प्रभावित हुआ होगा।

इधर जल-प्लावन की विश्व प्रसिद्ध घटना के उपरांत पितरों के राज्य को पुनर्स्थापित करनेवाले आदित्य विवस्वान के पुत्र **यम** (***वैवस्वत पितृणां च यमं राज्येऽभ्यषेचयत्***-वायु पुराण-70.8) के कुल में उत्पन्न **वसु** के पुत्र **धर** को भी एक नील-लोहित वर्ण का महिष जैसा एक बलिष्ठ पुत्र उत्पन्न हुआ। हिम क्षेत्र के समीप स्थित **भद्रवट** (पुष्पवन) में विचरण करते हुए एक बार इस गर्वीले **महिषदेव** की श्वास क्रियाएँ अवरुद्ध हो गई थीं। तदुपरांत उसका शरीर प्रायः निष्पंद सा होकर धरती पर गिर पड़ा। ऐसी स्थिति उत्पन्न होने के कुछ क्षण उपरांत ही वह पुनः जीवित होकर उठ तो बैठा था, किंतु इस क्षणिक काल में ही उनके व्यक्तित्व व व्यवहार में आमूल-चूल परिवर्तन हो चुका था। महिषदेव का व्यवहार अब राजपुरुष के स्थान पर एक तपोभूत संन्यासी जैसा प्रतीत होने लगा था। मृत्यु पर विजय पाने की इस उपलब्धि के कारण उन्हें **'मृत्युंजय'** भी कहा जाने लगा। किंचित् योग द्वारा **परकाया प्रवेश** में पारंगत रहे रुद्र-महादेव की अदृश्य चेतना मृत महिष देव के शरीर में प्रविष्ट हो चुकी थी। यही कारण रहा कि इस घटना के तुरंत पश्चात् ही महिषदेव आश्चर्यजनक रूप से स्वभाव तथा गुणों में पूर्ववर्ती रुद्रों की ही भाँति आचरण करने लगे। इस दिव्य पुरुष ने यक्ष, गंधर्व, बृषभ, नाग आदि जातियों से भी उसी प्रकार की आत्मीयता स्थापित की, जो प्राचीनकाल से ही रुद्र-परंपराओं में चलती आ रही थी। कृत्यों के अनुरूप मूल रुद्र की प्रतिच्छाया मानकर **धर** के इस पुत्र **(महिष)** का नाम भी अंततः **'रुद्र'** से जुड़ गया। संयोग से महिष-रुद्र की परकाया-प्रवेश की कृति को अपनाने के कारण स्थापित परंपरा में इनके समेत कुल एकादश शीर्ष पुरुष हुए, जिनका नाम क्रमशः **महिदेव, महेश, अपराजित, विरूपाक्ष, त्र्यंबक, पशुपति, महाकाल, हर, शंभू** व **पिनाकी** रहा। पूर्ववर्ती रुद्रों की अंतिम पीढ़ी में हुए **रुद्र-महादेव** तथा परवर्ती रुद्रों में धर के पुत्र रहे **महिष-देव** व फिर उनके उत्तराधिकारी हुए क्रमशः **महिदेव** एवं **महेश** के नामों, कृत्यों तथा परिवेश की आपसी साम्यताओं ने सामान्य जन में इन्हें रुद्र के स्वाभाविक उत्तराधिकारी के रूप में विधिवत स्थापित भी कर दिया। यही कारण रहा है कि महिषदेव से प्रसूत हुई परंपरा के सभी एकादश पुरुष अंततः **'रुद्र'** ही कहलाए। रुद्र **(त्र्यंबक)** ने आत्मा की अमरता व इसके अविनाशी तत्त्वों को रेखांकित करते हुए यह प्रतिपादित किया कि आत्मा का वरण करनेवाला ही मृत्युंजय हो सकता है। उनके इस सिद्धांत पर ब्रह्म व आत्मज्ञान-विषयक जिन ग्रंथों की रचना हुई, उन्हें **उपनिषद्** के नाम से जाना जाता है। **कैलाशी** के नाम से विख्यात रहे इस वंश-परंपरा के आखिरी रुद्र **(पिनाकी)** का

निवास-स्थान मानसरोवर के पार्श्व में स्थित **कैलाश पर्वत** पर रहा था। भगीरथ के प्रयासों से देवलोक **(त्रिविष्टप)** की ऊँची भूमि से भारत के तराई क्षेत्रों की ओर प्रवाहित हुई गंगा की वेगवती धारा को अपने कौशल से शांत कराते हुए जनकल्याणी बनाने के कारण **'कैलाशी'** को कृतार्थ जनों ने **'गंगाधर'** की गरिमा से भी विभूषित किया। विश्रवस रावण द्वारा **'विमोहनं हि देहिनां सुशंकरस्य चिन्तनम्'** कहकर अभ्यर्थना किए जाने के कारण तत्पश्चात् यह दिव्य पुरुष **'शंकर'** के जनप्रिय नाम से ही अधिक विख्यात हुए।

योग के अपने आनुवंशिक गुणों के कारण रुद्र-परंपरा के सभी सर्वकालिक पुरुष परमयोगी, दिव्य बलशाली तथा दीर्घजीवी रहे थे। **चित्त** (मन, बुद्धि व अहंकार)-**वृत्ति निरोध** (Restraint of mental, intellectual and egoistic modification) की क्रियाओं अर्थात् **यम** (Ethical disciplines), **नियम** -(Self purification by discipline), **आसन** (Posture), **प्राणायाम** (Rhythmic Control of the Breath), **प्रत्याहार** (Withdrawal and emancipation of the mind from the domination of the senses and exterior objects), **धारण** (Concentration), **ध्यान** (Meditation) व **समाधि** (A State of super-consciousness-where aspirant become one with Universal Spirit) की कठिन अंतरंग साधना के माध्यम से **पिनाकी** (शंकर) को अंततः **नश्वर शरीर** की समय मर्यादा तथा **चेतना** (Divine current) की अमरता (शाश्वतता) का आभास हो चुका था। किंचित् यही कारण रहा होगा कि **कुंडलिनी-योग** के अंतिम द्वार **(सहस्राधार)** को पार कर लेने के उपरांत उन्होंने परकाया-प्रवेश की परंपरा को तिलांजलि देते हुए अपने आपको स्थूल शरीर के बंधनों से मुक्त कर जैविक शक्ति के अविनाशी स्वरूप को ग्रहण किया होगा *(Dissociation of the Self from the subjective psychosis-an immortal state)*। आत्म-तत्त्व में प्रतिष्ठापित इस प्रकार की **विभूतियाँ** (Miraculous Personalities) अ-शरीरी होने के कारण सामान्य जन को दृष्टिगोचर तो नहीं हो पाती हैं, किंतु विलक्षण श्रद्धा के किसी अतिरेक भाव में साधक के समक्ष ऐसी दिव्य आत्माएँ अपने पुरातन सगुण रूपों में निमेष मात्र के लिए प्रगट भी हो जाया करती हैं। शिवभक्तों द्वारा अपने इष्ट के **प्रत्यक्ष दर्शन** की स्वीकारोक्ति, **रामकृष्ण परमहंस** द्वारा **माँ काली** से सहज वार्त्तालाप व **योगी** द्वारा अमेरिका स्थित उनके निवास पर **दिवंगत विवेकानंद** से सामान्य स्तर पर भेंट आदि की घटनाएँ इसी के कुछ ज्वलंत प्रमाण हैं। नश्वर स्थूलता का अविनाशी सूक्ष्मता में घटित निरूपण को पाश्चात्य विज्ञान भी सही प्रमाणित करता है। प्रसिद्ध वैज्ञानिक **अल्बर्ट आइंस्टीन** की यह मान्यता रही थी कि प्रकाश वेग की चरम परिणति पर **मैटर्स** का स्थूल स्वरूप **कॉन्सटेंट इनर्जी** (अदृश्य ऊर्जा) में परिवर्तित हो जाता है। उन्होंने इसी सिद्धांत के आधार पर $E=mc^2$ का फॉर्मूला अस्तित्व में लाया था। चूँकि एक अन्य वैज्ञानिक **आइजक न्यूटन** के अनुसार प्रत्येक क्रियाओं की समान तथा उलट प्रतिक्रियाएँ होती हैं (Every action has similar and opposite reaction), अतः स्थिति विशेष में **इनर्जी** का भी स्थूल **मैटर्स** में रूपांतरित हो जाना संभव हो सकता है। रूपांतरण की इन दोनों स्थितियों के लिए **प्रतिबद्ध चैतन्यता (ईच्छणता)** की नितांत आवश्यकता होती है। इस प्रकार प्रथम स्थिति के लिए जहाँ प्रकाश का बाहरी **वेग** (Velocity) चैतन्यता के **कैटेलिक एजेंट** की भूमिका का निर्वहण करता है, वहीं दूसरी स्थिति के लिए **अंतर्बोधत्व** (Inner consciousness) की उपस्थिति वांछनीय हो जाती है। यही कारण है कि सूक्ष्म से स्थूल का रूपांतरण तत्त्व विशेष की आंतरिक ईक्ष्छण-शक्ति पर ही निर्भर करती है। उपर्युक्त विवेचनाओं के परिप्रेक्ष्य में **शिवत्व** (Oneness) से प्रदीप्त **रुद्र-पिनाकी** (शंकर) के लिए ये दोनों ही प्रकार की स्थितियाँ सहज सामान्य ही प्रतीत होती अनुभव की जा सकती हैं। किंचित् यही कारण भी रहा है कि भारतीय शास्त्रों में **निर्गुण** (शिव) तथा **सगुण** (शंकर) के दोनों ही रूपों में एकमात्र **रुद्र** को ही **शाश्वत** तथा **अविनाशी** माना गया है (***एको हि रुद्रो द्वितीयाय तस्थुर्य इमाँल्लोकानीशत ईशनीभिः प्रत्यङ्जनाँस्तिष्ठंति संचुकोचान्तकाले संसृज्य विश्वा भुवनानि गोपाः***-श्वेताश्वतरोपनिषद्-3/2)। रुद्र के अव्यक्त से लेकर व्यक्त के इस अकल्पनीय स्वरूपों से चमत्कृत होकर ही महिम्न स्तोत्र में उनकी वंदना ***'तव तत्वं न जानामि कीदृशोऽसि महेश्वरः यादृशोऽसि महादेव तादृशाय नमोनमः*** *(अर्थात् आपके व्यक्त स्वरूप को ही समझना जब जटिल है, तब आपके अव्यक्त स्वरूप को, चाहे वह जो भी हो या जैसा भी हो, उसी रूप में प्रणाम)* के

भावों में की गई है।

शंकर के समकालिक देव, दैत्य, दानव, यक्ष, राक्षस, गंधर्व, पिशाच, किन्नर, मानव आदि जातियों में व्याप्त अमर्यादित कामेच्छा के कारण कोई आदर्श विवाह-पद्धति प्रचलित नहीं रही थी। यक्ष-गंधर्व-देवताओं में युग्मों के लिए जहाँ **उन्मुक्त प्रणय** व्यवस्था रही थी, वहीं दैत्य-दानवों में **दांपत्य-शुल्क** के भुगतान द्वारा कन्या-वरण का प्रावधान तथा असुर-राक्षसों में **बलात-चयन** की विधियाँ प्रचलित रहीं थीं। **'The Story of Civilisation'** (Vol.-I, Chap.-VI) नामक अपनी कृति में प्राचीनकाल में प्रचलित वैवाहिक पद्धतियों पर टिप्पणी करते हुए Will Durant भी इन्हीं तथ्यों की पुष्टि करते हैं। उनके अनुसार—"*In primitive society of Russia and its adjacent area, the men utilitised the women without distinction and so no women had her appointed husband*", जबकि "*Marriage by capture and marriage by purchase previals throughout primitive Africa, China and Japan and in pre-Columbian Central America, Peru and it flourished in ancient India and Judea.*" इसी तरह गंधर्व विवाह के विषय में टिप्पणी करते हुए वह लिखते हैं कि "*In all these forms and varieties of marriage, there were instances of love-marriage among some societies of primitive era*". विवाह-संबंधी इन व्यवस्थाओं को एक आदर्श सामाजिक परिधि में लाने के लिए **शंकर** (पिनाकी) ने अभिभावकों व वर-वधू की आपसी सहमति के आधार पर अग्नि-साक्ष्य में **सप्तपदी** (सात पग साथ चलने) की विधि का उदाहरण प्रस्तुत करते हुए पर्वतराज **हिमवान** की पुत्री **पार्वती** (उमा) को अपनी पत्नी के रूप में वरण किया। **वाग्दान, कन्यादान, वरण** व **पाणिग्रहण** के पश्चात् वर-वधू का **सात पग** साथ-साथ चलते हुए **धर्म, अर्थ, काम, मोक्ष**—इन **चार पुरुषार्थों** में संयुक्त भागीदारी के संकल्पार्थ अग्निकुंड की **चार प्रदक्षिणा** (प्रथम तीन में कन्या व चौथे परिक्रमा में वर आगे) ही—इस तरह के विवाह के **पाँच अंग** माने गए हैं (***वाग्दानं च प्रदानं च वरणं पाणि-पीडनम्, सप्तपदीति पञ्चांगो विवाहः परिकीर्तितः***-संस्कार गणपति)। कालांतर में परंपरा से चले आ रहे **ब्रह्म, देव, आर्ष, प्रजापत्य, आसुर, गांधर्व, राक्षस** व **पिशाच** (***ब्राह्मो दैवस्तथैवार्षः प्रजापत्यस्तथासुरः, गन्धर्वो राक्षसचैव पैशाचश्चाष्टमोऽधमः***)—इन आठ प्रकार के विवाहों के बजाय शंकर-पार्वती द्वारा अपनाई गई यह **नौवीं विधि** ही भारतीय विवाह की आदर्श पद्धति के रूप में प्रचलित हुई। पौराणिक कथाओं के अनुसार **धूर्जटि शंकर** के अद्भुत व्यक्तित्व से प्रभावित होकर पर्वतराज **हिमवान** की पुत्री **पार्वती** ने उन्हें

पतिरूप में वरण करने का संकल्प किया था। **देवर्षि नारद** के परामर्श पर शंकर जैसे परम योगी की भार्या बनने की पात्रता सिद्ध करने के लिए **पार्वती** को योग की कठिन साधना करनी पड़ी थी। इस दारुण तप में लीन पुत्री की दशा से द्रवित होकर **माता मेनका** भी अनेक वार **उ** (वत्से!) **मा** (ऐसा मत करो) कहकर उससे इस कठिन साधना को त्यागने के लिए कहा, किंतु पार्वती अपने निश्चय से विचलित नहीं हुई। कालांतर में माता द्वारा व्यवहृत **'उमा'** के इसी वर्जनासूचक उद्बोधन से ही वह प्रतिष्ठित भी हुई ***(उमेति मात्रा तपसो निषिद्धा पश्चादुमाख्यां सुमुखी जगाम)***। विल्वपत्र के भक्षण पर आधारित साधना की पराकाष्ठा में पार्वती द्वारा अपनाए गए निराहार व्रत-बंध के कारण शीघ्र ही उसकी ख्याति **'अर्पणा'** के नाम से भी विख्यात हो गई। इस कारण शारीरिक स्तर पर शिथिल हो चुकी पार्वती के अनुराग के समक्ष निवृत परायण शंकर को अंततः झुकना ही पड़ा और प्रकारांतर वे दोनों आदर्श पति-पत्नी के अनुपम उदाहरण बने। विवाहोपरांत उत्पन्न **पार्वती** के गर्भधारण से संबंधित समस्याओं के निदान के लिए **'अग्निदेव'** नामक चिकित्सक को सक्षम परिचारिकाओं के सहयोग से निषेचित किए गए उनके **भ्रूण** का सफल प्रत्यारोपण उनकी सगी बहन **गंगा** के गर्भ में करना पड़ा था (वाल्मीकि रामायण-बालकांड, सर्ग-37, श्लोक-16/17)। इस प्रकार गंगा के गर्भ से विश्व का **प्रथम परखनली शिशु** (टेस्ट ट्यूब बेबी) के रूप शंकर-पार्वती का पुत्र **स्कंद** पैदा हुआ ***(स्कन्द इत्यब्रुवन् देवाः स्कन्नं गर्भपरिस्रवे)*** तथा गंगा मानवी-सृष्टि की पहली रोहिणी यानी **स्थानापन्न माता** (Surrogate Mother) बनीं। चूँकि इस बालक का लालन-पालन **छह कृतिकाओं** (दाइयों) ने किया था, अतः यह **षडानन** या फिर **कार्तिकेय** के नाम से ही अधिक विख्यात रहा (वाल्मीकि रामायण, बालकांड-सर्ग-37, श्लोक-23, 24 व 28)।

स्वामी कार्तिकेय (स्कंद)

अपने पिता रुद्र-पिनाकी (शंकर) की ही भाँति **कार्तिकेय** भी एक अजेय योद्धा व कुशल रण-विशेषज्ञ रहे थे। उनकी इसी क्षमता से प्रभावित होकर देवताओं ने दानवों के विरुद्ध आहूत संग्राम में कार्तिकेय से देव-सेनापति का दायित्व निभाने की याचना भी की थी। अपने अपूर्व पराक्रम का

प्रदर्शन करते हुए कार्तिकेय ने इस युद्ध में दानव-सम्राट् सहित उसके सभी योद्धाओं को मारकर दानवी सैन्य-शक्ति को एकदम से जर्जर कर डाला था। उपकृत देवताओं द्वारा इंद्र के पद पर अभिषेशित किए जाने पर कार्तिकेय अपने पितृ-स्थान कैलाश को छोड़कर दानवों से विजित भूमि पर **'स्कंध'** नामक नई नगरी बसाकर रहने लगे। आश्चर्यजनकं रूप से यूरोप के नार्वे, स्वीडन, डेनमार्क आदि अलग-अलग संप्रभुता-संपन्न राष्ट्रों को सामूहिक रूप से जहाँ आज भी **'स्कैंडेनिविया'** के ही नाम से जाना जाता है, वहीं स्वीडिश भाषा में स्वीडन को **'स्वेर्गे'** (Sebergye) तथा नार्वे को **'नेर्गे'** (Nergye) ही कहा जाता है। कदाचित् इंद्र (कार्तिकेय) द्वारा स्थापित की गई **'स्कंध नगरी'** को देवभूमि घोषित किए जाने के पश्चात् इस क्षेत्र को **'स्वर्ग'** कहने की जो परिपाटी प्रारंभ हुई होगी, कालक्रम में भाषागत विकृति के परिणामगत आए बदलावों के कारण इन्हीं का उच्चारण **'स्कैंडेनिविया'** या **'स्वेर्गे'** के रूप में होने लगा होगा। **दानव मर्क** के प्रभाववाले राज्य को **'डेनमार्क'** कहने की परिपाटी भी उच्चारणगत दोषों का ही एक प्रत्यक्ष प्रमाण है। इस प्रकार कार्तिकेय का देवराट् इंद्र बनकर **'स्कंध'** (स्कैंडेनेवियन रीजन) में स्थापित हो जाने से भारतीय हिम-क्षेत्र में चली आ रही रुद्रों की विशिष्ट वेशभूषा व आचार-व्यवहारवाली वंश-परंपरा का एक प्रकार से पटाक्षेप हो गया।

कार्तिकेय के नियमित रूप से देव-कार्यों में लगे रहने तथा कैलाश से दूर रहने के कारण पार्वती ने वात्सल्यता की वैकल्पिक व्यवस्था के लिए रुद्र के गण रहे एक **यक्ष के पुत्र** को गोद लिया। वैसे तो श्रद्धा के अतिरेक में भारतीय गाथाएँ इस बालक के अस्तित्व में आने की अनेक किंवदंतियों (यथा शिव द्वारा पंच तत्त्वों से निर्मित या पार्वती के उबटन के मैल से उत्पन्न शिशु या फिर कृष्ण द्वारा पार्वती की तपस्या पर प्रसन्न होकर उनके गर्भ से जन्म लेना तथा शिरोच्छेदन के पश्चात् गजमस्तक लगाने पर जीवित होना आदि घटनाओं) से भरी पड़ी हैं, परंतु गर्भाधारण में असमर्थ रही पार्वती के भ्रूण-प्रत्यारोपण द्वारा उत्पन्न एकमात्र पुत्र की वास्तविकता तथा यक्षों की भाँति डील-डौलवाले इस बालक की विचित्र देहयष्टि निश्चित रूप से इसे एक यक्ष-पुत्र के रूप में ही चिह्नित करती है। शंकर-पार्वती का यह दत्तक पुत्र एक आज्ञाकारी व कुशाग्र बुद्धिवाला बालक रहा था, किंतु यक्ष कुल की स्वभावगत विशेषताओं के कारण रुद्र-परंपरा की विशिष्ट शैली को अपनाने के बजाय इस बालक ने यक्षों में प्रचलित गण-व्यवस्था को ही नई दिशा प्रदान की। यही कारण रहा कि रुद्र के स्वाभाविक उत्तराधिकारी के बजाय इन्हें गण का ईश (स्वामी) यानी

गणेश या **गणपति** के विशिष्ट रूप में ही जाना गया। कालांतर में गणपति के इसी वैशिष्ट्य के कारण ही सांकेतिक रूपकों के माध्यम से पौराणिक चित्रों में इनके अंग-विन्यास को एक सुदृढ़ गण-व्यवस्था के द्योतक के रूप में भी समझाने का प्रयास किया गया। प्रजापति या गणपति के लिए आवश्यक बड़ा सिर **(कुशाग्र बुद्धि)**, छोटी आँखें **(सूक्ष्म दृष्टि)**, बड़े कान **(सजगशीलता)**, लंबी नाक **(संवेदनशीलता)** के प्रतीकात्मक रूप का आभास दिलाने के लिए ही पौराणिक चित्रों में जहाँ इन्हें **गजानन** जैसा चित्रित किया गया है, वहीं गण-व्यवस्था की संपन्नता का संकेत देने के लिए इन्हें मोदक का भोग लगाते हुए **लंबोदर** के रूप में भी दिखाया गया है। राज्य की चारों दिशाओं की **वाह्य अभिरक्षा** (External Defence) तथा **आंतरिक सुरक्षा** (Internal Security) पर ध्यान इंगित करने के आशय को स्पष्ट करने के लिए गणपति (गणेश) को **पाँच सिरोंवाला** भी बताया गया है। इसी प्रकार गणेश की **चार भुजाएँ** जहाँ धर्म, अर्थ, काम व मोक्ष जैसे **चार पुरुषार्थों** की द्योतक हैं, वहीं इन हाथों में धारण अस्त्रों में पाश **राग** का, अंकुश **क्रोध** का, वरदहस्त **कामनाओं की पूर्ति** का तथा अभयहस्त **सुरक्षा** का संकेत करते हैं। प्रजापति या गणपति को अनिवार्य रूप से असामाजिक तत्त्वों पर कठोर अंकुश रखने की सीख देने के उद्देश्य से गणेश के उपर्युक्त वर्णित भारी-भरकम देहयष्टि को **मूषक** (जैसे अति सूक्ष्म व कुतरनेवाले जीव) पर सवार होते भी दिखाया गया है। संभवतः गणपति का यह रूपक ही कालांतर में **गजानन** के विषय में प्रचलित विभिन्न आस्थाजनक किंवदंतियों का आधार बना होगा। इस प्रकार गणेश की आकृति अपने आप में **एक आदर्श गण-व्यवस्था** (प्रजातंत्र) का सूत्र प्रदान करती है। गणेश की **ऋद्धि** व **सिद्धि** नामक दो अति गुणवती पत्नियाँ रही थीं, किंतु इनसे उन्हें कोई संतान की प्राप्ति नहीं हो पाई। यही कारण रहा कि इनके द्वारा स्थापित व्यवस्था में वंश-परंपरा के बजाय योग्यता के आधार पर जनता द्वारा मनोनीत व्यक्तियों में सत्ता का हस्तांतरण होता रहा था। इस तरह प्राचीन काल से भारत में चली आ रही गणपति की आराधना यही सिद्ध करती है कि प्लूटो व सुकरात से भी सदियों पूर्व ही नहीं अपितु **विश्व की प्रथम गण-व्यवस्था** का सूत्रपात इसी देश से प्रारंभ हुआ था।

इस प्रकार रुद्र (पिनाकी-शंकर) व उनके औरस तथा दत्तक पुत्रों के पश्चात् उनके प्रमुख गणों, यथा—**नंदी, भृंगी, वीरभद्र, भैरव, अंगारक, निर्ऋति, सदास्पति, अजैकपाद, बहुरूप, अहिर्बुध्न्य, उर्ध्वकेतु, ज्वर, उपद्रष्ट्री, दंडीमुख, प्रचंड, मृगव्याध, वृषभ, भृगु, तारक, महाकर्ण, महापाश, कपाली, भूतनाथ** आदि तथा उनसे प्रसूत शाखाओं के शीर्ष पुरुषों ने अपने-अपने समय में रुद्र-परंपरा को यथावत् बनाए रखने के लिए कार्य, कारण, योग, विधि व दुखांत के आधार पर **'शैवागम'** का व्यापक प्रसार-प्रचार भी किया। किंतु परिस्थितिजन्य कारणों से कालक्रम में आए भटकावों के कारण रुद्र-गणों में व्याप्त रहे शिवत्व के निर्विकल्प भावों के विपरीत इनके परवर्ती अनुयायियों में तंत्र-पूजा व वामाचार अनुष्ठानों का वर्चस्व ही प्रमुखता से पनपता चला गया। इसके परिणामस्वरूप पल्लवित हुई तदंतर की साधना-पद्धतियों को **शैव** तथा **शाक्त** नामक दो विभिन्न धाराओं में वर्गीकृत किया जाने लगा। शैव धारा में अध्यात्म की पराकाष्ठा तक पहुँचनेवाले **माहेश्वरी, लिंगायत, प्रत्याभिज्ञा-दर्शन** व **श्रीकंठी अद्वैतवादी** संप्रदायों के साथ-साथ **कालमुख** व **कापालिक** जैसे अघोर संप्रदायों का अस्तित्व जहाँ उभरकर सामने आया, वहीं शाक्त धारा में **दक्षिणाचार** (सात्त्विक) तथा **वामाचार** (तामसिक) नामक दो संप्रदाय विकसित हुए। कालमुख, कापालिक व वामाचार संप्रदायों की अघोर तामसिक प्रवृत्तियों के कारण कालांतर में शिव तथा शिवा के साथ **मांस, मत्स्य, मद्य, मैथुन, मुद्रा** इन **पंच-मकार** समेत **गाँजा-भाँग, मानव-कपाल** तथा **श्मशान-भस्म** जैसे बीभत्स उदाहरण भी जुड़ते गए। मिस्र, सुमेर व बेबीलोनिया की प्राचीन सभ्यताओं में प्रचलित **'शिश्न उपासना'** व **'बलि-प्रथा'** के पुरातत्त्वीय साक्ष्य सुदूर पश्चिम में इन्हीं संप्रदायों के तात्कालिक प्रभावों को ही रेखांकित करते हैं। अपने इन्हीं अघोर आचरणों के कारण भारत के कुछ कट्टरपंथी शैवों का अपेक्षाकृत सात्त्विक प्रवृत्तिवाले अहंकारी वैष्णवों से लगातार संघर्ष भी होता रहा। शैवों तथा वैष्णवों के इस टकराव को निर्मूल करने के उद्देश्य से ही गोस्वामी तुलसीदास को 'रामचरितमानस' में विष्णु के अवतार के रूप में निरूपित किए गए दाशरथी राम के मुख से ***'शंकर प्रिय मम द्रोही शिव द्रोही मम दास, ते नर करहिं कलप भरि घोर नरक महुँ बास'*** कहलाना पड़ा था। संभवतः इसी का परिणाम रहा कि दक्षिण की तुलना में उत्तर भारत में शैव-शाक्त व वैष्णव संप्रदाय अब आपस में प्रायः घुल-मिल गए हैं।

□

भारतीय चिंतन में ब्रह्मा व रुद्र को जहाँ सृष्टि-स्थिति-लय के कारणभूत त्रिदेवों के अंतर्गत रखा गया है, वहीं पौराणिक मान्यताओं में प्रथम ज्ञात-अमैथुनीय पुरुष को 'ब्रह्मा' के नाम से तथा मैथुनी प्रक्रिया के आविष्कारक के रूप में 'रुद्र' को स्वीकारा गया है। चूँकि मानवों से संबंधित विगतकालीन घटनाओं के लेखा-जोखा को सामान्यतः 'इतिहास' की संज्ञा से उद्बोधित किया जाता है, अतः मानवी-इतिहास का शुभारंभ भी ब्रह्मा व रुद्र के मानुषी स्वरूपों के प्राकट्य काल से ही निर्धारित किया जा सकता है। वैज्ञानिक अनुसंधानों व पुरातात्त्विक सर्वेक्षणों द्वारा यह सिद्ध हो चुका है कि धरती पर मानवों का अस्तित्व लाखों वर्ष पुराना है और इस दृष्टि से भी मानवों का इतिहास इसी के समीचीन ही प्रमाणित होता है। इन अकाट्य तथ्यों के उपरांत पश्चिमी एशिया से प्रसूत हुए नवोदित पंथों की वर्चस्ववादी हठधर्मिताओं की कोख से पल्लवित हुई मानसिकताओं ने इतिहास के कालखंडों को अपनी मान्यताओं की अनुरूप ही परिभाषित करना प्रारंभ कर दिया। फलतः तिथि-क्रम के आधार पर इतिहास लिखने की पश्चिमी परिपाटी ने एक निश्चित बिंदु से पूर्व के सभी घटनाक्रमों को काल्पनिक या गप मानकर अस्वीकार कर दिया। इस प्रकार मूल स्रोत से विरल हुई इतिहास की यह निर्मल धारा मानवीयता को पुष्ट करने के बजाय पंथगत भ्रांतियों के प्रदूषण से युक्त होकर अंततः व्याधिकारक ही बनकर रह गई। किंचित् इतिहास की इसी खंडात्मक व्याख्या के कारण ही विश्वबंधुत्व की सार्वभौमिकता को तिलांजलि देकर आज का समाज एक-दूसरे को पराभूत करने की अंतहीन स्पर्धाओं तथा अतीत की क्षेत्रीय ग्रंथियों से ग्रसित होकर आधुनिक पीढ़ियों से प्रतिशोध लेने में अधिक व्यस्त व आतुर दिखता है। कश्मीरी कवि कल्हण की **'राजतरंगिणी'**, गुजराती सोमेश्वर की **'कीर्ति कौमुदी'**, सिंध की **'चचनामा'**, असम की **'बुरुंजी'**, मिथिला की **'पंजिका'**, दक्षिण-भारत की **'नन्दिक्कलम्बकम्'** या **'कलिंगत्तुपर्णि'** व **चरित-अनुचरितों** के अपवादों को यदि छोड़ दिया जाए तो भारतीय-दृष्टि में इतिहास मात्र साम्राज्यों व सम्राटों के उत्थान-पतन की गाथा या तिथिक्रमों का ब्योरा नहीं बल्कि मानवीय मूल्यों को अक्षुण्ण बचाए रखने की वह सतत विधा रही थी, जिसके माध्यम से वर्तमान का आकलन व भविष्य का निर्धारण किया जा सकता है। व्यावहारिक दृष्टि से भी सृष्टि प्रारंभ से लेकर अब तक की सभी वृत्तियों को तिथिक्रम के उबाऊ व असाध्य बंधनों में आबद्ध कर ग्रंथों के ढेर

बनाने की अपेक्षा कालानुरूप इनके सारतत्त्वों को संक्षिप्त रूप में समेटकर सुरक्षित तथा पठनीय बनाए रखा जा सकता था। संभवतः अपनी इस अनूठी शैली के कारण भारतीय इतिहास का यह सर्वांगीण स्वरूप पाश्चात्य मानदंडों के सीमित आयतन में समा नहीं पाया, फलतः यह मान लिया गया कि अंग्रेजों के आगमन से पूर्व भारतीयों की ऐतिहासिक समझ बचकानी ही रही थी।

प्रस्तुत अध्याय में भारत में प्रचलित रही इतिहास संबंधी प्राचीन परंपराओं के साथ-साथ पाश्चात्य जगत् में उदित हुई ऐतिहासिक संकल्पनाओं के कुछ आधारभूत बिंदुओं पर चर्चा व आधुनिक परिप्रेक्ष्य में इतिहास की सम्यक् व्याख्या के लिए आवश्यक दृष्टिकोणों को उजागर करने का प्रयत्न किया गया है।

इतिहास

व्यावहारिक दृष्टि से **'इतिहास'** व **'हिस्ट्री'** शब्दों का प्रयोग विगत कालों के लिए ही किया जाता है, किंतु शब्द-व्युत्पत्तियों के आधार पर निष्पक्ष अर्थभेद इनके पर्यायवाची होने की प्रासंगिकता पर ही प्रश्नचिह्न लगा देते हैं। पंद्रहवीं शताब्दी में लैटिन के रास्ते आंग्ल भाषा में व्यवस्थापित हुई **'हिस्ट्री'** की व्युत्पत्ति ग्रीक मूल के **'हिस्टोरिया'** से ही हुई थी, जिसका शाब्दिक आशय **'अध्याहरण'** या **'जाँच-पड़ताल'** (Learning or Knowing by inquiry) ही बनता है। ग्रीक मूल (Historia) के इस भावार्थ के विपरीत 'ऑक्सफोर्ड शब्दकोश' में History को परिभाषित करते हुए इसे *"The branch of knowledge dealing with past events of a person, a thing, a country, a continent or the world"* या फिर अन्य शब्दकोशों में कहीं-कहीं इसे *"Methodical records of past events & times especially relating to the human races."* के रूप में भी उल्लेखित किया गया है। उपर्युक्त संदर्भों के परिप्रेक्ष्य में 'हिस्ट्री' के आनुवंशिक भावार्थ तथा इसके प्रचलित आशय में विद्यमान असमानता के स्वाभाविक मंतव्यों को बहुत ही सहजता से अनुभव किया जा सकता है। वस्तुतः विगतकालीन लेखा-जोखा के सम्यक् आकलनों हेतु जाँच-पड़ताल को एक आधार के रूप में स्वीकार तो किया जा सकता है, किंतु व्यावहारिक रूप से प्रयोग किए जा रहे अपने नव-परिभाषित आशय को प्रतिध्वनित करने की शाब्दिक क्षमता ग्रीक मूल के इस **'हिस्ट्री'** शब्द में कहीं से भी झंकृत नहीं होती है। शब्दकोशीय मुखौटे से आवृत इस आंग्ल शब्द के विपरीत **'इति'** (ऐसा ही) + **'ह'** (निश्चयपूर्वक) + **'आस्'** (हुआ था) के समुच्य आशय से निर्मित संस्कृत का **'इतिहास'** शब्द अपने भावार्थ को स्वतः ही पूर्ण परिपक्वता प्रदान करता दिखता है (**इति ह शब्दः पारंपर्योपदेशेऽव्ययम् इति हास्तेऽस्मिन्नितिहासः**-सर्वानंद कृत टीकासर्वस्व से)। इस प्रकार **'इतिहास'** का यह भारतीय भाव बिना किसी लाग-लपेट या

शब्दकोशीय बैसाखियों के अपने स्वयं के बूते पर **'विगतकालीन घटनाओं के तथ्यात्मक वर्णन'** के निहित अर्थों को व्यक्त करने में सक्षम सिद्ध होता है। **'Indian Wisdom'** नामक अपनी पुस्तक में *'So indeed it was; talk, legend, tradition and heroic or traditional accounts of former events'* के विश्लेषणों द्वारा Iti-hasa (इति-ह-आस्) के भारतीय मंतव्यों को अपने ढंग से दरशाने के उपक्रम में पाश्चात्य विद्वान् **सर मोनियर विलियंस** (Sir Monier Williams) ने 'talk' (गप्प) व 'legend' (कहानी) जैसे संकुचित शब्दों का प्रयोग करके जाने-अनजाने में अपने वाक्य-लय में व्यतिक्रमों (Synchysis) को ही उपस्थित किया है। जबकि भारतीय संदर्भों में वर्णित आशयों के अनुसार कल्पित, संदिग्ध या मानुषी वृत्तियों के एकांगी भावों के विपरीत इतिहास का तात्पर्य **निश्चित रूप से घटित पूर्वकाल के मानवीय तथा अमानवीय घटनाओं के परिदृश्यों को सम्यकता से उपस्थित करना** होता है। इसी भावानुरूप **'निरुक्तभाष्यवृत्ति'** में इतिहास शब्द की व्याख्या करते हुए भाष्यकार इसे **'इति हैवमासीदिति यः कथ्यते स इतिहासः'** (अर्थात् जिसके लिए यह कहा जा सकता हो कि यह निश्चित रूप से इसी प्रकार घटित हुआ था, वही इतिहास है) के प्रामाणिक अर्थों से अलंकृत करता है।

इस तरह परिभाषागत आधारों पर इतिहास का शाब्दिक अस्तित्व जहाँ पूर्वकालीन घटनाओं के समूचे विवरण को अपने में समेटे हुए ही उद्भाषित होता है, वहीं देश-काल के अनुसार वर्णित पुरानी वृत्तियों के सभी संदर्भों को इसके विभिन्न अंगों के रूप में ही चिह्नित किया जा सकता है। किंचित् इतिहास के इन्हीं वैशिष्ट्य को रेखांकित करने के ही उद्देश्य से **आचार्य विष्णुगुप्त कौटिल्य** ने पुराण, इतिहास, आख्यायिका, उदाहरण, धर्मशास्त्र व अर्थशास्त्र आदि को इसके स्वरूपों के तौर पर अपनी पुस्तक **अर्थशास्त्र** में उल्लेखित किया है (***पुराणं इतिवृत्तं आख्यायिका च उदाहरणं, धर्मशास्त्रं अर्थशास्त्रं चेति इतिहासः***)। भारतीय शास्त्रों में विगतकालीन घटनाओं की अभिव्यक्ति से संबंधित नैसर्गिक लक्षणों के आधार पर **'इतिहास'** के निम्नांकित भेद किए गए हैं—

1. **पराकृत्य**—अति प्राचीनकाल की घटनाओं से संबंधित पुरानी रचनाओं को पराकृत्य की संज्ञा से उद्बोधित किया जाता है। वायु पुराण (59/137) में ***'यो ह्यत्यन्तपुरोक्तश्च पुराकल्पः स उच्यते, पुरा विक्रान्तवाचित्वात्पुराकल्पस्य कल्पना'*** के द्वारा इसकी व्याख्या की गई है।

2. **पुरावृत्त**—ऋषियों द्वारा पूर्वकाल में कहे गए वृत्तांतों के पुनश्च उल्लेख को

पुरावृत्त (अर्थात् पुरानी वृत्तियाँ) कहकर संबोधित किया जाता है। शौनकीय बृहद्देवता (4/46) में *'इतिहास पुरावृत्तं ऋषिभिः परिकीर्त्यते'* तथा अमरकोष (1-6-4) में *'इतिहास पुरावृत्तमुदात्ताद्यास्त्र्यः स्वराः'* के वाक्य विन्यास द्वारा इसे परिभाषित किया गया है।

3. **ऐतिह्य**—उन परंपरागत कथनों को, जिनमें वक्ता का नाम निर्दिष्ट नहीं रहता है, ऐतिह्य कहलाता है (*अनिर्दिष्टप्रवक्तृकं प्रवादपारम्पर्यमिति होचुर्वृद्धाऽइत्यैतिह्यम्*-रत्नाकर)।

4. **परकृति**—किसी अन्य व्यक्ति द्वारा वर्णित निश्चयात्मक घटनाओं के उद्धरणों को दूसरे की रचना या परकृति कहकर व्यवहृत किया जाता है (*अन्यस्यान्यस्य चोक्तत्वाद् बुधाः परकृतिः स्मृताः*-वायु पुराण-59/136)।

5. **इतिवृत्त**—ग्रंथ, शास्त्र या नाटक आदि के पूर्वपृष्ठ पर वर्णित विषय संबंधी संक्षिप्त विवरणों (Preface) को इतिवृत्त कहा जाता है।

6. **आख्यान**—अभिनय, पाठ व गायन द्वारा अल्प समय में ही किसी विशिष्ट पुरुष की जीवनी पर प्रकाश डालने की विधि को आख्यान के नाम से पुकारते हैं (*आख्यानकसंज्ञां तल्लभते यद्यभिनयन् पठन गायन*-आचार्य हेमचंद्र कृत विवेक से)। आख्यान के मुख्य पात्र से संबंधित किसी विशेष घटना के सविस्तार वर्णन को **'उपाख्यान'** व प्रकारांतर कहे गए अन्य विवरणों को **'अन्वाख्यान'** कहा जाता है।

7. **चरित**—महापुरुषों के अनुकरणीय जीवनियों के आद्योपांत वृत्तांत को चरित कहकर परिभाषित किया जाता है। इस श्रेणी की रचनाओं में **'पुरुरवा-चरित'**, **'ययाति-चरित'** व **'नहुष-चरित'** जैसे आदि-ग्रंथों को तथा मर्यादा पुरुषोत्तम राम की जीवनी से संबंधित तुलसीदास के **'रामचरितमानस'** को, चंद्रगुप्त की जीवनी से संबंधित अंतरंग के **'चंद्रचूड-चरित'** को, बाण रचित हर्षवर्द्धन की जीवनी से संबंधित **'हर्ष-चरित'** को, गौतम बुद्ध से संबंधित अश्वघोष के **'बुद्ध-चरित'** को, विक्रमादित्य षष्ठ से संबंधित विल्हण के **'विक्रमाङ्कदेव-चरित'** को या फिर चौहानों के कृतित्व से संबंधित जयानक के **'पृथ्वीराज-चरित'** को उदाहरणार्थ देखा जा सकता है।

8. **अनुचरित**—किसी महापुरुष के चरित में उनसे संबंधित किसी सहनायक या नायिका की जीवन-शैलियों पर प्रकाश डालनेवाले भाग को अनुचरित कहते हैं।

9. **कथा**—चरित आदि के माध्यम से प्रधान पुरुष के काल में घटित घटनाओं की काव्यात्मक व्याख्या को कथा कहा जाता है (*यत्राश्रित्य कथान्तरमति प्रसिद्धिं*

निबध्यते कविभिः चरितं विचित्रमन्यत् सा च कथा चित्रलेखादिः-अमरकोष)। रुद्र की **'त्रैलोक्यसुंदरी'** कथा, दंडी की **'अवंति-सुंदरी कथा'**, वररुचि की **'चारुमती कथा'** तथा **'वृहत्कथा'**, **'शूद्रक कथा'**, **'कादंबरी कथा'** व **'कथासरित्सागर'** आदि इसके उदाहरण हैं। मिस्र का **'द टेल-एल-अर्मना'** व अरबी **सिंदबाद की कथा-शृंखलाओं** को भी इसी रूप में देखा जा सकता है।

10. **परिकथा**—मुख्य कथा में वर्णित प्रधान पात्र के पूर्व पुरुषों से संबंधित घटनाओं के विवरण को परिकथा के रूप में चिह्नित किया जाता है।

11. **गाथा**—एक से अधिक कथाओं को उनके परिकथाओं समेत लोकभाषा में व्यक्त किए जाने के ढंग को गाथा के नाम से पुकारा जाता है। 'महाभारत' के **'इंद्रगीत'** व **'अंबरीष गाथा'**, परसिया (जेंद-अवेस्ता) की **'पितर-गाथा'**, बाइबिल की **'जैनेसिस गाथा'** एवं **'अरेबियन नाइट्स'** की गाथाओं को इसी श्रेणी में रखा जा सकता है।

12. **वंश-वृत्तांत**—किसी कुल विशेष में जनमे व्यक्तियों के शृंखलाबद्ध विवरण को वंश-वृत्तांत कहा जाता है। **'वंश-पुराण'**, **'हरिवंश'**, कालिदास की **'रघुवंश'** आदि रचनाएँ इसी श्रेणी में आती हैं।

13. **अनुवंश**—किसी वंश विशेष से निःसृत शाखाओं का स्वतंत्र विवरण अनुवंश कहलाता है। उदाहरण के लिए ययाति के ज्येष्ठ पुत्र रहे 'यदु' द्वारा पश्चिमी दक्षिणी भारत में अलग से स्थापित की गई यदुओं की शाखाओं या फिर यहूदी इब्राहिम के पुत्र 'इसमाइल' द्वारा अरब-प्रांत में हिब्रुओं से अलग स्थापित की गई शाखा (मुसलिम मान्यताओं के अनुसार इसलाम के संस्थापक हजरत मुहम्मद इन्हीं के वंशज रहे थे) का इनके मूल वंश से अलग किया जानेवाला स्वतंत्र वर्णन **अनुवंश** ही माना जाएगा।

14. **गोत्र-प्रवर**—प्राचीनकाल में आद्य-ऋषियों द्वारा ज्ञान-विज्ञान का परंपराओं को विकसित करने के उद्देश्य से विविध आश्रमों की स्थापना की गई थी। विद्या के केंद्र रहे इन आश्रमों से दीक्षित होकर निकले ऋषि-पुत्रों व शिष्यों को तथा प्रकारांतर में उनसे संस्कारित हुए उत्तराधिकारियों से प्रसूत हुई शृंखलाओं को उसी मूल ऋषि के गोत्र से पहचाना जाता था। इस प्रकार राजपुरुषों या प्रतिष्ठित कुलों के अलावा विद्वज्जनों तथा उनके प्रयासों से विकसित हुई सभ्यताओं के इतिहास को ज्ञात करने का एकमात्र आधार गोत्र-प्रवर ही सिद्ध होते रहे हैं। भार्गव, गर्ग, भारद्वाज, शांडिल्य, सावर्णे, कौशिक, वासिष्ठ-मग-मेडिज, पौलत्स्य-पुलेसाती-

पिलसगेन्यिस-पेलेस्टाइन, अत्रिय-एट्रीयस-एट्रुस्कुन, आंगिरस- आर्गिनोरिस-अंगोरियन आदि की परंपराएँ इसी के उदाहरण हैं।

15. **धर्मशास्त्र व अर्थशास्त्र**—इन शास्त्रों में उल्लेखित सामाजिक, धार्मिक व आर्थिक दृष्टिकोण रचनाकाल की परिस्थितियों व मानवीय परिवेशों को समझने तथा इनका आकलन करने में बहुत हद तक सहयोगी होते हैं। **वेदांत** (ब्राह्मण, आरण्यक, उपनिषद्, संहिता व स्मृति ग्रंथ), **आगम** (जैन ग्रंथ), **त्रिपिटक** (बौद्ध ग्रंथ), **ऐपोकृफा** (यहूदी ग्रंथ), **जेंद-अवेस्ता** (पारसी ग्रंथ), **बाइबिल** (ईसाई ग्रंथ), **कुरआन** (मुसलिम ग्रंथ), **गुरु-ग्रंथ** (सिख) आदि **धर्मग्रंथों** तथा **नीति प्रकाशिका, तंत्राख्यायिका, वेल्थ ऑफ नेशन** (एडम स्मिथ) आदि नामकरणोंवाली **अर्थशास्त्र** की पुस्तकों को इन्हीं श्रेणियों में रखा जा सकता है।

16. **यात्रा-संस्मरण**—विभिन्न कालखंडों में स्थान विशेष के भ्रमण पर निकले यात्रियों द्वारा उस क्षेत्र के तात्कालिक परिवेश से संबंधित संकलित विवरणों के आधार पर भी देश-काल की स्थितियों का खाका खींचने में सहायता मिलती हैं। मिस्र आदि देशों के भ्रमण पर आधारित यवन इतिहासज्ञ **हेरोडोटस, डियोडोरस** व **स्ट्रैबो** आदि के संस्मरणों, सिकंदर के साथ पूर्व देशों की यात्रा पर आए **मेगस्थनीज** का **'इंडिका'** नामक संस्मरण, भारत भ्रमण से संबंधित चीनी यात्रियों (**फाह्यान, सुंगयुन, ह्वेनसांग** व **इत्सिंग**) तथा अरबी यात्रियों (**अल-बिलादुरी, अल-मसऊदी, सुलेमान**) द्वारा संकलित संस्मरणों व गजनी के सुल्तान महमूद के साथ भारत के पश्चिमोत्तर क्षेत्रों में प्रविष्ट हुए **अब्बूरिहाँ मुहम्मद इब्न अहमद अलबरुनी** के **'किताबुल हिंद'** एवं तिब्बती लामा **तारानाथ** के **कंग्युर** व **तंग्युर** नामक ग्रंथों आदि को इसी क्रम में रखा जा सकता है।

उपर्युक्त वर्णित साहित्यिक वाङ्मयों व परंपरागत अनुश्रुतियों के अलावा पूर्व घटित सभी वृत्तांतों को समष्टि रूप में ज्ञात करने के लिए भारत में अपने ढंग का एक अनूठा प्रयोग भी व्यवहार में लाया जाता रहा था। मत्स्य पुराण (53/63) के अनुसार पुरातन काल की घटनाओं को जानने की इस विधा को **'पुराण'** कहा गया है ***(पुरातनस्य कल्पस्य पुराणानि विदुर्बुधाः)***। **पुराणों** के रूप में प्रचलित इस विधा की कुछ शाखाएँ आज भी भारतीय ग्रंथकोश में सहजता से उपलब्ध हैं। उपर्युक्त आशयों के अनुरूप **किन्हीं प्राचीनतम घटनाओं का उनके भूतकालीन कारणों, तात्कालिक कारकों व संभावित परिणामों सहित विवेचना करने की भारतीय विधा को ही 'पुराण' के रूप में परिभाषित किया जा सकता है।** इस प्रकार पुराण मात्र

के उद्‌बोधन से भूत, वर्तमान व भविष्य का सम्यक् स्वरूप (**भूतं भव्यं भविष्य च त्रिविधं कालसंज्ञितम्**-महाभारत-1-1-63) ही उद्‌भाषित होता है। 'वायु पुराण' (1/203) में निर्दिष्ट **'यस्मात्पुरा ह्यनिन्तीदं पुराणं तेन तत्स्मृतम्'** के भाव के अनुसार **'पुरा'** अर्थात् आद्य वृत्तियों को **'अनन'** यानी परवर्ती स्वरूपों तक लयबद्ध करने की विधि को ही **'पुराण'** कहा गया है। यद्यपि पुराणों की सर्वमान्य संख्याएँ ('देवी भागवत पुराण' व 'भविष्य पुराण' को छोड़कर) कुल **'अठारह' (ब्रह्म, अग्नि, वायु, पद्म, ब्रह्मांड, शिव, कूर्म, लिंग, विष्णु, वराह, मत्स्य, वामन, नारद, गरुड़, स्कंद, ब्रह्मवैवर्त, मार्कंडेय** व **श्रीमद्‌भागवत महापुराण)** एवं **'उप-पुराणों'** की संख्याएँ **'उनतीस'** (**नरसिंह, हरिवंश, सौर, कल्कि** इत्यादि) ही मानी गई हैं, तथापि 'स्कंद पुराण' में वर्णित **'पञ्चाशतु पुराणानि सेतिहासानि मानवाः'** का अर्थ यह संकेत देता है कि उपर्युक्त अठारह पुराणों की रचनाओं ***(अष्टादशपुराणसारसंग्रह कारिन्)*** से भी पूर्व में **पचास** विभिन्न पुराणों के अस्तित्व विद्यमान रहे होंगे। 'वायु पुराण' का यह श्लोक ***'पुराणं सर्वशास्त्राणां प्रथमं ब्रह्मणा स्मृतं अनंतरं च वक्त्रेभ्यो वेदास्तस्य विनिगताः*** (अर्थात् सभी शास्त्रों की रचना से पूर्व ब्रह्मा ने पहले पुराण को ही स्मरण किया था और तदंतर उनके मुख से वेद निकले थे) तथा ***'पुराणमेकमेवासीत्तदा कल्पान्तरेऽनघ'*** (यानी कल्पांतर में एक ही पुराण रहा था) की उक्तियाँ यह सिद्ध करती हैं कि पुराणों का अस्तित्व अद्यतन काल से निरंतर गतिमान रहा था और पुराणों का आधुनिक स्वरूप इन्हीं गत्यात्मकताओं का ही प्रतिफल रहा है। पुराणों में विशेषतया सर्ग यानी **सृष्टि रहस्य** (Cosmology), प्रतिसर्ग यानी **प्रलयों** (Catastrophes or Deluges) तथा मन्वंतरों यानी **प्राणी उद्‌भवों** व उनके क्रमिक विकासों (Zoology & Anthropology), **काल-प्रभागों** (Chronology) पर प्रकाश डालने के साथ-साथ वंश यानी **ईश्वरीय सत्ता** (Theology) तथा वंशानुचरित यानी अस्तित्व में रही विभिन्न मानवीय **वंशावलियों के क्रमों** व **कृतित्वों** (Subject relating to history) का कारण, कारक व परिणाम सहित वर्णन किया गया है ***(सर्गश्च प्रतिसंर्गश्च वंशो मन्वन्तराणि च वंशानुचरितं चैव पुराणं पञ्चलक्षणम्***-अमरकोष*)*। विषयगत विराट् तत्त्व का इसका यह समष्टि रूप स्वतः ही प्रमाणित करता है कि बिना पुराणों के सम्यक् अध्ययन के अद्यतन इतिहास के लयबद्ध क्रमों को उजागर नहीं किया जा सकता है। किंचित् इन्हीं वैशिष्ट्यों के आधार पर ही पुराण को इतिहास की आत्मा के रूप में भी विश्लेषित किया गया है। इतिहास-पुराण के इस अंतर्निहित भेद को **आचार्य रजनीश** बड़े ही सुंदर व स्पष्ट

रूप में व्यक्त किया करते थे। उनके अनुसार *'पुराण का मतलब : जो पहले हुआ, अभी भी हो रहा है और आगे भी होगा, जबकि इतिहास का मतलब : जो हुआ और चुक गया है, वैसा कुछ अब नहीं हो रहा है और आगे कुछ अन्य होगा। इतिहास लेखा-जोखा है ऊपरी घटनाओं का, पुराण लेखा-जोखा है अंतरतम का। उसमें तिथियों का नहीं, बल्कि कालों का मूल्य होता है। कथा का विस्तृत वर्णन नहीं, बल्कि सार ही यथेष्ट होता है-अंतस्तल में अंकुरित करने के लिए।'* व्यावहारिक रूप से सृष्टि के प्रारंभ-काल से चली आ रही वृत्तियों की शृंखलाओं को तिथिक्रम के उबाऊ तथा असाध्य बंधनों में आबद्ध करने की धृष्टता की अपेक्षा इन्हें काल के संक्षिप्त स्वरूपों में समेटकर ही सुरक्षित तथा पठनीय बनाए रखा जा सकता था। यही कारण है कि तिथिक्रम के हिसाब से इतिहास को लेखनीबद्ध करने के पाश्चात्य के लघु-आयामी दृष्टिकोण के विपरीत भारत में काल के संक्षिप्त क्रमों के आधार पर अद्यतन इतिहास के बृहद् खंडों को बिना किसी काट-छाँट के सहज बोधगम्य बनाए रखने की स्वाभाविक प्रक्रिया को ही वरीयता प्रदान की गई। यद्यपि काल के लंबे प्रवाह के कारण समय-समय पर पल्लवित हुए विश्वासों के परिप्रेक्ष्य में सृजित हुए क्षेपकों के जुड़ने से इनका मूल स्वरूप प्रभावित होता रहा, तथापि अर्थ-अनर्थ की तमाम व्याधियों के उपरांत इनके अंतस् में प्रवाहित अविरल धारा की अनुभूति सभी गोताखोरों को सहजता से हो ही जाती है। किंचित् इसी का परिणाम है कि विश्व के अन्यान्य शास्त्रों की तुलना में भारतीय संदर्भ बहुत ही सहजता व प्रभावी ढंग से प्राचीनतम घटनाओं के सूत्रों को आधुनिक परिवेशों के साथ स्थापित करते दृष्टिगोचर होते हैं।

वेदों को गड़रियों के गीत तथा भारतीय आख्यानों को काल्पनिक (Myth) रूप में प्रचारित करने में सिद्धहस्त रहे अंग्रेज राजनीतिज्ञ **थॉमस बैबिंगटन मैकाले** (भारत की आधुनिक शिक्षा पद्धति के जनक) के सहयोगी तथा व्यक्तिगत पत्रों द्वारा अपने पुत्र *(would you say that anyone scared book is superior to all others in the world?... I say the* ***New Testament****. After that, I should place the* ***Koran****, which in its moral teachings, is hardly more then a later edition of the New Testament. Then would follow...the* ***Old Testament****, the Southern Buddhist* ***Tripitaka****...and finally so on, the* ***Veda*** *and the* ***Avesta****)* व सेक्रेटरी इंडिया, ड्यूक ऑफ आर्गइल (*The ancient religion of India is doomed and if Christianity does not step-in, whose* *fault will it be?*) को ईसाइयत की उत्कृष्टता का बोध करानेवाले, जर्मन मूल के एवं ऑक्सफोर्ड विश्वविद्यालय के प्राध्यापक **फ्रेडरिक मैक्समूलर** (Frederich Max Mueller) को भी अपने जीवन के अंतिम पड़ाव पर भारतीय ग्रंथों में वर्णित इतिहास के अकाट्य प्रमाणों के समक्ष अंततः झुकना ही पड़ा था (उपर्युक्त उद्धरण पंडित भगवद्दत्तजी के **'भारत का बृहद् इतिहास**-प्रथम भाग' व स्व. गुरुदत्त द्वारा रचित **'इतिहास में भारतीय परंपराएँ'** से लिये गए हैं)। किंचित् भारतीय साहित्य का आद्योपांत अध्ययन करने के उपरांत इसकी सारगर्भित झलकियों से अभिभूत हुए मैक्समूलर को, मृत्यु पूर्व प्रकाशित अपने ग्रंथ **'इंडिया व्हाट इट कैन टीच अस'** (पृ.-21) में यह स्वीकार करना पड़ा था कि *'हिंदुओं के ऐतिहासिक दस्तावेज, ग्रंथ, साहित्य आदि सर्वाधिक प्राचीन तो हैं ही, तथापि वे इतने अच्छे, सुदृढ़ता से बने और व्यवस्थित उल्लेख हैं कि अतीत के खंडित इतिहास को सुसंगत करने की सामग्री जो अन्यत्र नहीं मिलती, वह संस्कृत ग्रंथों में मिल जाती है।'*

प्राकृतिक त्रासदियों के प्रभाववश विश्व के कुछ अंचलों में उत्पन्न हुए जैविक व्यवधानों के कारण अद्यतन काल से अविरल गतिमान रहे पौराणिकताओं के इस प्रवाह-पथ में अनेकानेक क्षेत्रीय गतिरोध पैदा होते गए। इन गतिरोधों के परिणामस्वरूप इन क्षेत्र विशेषों में इतिहास की अविच्छिन्न परंपराओं के सूत्र ही बाधित नहीं होते रहे, अपितु नित नवीन अवधारणाओं के प्रस्फुटनों से यहाँ मानुषी-वृत्तियों का भ्रमित तथा खंडित स्वरूप ही शनैः-शनैः स्वीकार्य होता गया। पिछले हिमयुगी महाविनाश से लेकर ई.पू. 3200 तक की अवधि में घटित विभिन्न प्राकृतिक आपदाओं के फलस्वरूप जहाँ संपूर्ण यूरोप समेत पश्चिम व मध्य एशिया के जन-जीवन निरंतर नष्ट-भ्रष्ट होते रहे, वहीं इन विभीषिकाओं में किसी तरह बचे रहे उत्तरजीवियों द्वारा यहाँ नई सभ्यता का विकास भी होता रहा था। काल के लंबे अंतराल में कई स्तरों पर हुए सामाजिक उथल-पुथलों से क्रमशः अस्तित्व में आई इन सभ्यताओं के परिणामस्वरूप यहाँ के लोगों के आचार-विचार व भाषा-बोली में भी गुणात्मक परिवर्तन आता गया। इस प्रकार देश-काल के हिसाब से विस्थापित हुए इन उत्तरजीवियों के मिश्रित वंशज अपने मूल स्रोतों से ही विलग नहीं हुए, बल्कि परिस्थितिजन्य कारणों से सांस्कृतिक तथा भाषाई आधार पर भी एक-दूसरे से शनैः-शनैः दूर होते ही चले गए। **कबीलाई परिवेश** में पल्लवित हुई कूप-मंडूक मानसिकता के चलते अतीत के प्रति इनका दृष्टिकोण अपनी जाति तथा क्षेत्र विशेष की परिधि में ही सिमटकर संकुचित हो गया। यही कारण रहा कि इनके द्वारा रचित

इतिहास का सूत्र अपने कबीला या जाति के प्रथम पुरुष पर ही जाकर समाप्त हो जाता था और उससे पूर्व की स्थिति से पल्ला झाड़ने के लिए इनके इतिहासज्ञ प्रायः **अंधकार-युग** की सहज व भ्रांतिदायी कल्पना कर लिया करते थे। क्षेत्रीयता के व्याप्त भँवर में उलझी पड़ी रही पश्चिम की इन अवधारणाओं को बाह्य दृश्य दिखाने का सर्वप्रथम श्रेय यूनानी विद्वान् **हेरोडोटस** को ही जाता है। देश-निष्कासन के दंडवश मिस्र आदि देशों के भ्रमण के उपरांत **'एथेंस'** नामक यूनानी नगर में ई.पू. 447 के आस-पास पुनः विस्थापित हुए **'हेरोडोटस'** (Herodotus, 484-425 BC) ने अपने यात्रा-संस्मरणों में संकलित की गई ऐतिहासिक सामग्री के आधार पर क्षेत्रीयता के इस व्याप्त कवच को खंडित करने का प्रयत्न किया। 'Historica' शीर्षक से रचित उसकी कृति में मिस्र व यूनान समेत बेबीलोनिया आदि देशों की तात्कालिक परिस्थितियों के साथ-साथ यहाँ के पूर्व वृत्तांतों का भी उल्लेख हुआ था। चूँकि हेरोडोटस की इस अनुसंधानात्मक प्रवृत्ति से अभिप्रेरित होकर पाश्चात्य जगत् के परवर्ती विद्वानों में विश्व-इतिहास को जानने तथा इसे लेखनीबद्ध करने की प्रेरणा जाग्रत् हुई थी, अतः इन्हीं योगदानों के प्रतीकात्मक ही इस ग्रीक विद्वान् को उसके अनुगामियों द्वारा 'Father of History' (**आधुनिक इतिहास के पिता**) की मानद उपाधि से भी विभूषित किया जाने लगा। यद्यपि सुनी-सुनाई बातों या गल्पों पर आधारित हेरोडोटस के अधिकतर बचकाने संदर्भों की तुलना में **'थ्यूसिडिडस'** (Thucydides, 460-396 BC) नामक उसके एक अनुगामी की समीक्षात्मक कृतियाँ (The Peloponnesian War) अधिक सुव्यवस्थित रही थीं, तथापि तैथिक अनुक्रमों से इतिहास को प्रवाहमय बनाने का श्रेय प्रसिद्ध दार्शनिक **सुकरात** (Socrates, 469-399 BC) के प्रखर शिष्य रहे **'जेनफन'** (Xenophone, 445-335 BC) को ही जाता है। अपने 'Hellenica' (हेलेनिका) आदि ग्रंथों के माध्यम से इसने यूनानी इतिहास का प्रारंभ वहीं से किया था जहाँ से थ्यूसिडिडस की कृतियाँ विराम को प्राप्त हुई थीं। यूनानी विद्वानों द्वारा प्रचलित की गई इस परिपाटी से सम्मोहित होकर पश्चिम के अनेक शासकों में भी अपने अतीत के प्रति जागरूकता अंकुरित होने लगी। इसी के परिणामस्वरूप इन शासकों में अपने-अपने राजवंशों के इतिहास को लेखनीबद्ध कराने की एक अघोषित प्रतिस्पर्धा भी प्रारंभ हो गई। राजपोषित बाध्यताओं के कारण इस कार्य के लिए अनुबंधित किए गए विद्वानों की निष्ठाएँ प्रायः अपने स्वामियों के हितों के प्रति ही मुखर होती थीं, अतः स्वभावतः इनके द्वारा सृजित ग्रंथों का स्वरूप भी निरपेक्ष नहीं रह पाया था। स्वार्थजनित दोषों से परिपूर्ण रहने के

उपरांत भी इन उद्यमों से पश्चिमी परिवेश में तैथिक अनुक्रमों की जिस लिखित परंपरा का सूत्रपात हुआ, उसी के आधार पर ही आधुनिक इतिहासज्ञों को वहाँ के अतीत को परिभाषित करने में अपेक्षित सहयोग प्राप्त हो पाया था। वंशानुराग की इन्हीं· स्वपोषित अवधारणाओं के अतिरेक में अपने पूर्वजों की कतिपय श्रृंखलाओं की विज्ञता से गर्वित रहे यहूदियों में यह विश्वास दृढ़ होता गया कि उनका संबंध विश्व की प्राचीनतम जाति से ही रहा है। **एडम** (हजरत आदम), **नोह** (हजरत नूह) व **अब्राहम** (हजरत इब्राहीम) आदि के क्रम से रहे यहूदी पूर्वजों की समान रूप से स्वीकार्यताओं के कारण तदंतर अस्तित्व में आई ईसाई व इसलामिक मान्यताओं में भी मानवीय इतिहास का उद्भव **प्रोफेट एडम** या **हजरत आदम** से ही रेखांकित किया जाने लगा। **ज्यूईस** परंपराएँ एडम के काल को ई.पू. 4004 का निर्धारित करती हैं। किंचित् इन्हीं आधारों पर ही सन् 1650 ई. में आयरलैंड के आर्क विशप **जेम्स उशर** तथा उनके समकालिक रहे कैंब्रिज विश्वविद्यालय के तात्कालिक उपकुलपति **जॉन लाईटफूट** ने समवेत रूप से यह रहस्योद्घाटित किया था कि ***'मानव का सृजन 23 अक्तूबर, 4004 ई.पू. की सुबह नौ बजे त्रिदेवों द्वारा ही हुआ था'*** ***(Man was created by the trinity on 23rd Oct., 4004 BC at nine O'clock in the morning)***। इसी तरह **कुरआन-ए-मजीद** (सूरा-56, आयत-13 से 26) की तफसीर करते हुए इब्नेकसीर, दुनिया के इनसानी जमात की कुल उम्र को आठ हजार वर्ष के लगभग ही ठहराते हैं ('...जिस मिंबर के आखिरी सातवें दर्जे पर तुमने मुझे देखा इसकी ताबीर यह है कि दुनिया में इनसानी कौम की उम्र सात हजार साल की है और मैं, मुहम्मद मुस्तफा, इसके आखिरी हजारवीं साल में मौजूद हूँ...')

कालांतर में विकसित हुई काल-विवेचनाओं की वैज्ञानिक विधियों के द्वारा विभिन्न उत्खननों (Excavations) में पाए गए पुरातात्त्विक अवशेषों (Archaeological Remnants) के परीक्षणों ने इतिहास लिखने की पश्चिमी विधा को और अधिक सुव्यवस्थित तथा प्रामाणिक बनाया। आधुनिक वैज्ञानिक परिवेश में पुरातन-अवशेषों के काल निर्धारण के लिए **स्ट्रैटोग्राफिक** (Stretographic) तथा **विघटन संकेत** (Decay Index) की विधियों का प्रयोग किया जाता है। पहली विधि से जहाँ मिट्टी या चट्टानों पर जमी परतों (Layers of Sediments) के आधार पर कुछ हजार वर्षों के पूर्वानुमान को सुनिश्चित किया जा सकता है, वहीं कार्बनिक विघटन यानी Dating of C_{14} की प्रक्रियाओं द्वारा पचास हजार वर्ष पूर्व तक की स्थितियों का

सहजता से आकलन किया जा सकता है। इससे अधिक की अवधियों को ज्ञात करने के लिए वैज्ञानिकों द्वारा प्रायः **पोटैशियम आर्गन** (Potassium Argon) या फिर **रूबीडियम स्ट्रांशियम** (Rubedium Strontium) की जटिल पद्धतियों का सहयोग लिया जाता है। वैज्ञानिक विधियों के त्रुटि रहित प्रभावों के कारण ही पुरातन-वृत्तियों की सत्यता की परख के लिए आधुनिक इतिहासज्ञ, मानवी-परिवेशों में व्याप्त आनुवंशिक तत्त्वों के जीवंत-दृष्टांतों की अपेक्षा खुदाइयों से प्राप्त **प्राचीन लिपियों** (Old Scripts), **मूर्तियों** (Idols), **स्तूपों** (Monuments), **खंडहरों** (Ruins), **शिलालेखों** (Inscriptions), **ताम्र-पत्रों** (Copper Plates), **मुद्राओं** (Coins), **भित्तिचित्रों** (Folk Arts or Sculptures), **शिल्पकलाओं** (Architectures) व चट्टानों पर पाई गई **परतों** (Layers of Sediments) आदि मर्त्य-साक्ष्यों पर ही अधिक निर्भर रहते हैं। यद्यपि व्यावहारिक दृष्टि से पुरातन वास्तविकताओं की पुष्टि के लिए इन मर्त्य अवशेषों की भूमिकाएँ अत्यधिक निरापद ही मानी जा सकती हैं, तथापि निश्चित रूप से यह प्रमाणित नहीं किया जा सकता है कि मानवी-वृत्तियों के सभी पुरातन अवशेष काल के इन लंबे अंतरालों तक अक्षुण्ण रह पाए हैं या फिर इन सभी को उत्खननों आदि के माध्यम से चिह्नित कर संरक्षित किया जा चुका है। वस्तुतः मानवी जिज्ञासाओं की गत्यात्मकताओं के कारण सर्वेक्षणों व अनुसंधानों की सतत प्रक्रियाओं का अविरल प्रवाह सदैव गतिमान रहता है और इन्हीं के परिणामस्वरूप मर्त्य-साक्ष्यों पर आधारित निष्कर्षों के स्वरूप भी नित्य नए आयामों के साथ उद्भाषित होते रहते हैं। वैचारिक परिमार्जनता की इन्हीं नियतियों के कारण ई.पू. 4004 की हास्यास्पद **ज्यूडो-क्रिश्चियन** अवधारणाओं की कोख से निकले आधुनिक इतिहासज्ञों के सीमित दृष्टि-बोध ने मानुषी-सभ्यताओं के क्रमिक विकास को जिस परंपरागत साँचे में संकुचित करना चाहा, वैज्ञानिक अनुसंधानों से उद्घाटित हुए मानवी काल-परिमाण के आधारभूत तथ्यों ने उनके औचित्यों को अनेकानेक अवसरों पर प्रश्नांकित ही किया है। **तंजानिया** (Olduvai Gorge) के उत्खननों में पाए गए लाखों वर्ष पुराने मानवी जीवाश्म व फ्रांस के **बैलोनेट गुफा** (Vallonet cave) में पाए गए मानवी उपयोगिता से संबंधित दस लाख वर्ष पुराने औजारों के अति उत्कृष्ट स्वरूप या फिर सैंतालीस हजार वर्ष पुरानी **रोडेशिया** की ताम्र-खदानों के अवशेष इन्हीं अन्वेषणों के कुछ प्रमाणित अंश रहे हैं। इन मर्त्य-साक्ष्यों के अतिरिक्त **प्रागयुगीन** परंपराओं के जीवंत सूत्रों को बड़ी सहजता से आद्य-पुरुषों द्वारा प्रसूत हुए कुल-गोत्रों के अर्वाचीनीय प्रतिबिंबों में भी अनुभूत किया जा सकता है।

अत्रीय-आट्रीक-एट्रूस्कन, असुर-असीरियन या **असुर-अहुर-अहीर, यदु-ज्यू-जूदेव-जाडेजा** या **यादव-यहूदी, आंगिरस- आर्गिनोरिस-अंगोरियन, मय-मयांस, पौलत्स्य-पुलेसाती-पैलेस्टीनियन, काश्यप-कैस्पेनियन-कॉस्परोव** व **द्रविड़-ड्रूईड्** आदि की सांस्कृतिक शृंखलाएँ इन्हीं जीवंत सूत्रों को इंगित करती हैं। प्राकृतिक विभीषिकाओं के क्रमानुसार उठापटकों से कई स्तरों पर चोटिल हुए पाश्चात्य के स्मृति-तंतुओं की क्षमताएँ अतीत के इन प्रगाढ़-सूत्रों को सँजोकर एकत्रित रख पाने में असमर्थ हो गई थीं। इन परिणामजनित बिखरावों के फलस्वरूप अतीत के प्रति इनकी संवेद्यताएँ (Sensibilities) देश-काल के अनुरूप पल्लवित हुए अध्यासों (Illusions) के सघन झाड़ों में ही उलझती चली गईं। अंततः ज्यूइस एकालापता से सम्मोहित होकर यहाँ की ऐतिहासिक ग्रंथियाँ काल के एक निश्चित आवरण से आवृत हो गईं। यद्यपि 'Historica' नामक यूनानी दियासलाई द्वारा प्रज्वलित की गई दीप-शिखाएँ अतीत के कुछ परिदृश्यों को उजागर करने में सफल रही थीं, तथापि इन दीपों के मंद प्रकाश ज्यूडो-क्रिश्चियन अवधारणाओं के तमीय आवरण को पूर्णतः भेद पाने में असमर्थ ही रहे थे। किंचित् शैशवगत संचेतनाओं की इन स्तरीय अनभिज्ञताओं के कारण ही पूर्व-वृत्तांत की अनबूझ पहेलियों से बचने हेतु हेरोडोटस के अनुगामियों को **अंधकार-युग** (Dark-Age), **अनैतिहासिक** (Non-historic) या फिर **पूर्वेतिहासिक** (Pre-historic) जैसे भ्रममूलक शब्द-कवचों का आश्रय लेने के लिए विवश होना पड़ा था। वस्तुतः आधुनिक इतिहासज्ञों (Historians) द्वारा प्रयुक्त किए गए इन **आंग्ल शब्दों** का तात्पर्य यूनानी विद्वान् हेरोडोटस की कृति (Historica) से प्रारंभ हुई पाश्चात्य की लेखन-परंपराओं की परिधि में आए कालखंडों से पूर्व के वृत्तांतों से ही होता है, अतः प्राच्य के अद्यतन संदर्भों के लिए इनका प्रयोग अप्रासंगिक सिद्ध होता है। इस सत्यान्वेषी भावनाओं के विपरीत पाश्चात्यीय प्रवंचनाओं के अतिरेक में Pre-historic शब्द का हिंदी रूपांतर प्रायः **'प्रागैतिहासिक'** कहकर ही किया जाता है, जबकि अर्थभाव के अनुसार—**'इतिहास'** का शाब्दिक व नैसर्गिक आशय **'प्रागूकालीन घटनाओं'** से ही संबंधित होता है। इस प्रकार हिस्ट्री की पाश्चात्य शृंखलाओं से पूर्व के वृत्तांतों के लिए व्यवहृत प्राच्य का **'प्रागैतिहासिक'** संबोधन भाषागत दृष्टि से दोषपूर्ण ही माना जा सकता है। इतिहास को History का पर्यायवाची मानने की इन्हीं त्रुटिपूर्ण मानसिकताओं के कारण आधुनिक इतिहासज्ञों (Historians) की पश्यताएँ भारतीय ग्रंथों में वर्णित पूर्व-पुरुषों के अति पुरातन अस्तित्वों को दृक्क्षेप नहीं कर पाती हैं, सुतराङ इनकी वस्तुपरक

प्राचीनता को स्वपोषित धुंध (Myth) से आवृत मानकर निरर्थक या फिर Non-Historic (पौराणिक) ही घोषित कर दिया जाता है।

ईसाई व इसलाम जैसे नवोदित पंथों (Cults) की घर्षणात्मक (Intolerated) प्रतिद्वंद्विता के लंबे उतार-चढ़ावों के उपरांत चौदहवीं शताब्दी के **पुनर्जागरण अभियानों** (Renaissances), सोलहवीं शताब्दी के **धर्म-सुधार आंदोलनों** (Reformations) एवं अठारहवीं शताब्दी के वाष्पचालित इंजनों के आविष्कारों से प्रतिफलित हुई **औद्योगिक क्रांतियों** (Industrial Revolutions) के प्रत्युद्यमों ने यूरोप की वर्चस्ववादी अभिलिप्साओं को द्विगुणित कर दिया। इन्हीं उद्वेगों के परिणामस्वरूप अस्तित्व में आई औपनिवेशिक विकरालताओं ने विश्व मानसिकता को समुच्य रूप से पश्चिमी अवधारणाओं का दास बनाकर रख दिया। पाश्चात्य की इन्हीं प्रगल्भताओं के परिप्रेक्ष्य में किए गए पुरातत्त्वीय सर्वेक्षणों के आधार पर **स्ट्रैबों, ट्वायनवी, टालेमी, प्लायनी, वूली, वेल्स, हॉल, स्मिथ, वर्न्स, राल्फ, डयुरैंट, चाईल्ड, लर्नर, मैकडॉनल, कीथ, मैक्समूलर, मार्शल, फ्राडली** इत्यादि मूर्धन्य इतिहासज्ञों की शृंखलाओं ने ई.पू. 3500 की **सुमेरियन सभ्यता** को ही ज्ञात मानवी सामाजिकता (*Zero hour of Literate Society) का प्रारंभिक चरण माना (Sometime around 3500 BC the earliest known civilization in shape of Sumerians was emerged out of Neolithic Culture. Ref.-**World Civilizations,*** Vol.-A, Chapter-one), जबकि पृथ्वी पर मानवी सभ्यताओं के विकास का क्रम अंचल विशेष की परिस्थितियों के अनुरूप अनादिकाल से ही गतिमान है। सन् 1990 में जब अमेरिका की खोज की 500वीं जयंती मनाने पर यूरोप में विचार चल रहा था तब अमेरिकी मूल के इतिहासज्ञों की यह मार्मिक टिप्पणी कि *'उनके लिए यह उत्सव हो सकता है, किंतु हमारे लिए तो यह विषाद का ही क्षण होगा। कारण—इस दिन से हमारी सदियों पुरानी सभ्यता को नष्ट करने का प्रयत्न प्रारंभ हुआ था।'* (It may be a matter of celebrations for Europeans, but for us it is a matter of mourning because just is few years the europeans destroyed our civilization developed over several thousands of years.) स्वतः ही बहुत कुछ उजागर कर देती है। कालगत वास्तविकताओं को नेपथ्य में ढकेलते हुए अपने पूर्वग्रहों के अनुरूप एकत्रित किए गए पुरातत्त्वीय साक्ष्यों के आधार पर काल के इसी स्वपोषित बिंदु से आगे बढ़ते हुए आधुनिक इतिहासज्ञों की टोलियों ने **बेबीलोनियन** व **असीरियन** आदि के क्रम में **मिस्र की सभ्यता** (Egyptian Civilization) को ई.

पू. 3400, **यूनान की सभ्यता** (Greek Civilization) को ई.पू. 3000, **हड़प्पा की सभ्यता** (Indus Valley Civilization) को ई.पू. 2500, **पारसिक सभ्यता** (Chaldean Civilization) को ई.पू. 2000, **यहूदियों की सभ्यता** (Hebrew Civilization) को ई.पू. 1900, **मध्य-अमेरिका की सभ्यता** (Mayan Civilization) को ई.पू. 1500, **चीन की सांस्कृतिक सभ्यता** (Shang Dynasty) को ई.पू. 1400, **अफ्रीका की सभ्यता** (Kushitic Civilization) को ई.पू. 1000, **प्राचीन इटली की सभ्यता** (Etruscan Civilization) को ई.पू. 800 तथा **रोमन सभ्यता** (Roman Civilization) को ई.पू. 625 के अनुमानित कालखंडों में निरूपित करते हुए मानव सभ्यता के प्रकारांतर विकास को बाइबिल (जेनेसिस) में उल्लिखित ई.पू. 4004 की सीमा-रेखा के अंदर ही रेखांकित करने का प्रयास किया। पश्चिम के इस **जीरो-ऑवर** की मान्य धारणाओं के विपरीत फ्रांस स्थित **लुसाक** (Lussac) की गुफाओं में आठ से दस हजार वर्ष पूर्व उत्कीर्ण की गई आकर्षक वेश-भूषावाली मानव-आकृतियों तथा **मोरक्को** में प्राप्त पंद्रह हजार वर्ष पुराने मानवी कंकाल के साक्ष्यों को पुरातन सभ्यताओं की एक कड़ी के रूप में उद्धृत किया जा सकता है। आल्प्स व कार्पेथियन पर्वतांचल के मध्य स्थित डेन्यूब नदी के डेल्टाई भाग पर पाए गए 8000 वर्ष पुराने वृद्ध मानव के **शीलीभूत** (Frozen) शरीर पर किए गए अध्ययनों के परिप्रेक्ष्य में अमेरिकन शोधकर्त्री **प्रो. मारिया जिमबुट्स** ने भी यही प्रमाणित किया है कि सुमेरियन सभ्यता से भी हजारों वर्ष पूर्व अर्थात् ई.पू. 6500 के आस-पास यूरोप के इस भाग में **कार्पथो-डेन्यूवियन** नामक अति उन्नत सभ्यता विद्यमान रही थी *(A Cultural entity namely as Carpatho-Danubian Civilization flourished in European heart-land dated well before the Sumerian existance ie 6500 BC and even earlier to it.-**Maria Gimbutas**,* Prof. of UCLA)। किंतु सावन के अंधे (Jaundiced Eye) की भाँति अपने परंपरागत मंतव्यों को यथावत् बनाए रखने की उत्कंठाओं में आधुनिक इतिहासज्ञों पर दूजा रंग किंचित् चढ़ ही नहीं पाता है, फलतः देश-काल के हिसाब से उद्घाटित किए गए अतीत के वस्तुपरक तथ्यों को येन-केन-प्रकारेण प्रचलित मान्यताओं के खद्योतीय चकाचौंध द्वारा उपेक्षित कर दिया जाता है।

सन् 1784 में भारत के बंग प्रांत में एशियाटिक सोसाइटी की स्थापना के पश्चात् संस्कृत वाङ्मय का अंग्रेजी भाषा में अनुवाद की प्रक्रिया प्रारंभ हुई। वैचारिक भिन्नताओं के कारण आए अनुवादगत दोषों के उपरांत भी भारतीय चिंतन से

अभिभूत हुए पश्चिमी जगत् को ब्रह्मांड व मानवता से संबंधित अपने आकलन ही बचकाने प्रतीत नहीं हुए बल्कि बाइबिल (जेनेसिस) के प्रति सहस्राब्दियों की उनकी आस्थाएँ भी डगमगाने लगीं। **सर विलियम जोन्स** ने इसी आशंका को रेखांकित करते हुए सन् 1788 में यह लिखा कि "Some intelligent and virtuous persons are inclined to doubt the authenticity of the accounts delivered by Moses in terms of Indian literatures. Thus, either the first eleven chapters of Genesis are true or the whole fabric of our national religion is false, a conclusion which none of us, I trust, would wish to be drawn." इस स्थिति से निजात पाने के लिए ईसाइयत के पुरोधाओं ने भारत के ऐतिहासिक स्वरूप को विकृत करने तथा उन्हें अपने अनुकूल परिभाषित करने के उद्देश्य से मोनियर विलियम्स, अलबर्ट वैबर, मैक्समूलर, विन्सेंट स्मिथ जैसे अनेकों विद्वानों की सेवाएँ लीं। पूर्वग्रहों से ग्रसित इन विद्वानों की टोली ने बड़ी ही चतुराई से यहाँ की प्रतिष्ठित जाति (आर्य) को विदेशी आक्रांता घोषित करते हुए भारतीय ज्ञान-विज्ञान के स्वर्णिम खंड यानी ऋग्वैदिक काल को ई.पू. 1500 के लगभग का ठहरा दिया। संयोग से यूरोप में श्रमिक क्रांति के पुरोधा रहे **कार्ल मार्क्स** (Karl Marx) ने भी सन् 1853 में भारतीय इतिहास के प्रति कुछ ऐसी ही टिप्पणी की। उसके अनुसार भारतीय समाज का अपना कोई इतिहास नहीं रहा था, बल्कि इसका सारा पुराना इतिहास इसपर आक्रमण करनेवाले विजेताओं की गाथाओं से भरा पड़ा है (India, then could not escape being conquered, and the whole of her past history, if it be anything, is the history of the successive conquests she has undergone. Indian society has no history at all, at least no known history. What we call its history, is but the history of the successive intruders who founded their empires on passive basis of that unresisting and unchanging society.)। यद्यपि भारतीय इतिहास के प्रति मार्क्स की यह धारणा ब्रिटिश दृष्टिकोणों के अनुकूल ही रही थी, फिर भी वैचारिक अंतर्विरोधों के कारण औपनिवेशिक शासन काल तक नेपथ्य में रहे मार्क्स के क्रांतिकारी विचार स्वतंत्रता के बाद अपने को प्रगतिशील कहलानेवाले कुछ बुर्जुआ-विरोधी (Antibourgeois) बुद्धिजीवियों के प्रमुख शगल बनकर ही उभरे।

किंचित् यही सब कारण रहे कि **'भारत को मानवी सभ्यता की जननी'** (Ref.-The Story of Civilization by William Durant) मानने की अंतस्

चेतना के उपरांत भी पश्चिमी इतिहासज्ञों व उनके भारतीय अनुयायियों के पक्षपाती दृष्टिबोधों ने त्रिवर्ग, आरण्यक, संहिता, ब्राह्मण ग्रंथ, कल्पसूत्र, व्याकरण, रामायण, महाभारत, पुराण, शास्त्र, चरित आदि विविध कृतियों के माध्यम से सूचीबद्ध किए गए **कालपरक इतिहास** की भारतीय अभिव्यक्ति को इस धृष्ट लांछना के साथ नकार दिया कि *'प्राचीन भारतीयों को इतिहास लिखना ही नहीं आता था'* (Ancient Indians had no sense of History writing at all) और *'उनके साहित्य में वर्णित विवरणों की ऐतिहासिकताएँ प्रमाणित नहीं होती हैं'* (Since none of Indian text are verfied historically, it may generally be termed as **'Legendry'** and are obviously stand as **'Mythical'**. Ref.-**History of Indian Literature** by M. Winternitz)।

काट-छाँट की इन सुरुचिपूर्ण सजगताओं से रचा गया **'हिस्ट्री'** का यह पश्चिमी दुर्ग, **भारत** के **इलाहाबाद** जनपद के जमुनीपुर (फूलपुर तहसील) व **प्रतापगढ़** जनपद के महदहा, दमदमा (रानीगंज तहसील) तथा **खंभात की खाड़ी** से हाल ही में प्राप्त हुए अतीत के कुछ वस्तुपरक साक्ष्यों के बारूद से प्रायः ध्वस्त होते प्रतीत होते हैं। **विघटन संकेत प्रणाली** (Carbon Dating System) द्वारा किए गए परीक्षणों के अनुसार **इलाहाबाद** व **प्रतापगढ़** जनपदों के इन पुरास्थलों से प्राप्त मानव शवाधान, गर्त-चूल्हे (Pit-hearths) व चाक, सिल-लोढ़े, कुल्हाड़ी, बसूली, खुरपी, छेनी आदि उपकरण तथा घड़े, कटोरे, थाली आदि बरतन जहाँ ई.पू. 17000 से ई.पू. 7000 के सिद्ध हुए हैं, वहीं **खंभात की खाड़ी** से प्राप्त हुए पुरातत्त्वीय अवशेषों का संबंध ई.पू. 7500 अस्तित्व में रही किसी मानवी सभ्यता से ही स्थापित होता है। पाश्चात्य के सीमित दृक्क्षेपों के सम्मोहन में फँसे आधुनिक इतिहासज्ञों (Historians) के लिए ई.पू. 4004 से भी पुरानी सभ्यता का यह रहस्योद्घाटन आश्चर्यमिश्रित रोमांच का विषय हो सकता है; परंतु प्राच्य विधाओं के मर्मज्ञों के लिए ई.पू. 17000 या ई.पू. 7500 की स्थितियाँ अतीत की एक अति लघु इकाई ही प्रतीत होती हैं। चूँकि देश-काल के हिसाब से पाए गए **मर्त्य-साक्ष्यों** की जाँच-पड़तालों पर आधारित निष्कर्षों की तुलना में परिवर्धित संस्कृति के अंतस्थलों में छिपे पुराने गुणसूत्रों के **जीवंत-साक्ष्य** अधिक परिनिष्ठित होते हैं, अतः प्राच्य स्रोतों को काल्पनिकता के दोषों (Mythical stigma) से मढ़ने की अपेक्षा इनके सार सूत्रों के आधार पर ही काल के तथ्यात्मक क्रमों का वैज्ञानिक परीक्षण किया जाना अधिक व्यावहारिक रहेगा। **खंभात** के आलोक में **इतिहास** की सम्यक् पवित्रता

को स्थापित करने के लिए आधुनिक इतिहासज्ञों के **दृष्टि-बोध संबंधी आयतन** का आनुपातिक विस्तार अबं अपरिहार्य हो चुका है और इसके लिए **पुराण सहित भारतीय वाङ्मय** की भूमिकाएँ निर्बाध रूप से **दूरवीक्षक यंत्र** की भाँति उपयोगी सिद्ध हो सकती हैं। होमर की दंत कथाओं के आधार पर किए गए उत्खननों द्वारा जिस प्रकार प्रसिद्ध पुरातत्त्वविद् **श्लीमान** प्राचीन ट्राय नगर व टिरीस नामक राजप्रासाद के अवशेषों को ढूँढ़ निकालने में सफल रहे थे, ठीक उसी प्रकार के कटिबद्ध प्रयासों के द्वारा कोई जीवट पुरातत्त्ववेत्ता रामायण व महाभारत के प्रसंगों को भी विश्व-पटल पर प्रमाणित करने में सफल हो सकेगा। नासा के सैटेलाइट कैमरों द्वारा ढूँढ़ा गया रामकालीन सेतु तथा नेशनल इंस्टीट्यूट ऑफ ओशनोग्राफी के वैज्ञानिकों द्वारा पौराणिक द्वारिका नगरी को ढूँढ़ने के प्रयास इसी दिशा में बढ़ाए गए कदम का एक नमूना मात्र है। आशा है कि आनेवाली पीढ़ियाँ कुछ इसी प्रकार के रचनात्मक प्रयासों द्वारा पुराण वर्णित प्राचीन कड़ियों की प्रामाणिकताओं को सिद्ध करने में सफल हो सकेंगी। सही मायने में ***'उतिष्ठत जाग्रत प्राप्य वरान् निबोधत'*** (कठोपनिषद्, 1/3/14) के महती संकल्प द्वारा इस दिशा में किए जानेवाले निरपेक्ष प्रयासों से ही इतिहास अपने मंतव्य को प्राप्त करने में सफल हो पाएगा।

□

मानवी-सृष्टि की प्रारंभिक वेला में आदि-पुरुष द्वारा जिन अमैथुनीय मानवों को सर्वप्रथम संस्कारित किया गया, गुरु-शिष्य के नैतिक संबंधों के कारण वे सभी ब्रह्मा या इस ज्ञात आदि-पुरुष के मानस-पुत्र या मन से स्वीकृत संतान कहलाए। कालांतर में सप्तऋषि के रूप में विख्यात हुए इन मानस-पुत्रों के दिशा-निर्देश से ही मानवों की भावी गतिविधियाँ सुनिश्चित हुई थीं, अतः इन्हें ही परवर्ती समाज ने अपना आद्य-पितर भी माना। Zeu-Peter या Seven Wise men की पाश्चात्य अवधारणाएँ इन्हीं पितरों या सप्तऋषियों से ही प्रेरित रही हैं।

मरीचि, अत्रि, अंगिरा, पुलस्त्य, पुलह, ऋतु, भृगु, वसिष्ठ, दक्ष व नारद के नाम से विख्यात रहे इन्हीं आद्य-पितरों द्वारा स्थापित आश्रम व्यवस्था के गर्भ से काकेशियन (कश्यप गोत्रीय), एट्रीयस या एट्रुस्कन, अंगिरस या आर्गिनोरिस, पुलेसाती या पिलेसगियंस (फिर पुलस्तिन या पैलेस्टीनियन), किरात या क्रीट, गॉथ व गाथिक, गालव या गेलिक, द्रविड़ या ड्रुईड, मग या मेडिज आदि जातियों का अस्तित्व उभरकर सामने आया था। इन आद्य-ऋषियों के द्वारा विकसित प्रवरों व गोत्रों की परिपाटी से प्रसूत परंपराओं का तथा उनके द्वारा संपादित कृतित्वों का इस अध्याय में सविस्तार वर्णन किया गया है।

पितर या ब्रह्मा के मानस-पुत्र

प्रथम ज्ञात पुरुष **ब्रह्मा** व उनके समकालिक **रुद्र** की ही भाँति **सनकादि-नारद** आदि वीतरागी मुनिगण, **मरीचि-पुलस्त्य** आदि महर्षिगण व **भृगु-वसिष्ठ** आदि ऋषिगण भी अमैथुनीय सृष्टि के घटक रहे थे, किंतु ब्रह्मा द्वारा संस्कारित होने के कारण जन-समुदाय में इनकी पहचान उस आदि-पुरुष के मानस-पुत्रों के रूप में ही स्थापित हुई। चूँकि अमैथुनीय मानवी उत्पत्ति अंतरिक्ष में संयोगवश घटे एक प्राकृतिक संघात का ही परिणाम रहा था, अतः मानवी प्रजनन को नियमित गति देने के लिए अमैथुनीय स्त्री-पुरुषों को रुद्र द्वारा प्रतिपादित मैथुनीय सिद्धांतों के प्रयोगों द्वारा संतान-उत्पत्ति का बोध कराना ब्रह्मा ने आवश्यक समझा। ब्रह्मा के इस मंतव्य को भाँपते हुए उनके मानस-पुत्रों ने अपनी संबंधित सहगामिनियों से संसर्ग स्थापित करते हुए संतान उत्पन्न करके **मैथुनीय मानव सृष्टि** का अभिनव दृष्टांत प्रस्तुत किया। मानस-पुत्रों के इन प्रयोगों का अनुकरण करते हुए अन्य अमैथुनीय मानवों ने भी मैथुनीय संतानों का प्रजनन करके धीरे-धीरे अपने वंशों का विस्तार करना प्रारंभ कर दिया। इस तरह काल के उस खंड में धरती पर प्रकट हुए सभी वंशकारक अमैथुनीय मानव ही तदनंतर अस्तित्व में आए विभिन्न आदिम-मानव प्रजातियों के **मूल-पूर्वज** या **आद्य-पितर** हुए।

ब्रह्मा के मूल पुरुष के भाव तथा रुद्र द्वारा स्थापित किए गए **'सत्यं शिवं सुन्दरम्'** के अलौकिक दर्शन ने जहाँ इनके शाश्वत स्वरूपों को जन-मानस के अंतस् में आज तक यथावत् सँजोए रखा है, वहीं मानस-पुत्रों तथा उनके उत्तराधिकारियों की शृंखलाएँ भी उनके द्वारा संपादित विशिष्ट कार्य प्रणालियों के माध्यम से बहुत काल तक ऐतिहासिक पटल पर दृश्यमान रही थीं। कालांतर में विकसित हुई नई जातियों के बढ़ते वर्चस्व तथा आद्य व परवर्ती ऋषियों के नामों में आई एकरूपता के कारण हुई अंतर्भुक्तियों ने शनैः-शनैः इन मानस-पुत्रों के वंशक्रम के स्वतंत्र अस्तित्व

को ही निगल लिया। नई उभरी जातियों ने तो अपने से पूर्व की पीढ़ियों को सामूहिक रूप से **पितर-जाति** में परिभाषित करते हुए, उनके विकास-क्रम पर एक तरह से रोक ही लगा दी। उपरांत इन सभी अवरोधों के, सप्तऋषि जैसे आद्य पितरगणों के अलावा **अग्निष्वात्, सौम्य वर्हिषद, आतर्व, अष्टवापित, पंचवार** व **द्यौस** जैसे कुछ मूर्धन्य पितरों की गरिमाएँ परवर्ती जातियों में मात्र बनी ही नहीं रहीं बल्कि येन-केन-प्रकारेण आधुनिक युग में भी उनकी पहचान यथावत् बनी हुई है। भारतीय संस्कारों में **श्राद्ध** आदि कर्म-कांड के माध्यम से जहाँ इन पितरों को नियमित रूप से स्मरण किया जाता है, वहीं पाश्चात्य विश्व के धर्मग्रंथों में भी पितर समान रूप से वंदनीय रहे हैं। ग्रीक धर्मग्रंथ में वर्णित **'जियस पेटर'** या फिर लैटिन साहित्य का **'ज्यू-पिटर'** वस्तुतः भारतीय शास्त्रों में उल्लेखित **'द्यौस-पितर'** का ही अपभ्रंश है। पाश्चात्य परिवेश में मनाए जाने वाले **'फादर्स-डे'** की आधुनिक प्रथा इसी से प्रेरित दिखती है। **महाभारत** के अनुसार **चित्र-शिखंडी** यानी **सप्तऋषि** (आद्य-पितर) सुमेरु पर्वत क्षेत्र में निवास करते थे, यही कारण है कि भौगोलिक स्थिति के प्रभाव-स्वरूप पाश्चात्य साहित्य में भी हमें **'सेविन वाइज मैन ऑफ द वर्ल्ड'** का संदर्भ मिल जाता है, जो संभवतः इन्हीं सप्त ऋषियों (आद्य पितरों) के लिए ही प्रयोग किया गया प्रतीत होता है।

रुद्र के उपरांत अपने संसर्ग में आए **सनक, सनंद, सनातन** व **सनत कुमार** नामधारी अमैथुनीय मानवों को ब्रह्मा ने अध्यात्म के उच्चतम ज्ञान से अवगत कराया था। **भागवत** (3/12/1) के अनुसार भी ब्रह्मा ने सर्वप्रथम **सनकादिक** नामक जिन चार ज्ञानियों को उत्पन्न (शिक्षित) किया था, ब्रह्म-ज्ञान से प्रदीप्त होने पर उन सभी ने निवृत्ति-मार्ग को श्रेयस्कर मानकर **मुनिव्रत** को अपना लिया था (***सनकं च सनंदं च सनातनमथाव्यभूः, सनतकुमारं च मुनीन्निष्क्रियानूर्ध्वरेतसः***)। इस प्रकार ब्रह्मा (आदि-पुरुष) के इन चारों शिष्यों या मानस-पुत्रों के वीतरागी मुनि बन जाने के कारण इनके वंश-इतिहास अथवा शिष्य परंपरा का कोई स्वरूप उभरकर सामने नहीं आ पाया। इनके पश्चात् अपने संपर्क में आए **मरीचि, अत्रि, अंगिरा, पुलस्त्य, पुलह, ऋतु** व **नारद, भृगु, वसिष्ठ, दक्ष** आदि मानस-पुत्रों को ब्रह्मा ने अन्यान्य विषयों में विज्ञ करने के अतिरिक्त सतर्कतावश सांसारिक आवश्यकताओं तथा दायित्व के निर्वहण के प्रति भी सचेत किया। **भागवत** (3/12/21-22) के संदर्भ भी सनकादिकों के पश्चात् ब्रह्मा द्वारा दस मानस पुत्रों की उत्पत्ति का संकेत देते हैं (*अथामिध्यायतः सर्ग दश पुत्राः प्रजज्ञिरे भगवच्छक्तियुक्तस्य लोकसन्तानहेतवः*

मरीचिरत्र्यांगिरसौ पुलस्त्यः पुलहः ऋतुः भृगुर्वसिष्ठो दक्षश्च दशमस्तत्र नारदः)। ब्रह्मा द्वारा दीक्षित इन सभी मानस-पुत्रों (नारद को छोड़कर) ने मानवी उपयोगिता से संबंधित कार्यकलापों में संलग्न रहने के साथ-साथ मैथुनी संतानों की उत्पत्ति करते हुए अपने वंश-वृक्षों का रोपण भी किया। मैथुनी प्रक्रिया द्वारा जनवृद्धि तथा जैविक उपयोगिता संबंधी अपने विशिष्ट योगदानों के कारण इन मानस-पुत्रों तथा इनके उत्तराधिकारियों की नामावलियाँ बहुत काल तक मानवी इतिहास के पटल पर छाई रही थीं। कालगत हुई अंतर्भुक्तियों के उपरांत भी प्राचीन-साहित्यों तथा विविध पुराणों में वर्णित संदर्भों के आधार पर किए गए यथासंभव समन्वयों द्वारा ब्रह्मा के मानस-पुत्रों के वंश-वृत्तांत का स्वरूप निम्न प्रकार से उभरता प्रतीत होता है—

मरीचि—ज्ञात मानवी इतिहास की सबसे बृहद् व लंबी वंश-परंपरा ब्रह्मा के इसी मानस-पुत्र की रही थी। **पूर्णमास, पर्वस, कश्यप** जैसे आदिम वंशधरों के अलावा **देव, दैत्य, दानव, यक्ष, गंधर्व, किन्नर** आदि अति प्राचीन जातियों से लेकर मिस्र के **नृगृटो**, अमेरिका के **इंका** व **मयांस**, पश्चिमी एशिया के **कुर्द, अमरेह, पर्शियन, उज्बेग** व यूरोप के **डच** जैसी आधुनिक जातियाँ एवं भारत के प्रसिद्ध **सूर्य, चंद्र** व **नाग वंश** का मूल स्रोत मरीचि कुल ही रहा था। मरीचि का मूल आश्रम सुमेरु शिखर **(काकेशियन रीजन)** के समीप स्थित उत्तर-मद्र में रहा था। मरीचि कुल में उत्पन्न कश्यप के नाम से ही इस क्षेत्र में स्थित एक सागर का **'कैस्पियन सी'** जैसा नामकरण तथा उपर्युक्त सभी प्राचीन जातियों एवं कालांतर में इनके द्वारा विकसित सुमेरियन, कैल्डियन, वेवोलियन आदि प्राचीन सभ्यताओं का उद्गम स्थल होने के संदर्भ मरीचि के इस आश्रम को काकेशियन रीजन में होने का प्रमाण प्रस्तुत करते हैं। आर्यों के मूल पुरुष का क्षेत्र होने के कारण **उत्तर-मद्र** को भारतीय पुराणों में जहाँ **'आर्यवीर्यान'** कहा गया है, वहीं जेंद अवेस्ता में इसे **'अरियनेम बेजो'** तथा ग्रीक साहित्य में **'एरियाना'** के नाम से संबोधित किया गया है। भाषा में आई विकृति के प्रभाववश ही इस क्षेत्र को अब **'अजरबेजान'** के नाम से जाना जाता है। कदाचित् मरीचि कुल के किसी वंशजों ने

यूरोप के सुदूर पश्चिम में भी अपना आश्रम स्थापित किया होगा। फ्रांस का **'मार्शलीज'** नामक नगर कुछ **'मरिचालयस्'** जैसे शब्द का ही अपभ्रंश प्रतीत होता है। **स्ट्रैवो** नामक प्राचीन ग्रीक लेखक के **'भूगोल'** नामक ग्रंथ में उल्लेखित यह तथ्य कि *'इस नगर में यज्ञ-भूमि होने के खंडहर मिले हैं'* स्वतः ही मार्शलीज या मरिचालयस् की आपसी समानता की पुष्टि करते हैं। फ्रांस के **कैथेड्रल** नामक गिरिजाघर की दीवारों पर निर्मित साधु, संन्यासी, देव, मानव, राक्षस आदि की प्रतिमाएँ तथा पेरिस के **नोत्रदाम** नामक ईसाई मंदिर की दीवारों पर अंकित चौकोण, षट्कोण, अष्टकोण आदि वैदिक पूजन यंत्र व मेषादि बारह राशियों के चिह्न एवं ईसाई पादरियों के पाँव पखारने की प्रथा निश्चित रूप से मरीचि द्वारा स्थापित परंपरा का ही अस्फुट प्रमाण प्रस्तुत करते हैं।

वेदमंत्रों को मानवी भाषा में व्यक्त करनेवाले मंत्रद्रष्टा सप्त महर्षिगणों में मरीचि का प्रमुख स्थान रहा था। दंडनीति के मूल प्रवर्तक होने के नाते मरीचि द्वारा स्थापित गुरुकुल को योग्य प्रजापतियों के सृजन का केंद्र भी माना जाता रहा। मरीचि को संभूति से **पूर्णमास** नामक प्रथम मैथुनी-संतान उत्पन्न करने का श्रेय भी जाता है। पूर्णमास को सरस्वती नामक स्त्री से **विराज** व **पर्वस** नामक दो पुत्र हुए। पर्वस व पर्वसा को एक अति उद्यमी पुत्र उत्पन्न हुआ। जल निकासी के अपने प्रयत्नों द्वारा कश्मीर से पश्चिम में जलमग्न क्षेत्र के मध्य भाग से कच्छप आकार की भूमि को बाहर निकलवाने में सफल होने के कारण यह पुरुष **'कूर्म'** प्रजापति के रूप में प्रसिद्ध हुआ (शतपथ ब्राह्मण-7/5/1/5)। इस पुरुष की पीढ़ियों में **यज्ञवास, स्तंभ, पृथु, यजु, सुधामा, वत्सार, वैराज, विभ्रम, रैम्य, अमित, देवल** व पुनः **मरीचि** नामधारी अति विशिष्ट ख्यातिवाले **मंत्रद्रष्टा ऋषि** व **प्रजापति** हुए। तदंतर इनकी सौ पीढ़ियों में **आश्रायणी, मेष कीरिटकायन, उदग्रज, माठर, मृगय, अभय, कन्यक, कात्यायन, गदायन, भवनंदि, महाचक्रि, दाक्षपायण, कौवेरक, मेषप, वभ्रव, प्राचेय, प्रासेव्य, सासिस, मातंगिन, यामुनि, कौरिष्ट, भोज, गोमयान, देवयान, योधयान, कार्तिवय, हस्तिदान, निकृतज, शक्रयण, पैलमोलि, श्याकर, ज्ञानसंज्ञेय, वैवसप** आदि-आदि ऋषियों की शृंखलाएँ बिना किन्हीं विशेष उपलब्धियों के ही गुजरीं। चूँकि इन पीढ़ियों में उत्पन्न पुरुषों का कोई स्वतंत्र अस्तित्व उभरकर सामने नहीं आ पाया, अतः ये सभी पुरुष अपने व्यक्तिगत नामों के बजाय **'मरीचि-गोत्रीय'** या फिर **'मारीचि'** के नामों से संबोधित होते रहे थे। संभवतः इन्हीं **शत् मरीचियों** में से ही किसी ने फ्रांस में 'मरिचालयस्' नामक आश्रम की स्थापना की होगी। इस

मरीचि-शृंखला के अंतिम पुरुष को **'अरिष्टनेमि'** नामक एक पुत्र हुआ, जो सूर्य के समान तेजस्वी आभामंडल का स्वामी था ***(पुत्रं प्रतिमन्नाम्नाऽरिष्टनेमिः प्रजापतिः पुत्रं मरीचं सूर्याभं वधौ वेशो व्यजीजनत्***-वायु पुराण-65.112)। **कश्य** (मद्य) का सेवन करने के कारण इस प्रतापी पुरुष का नाम **'कश्यप'** पड़ा (***कश्यं मद्यं स्मृतं विप्रैः कश्यपानात्तु कश्यपः***-वायु पुराण-65.116)। कश्मीर का पुरातन नाम **'कश्य-मुर'** संभवतः इसी प्रतिभावान् पुरुष का गृह-प्रदेश होने के कारण ही पड़ा होगा। कालांतर में इसी कश्यप व दक्ष की तेरह कन्याओं से उत्पन्न संतानों द्वारा ही जहाँ देव-दानव-दैत्य-यक्ष-गंधर्व-नाग-गरुड़ आदि जातियाँ अस्तित्व में आईं, वहीं इनके ब्रह्मवादी शिष्यों द्वारा पृथ्वी के जिस उत्तरी क्षेत्र में ऋषि परंपरा को बनाए रखा, उसे ही इन शिष्यों की प्रकृति के अनुरूप **ऋषीय भूमि** या आधुनिक Russian Land या फिर **रशिया** के नाम से चिह्नित किया गया। **'महाभारत'** (उद्योग पर्व- 4/15) में द्रुपद द्वारा पांडवों को प्रस्तावित पश्चिमोत्तर के शक, दरद, पह्लव, काम्बोज सहित **ऋषिकों** के राजाओं आदि से सहयोग की मंत्रणा में व्यवहृत **'ऋषिक'** शब्द का आशय निश्चित रूप से आधुनिक **'रशियनों'** के लिए ही रहा था। ऋषि कश्यप के प्रतीकात्मक कैस्पियन सी, कास्परोव आदि नामों समेत भारतीय **'ग्राम'** के अनुरूप रशियन शब्द **'ग्राद'** अथवा संस्कृत शब्द **'स्नुषा'** (यानी बहू), **'लाया'** (यानी सिंह), **'दूर्व'** (यानी घास) व **'अग्नि'** तथा **'धूम'** (यानी धुआँ) के लिए व्यवहृत क्रमशः **'स्नोखा', 'लियो', 'दूर्भ' 'अग्नि या अगोन'** व **'धूम'** आदि रशियन शब्द तथा **'लिथुआनिया प्रदेश'** की संस्कृतमय भाषा इस क्षेत्र को विशुद्ध रूप से ऋषियों का ही प्रदेश रहने की पुष्टि करते प्रतीत होते हैं। यही नहीं, बल्कि आधुनिक संदर्भ में रशियनों की खगोलीय, जैव, भौतिकी व रासायनिक अनुसंधानों में रत रहने की प्रवृत्तियाँ भी किसी-न-किसी रूप से इनके पूर्ववर्ती रहे ऋषियों के आनुवंशिक शोध-परंपराओं को ही रेखांकित करती हैं। इसी मरीचि-कश्यप वंश में वैवस्वत यम (ईरान के यिमू), वैवस्वत मनु (भारत में आर्यों के मूल पुरुष), शनैश्चर (यूनान के सिन) व नृग (मेसोपोटामिया के नृग्रिटो या अफ्रीका के नीग्रो) हुए, जिनके वंशधर यूनान, मिस्र, पर्शिया (ईरान), मेसोपोटामिया (इराक) व भारत के प्राचीन राजवंशों के संस्थापक पुरुष हुए। यही नहीं बल्कि मरीचि का यह कुल नृग्रिटो, मयांस (मेक्सिको), डच (हॉलैंड) तथा भारतीय नागवंशी (नागा), सोमवंशी व रघुवंशी क्षत्रियों के रूप में आज भी अपनी विरासत को अक्षुण्ण बनाए हुए हैं।

अत्रि—सप्त महर्षियों में अत्रि भी गिने जाते हैं। वेद मे अग्नि, इंद्र, अश्विनी

कुमार व विश्वदेवों की ऋचाएँ अत्रि द्वारा ही सृजित की गई थीं। अत्रि ऋषि ने **'अत्रि-संहिता'** नाम से एक प्रधान स्मृति-ग्रंथ की भी रचना की थी। अत्रि नाम से भृगु ऋषि का एक पौत्र भी हुआ था, लेकिन वे भृगुवंशी रहे थे। अत्रि का अनसूया से **सव्यनेत्र, हव्य, अपोमूर्ति, शनिश्चर** व **सोम** नामक पाँच पुत्र व **श्रुति** नामक एक कन्या हुई। कालांतर में अत्रि-कुल में उत्पन्न **मधु, निश्चल, अग्नि, अर्चिसेन, श्यामवन, निष्ठुर, वल्गतक, पूर्वातिथि, शारायण, उद्दालकि, तैल, नचिकेता, लैद्राणि, सवैलय, जलद** आदि के अलावा अतिलब्ध प्रतिष्ठ **दत्तात्रेय, सोम** (चंद्र) व **दुर्वासा** आदि मूर्धन्य ऋषि भी हुए। दत्तात्रेय का शिष्य प्रसिद्ध सहस्रार्जुन था (***दत्तात्रेय प्रसादेन राजा वाहुसहस्रवान्***-महाभारत, शांति पर्व-48.36), जिसे जामदग्न्य परशुराम ने मारा था। दुर्वासा एक अति क्रोधी ऋषि के रूप में जाने जाते थे। त्रेता युग में दुर्वासा को रोकने में असफल रहने के कारण श्रीराम के अनुज लक्ष्मण को अपने प्राण गँवाने पड़े थे। द्वापर में दुर्वासा के ताप से पांडवों की रक्षा श्रीकृष्ण द्वारा की गई थी। संभवतः यह ऋषि, दुर्वासा के कुल में उत्पन्न कोई परवर्ती पुरुष रहे होंगे, जिनके नामों में एकरूपता रही होगी। अत्रि के कुल में अपाला नामक एक ब्रह्मवादिनी कन्या भी हुई थी। पुराणों में अत्रि के स्थान को ***'परेण हिमवन्तम्'*** कहा गया है, जो अत्रि नदी के तट पर स्थित था। आधुनिक एलवुर्ज पर्वत अंचल में **'आट्रीक'** नामक एक नदी बहती है और इसके तटवर्ती क्षेत्र में **'एट्रोपेटन'** नामक एक स्थान है जहाँ के निवासियों को **'एट्रीयस'** कहा जाता है। संभवतः मनुकालीन जलप्लावन की प्रलयंकारी आपदा से बचने के लिए एलवुर्ज पर्वत शिखर पर आश्रय लेनेवाले अत्रिकुलीन उत्तरजीवियों द्वारा अनुकूल परिस्थिति के निर्माण होने पर नीचे आकर इस क्षेत्र विशेष में विस्थापित होने के कारण ही इसे **'अत्रिपत्तन'** कहा गया होगा एवं तदंतर भाषा संबंधी अपभ्रंशों के कारण ही **अत्रिपत्तन** को **'ऐट्रोपेटन'**, **अत्रि नदी** को **'आट्रिक रिवर'** तथा **अत्रि गोत्रीय** को **'एट्रीयस'** आदि के दोषपूर्ण उच्चारणों से संबोधित किया जाने लगा होगा। **'एंसाइक्लोपीडिया ब्रिटानिका'** (खंड-8) के अनुसार ईसा पूर्व के कालखंडों में **'इटली'** में **'एट्रुस्कन'** (Etruscan) नामक सभ्यता रही थी और यहाँ के बड़े भू-भाग को इसी सभ्यता के कारण **'एट्रुरिया'** (Eturia) के नाम से जाना जाता था। वस्तुतः 'एट्रुस्कन' समुदाय अत्रिगोत्रीय होने के कारण पूर्वकाल में **'अत्रिरीय'** ही कहलाते रहे होंगे। संभवतः भाषाई अपभ्रंश के कारण ही इन्हीं के अनुरूप इस क्षेत्र का नाम **'एट्रुरिया'** तथा **'अत्रिस्कंध'** में रहने के परिणामस्वरूप यहाँ के निवासियों को **'एट्रुस्कन'** कहा जाने लगा होगा। एट्रुस्कन

भाषा में देवता के लिए **'ईश'**, माता के लिए **'अति'**, पत्नी के लिए **'पिया'**, परिधान के लिए **'वस्त्रि'**, पवित्र गीतों के लिए **'साम'**, धर्मगुरु के लिए **'पापह'** व प्रवचनों के लिए **'चर्चह'** शब्द का प्रयोग किया जाता रहा था, जो क्रमशः भारतीय 'ईश्वर', देवमाता 'अदिति' या दैत्यमाता 'दिति' के समानार्थी उद्बोधन तथा 'प्रिया', 'वस्त्र', 'सामवेद', 'पापहंता' व 'चर्चा' जैसे भारतीय शब्दों के ही अपभ्रंश प्रतीत होते हैं। इतालवी विद्वानों की भी यही मान्यता है कि **'एट्रुस्कन लोग'** पूर्व की दिशा से आए थे और ईसा से दो शताब्दी पूर्व के आस-पास इटली को छोड़कर पुनः कहीं अन्यत्र चले गए थे। रोमन सम्राट् **कॉन्स्टेंटाइन** (Constantine) के नेतृत्व में जब यहाँ के लोगों ने ईसाई धर्म को स्वीकार किया होगा तब ईसाई पादरियों द्वारा किए गए दुर्व्यवहारों से त्रस्त होकर इनमें से कुछ लोगों ने यहाँ से पलायन किया होगा। पुरातन धर्म से संबंधित सभी साक्ष्यों के नष्ट किए जाने के कारण ईसाइयों द्वारा इनके स्रोत के सभी तथ्य भी तदनुसार विलुप्त हो गए होंगे। ईसाई गिरिजाघर के लिए प्रयुक्त 'चर्च' तथा धर्मगुरु के लिए प्रयुक्त 'पोप' की व्युत्पत्ति भी संभवतः एट्रुस्कन शब्द 'चर्चह' व 'पापह' से ही हुई होगी, जो वस्तुतः संस्कृत शब्दों के ही अपभ्रंश रहे हैं। रोम के **'व्हैटिकन शहर'** (Vatican City) में स्थित एट्रुस्कन संग्रहालय (Etruscan Museum) में रखा हुआ 'शिवलिंग', जिसे वहाँ के लोग अब 'उल्का प्रस्तर' कहकर संबोधित करते हैं तथा रामायण के प्रसंगों से संबंधित **'एट्रुस्कन चित्रावलियाँ'** (Etruscan Paintings) निर्विवाद रूप से यहाँ के मूल निवासियों का भारत अथवा महर्षि अत्रि से रहे संबंधों की ही पुष्टि करते प्रतीत होते हैं। यही नहीं बल्कि **अत्रिस्थली** या **इटली** के पूर्वी छोर में स्थित Atriatic Sea (अट्रियाई सागर) व पार्श्व में स्थित 'अत्रिस्य प्रदेश' का **'अस्ट्रिया'** नाम से किया जानेवाला वर्तमान उच्चारण तथा यहाँ की प्राचीन सभ्यताओं के कुछ अस्फुट तथ्य भी इस संपूर्ण क्षेत्र को **'महर्षि अत्रि'** के अनुयायियों द्वारा विकसित किए गए जनस्थान के रूप में ही रेखांकित करते दिखते हैं। रामायण में अत्रि के आश्रम को **जन-स्थान** में बताया गया है; कदाचित् अत्रि-गोत्रीय किसी परवर्ती ऋषि ने यूरोप स्थित इस आश्रम की स्थापना की होगी। इस प्रकार महर्षि अत्रि के कुल-गोत्र से संबंधित भारतीय वंशधरों के अतिरिक्त इनकी पाश्चात्य शाखा से प्रसूत हुए **एट्रीयस जाति** के रूप में इनका नूतन संस्करण कश्यप सागर के समीपवर्ती क्षेत्र में आज भी अस्तित्व में विद्यमान है।

अंगिरा—यह भी सप्त महर्षियों में से एक थे। वेद की पैंतीस प्रत्यंगिरस

ऋचाएँ इन्हीं के द्वारा सृजित हुई थीं। अंगिरा को स्मृति से **भरताग्नि** व **कीर्तिमान्** नामक दो पुत्र हुए। कीर्तिमान् को धेनुका से **वरिष्ठ** और उनके **हविध्मान्** हुए। हविध्मान् के **धृतिमान**, धृतिमान के **ऋषभ** और ऋषभ के **हिरण्यरोमा** हुआ। इसके पश्चात् **बृहस्कीर्ति**, बृहस्कीर्ति के **बृहत्ज्योति** तथा उसके **बृहटब्रह्मा** नामक पुत्र हुआ। बृहटब्रह्मा का **बृहन्मना**, बृहन्मना का **बृहमंत्र** व इसका पुत्र **बृहदभाष** हुआ। **उतथ्य, गौतम, तौलय, क्षीर, आरुणायनि, कोशल्य, रेवाग्नि, मूलप, अग्निवेश्य, कांडवायन, गार्ग्य, गालविद्, पतंजलि** के क्रम से इनके वंशजों में अनेक गोत्र-कर्मा ऋषि हुए।

ब्रह्मा के इस मानस-पुत्र के अलावा **आदित्य वरुण** को भी **अंगिरा** नामक एक पुत्र हुआ था और इसका पुत्र प्रसिद्ध **देव-याजक बृहस्पति** हुआ (***बृहस्पतिर्वा आंगिरासो देवानां पुरोहित आसीद्***)। मूल बृहस्पति के वंशजों ने **सौवेष्ठ्य, वालिशायनि, चैकेपी, वाराहि, वाष्कलि, सौटि, प्रावहि, आश्वालायनि, उडुपति, कौचकि, धर्मित, सोमतन्वि, ब्रह्मतन्वि, सालडि, बालडि, देवस्थानि व प्रातेणि** आदि मूर्धन्य ऋषि हुए थे। किंतु देव-युग तक देव-गुरु के पद पर इसी वंश के पुरुषों का आधिपत्य रहने के कारण बृहस्पति के नाम से ही ये सभी ऋषिगण संबोधित होते रहे थे। इस प्रकार बृहस्पति का व्यक्तित्व एक दीर्घजीवी पुरुष के रूप में उभरकर सामने आया। अंतिम देव-गुरु बृहस्पति का पुत्र **भरद्वाज** हुआ, जिसका आश्रम आज भी संगम (प्रयागराज) के तट पर स्थित है। त्रेता युग में राम व भरत इन्हीं के आश्रम में आकर ठहरे थे। द्वापर में भरद्वाज के वंश में **आचार्य द्रोण** हुए, जो **'भारद्वाज'** के नाम से भी विख्यात हुए। भारद्वाज गोत्रीय ब्राह्मण के रूप में अंगिरा के वंशधर आज भी विद्यमान हैं। चाक्षुष मनु के पुत्र ऊरू के भी अंगिरा नामक एक पुत्र हुआ था, जिसका पुत्र प्रसिद्ध आयुर्वेदाचार्य च्यवन हुआ। अफ्रीका के धर्मग्रंथों में **ऊरोंगोरा** के विजय अभियानों की गाथाएँ प्रचुरता से पाई जाती हैं। संभवतः ऊरू-गोत्री अंगिरा ही अफ्रीका के **अंगोरा-पिक्यूना** के निर्माता रहे थे। इसी तरह ग्रीक की **'आर्गिनोरिस'** जातियाँ भी किंचित् अंगिरस गोत्रियों से ही संबंधित रही थीं।

पुलत्स्य—ब्रह्मा के यह मानस-पुत्र भी सप्त महर्षियों में से एक तथा पुलत्स्य वेद के मंत्रद्रष्टा ऋषि रहे थे। पुलत्स्य का भूति से **दत्तालि** नामक पुत्र हुआ। दत्तालि का **देववाहू** तथा उसका **विनीत** हुआ। विनीत का पुत्र **चैत्र**, चैत्र का **वेदवाहू** और उसका **अतिमान** नामक पुत्र हुआ। अतिमान का पुत्र भी **पुलत्स्य** ही कहलाया। दैत्य सम्राट् वाण के आग्रह पर अतिमान पुत्र **पुलत्स्य** उनके याजक बनकर आधुनिक **जॉर्डन** (जो कि जनार्दन का ही अपभ्रंश है) के पास आश्रम बनाकर रहने लगे थे।

इस पुलत्स्य का मनुपुत्र नरिष्यंति के पुत्र तृणबिंदु की कन्या ईलविला से **निदाध** नामक एक पुत्र हुआ। निदाध को तत्त्वज्ञान की शिक्षा ब्रह्मा के पुत्र **ऋभु** से प्राप्त हुई थी। पौलत्स्य निदाध को हविर्भू से **विश्रवा** नामक पुत्र हुआ। विश्रवा को भरद्वाज पुत्री देववर्णिनी से **कुबेर** नामक एक पुत्र उत्पन्न हुआ, जो कालांतर में यक्ष तथा गंधर्वों का संयुक्त राजा तथा शंकरजी का प्रिय पात्र बना। विश्रवा अपने पिता निदाध के नाना तृणबिंदु, जो **अस्त्रालय** (ऑस्ट्रेलिया) के राजा थे, के राज्य में आश्रम स्थापित करके रहने लगे। यहीं पर दैत्य सेनापति सुमाली की पुत्री कैकसी से विश्रवा को सप्ताधिपति लंकेश्वर **रावण**, महाबली **कुंभकरण** व **विभीषण** नामक तीन पुत्र तथा **वज्रमणि** (सूर्पणखा) नामक पुत्री हुई। सूर्पणखा का विवाह **विद्युज्जिह** नामक दानव से हुआ था। सेनापति सुमाली की भतीजियों (पुष्पोत्कंटा व बाका) से विश्रवा को **प्रहस्त, खर, दूषण, त्रिशरा** व **महोदर** आदि विकट योद्धा पुत्रों की प्राप्ति हुई। रावण को मय दानव-पुत्री मंदोदरी से अति प्रतापी पुत्र **मेघनाद** हुआ, जो इंद्र को परास्त करके **'इंद्रजीत'** के नाम से विख्यात हुआ। पौलत्स्य-रावण भी अपने अग्रज कुबेर की ही भाँति शंकरजी का प्रिय पात्र रहा था। इस प्रकार राम द्वारा कुटुंब सहित रावण-वध के पश्चात् दक्षिण के सुदूर द्वीपों में शेष बचे इनके कुछ वंशधर पश्चिम के द्वीपों की ओर पलायन कर गए। कालांतर में उपकृत राक्षसराज विभीषण द्वारा कुश द्वीप (अफ्रीका) का स्वामित्व श्रीराम के ज्येष्ठ पुत्र कुश को सौंपने पर पुलत्स्य गोत्रीय यहाँ के राक्षसगण उत्तरी दिशा में स्थित भूमध्यसागरीय अंचलों में छिपे तौर पर जीवन यापन करने लगे होंगे। मूसा के नेतृत्व में मिस्र से कैनान की ओर निकले यहूदियों के दल का गंतव्य तक पहुँचने से पूर्व ही, संभवतः ई.पू. 1220 के आस-पास, गाजा व जाफा के मध्य स्थित इजराइल के तटीय भाग को भूमध्य सागरीय जिस लड़ाकू जाति ने अपने अधिकार में कर लिया था, उसका सूत्र भी इन पुलत्स्य गोत्री राक्षसों से ही जुड़ा रहा होगा। मिस्र के इतिहास में इस भूमध्य सागरीय जाति को **'पुलेसाती'** (Pulesati) तथा यूनानी इतिहास में इन्हें **'पिलेसगियंस'** कहकर संबोधित किया गया है। वस्तुतः यह जाति अपने आपको **'पुलस्तिन'** कहकर ही चिह्नित करती थी। इस तरह कालक्रम में हुए उच्चारणगत बदलावों के कारण इन्हें **'पैलेस्टीनियन'** तथा इनके क्षेत्र को **'पैलेस्टाइन'** कहकर पुकारा जाने लगा। इस तरह पुलेसाती-पिलेसगियंस-पुलस्तिन-फिलीस्तीनी आदि क्रम से बदलती उपर्युक्त संज्ञाएँ पौलत्स्य रावण के शेष बचे वंशधरों के ही आधुनिक उत्तराधिकारिओं के लिए प्रयुक्त हुई प्रतीत होती हैं। इस प्रकार विभीषण व कुबेर के कुल-स्वजनों का

आर्योत्तर जातियों में हुई अंतर्भुक्तियों के उपरांत भी पेलेस्टीनियन के रूप में ऋषि पुलत्स्य के वंशधर पश्चिम एशिया में आज भी विद्यमान हैं।

पुलह—सप्त महर्षियों में स्थान रखनेवाले पुलह ने वेद में रुद्र स्तुति संबंधित ऋचाओं का निर्माण किया था। इनके कुल के पुरुष शिवभक्त हुए तथा काशी में पुलहेश्वर नामक शिवलिंग की स्थापना की। पुलह को संभूति से **कर्दम** नामक पुत्र हुआ। कर्दम को श्रुति से **शंखपाद** तथा इसे **धावान्** नामक पुत्र हुआ। धावान् को **बनपीठ** तथा बनपीठ को **पर्जन्य** हुआ। पर्जन्य को **सहिष्णु** तथा उसे **सुमध्मना** नामक स्त्री से **कामदेव** नामधारी पुत्र हुआ। कामदेव को **शरभ**, शरभ को **सिंह**, सिंह को **किंपुरुष** तथा इसे **व्याघ्रऋक्ष** नामक पुत्र हुआ। पुलह के वंशजों से ही अक्षपाद गौतम को तत्त्वज्ञान की शिक्षा मिली थी। इन्हीं वंशजों में से किसी पुलह-गोत्रीय ने अगस्त्य ऋषि के पुत्र **दृढास्य** को गोद ले लिया था और तदंतर इसके वंशज भी अपने को पुलह-गोत्रीय मानने लगे थे। यही कारण है कि अगस्त्य व पुलह-गोत्रियों में आपसी विवाह वर्जित रहा है। यूनान के प्राचीन ग्रंथों में उनके मूल पुरुष के रूप में किसी **'पुलिह'** नामधारी संत का संदर्भ मिलता है। पुलिह व पुलह के इस उच्चारणगत भेद का आधार भाषाई अंतर के कारण भी हो सकता है। संभवतः रुद्र भक्त रहे इस 'पुलिह' के प्रभाववश ही प्राचीन यूनान में **'फल्लुस'** नामधारी लिंगनुमा पत्थर की पूजा-अर्चना की जाती रही थी। शिवलिंग के अतिरिक्त यूनान के **'कॉरिंथ'** नगर का प्राचीन पार्वती मंदिर इसके प्रमाणस्वरूप आज भी अस्तित्व में बना हुआ है। किंचित् यही सब कारण रहे थे कि शिव के अर्धनारीश्वर भाव के ही अनुरूप यूनान में **अपोलो** व **डायना** को नर-नारी का उभय प्रतिनिधि या आदर्श माना जाता रहा है। यही नहीं बल्कि शिव की ही भाँति यूनान के अपोलो मंदिरों में जीवित सर्प भी पाले जाते रहे थे, जिन्हें प्रथा के अनुसार स्त्रियाँ निर्वस्त्र होकर भोजन कराती थीं।

क्रतु—ब्रह्मा का यह मानस-पुत्र सप्त महर्षियों में गिना जाता है। इनकी सहधर्मिणी का नाम **'क्षमा'** था। इनके वंश वृत्तांत में साठ हजार बालखिल्य वंशधरों का संदर्भ मिलता है। इन वंशधरों में **पारावत, धैवशस्यस, वामन्य, गोप, देवायत, देव, यज, दुरोण, आप, महौजा, चिकित्वान, निभृत** व **अंश** प्रमुख रहे थे। इनके वंशजों में से किसी ने वैनतयों का याजक बनना स्वीकार करके **तुर्किस्तान** के **गरडेशिया** (गरुड़ों के राज्य) में अपना आश्रम स्थापित किया था। इन्हीं के वंशजों की कोई शाखा किंचित् चीन में भी जाकर बसी होगी, कारण चीन की प्राचीन

'किलितो' जाति व इसका भारतीय उच्चारण **'किरात'** का स्रोत शब्द **'क्रीत'** ही रहा था। क्रीत व क्रतु की आपसी समानता इस प्रकार की संभावनाओं की पुष्टि करते प्रतीत होते हैं। भारतीय शास्त्रों में भी इस बात के प्रमाण उपलब्ध हैं कि क्रतु गोत्रीय किसी ऋषि ने अगस्त्य पुत्र **इध्मवाह** को गोद लिया था (मत्स्य पुराण-202/8)। यह सर्वविदित है कि स्याम द्वीप के अपने प्रवास के उपरांत ऋषि अगस्त्य ने चीन प्रांत में भी भ्रमण किया था। संभवतः चीन-यात्रा के दौरान ही क्रतु गोत्रीय ऋषि से उनका संपर्क हुआ होगा और ऋषि की याचना पर अगस्त्य ने अपना पुत्र उन्हें सौंप दिया होगा। क्रतु के इसी दत्तक-पुत्र के उत्तराधिकारी ही कालांतर में **किलितो** के नाम से प्रसिद्ध हुए होंगे।

वसिष्ठ—ब्रह्मा के इस मानस-पुत्र का भी स्थान सप्त महर्षियों में ही रहा था। वसिष्ठ को ऊर्जा से **रज**, रज को **गोत्र**, गोत्र को **उर्ध्ववाहू** तथा उसे **सवन** नामक पुत्र हुआ। सवन को **अनंघ**, अनंघ को **सुतावा** तथा सुतावा को **शुक्र** नामक पुत्र हुआ। शुक्र को **विरज** नामक एक प्रतापी पुत्र हुआ। ब्रह्मा के मानस-पुत्र वसिष्ठ ने **इलावर्त** (पर्शिया) में सर्वप्रथम अग्निहोत्र की स्थापना तथा सूर्य-पूजन की विधि विकसित की थी। पारसियों में आज भी अग्नि-पूजा का विशेष महत्त्व है। कालांतर में नारद के बढ़ते वर्चस्व के कारण वसिष्ठ के उत्तराधिकारी **शाक-द्वीप** (अरब) में आश्रम बनाकर रहने लगे और यहीं **गाद** में सूर्य मंदिर की स्थापना भी की। जेंद अवेस्ता में **मिथ्र** (सूर्य के लिए वैदिक ग्रंथों में प्रयुक्त शब्द **'मित्र'** का अपभ्रंश) की उपासना करनेवालों को **मग** या **मगी** कहा गया है। वसिष्ठ द्वारा प्रचलित यज्ञ विधि के कारण मिस्र के ग्रंथों में अरब का संदर्भ सुगंधित वातावरणवाले देश के रूप में भी उल्लेखित हुआ है। प्रसिद्ध अंग्रेज कवि **मिल्टन** ने भी अपनी कविताओं में अरब के बयार से सागर के सुगंधित बने रहने का वर्णन किया है। संस्कृत में **'मखः'** का अभिप्राय 'यज्ञ' तथा **'मेदिनी'** का अर्थ 'पृथ्वी की नाभि' से संबंधित है। संभवतः यज्ञों की इस बाहुल्यता के कारण 'अर्वस्थान' (अरब) के इस क्षेत्र विशेष को तात्कालिक युग में **'मख-मेदिनी'** के नाम से ही चिह्नित किया जाता रहा होगा और इसलामिक काल में हुए भाषाई बदलावों के कारण इसी उच्चारण के अनुरूप यहाँ के धार्मिक वैशिष्ट्यवाले दो नगरों को **'मक्का'** व **'मदीना'** के नाम से पुकारा जाने लगा होगा। उपर्युक्त दृष्टांतों के परिप्रेक्ष्य में प्राचीन अरब की **मग, मिहिर** व **मूक** आदि जातियाँ इन वसिष्ठ गोत्रियों के ही वंशधर रही प्रतीत होती हैं। अरब के **महरा, मक्का, मोखा, मकरनियत** व **मैरवा** आदि स्थान इन्हीं जातियों के द्वारा ही बसाए

गए थे। संयोग से शाक द्वीप में भी वासिष्ठों की प्रतिद्वंद्विता दैत्यगुरु काव्य उशना से हो गई। दैत्यराज गुरु से टकराने की अपेक्षा वसिष्ठ गोत्रियों को शाक द्वीप छोड़ना अधिक श्रेयस्कर प्रतीत हुआ। तत्पश्चात् अस्तित्व में रहे वासिष्ठ ने भारतवर्ष के सरस्वती व दृषद्वती नदी के मध्य क्षेत्र (**सरहिंद**) में अपना आश्रम स्थापित करके सूर्य उपासना के साथ-साथ गुरुकुल परंपरा का भी सूत्रपात किया। वासिष्ठियों द्वारा स्थापित यहाँ का जगत् विख्यात सूर्य मंदिर **महमूद गजनवी** के अंतिम आक्रमण तक अस्तित्व में बना रहा था। भरतखंड में वसिष्ठ के वंशजों की ख्याति मग या शाक-द्वीपीय ब्राह्मणों के रूप में प्रतिष्ठित हुई। किंचित् इसी क्षेत्र में रहते हुए ही वासिष्ठियों ने वेद की ऋचाओं को सृजित करना प्रारंभ किया था, उनकी ऋचाओं में उल्लेखित सरस्वती नदी का संदर्भ भी इस तथ्य को प्रमाणित करता है।

ब्रह्मा के इस मानस-पुत्र (अमैथुनीय मानव) के अलावा भारतीय शास्त्रों में एक और वसिष्ठ का भी संदर्भ मिलता है। **सुषानगरी** (एलम के सूशन नगर) के सम्राट् **वरुण** व उनके अनुज **मित्र** की संयुक्त सेवा में अभिसार निमग्न रही अप्सरा **उर्वशी** को असावधानीवश एक बार गर्भ ठहर गया। देव समाज में गर्भ धारण को चूँकि एक अपराध माना जाता रहा था, अतः दंडस्वरूप गर्भिणी उर्वशी को अप्सरा के स्वाभाविक दायित्वों से मुक्त करते हुए देवलोक से निर्वासित कर दिया गया। मान-अपमान के इस उपालंभ से अपने को बचाए रखने के उद्यम में उर्वशी ने प्रसव के लिए एकांत स्थान की तलाश में दासियों समेत सप्तसिंधु प्रदेश के सरस्वती तट के एक निर्जन क्षेत्र में अपना बसेरा किया। नियत समय पर **उर** (मेसोपोटामिया) की इस सद्यः किशोरी बाला ने दो मैथुनीय पुत्रों को जन्म दिया। सामाजिक लांछन तथा निर्वासन की पीड़ा झेल रही उर्वशी ने गर्भ-निवृत्ति के पश्चात् अविलंब इन नवजात शिशुओं को घड़े में रखकर सरस्वती नदी में प्रवाहित कर दिया और स्वयं दासियों सहित देवलोक को प्रस्थान कर गई। ब्रह्म-मुहूर्त में सरस्वती में स्नान कर रहे **कुंडी** ऋषि को घड़े में बहते ये दोनों बालक प्राप्त हुए। नालछेदन (मेघाजनन या जातक) संस्कारविहीन इन बालक द्वय को तदनुसार घड़े में ही जनमा मानकर **'कलशजा', 'कुंभयोनि', 'कुंभसंभव'** व **'घटोद्भव'** आदि विशेषणों से संयुक्त कर दिया गया। जन्म संबंधी परिस्थितियों से अवगत होने के उपरांत भी वास्तविक पिता की संदिग्धता के कारण इन बालकों को **'मैत्रावारुण'** या फिर **'और्वस्य'** के नामों से भी संबोधित किया जाने लगा। आश्रम के परिवेश में संस्कारित ये बालक ही कालांतर में **'अगस्त्य'** व **'वसिष्ठ'** के नाम से प्रख्यात ऋषि हुए। रुद्र (महादेव) द्वारा दीक्षित

होकर अगस्त्य ने जहाँ दक्षिण भारत को अपनी कर्मभूमि बनाया, वहीं गुरुकुल व्यवस्था से प्रभावित होकर वसिष्ठ ने उत्तर भारत के परिवेश को अपनी रुचि के अनुकूल पाया।

विंध्याचल को पार कर दक्षिणांचल में प्रविष्ट हुए अगस्त्य की पहली मुठभेड़ दंडकारण्य के असुर अधिपति **सुंद** से हुई। पाँच फीट से भी कम कद, किंतु बलिष्ठ काठी के अगस्त्य एक प्रखर ऋषि होने के साथ-साथ कुशल योद्धा तथा प्रसिद्ध धनुर्धारी भी थे। सुंद-वध के पश्चात् उसकी पत्नी **ताड़का** व पुत्र **मारीच** से भी अगस्त्य को जूझना पड़ा था। इस अंचल से इन्हें विधिवत् खदेड़ने के पश्चात् अगस्त्य ने अपना आश्रम दंडकारण्य वन के उत्तरी सीमा पर स्थित प्राचीन **पंचवटी** (नासिक से कुछ मील उत्तर) में स्थापित किया ***(एषा गोदावरी रम्या प्रसन्न सलिला शुभा अगस्त्यऽश्चैव दृश्यते कदलीवृतः***-व.रा.-युद्धकांड-123वाँ सर्ग, श्लोक-46)। दस्यु उन्मूलन के अपने दायित्व से मुक्त होने के पश्चात् अगस्त्य ने विदर्भ राजकुमारी **लोपमुद्रा** से विवाह कर एक अति प्रतिभावान् पुत्र को उत्पन्न किया। कालांतर में **वातापि** व **इलबिल** नामक दुर्दांत असुरों का विनाश करके अगस्त्य ने कृष्णा की सहायक नदी मलप्रभा के तट पर स्थित **'वातापिपुर'** (कर्नाटक के बीजापुर जनपद के बदामी से तीन मील पूरब), जो कि **दक्षिणकाशी** या **मालकुट** के नाम से भी विख्यात है, में अपना दूसरा आश्रम स्थापित किया। यहाँ आकर अगस्त्य को दस्युओं के आतंक से पीड़ित जनता के आर्तनाद ने झकझोरकर रख दिया। समुद्री टापुओं में रहनेवाले दस्युओं के आतंक व लूटमार से **जनस्थान** के निवासियों की रक्षा के लिए अगस्त्य ने एक योजनाबद्ध अभियान की रूपरेखा तैयार की। सामरिक पोत निर्माण करके उन्होंने दस्युओं को उन्हीं के टापुओं (निवास स्थान) पर धर दबोचा। उनके द्वारा निर्मित पोतों के माध्यम से अगम व अथाह जलराशि में भूमि जैसा ही प्रदर्शित युद्ध-कौशल से चमत्कृत लोगों ने अगस्त्य की महिमा को **'समुद्र को पी जानेवाला'** कहकर विश्लेषित करना प्रारंभ कर दिया। इस प्रकार गोदावरी से लेकर कृष्णा नदी के मध्य के क्षेत्र को **दस्यु** (असुर) विहीन करते हुए अगस्त्य ने दक्षिण में प्रविष्ट होने का एक निष्कंटक मार्ग प्रशस्त किया। यही कारण है कि अगस्त्य के पंचवटी आश्रम से वातापिपुर आश्रम तक के क्षेत्र को **'दक्षिणापथ'** के नाम से जाना जाता रहा है। **वाल्मीकि रामायण** (अरण्यकांड-एकादश सर्ग) के संदर्भ ***'दक्षिणेन महाञ्छ्रीमानगस्त्यभ्रातुराश्रमः'*** के अनुसार अगस्त्य के आश्रम से पूर्व उनके भाई का आश्रम पड़ता था, जबकि अगस्त्य व वसिष्ठ दोनों ही उर्वशी के

गर्भ से घड़े में निरूपित होकर जनमे थे। वाल्मीकि रामायण का यह संदर्भ संकेत देता है कि मूल अगस्त्य के अतिरिक्त और भी कई अगस्त्य हुए होंगे और उन्हीं में से किन्हीं अगस्त्य नामधारी, इस कुल के किसी परवर्ती ऋषि से वनवासी हुए **दाशरथी राम** की भेंट उनके पंचवटी स्थित आश्रम पर हुई थी, जिसके भाई के आश्रम का वर्णन वाल्मीकि रामायण में हुआ है। रावण वध के उपरांत **सप्तद्वीपों** की सांस्कृतिक विरासतों को अक्षुण्ण बनाए रखने के उद्देश्य से अगस्त्य ने सुदूर दक्षिण को अपना केंद्र बनाते हुए सप्तद्वीपों का भ्रमण करना प्रारंभ कर दिया। इस प्रकार दक्षिणांचल के अपने तीसरे व अंतिम पड़ाव पर अगस्त्य ने अपना आश्रम नीलगिरि व अन्नामलाई पहाड़ियों के दक्षिण कार्डमम उपत्यका में बगाई नदी के तट पर स्थित **'पोथिगाई'** (चेन्नई के तिरुनेलवेली जनपद) में स्थापित किया। सुदूर दक्षिण के अपने इस आश्रम में रहते हुए अगस्त्य ने औषधि, वनस्पति, योग, दर्शन, ज्योतिष, पोत शास्त्र व धार्मिक कर्मकांडों के साथ-साथ इस क्षेत्र विशेष के लिए **तमिल** भाषा व व्याकरण की रचना भी की थी। **वित्य वाग्दम अयरित अन्युरु, तुनमुंद्री-वाग्दम, कंड-पुरानुम, पुषावेदी, दीक्षावेदी, पेरुनुल, पूर्णनूल, पूर्णशूश्तु, कूर्मकंडम, अगस्तैर वैदम, अगस्तैर-नाडी, अगस्तैर-वैद्यक, मुनुरु, मुपु** आदि अगस्त्य रचित विविध विषयक तमिल ग्रंथ इसके प्रमाण हैं। मदुरै के पांडियन वंश के मूल संस्थापक **कुलशेखर** के सहयोग से अगस्त्य ने **'द्रविड़'** (द्र=द्रष्टा, विद्=ज्ञानी) नाम से चिह्नित की गई उत्तर-दक्षिण की मिश्रित संस्कृति तथा इस प्रयोजन के लिए विकसित की गई **'तमिल'** भाषा के व्यवस्थित विकास के लिए **'संगम'** नामक एक साहित्यिक पीठ की स्थापना भी की थी, जिसे **थिरुवल्लूर** नामक इनके एक शिष्य ने आगे चलकर काफी विकसित किया। भाषाविद् भी यह मानते हैं कि तमिल भाषा के विकास में **'संगमकाल'** का विशेष योगदान रहा था। उनके अनुसार प्रथम व द्वितीय संगमकाल अब्राहम से पूर्व का रहा था जबकि तृतीय संगमकाल की समय सीमा पहली से लेकर तीसरी शताब्दी तक रही थी।

सुदूर दक्षिण भारत को अपनी विचारधारा से आप्त करने के पश्चात् सप्तद्वीपों की अपनी यात्रा पर निकले अगस्त्य **मलय द्वीप** (मलेशिया), **सुवर्ण द्वीप** (सुमात्रा), **यव द्वीप** (जावा), **बहरीण द्वीप** (बोर्नियो), **वाराह द्वीप** (न्यू गिनी व पापूआ) व **कलिंग द्वीप** (फिलिपींस) का क्रमशः भ्रमण करते हुए **स्याम द्वीप** (थाईलैंड) तक पहुँचे थे। आज भी इन देशों की संस्कृति के विकास में ऋषि अगस्त्य के योगदान को किसी-न-किसी रूप में याद किया जाता है। जावा के **प्रांबानान** व **स्दाक-काक-थॉम**

शहरों, चंपादेश (वियतनाम) के **ट्राक्य, मिसोन, यानमुम, ड्रानलाय** व **डांगफुक** नगरों तथा स्याम देश के **सीसफॉन** (आधुनिक बैंकॉक) में स्थित शिव लिंगों का संबंध **बट्टार शिवे** (अगस्त्य का ही एक नाम) नामक एक अति प्राचीन संत से रहा था। जावा में **'अगस्त्य पर्व'** नामक एक प्राचीन ग्रंथ है, जिसमें अगस्त्य ऋषि के पुत्र **'द्रघस्यु'** उनसे सृष्टि उत्पत्ति के रहस्य के विषय में प्रश्न करता है। कलिंग द्वीप में अपने मत के प्रचार-प्रसार का कार्य अगस्त्य ने अपने जिस शिष्य को सौंपा था, वही कालांतर में यहाँ का **'कलांगी नाथर'** नामक प्राचीन सिद्ध के रूप में विख्यात हुआ। अगस्त्य के उपदेशों का प्रचार करता हुआ कलांगी नाथर चीन प्रांत में पहुँचा और दीर्घकाल तक यहाँ रहने के पश्चात् यहीं पर इसने समाधि ले ली। गुरु के समाधिस्थ हो जाने के उपरांत तमिलनाडु निवासी इसके शिष्य-परंपरा के सिद्ध रहे **'बोगनाथर'** ने अगस्त्य उपदेशों का प्रचार-प्रसार करते हुए सहस्रों चीनी शिष्य व अनुयायी बनाए। क्रियायोग की कुंडलिनी (सर्प के बैठने की एक मुद्रा) विद्या में पारंगत रहे इन सिद्धों के कारण ही आज भी चीन को **'ड्रैगनों'** के देश के रूप में पहचाना जाता है। कायाकल्प विद्या द्वारा जीवन के अंतिम क्षणों में यह दीर्घजीवी सिद्ध मृत्यु-शय्या पर आखिरी साँस ले रहे **बो-यांग** नामक एक तरुण चीनी के शरीर में प्रविष्ट कर गया। इसी बो-यांग द्वारा विकसित शिष्य परंपरा में **'लाओत्जु'** नाम का एक प्रख्यात सिद्ध हुआ, जो **लाओत्से** (Lao-Tse) के नाम से भी प्रसिद्ध रहा था। इसी लाओत्जु ने पाँचवीं शताब्दी ईसा पूर्व में चीन के प्रसिद्ध विचारक **कन्फ्यूसियस** को दीक्षा दी। **ताओज्मि** के इस प्रस्तोता ने **'ताओ चिंग'** व **'ते चिंग'** नामक दो ग्रंथों की रचना भी की थी। ईसा पूर्व चौथी शताब्दी में यह अपने शिष्य **'यू'** (जिसका भारतीय नाम **पुलिपानी** रखा गया था) व अन्य अनुयायियों के साथ भू-मार्ग से चीन का क्षेत्र छोड़कर तिब्बत में आकर बस गया। संभवतः तिब्बती लामा इसी के अनुयायियों के वंशज रहे होंगे। इसी तरह स्याम द्वीप की पुरानी गाथाएँ यह बताती हैं कि अगस्त्य ऋषि ने यहाँ की एक अति लावण्यमयी कन्या **यशोमती** से विवाह किया था। इस नागकन्या से अगस्त्य को **कंबु** नामक एक पुत्र हुआ था। अगस्त्य के प्रभाव के कारण कंबु एक प्रसिद्ध शिवभक्त रहा था। कंबु के नाम पर ही **कंबोज राज्य** (कंबोडिया) अस्तित्व में आया और इसी कंबु से जो राजकुल चला उसी में **महेंद्रवर्मन, जयवर्मन, इंद्रवर्मन** व **यशोवर्मन** नामक प्राचीन राजपुरुष हुए। कंबोडिया में वर्मनों का यह राजवंश **सूर्यवर्मन द्वितीय** के पश्चात् व **फ्रेंचों** के आगमन से पूर्व अर्थात् ईसा की सोलहवीं शताब्दी के अंत तक विद्यमान रहा था। इंडोनेशिया से

संबंधित अगस्त्य ऋषि के उपर्युक्त योगदानों का विवरण 'क्रियायोग पब्लिकेशन, कनाडा' द्वारा प्रकाशित पुस्तक 'BABAJI and the 18 Siddha Kriya Yoga Tradition' एवं **'रादेन मॉस'** नामक यवद्वीप निवासी एक मुसलिम विद्वान् द्वारा डच भाषा में रचित **'Poerbatjaraka'** नामक पुस्तक के अनुवादित संदर्भों से लिया गया है।

इधर उत्तर भारत में प्रतिष्ठित होकर वसिष्ठ ने मनु पुत्र इक्ष्वाकु के कुलगुरु व मंत्री के पद को स्वीकार कर भरतखंड में राजपुरोहित की एक ऐसी प्रथा को विकसित किया, जो बहुत काल तक भारत के राजनीतिक हलचलों को प्रभावित करती रही थी। राजपुरोहित नियुक्त कर लिये जाने के पश्चात् वसिष्ठ का अपना नाम भी राजगुरु के पद से ही जुड़ गया और इनके उत्तराधिकारी भी अपने नाम के बजाय वसिष्ठ के ही नाम से संबोधित किए जाने लगे। **ऋग्वेद** (10/66/4) के अनुसार मैत्रावारुण वसिष्ठ द्वारा दूसरे वासिष्ठों को यह स्मरण कराना कि उनके ब्रह्मबल द्वारा ही इंद्रादि देवताओं के उत्कर्ष की भी रक्षा संभव हो सकती है, स्वतः ही एक से अधिक वासिष्ठों के होने का प्रमाण प्रस्तुत करता है। मूल वसिष्ठ के कुल में **व्याघ्रपाद, वैक्लव, औपगव, शाद्वलायन, कपिष्ठल, औपलोम, अलब्ध, आपव, कठ, वाह्यक, वालिशय, पालिशय, ब्राह्मपूरेयक, लोमायन, स्वस्तिकर, शांडिलि, गौडिनि, सुमना, उपावृद्धि, चौलि, ब्रह्मबल, पौलि, श्रवस, पौडव** आदि के क्रम से मूर्धन्य ऋषि हुए थे। गुरुकुल के आंतरिक दायित्वों के सम्यक् निर्वहण के लिए अवसर अनुरूप वसिष्ठ ने उत्तम गुणों से विभूषित, किंतु नीच कुल में उत्पन्न **अक्षमाला** को अपनी सहधर्मिणी अंगीकार किया (***अक्षमाला वसिष्ठेन संयुक्ताधमयोनिजा***)। वसिष्ठ की मंत्रणा पर ही इक्ष्वाकु ने अपने पुत्र विकुक्षि को अयोध्या से निर्वासित भी कर दिया था (***एवमिक्ष्वाकुना त्यक्तो वसिष्ठवचनात्सुतः***- वायु पुराण 88/19)। इक्ष्वाकु के पश्चात् विकुक्षि को वापस बुलवाकर राजा बनवाने के पश्चात् वसिष्ठ इस कुल के **प्रसेनजित** से लेकर **त्रय्यारुण** तक की ग्यारह पीढ़ियों में, फिर सत्यव्रत (त्रिशंकु) व विश्वामित्र की बढ़ती प्रगाढ़ता से खिन्न होकर राजपुरोहित के पद से अलग हुए वसिष्ठ नौ पीढ़ियों के बाद **सगर** के उत्कर्ष से लेकर **नाभाग** तक की सात पीढ़ियों में पुनः कोशल के राजगुरु के रूप में रहते हैं। शास्त्रों के संदर्भ स्पष्ट करते हैं कि दिग्विजयी सगर के अयोध्या लौटने पर **आपव वसिष्ठ** नामक पुरोहित द्वारा ही उसकी अगवानी की गई थी। इसके आगे अंबरीष द्वारा विश्वामित्र को अपनाए जाने के कारण **सिंधुद्वीप** से लेकर **सुदास** तक की पाँच

पीढ़ियों में वसिष्ठ फिर राजगुरु के रूप में दिखते हैं (***वसिष्ठो वय सुदासः पैजवनस्य ऐक्ष्वाकस्य राज्ञः पुरोहित आस***-जै.ब्रा.-3/23)। तदंतर कल्माषपाद से रुष्ट होने के कारण छह पीढ़ियों के अंतराल के पश्चात् वसिष्ठ पुनः राजगुरु के रूप में **दिलीप-द्वितीय** से लेकर **राम** तक की छह पीढ़ियों में बने रहते हैं। संभवतः राजगुरु के पद तथा वसिष्ठ गोत्री होने के कारण उपजी व्यक्ति विशेष के नामों की एकरूपता ने ही इक्ष्वाकु वंश के इन राज-पुरोहितों (वासिष्ठों) को दीर्घजीवी होने का भ्रम उपस्थित करा देता है। इक्ष्वाकु (सूर्य) वंशीय राजाओं के मूल राजपुरोहित ने **'योग वसिष्ठ'** नामक ग्रंथ की रचना की थी, जिसे उसके अंतिम उत्तराधिकारी **(पौडव वसिष्ठ)** ने दशरथी राम को सुनाया था। दशरथकालीन इस राजगुरु का विवाह नारदीय परंपरा के एक ऋषि की भगिनी **अरुंधती** से हुआ था। अरुंधती से इस वसिष्ठ को **शक्ति** नामक एक तेजस्वी पुत्र के अलावा और भी बहुत से होनहार पुत्रों की प्राप्ति हुई। समय पाकर युवा हुए शक्ति मुनि का विवाह **अदृश्यंती** नामक एक परम विदुषी तरुणी से हुआ था। इधर कामधेनु प्रकरण के कारण त्र्य्यारुण के समय से ही वसिष्ठों से चले आ रहे वैरभाव की पृष्ठभूमि में कोशल नरेश **सौदास** (कल्माषपाद) के शुभेच्छु हुए **विश्वामित्र** ने अपने एक अंतरंग **यक्ष किंकर** को राजकीय पाकशाला प्रमुख के पद पर नियुक्त करा दिया। कालांतर में यक्ष किंकर के उपकृत वंशजों ने राजकीय भोज के एक उपयुक्त अवसर पर शक्ति समेत राजगुरु वसिष्ठ के शेष सभी पुत्रों का वध करके उनके मांस को अन्य व्यंजनों के साथ पकाकर राजपुरुषों को खिलाते हुए विश्वामित्र के उपकारों का बदला चुका दिया।

ऋषित्व से विभूषित होने से पहले **'विश्वरथ'** के नाम से विख्यात रहे विश्वामित्र कान्यकुब्ज के राजा रहे थे। विश्वामित्र (विश्वरथ या विश्वबंधु) के पिता **'गाधि'** को कान्यकुब्ज के निःसंतान नरेश **'कुशिक'** ने गोद लिया था। यही कारण है कि विश्वामित्र को **'कौशिकेय'** या **'कौशिक ऋषि'** के रूप में भी संबोधित किया जाता रहा है। गाधि को सत्यवती नामक एक कन्या हुई, जिसका विवाह भृगु वंशीय च्यवन के प्रपौत्र **ऋचीक** से हुआ था। **परशुराम** के पिता **जमदग्नि** इसी ऋचीक व सत्यवती के पुत्र थे। जमदग्नि के जन्म के कुछ समय उपरांत गाधि को भी एक पुत्र प्राप्त हुआ। गाधि ने इसका नाम विश्वरथ रखा था (कहीं-कहीं इसे विश्वजीत या विश्वबंधु के रूप में भी उल्लेखित किया गया है)। लगभग समवयस्क रहे ये मामा-भानजे (विश्वरथ व जमदग्नि) ऋचीक ऋषि के सरस्वती तट स्थित आश्रम में रहते हुए वेद व शस्त्र विद्याएँ अर्जित की थीं। गुरुकुल की शिक्षा के पश्चात् जमदग्नि

जहाँ एक वेदज्ञ ऋषि के रूप में प्रतिष्ठित हो भृगु वंशीय परंपराओं को आगे बढ़ाते गए, वहीं विश्वरथ कान्यकुब्ज नरेश के पद पर आरूढ़ होकर अपने राज्य की सीमाओं को विस्तार देना प्रारंभ कर दिया। अपने सामरिक प्रयाणों के क्षण संयोगवश कान्यकुब्ज नरेश विश्वरथ एक बार वसिष्ठ के अतिथि हुए। त्र्य्यारुण के अंतिम युग में दुर्भिक्ष झेल रहे उस क्षेत्र में सेना सहित अपने अभूतपूर्व आतिथ्य से चमत्कृत नरेश ने कौतूहलवश वसिष्ठ आश्रम के इस **अन्नपूर्णा रहस्य** को समझने का प्रयास किया। गुप्तचरों द्वारा प्राप्त सूचना के आधार पर उन्होंने वसिष्ठ से इस **कामधेनु-स्रोत** को हस्तगत करने का प्रयास किया। इस उपक्रम में असफल रहने पर क्षत्रियोचित दंभ ने उन्हें सामाजिक स्तर पर श्रद्धेय रहे ऋषि आश्रम पर आक्रमण करने को उत्प्रेरित किया। नरेश विश्वरथ के इस दुराग्रह से उनके विरुद्ध जन-आक्रोश भड़क उठा और जातिगत खाइयों की सर्वथा उपेक्षा करते हुए स्वाभिमान के प्रश्न पर एकजुट हुए वहाँ के **पल्लव, हिरात, किरात, कंबोज, बर्बर, शबर, म्लेच्छ** आदि जातियों तक ने ब्रह्मर्षि वसिष्ठ के पक्ष में विश्वरथ की सेना का पूरी शक्ति से प्रतिकार किया। इस युद्ध में विश्वरथ के सभी पुत्र तथा यूथपति वीरगति को प्राप्त हुए। सामान्य जनता का ऋषि आश्रम के प्रति प्रदर्शित प्राणों से अधिक इस लगाव से अभिभूत होकर विश्वरथ ने क्षत्रियोचित हठधर्मिता के प्रभाववश ऋषि बनकर ही वसिष्ठ को अपमानित करने का संकल्प लिया। अपने प्रण को चरितार्थ करने के लिए राज-पाट त्यागकर विश्वरथ ने कठिन साधना के लिए पत्नी समेत वन को प्रयाण किया। साधनापूत विश्वरथ का ऋषि अवतार ही विश्वामित्र के रूप में प्रसिद्ध हुआ। ऋषित्व ग्रहण करने के पश्चात् भी विश्वामित्र का वसिष्ठ के प्रति वैरभाव यथावत् बना रहा। इसी क्रम में वसिष्ठ के कोपभाजन बने कोशल नरेश त्र्य्यारुण के पुत्र **सत्यव्रत** (त्रिशंकु), **कल्माषपाद** आदि को उन्होंने समय-समय पर प्रश्रय भी दिया। इस तरह वसिष्ठ गोत्रियों का अनवरत टकराव कौशिकेय विश्वामित्रों से होता रहा था, जो राम के काल में ही जाकर समाप्त हो पाता है।

कल्माषपाद के राजमहल में शक्ति सहित अपने शेष पुत्रों के घृणित नरसंहार से आहत व अशक्त से हो चुके वसिष्ठ को अपनी पत्नी व पुत्रवधू सहित **हस्तिनापुर नरेश संवरण** के राज्य में जाकर शरण लेने के लिए विवश होना पड़ा। यहीं पर विधवा **अदृश्यंती** ने स्वर्गीय शक्ति मुनि के पुत्र **पराशर** को जन्म दिया। यही पराशर आगे चलकर प्रसिद्ध ज्योतिष विशारद व प्रख्यात ब्रह्मवेत्ता ऋषि के रूप में प्रतिष्ठित हुए। इन्हीं के द्वारा निरूपित ज्योतिष के सूत्र को **'पराशर सिद्धांत'** के

नाम से जाना जाता है। निषादराज की कृष्णवर्णा (काली) कन्या **'सत्यवती'** से संसर्ग के कारण इन्हीं पराशर को परम ऐश्वर्यशाली **'कृष्णद्वैपायन'** (वेदव्यास) नामक एक पुत्र की प्राप्ति हुई। द्वैपायन के संयोग से **'अरणी'** नामक स्त्री को **'शुक'** नामक एक परम गुणवान पुत्र उत्पन्न हुआ (***अरुन्धत्यां वसिष्ठस्तु शक्तिमुत्पदयद्द्विजाः सागरं जनयच्छक्तेर दृश्यन्ती पराशरम्, काला पराशराज्जज्ञे कृष्णद्वैपायनं प्रभुम् द्वैपायनादरण्यां वै शुको जज्ञे गुणान्वितः***-वायु पुराण-70/83-84)। इधर वासिष्ठों व विश्वामित्रों के मध्य छिड़े शीत युद्ध की समाप्ति पर ब्रह्मर्षि की उपाधि से विभूषित (***पूर्व राजर्षिशब्देन तपसा द्योतितप्रभः ब्रह्मर्षित्वमनुप्राप्तः***-बा.रा., बालकांड, अष्टादश सर्ग) किए गए **राजर्षि परंपरा** के इस अंतिम पुरुष (विश्वामित्र) को **'गालव'** नामक एक तपोनिष्ठ पुत्र की प्राप्ति हुई। ब्रह्मर्षि की पदवी से सम्मानित हुए विश्वामित्र के **'कौशिक'** गोत्रीय वंशजों के ही अनुरूप वसिष्ठ के वंशधरों के रूप में **'वासिष्ठ'** व **'पाराशर'** गोत्रीय ब्राह्मण इस कुल परंपरा को नियमित गति देते हुए भारत में आज भी विद्यमान हैं।

दक्ष (अग्निष्वात्)—ब्रह्मा का यह मानस-पुत्र एक प्रसिद्ध पुरोहित हुआ। अग्नि का मूल प्रवर्तक इसे ही माना जाता है। शमी वृक्ष की टहनियों को आपस में रगड़कर जिस ज्वलनशील पदार्थ को इसने प्रकट किया, उसे ही **'अग्नि'** के नाम से जाना गया। अग्नि को प्रकट करने के कारण इसे भारतीय ग्रंथों में **'अग्निष्वात्'** के रूप में देवों का देव या पितर भी माना गया है। 'ऋग्वेद' की पहली ऋचा ***'अग्निमीले पुरोहितं यज्ञस्य देवमृत्विजम् होतारं रत्नंधातमम्'*** द्वारा अग्नि की अभ्यर्थना इसी के प्रभाववश ही की गई प्रतीत होती है। इसके विषय में यह मान्यता रही है कि यह सर्वव्यापक, सर्वपूजित तथा यज्ञ-विधि का प्रवर्तक रहा था। मूल गायत्री मंत्र को उसी ने सृजित किया था, जिसे आत्मसात् करने के कारण ही विश्वामित्र राजर्षि से ब्रह्मर्षि के पद को प्राप्त कर सके थे। दक्ष (अग्नि) को स्वाहा से **पावक, पवमान** व **शुचि** ये तीन अति प्रतापी पुत्र हुए। इनके द्वारा पल्लवित अग्नि के वंश में **सहरक्ष, कव्यवाहन, हव्यवाह, शुक्राग्नि, सभ्य, हव्यवाहन, आवसथ्य,**

वैधुत, ब्रह्मौदभाग्नि, अथर्वण, दध्यंग, वासृजवान, रक्षोहा, पितकृत, सुरभि, अनागत, कृशानु, सम्राट्, पर्वत, नभ, वसु, विश्वस्याय, सुज्योति, अजैकपाद, शांति, सत्य, विश्वदेव, अचक्षु, अच्छवाक्, सर्वीय, व्यरंति, हृच्छय, मन्युमान, संवर्तक, स्रहदक्ष, क्रव्याद, पावक, सौरि, आयु, महिमान, शावान, अद्भुत, महाविविध, अर्क व **अनीकवान**—कुल पैंतालीस दिव्य पुरुष हुए। दक्ष सहित इस कुल के ये सभी उनचास अग्रणी पुरुष ही अग्नि के स्वरूपों में जाने गए। वेद ऋचाओं के सृजन में इनका कोई योगदान न होने के कारण **अग्नि** (दक्ष) को महर्षियों की श्रेणी में नहीं रखा गया है। दक्ष (अग्नि) के अलावा शिव पत्नी सती के पिता दक्ष व प्राचेतस-दक्ष (तेरह दिव्य कन्याओं के जनक) जैसे दक्ष नामधारी और भी कई प्रजापतियों का संदर्भ भारतीय शास्त्रों में मिलता है।

भृगु—ब्रह्मा का यह मानस-पुत्र प्रथम प्रजापति हुआ। यह मंत्रद्रष्टा ऋषि भी रहा था। भृगु को ख्याति से **धाता** व **विधाता** नामक दो पुत्र तथा **श्री** नामक एक कन्या हुई। श्री का विवाह स्वायंभुव मनु के कुल में उत्पन्न **नारायण** से हुआ था। धाता को आयाति से **पांडु** तथा पांडु को पुंडरीका से **द्युतिमान, द्युतिमंत** तथा **सृजवान** तीन पुत्र हुए। विधाता को नियति से **मृकुंडु** तथा मृकुंडु को मनस्विनी से **मार्कंडेय** नामक पुत्र हुआ। मार्कंडेय को मूर्धन्या से **वेदशिरा** व वेदशिरा को पिवरी से **उन्नत** नामक पुत्र हुआ। इन्हीं के वंशजों में **भुवन, भौवन, सुजन्य, क्रतु, वसु, मुर्द्धा, द्रोण, ज्योतिर्धामा, वेदश्री, राजवान, सुतार, दमन, सुहोत्री, प्रभव, श्वेत, कंक, वसुद, जैगिषव्य, ऋषभ, उग्र, अत्रि, वालि, गोकर्ण, शिखंडी, दंडी, नडायन, वैगायन, जटामाली, अट्टहास, दाँरुक, पैल, लांगली, शूली, मुंडीश्वर, सहिष्णु, नकुली** व **सोमशर्मा** नामधारी पुरुष हुए। भृगु-वंशीय ये सभी पुरुष रुद्र के अनन्य भक्तों के रूप में स्मरण किए जाते हैं।

ब्रह्मा के इस मानस-पुत्र के अलावा प्राचेतस-दक्ष की दुहिता **'अदिति'** के गर्भ से जनमे **'आदित्य वरुण'** (ब्रह्मदेव) को भी **'भृगु'** नामधारी एक पुत्र हुआ था *(भृगुर्ह वारुणिः-जैमिनी ब्राह्मण)*। संभवतः भृगु आश्रम में दीक्षित होने के कारण ही

वरुण के इस पुत्र को **'भृगु'** कहा गया होगा। इस भृगु की **हिरण्यकशिपु** दैत्य-पुत्री **दिव्या** व **पुलोमा** तथा दानव-पुत्री **पौलोमी** नामक दो स्त्रियाँ थीं। दैत्यों से अपने पारंपरिक वैरभाव के अतिरेक में कश्यप-अदिति के पुत्र **विष्णु** ने मौका पाकर भृगु की दैत्य-पत्नी दिव्या का सिर काट डाला था। इस अकारण वध से कुपित होकर भृगु ने सामाजिक स्तर पर प्रताड़ित करने के उद्देश्य से पंचायत में उपस्थित भद्रजनों के समक्ष विष्णु की छाती पर लात से प्रहार ही नहीं किया, अपितु संपूर्ण देवकुल से अपना संबंध विच्छेद कर लेने का संकल्प भी लिया था (एपिक मायथोलॉजी-पृष्ठ-180)। किंचित् इसी घटना का ही परिणाम रहा था कि भृगु-दिव्या के वंशज जहाँ विष्णु व इंद्रादि देवों के विपरीत रुद्र के प्रबल उपासक हुए, वहीं देवों के घोषित शत्रु रहे दैत्यों के गुरु के पद को भी सहर्ष स्वीकार करते गए। भृगु का आश्रम **बेबीलोनिया** के आस-पास ही रहा था। बाबल के राजाओं की सूची में **'वर्न वुरियस'** का उल्लेख मिलता है, जो **'भृगुर्हवारुणिः'** (जै.ब्रा.-1/142) का ही अपभ्रंश प्रतीत होता है और भृगु के यहाँ रहे होने की भी पुष्टि करता है। *'The Ancient History of Persia'* नामक ग्रंथ में भृगु के लिए 'Brygy' संज्ञा का प्रयोग किया गया है।

दैत्यबाला दिव्या से भृगु को एक परम होनहार **काव्य-उशना** नामक पुत्र हुआ, जो आगे चलकर दैत्यगुरु के पद पर **शुक्राचार्य** के नाम से प्रतिष्ठित हुआ। **जेंद अवेस्ता** (छंद-व्यवस्था का भाषाई अपभ्रंश) में इसे **'कवि-उसा'** तथा अरबी शाहनामा में **'कैक-ऊस'** कहकर संबोधित किया गया है। भृगु-पुत्र काव्य उशना एक प्रसिद्ध शिवभक्त तथा शस्त्र विज्ञानी हुआ। रुद्र के निर्देशन में इसने पाँच प्रकार के आयुधों का अन्वेषण किया था। 'अग्नि पुराण' में इनके वर्गों को **यंत्रमुक्त** (यानी यंत्र द्वारा प्रहार करनेवाले आयुध—मिसाइल आदि), **पाणिमुक्त** (हाथ द्वारा प्रहार करनेवाले आयुध—धनुष-बाण व माला आदि), **अमुक्त** (यानी तलवार, गदा आदि जो छोड़े नहीं जाते हों), **मुक्त संघारित** (यानी प्रहार के बाद पुनः प्रहार करनेवाले आयुध-सुदर्शन चक्र सरीखे) तथा **आग्नेयास्त्र** (बारूद आदि प्रयुक्त होनेवाले शस्त्र-शतघ्नी यानी सैकड़ों व्यक्ति का अंत करनेवाले शस्त्र अर्थात् तोप-टैंक आदि) में बाँटा गया है। यद्यपि शुक्राचार्य, दैत्यों तथा असुरों के ही गुरु रहे थे, तथापि इनपर अपना प्रभाव बनाए रखने के लिए इंद्र ने अपनी पुत्री **'जयंती'** का विवाह इन्हीं से किया था। काव्य-उशना (शुक्राचार्य) ने अपना आश्रम **शाक द्वीप** (अरब) के **'कुरिशि प्रांत'** में स्थापित किया था और यहीं पर इन्होंने अपने इष्ट देव (शिव) का भव्य मंदिर बनवाकर उसमें जामुनी आभावाले एक विराट् ज्योर्तिलिंग को भी प्रतिष्ठापित किया

था। **साइक्स** ने भी 'History of Persia' नामक अपने इतिहास ग्रंथ में शुक्राचार्य का दस वर्षों तक अरब में बने रहना ही स्वीकार किया है। **'मख-मेदिनी'** (पृथ्वी की नाभि में स्थित यज्ञभूमि) में स्थापित इस शिवलिंग को **भविष्य पुराण** नामक भारतीय ग्रंथ में **'मक्खेश्वर'** कहकर चिह्नित किया गया है। आज भी इस स्थान का उल्लेख 'Navel of the world' (विश्व के नाभिकेंद्र) के रूप में ही किया जाता है। शुक्राचार्य के दिव्य प्रभावों तथा स्थापत्य कला की उत्कृष्ट सजीवता के कारण धीरे-धीरे **'काव्य के मंदिर'** के रूप में इसकी ख्याति दूर-दूर तक फैलती चली गई। कालांतर में भाषा में आई विकृति के कारण **'काव्य'** का यह मंदिर मात्र **'काबा'** के लघु रूप में तथा कुरिशि प्रांत में स्थित इस मंदिर के पुरोहितों को **'कुरैशी'** एवं **'मख-मेदिनी'** को **'मक्का'** व **'मदीना'** के अपभ्रंश से उच्चारित किया जाने लगा। प्रलयांतर अस्तित्व में आए विभिन्न कबीलों के अपने-अपने धार्मिक विश्वासों व मान्यताओं के उपरांत भी यहाँ के जनमानस में इस मंदिर विशेष तथा आदिगुरु शुक्राचार्य के प्रति श्रद्धा का पुरातन भाव यथावत् बना रहा था। लंबे समय तक अस्तित्व में बने रहने के कारण ही कालक्रम में **'प्रधान देव प्रतीक'** के अतिरिक्त इस मंदिर में विभिन्न आस्थाओं की देव-प्रतिमाएँ भी स्थापित होती गईं। Sir William Drummond द्वारा रचित **'Origins'** नामक ग्रंथ के अनुसार, **'लात'** अर्थात् लिंग के अलावा **'उज्ज'** यानी ऊर्जा या माया, **'मनात'** यानी मदन या कामदेव, **'अल दवरान'** यानी वरुण, **'दुआ-सारा'** यानी देवेश्वर या इंद्र, **'साद'** यानी सिद्धि, **'सेर'** यानी श्री या लक्ष्मी, **'ओवेदेस'** यानी भूदेवस या भूदेव (ब्रह्मा), **'बग'** अर्थात् भगवान् या विष्णु, **'अल शरक्'** यानी शुक्र, **'शम्स'** यानी सोम, **'आद'** यानी सूर्य, **'वध'** यानी बुध, Dsaizan यानी सटन या शनि, **'याऊक'** यानी यक्ष, **'वजर'** यानी वज्र, **'अव्वल'** Dsual, Haba, Gaebar, Manaf, Allat, Nayala, यानी प्रथम देव या गणेश, **'कबर'** यानी कुबेर, **'अलनस्त्र'** यानी गरुड़ समेत आदि देवमूर्तियाँ काबा में स्थापित रही थीं। इसके अतिरिक्त इसलाम धर्म के संस्थापक हजरत मुहम्मद के काल तक यहूदी **अब्राहम** या **इब्राहीम** तथा उसके वंशज रहे **इसमाईल** समेत **ईसामसीह** तथा उसकी माँ **मेरी** (मरियम) तथा अन्य कई पैगंबरों व कबीलाई देवताओं की यहाँ कुल 360 मूर्तियाँ स्थापित हो चुकी थीं। इसलाम धर्म कबूल करने से पूर्व तक कुरैश के जिन चार सम्मानित कुल **(खोजा)** द्वारा चार फुट ऊँचे व दो फुट चौड़े **'मदजान'** (Madjan), जो कि **'महादेवम्'** का ही भाषाई अपभ्रंश लगता है, नामक इस प्राचीनतम लिंग के साथ लात, मनात आदि देवमूर्तियों

व लिंगों की विधिवत् पूजा अर्चना की जाती रही थी, हजरत मुहम्मद सल्ल उन्हीं में से एक **'हाशिम'** के वंशज रहे थे। हजरत मुहम्मद के जन्म से पचपन दिन पूर्व यानी ईसाई सन् 570 में यमन के हाकिम **अबराहा** द्वारा काबा पर किए गए भयंकर हमले में यह लिंग सात टुकड़ों में बँट गया था, जिसे बाद में पुरोहितों ने चाँदी की परत चढ़ाकर उसके वास्तविक ढाँचे में लाने का प्रयास किया था। इस हमले में **मनात** (Manat) नामक लिंग काबा के परिसर से गायब हो गया, संभवतः यमन की फौजें लूट के माल के साथ इसे भी अपने साथ पूरब की ओर ले गई हों। कालांतर में अरब से पूरब की ओर सौराष्ट्र स्थित **सोमनाथ** ज्योतिर्लिंग व गायब होने के कारण हजरत मुहम्मद सल्ल के फरमानों के बावजूद नष्ट नहीं की जा सकी। **सु-मनात्** की उच्चारणगत साम्यताओं के भ्रम में पड़कर **गजनी के सुल्तान महमूद** ने सन् 1025 में सौराष्ट्र पर चढ़ाई कर इस ज्योतिर्लिंग को चार टुकड़ों में भग्न करते हुए मंदिर की अगाध संपत्ति को भी लूटा था। **मौलाना मिन्हाज-अस्-सिराज** द्वारा रचित **'अबक्वेत् नासरी'** के मुताबिक पैगंबर के हुक्म को तामील करने के एवज में तात्कालिक खलीफा से **'उलेमा'** का खिताब पाने हेतु इस सुल्तान ने ज्योतिर्लिंग के दो टुकड़ों को क्रमशः **मक्का** व **मदीना** भी भिजवाया था, जबकि शेष दो टुकड़ों को वह अपने साथ गजनी ले गया था (Ref.- ***The Shade of Swords*** by M.J. Akbar)। सुप्रसिद्ध इतिहासज्ञा **रोमिला थापर** भी अपनी पुस्तक **'Somanath : The many voices of a history'** में कुछ इसी तरह का संकेत करती हैं *(Mahmud of Ghazni believed the Somnath icon to be that of an early Arabic Goddess, Manat, for Somnath might even be a bastardisation of the Arabic Su-manat.)*। इसलाम धर्म कबूल कर लेने के पश्चात् भी गुरु शुक्राचार्य तथा उनके द्वारा स्थापित मंदिर व लिंग के प्रति परंपरा से चला आ रहा श्रद्धा का भाव यहाँ के निवासियों में यथावत् बना रहा था। किंचित् इसी का ही प्रभाव है कि मुसलिम संप्रदाय में जहाँ

सोमनाथ मंदिर

शुक्राचार्य के नाम के अनुरूप पड़नेवाले साप्ताहिक दिन **'शुक्रवार'** को **'जुम्मा'** के रूप में आज भी एक पाक दिन माना जाता है, वहीं इसलामिक मान्यताओं के अनुरूप **'काबा'** एक अति पाक स्थान के रूप में आज भी प्रतिष्ठित है। यही कारण भी रहा होगा कि सन् 630 में मक्का को अधिकृत करने के पश्चात् **हजरत मुहम्मद मुस्तफा सल्ल** के निर्देशों पर इस लिंग तथा ईसा व मेरी के चित्रों को छोड़कर शेष सभी मूर्तियाँ काबे के परिसर से हटा दी गई थीं। सन् 683 में लगे आग के कारण काबे का अधिकतर हिस्सा नष्ट हो गया और इसी दुर्घटना में ईसा व मेरी के चित्र भी विनष्ट हो गए। तदुपरांत सीरियाई हमलावरों द्वारा इस लिंग के अपहरण कर लिये जाने तथा बाईस वर्षों बाद पुनः उसे लौटाए जाने पर इस तरह की किसी भी घटना से बचने के लिए अरबों द्वारा चाँदी की परत चढ़े इस **'संगे असवद्'** को काबे के दक्षिणी-पूर्वी दीवार के बाहरी हिस्से में भूमि से चार-पाँच फुट की ऊँचाई पर पक्का जड़ दिया गया। अरबी का **'असवद्'** शब्द वस्तुतः संस्कृत के **'अश्वेत'** का ही भाषाई अपभ्रंश है। अमेरिका के New York University के इसलामिक वास्तुकला के जानकार Prof. David King के अनुसार काबे का वर्तमान स्वरूप सन् 1627 ई. में हुए जीर्णोद्धार का ही प्रतिफल है। गुरु शुक्राचार्य, इब्राहीम, इसमाईल व मुहम्मद साहब के कुरैश खानदान के सनातन प्रभावों के कारण ही इसलामिक जन-मानस में **'सूरा-तौबा'** की आयतों के द्वारा **'मुश्रिकों'** व **'काफिरी'** (बुतपरस्ती) पर लगाए गए तमाम बंदिशों के उपरांत भी इस भग्न लिंग के प्रति श्रद्धा का यह अन्यमनस्क भाव येन-केन-प्रकारेण बना रहा। यही कारण है कि **हजरे-अल-असवद्** के नाम से पुकारे जानेवाले काबा में स्थित इस पाक जामुनी (लाल मिश्रित काले रंगवाले) **संगे असवद्** को मुसलिम **हाजी** आज भी बहुत ही आदर के साथ चूमते व स्पर्श ही नहीं करते हैं, बल्कि घड़ी के उलटे क्रम में (अर्थात् बाएँ से दाएँ की ओर) इसकी **'सात परिक्रमा' (तवायफ)** भी करते हैं। हजरत मुहम्मद से पूर्व परिक्रमा की यह परिपाटी नंगे बदन से की जाती रही थी, किंतु उनके द्वारा हस्तक्षेप किए जाने पर अब **अरहम** (बिना सिलाईवाले दो सफेद चादरों) को पहनकर (एक को कमर के नीचे बाँधकर तथा दूसरे से सिर, कंधे व शरीर को ढककर) ही इस रस्म को **सिजदा** (प्रणिपात) के साथ अदा किया जाता है। यह संयोग ही है कि भारत स्थित **रामेश्वरम्** के ज्योतिर्लिंग का दर्शन भी बिना सिलाई के श्वेत वस्त्र को ओढ़कर ही किया जाता है। आश्चर्यजनक रूप से इसलामिक मान्यताओं में भारतीय रीतियों से मिलती-जुलती परिक्रमा की यह इजाजत मात्र

काबा के लिए ही दी गई है, जो कि संभवतः इसके इसलामिक पूर्व की मान्यताओं (अर्थात् **काव्य-उशना** या **शुक्राचार्य** की प्रतिष्ठा) को ही इंगित करती प्रतीत होती है।

काव्य-उशना को यशस्विनी नामक स्त्री से **त्वष्टा, अत्रि, वरुत्री, शंडमर्क** नामधारी पुत्र व **देवयानी** नामक एक पुत्री हुई। देवयानी का विवाह पुरुरवा के कुल में उत्पन्न **ययाति** से हुआ था। त्वष्टा का प्रह्लाद की कन्या यशोधरा से **विश्वरूप, वृत्र, विश्वकर्मा** (मय) नामधारी तीन पुत्र तथा **संज्ञा** नामक एक कन्या हुई (***प्रह्लादी विश्रुता तस्य त्वष्टुः पत्नी यशोधरा, विरोचनस्य भगिनी माता त्रिशिरसस्तु सा***-वायु पुराण 84.19)। संज्ञा का विवाह आदित्य **विवस्वान** (सूर्य) से हुआ और उससे सूर्य को **श्राद्धदेव** (वैवस्वत मनु) एवं जुड़वाँ **नासत्य** व **दस्त्र** (अश्विनी कुमार) नामक पुत्र तथा **यमुना** नामक एक कन्या हुई। विश्वरूप व वृत्र का विवस्वान (सूर्य) के भाई इंद्र ने छल से वध कर दिया। अकारण हुए इस वध के अपयश से पीछा छुड़ाने के लिए इंद्र को छिपना पड़ा। इंद्र के पलायन कर जाने पर देवों ने पुरुरवा के पौत्र **नहुष** को देवराज के पद पर आरूढ़ किया। विश्वकर्मा एक प्रसिद्ध वास्तुशास्त्री के रूप में विख्यात हुए। देवताओं में वे **विश्वकर्मा** तथा दैत्य व दानवों में वे **मय** के नाम से जाने गए। मध्य अमेरिका के **मयांस** इन्हीं के वंशज हैं। इन्हीं के वंशधरों द्वारा **मिस्र** का पिरामिड, **पांडवों** का अद्भुत प्रासाद तथा कृष्ण के **द्वारिका** नगरी का निर्माण किया गया था। पौलत्स्य-रावण की पटरानी **मंदोदरी** व असुर सम्राट् शंबर की राजमहिषी **मायावती** सगी बहनें होने के अलावा मय-कुल में उत्पन्न कन्याएँ रही थीं। काव्य-पुत्र **अत्रि** का आश्रम हिमालय से पश्चिम में रहा था (मत्स्य पुराण-118.61)। अत्रि को एक अति प्रतिभा-संपन्न पुत्र **सोम** (चंद्र) पैदा हुआ, जो आगे चलकर औषधि व वनस्पतियों का विशेषज्ञ हुआ। प्रजापति दक्ष ने अपनी सत्ताईस कन्याएँ इसी **चंद्र** (सोम) को दी थीं। चंद्र (सोम) का दक्षिण-पश्चिम एशिया के निवासियों पर अच्छा प्रभाव रहा था। शायद यही वजह रही कि ईरान व अरब की सरजमीं से विकसित धार्मिक आस्थाओं में चाँद को बहुत पाक माना गया है। ईरान के राज्य-चिह्न के रूप में आज भी **'चाँद'** को ही अपनाया जा रहा है। यहाँ के निवासियों द्वारा रखे जानेवाले धार्मिक **'रोजा'** को भी किंचित् इसी कारण **'सोम'** ही कहा जाता है। इसी तरह ईरान की **'सोमस दरिया'** व ग्रीस का **'सोमास आइसलैंड'** का नामकरण भी संभवतः अत्रि पुत्र सोम (चंद्र) से ही संबंधित रहा हो। यही नहीं बल्कि सोम (चंद्र) का वनस्पतियों से रहे बेहद लगाव को भी यहाँ के निवासियों ने अपनी स्मृतियों में सँजोए रखा और इसी के प्रतीकात्मक अपने नए

मजहब में **हरे रंग** को यहाँ के लोगों ने विशेष महत्त्व दिया। भृगुवंशी ऋषियों द्वारा अथर्ववेद के मंत्रों द्वारा उपचार की विधि विकसित की गई थी। ठीक इसी के अनुरूप ईरान व अरब आदि देशों में कुरआन शरीफ की आयतों को पढ़कर रोग-निदान का प्रयोग किया जाता है। किंचित् यहाँ के निवासियों में अथर्ववेद परंपरा से चले आ रहे विश्वासों के कारण ही झाड़-फूँक की यह मान्यताएँ नए स्वरूपों में यथावत् कायम हो पाई हो। यह संयोग ही है कि हिंदुओं व इसलामिक आस्थाओं में समान रूप से **गंडा-ताबीज, राख-भभूत, कीर्तन-कव्वाली** आदि को बड़ी श्रद्धा व विश्वास के साथ अपनाया जाता है। अत्रि पुत्र सोम (चंद्र) का देवगुरु बृहस्पति की पत्नी तारा से अवैध संबंध स्थापित हो गया था। दैत्य गुरुकुल के चंद्र (सोम) द्वारा देवगुरु की पत्नी को भगाने के कारण ही देव-दैत्य में **तारकामय** नामक एक विकट देवासुर संग्राम भी हुआ था। तारा से चंद्र (सोम) को **बुध** नामक एक पुत्र हुआ (***राज्ञः सोमस्य पुत्रत्वाद राजपुत्रो बुधः स्मृतः***-मत्स्य पुराण-24/3)। बुध का विवाह मनु पुत्री **इला** से हुआ था। पर्शिया का प्रसिद्ध **'एलवंश'** तथा इनका **'एलम'** नामक प्रदेश, जो आजकल **'किरमान'** के नाम से जाना जाता है, इला से ही संबंधित रहा था। अरबी में प्रयोग होनेवाला **'अल्'** उपसर्ग भी संभवतः इला से ही प्रभावित रहा था। बुध-इला के पुत्र एल-पुरुरुवा से विकसित वंश-परंपरा को पश्चिमी एशिया में **'एलवंश'** व भारत में **'चंद्रवंश'** के नाम से जाना गया। कालांतर में इसी वंश शृंखला में प्रसिद्ध **कौरव** व **पांडव** हुए।

इधर दानव-कन्या **'पौलमी'** से भृगु को एक प्रतिभा-संपन्न पुत्र हुआ। पौलमी का यह गर्भ चूँकि आठवें माह में ही गिर पड़ा था, अतः इस गर्भ से उत्पन्न पुत्र का नाम **'च्यवन'** (गिर जाना) पड़ा ***(व्याधितः सोऽष्टमे मासि गर्भः क्रूरेण कर्मणा च्यवनाच्च्यवनः सोऽथ चेतनस्तु प्रचेतसः***-वायु पुराण-65.89)। च्यवन के लिए 'शतपथ ब्राह्मण' में ***'च्यवनो वा भार्गवः'*** कहकर संबोधित किया गया है। इस प्रकार च्यवन तथा काव्य-उशना आपस में दायद बंधु भी रहे थे। च्यवन औषधि विज्ञान में भी निपुण रहे थे। इनका विवाह वैवस्वत मनु के पुत्र शर्याति, जिसका राज्य गुजरात के खंभात की खाड़ी के पास **'आनर्त'** नाम से था, की पुत्री **'सुकन्या'** से हुआ था। शर्याति द्वारा अपना पुरोहित घोषित किए जाने पर च्यवन उसी के राज्य में अपना आश्रम स्थापित करके रहने लगे। सुकन्या से च्यवन को **आत्मवान, दधीचि** व **ऋक्ष** नामधारी पुत्र तथा **सुमेधा** नामक कन्या हुई (वायु पुराण 65.90 व 70.26)। आत्मवान को रुचि नामक स्त्री से **और्व** नामक पुत्र हुआ। च्यवन के पश्चात् यदु के

वंशज हैहयों द्वारा भार्गवों को लगातार आतंकित किए जाने की घटनाओं से क्षुब्ध होकर और्व को अपने दायद बंधु सोम (चंद्र) के आश्रम के समीपवर्ती क्षेत्रों में आश्रय लेना पड़ा था। कालांतर में भृगु वंशीय इसी **'और्व'** के नाम पर सुमेरु पर्वतांचल के इस क्षेत्र का नाम **'और्बस्थान'** व तदंतर भाषाई अपभ्रंश के कारण **'अरब'** के रूप में विख्यात हुआ। और्व का पुत्र **ऋचिक** तथा ऋचिक-सत्यवती का पुत्र **जमदग्नि** हुआ। जमदग्नि ने अपना आश्रम सप्तसिंधु के सरस्वती तट पर स्थापित किया था। संयोग से इस क्षेत्र का समीपवर्ती राज्य-आनर्त भी तब तक हैहय राज्य का एक अंग बन चुका था। जमदग्नि एक प्रसिद्ध वेदज्ञ हुए व उन्होंने वेद की ऋचाएँ सृजित करने में भी योगदान किया। जमदग्नि का विवाह इक्ष्वाकु कुल की राजकुमारी रेणुका से हुआ था और इससे जमदग्नि को **परशुराम** सहित पाँच पुत्र हुए। इधर, हैहय वंश के शक्तिशाली सम्राट् **कार्तवीर्य अर्जुन** का विवाह भी रेणुका की बहन से हुआ और इस प्रकार जमदग्नि व कार्तवीर्य आपस में साढ़ूभाई के रिश्ते में भी बँध गए। आपसी रिश्ते के इस प्रभाव के कारण भार्गवों तथा हैहयों के मध्य की खाई भी काफी हद तक पट चुकी थी। इसी बीच चरित्रगत दोषों के कारण जमदग्नि ने अपनी पत्नी रेणुका की हत्या अपने उग्र स्वभावी पुत्र परशुराम से करवा दिया। पत्नी की बहन के इस जघन्य वध से कुपित होकर कार्तवीर्य अर्जुन ने प्रतिशोध स्वरूप अपने सेनापति अग्निदेव के हाथों भार्गवों के आश्रम को नष्ट करवा डाला। संयोगवश आश्रम में उपस्थित न रहने के कारण हैहयों के इस आघात से जमदग्नि की रक्षा हो गई, किंतु भावी प्रतिघात से आशंकित होकर उन्होंने किसी सुरक्षित क्षेत्र में आश्रय लेना उचित समझा। इस प्रकार उन्होंने भारत के हृदय-क्षेत्र में स्थित विंध्य से उत्तर के **स्यंदिका** (सई नदी) के तट पर अपना एक नया आश्रम स्थापित किया। कालांतर में यही क्षेत्र **यमदग्निपुर** के नाम से प्रसिद्ध हुआ, जो अब उत्तर प्रदेश के **जौनपुर** जनपद के नाम से जाना जाता है। **शेरशाह सूरी** के जमाने में **यमदग्निपुर** या **यवनपुर** (आधुनिक जौनपुर) कुछ कालों के लिए भारत की राजधानी के रूप में भी प्रतिष्ठित रही थी। इसके प्रमाण के रूप में **चुनार** के किले में स्थित एक तात्कालिक शिलालेख में **जौनपुर** का उल्लेख **'सिराजे हिंद'** (हिंदुस्थान की राजधानी) के अलंकरण से किया गया मिलता है। प्रतिशोध की ज्वाला में धधक रहे कार्तवीर्य अर्जुन ने यमदग्निपुर के सुरक्षित अंचल में विस्थापित हो चुके अपने साढ़ू का पीछा नहीं छोड़ा और हैहयों के ऐसे ही एक आक्रमण में जमदग्नि को अपने प्राणों से हाथ धोना पड़ा। पिता की मृत्यु का प्रतिशोध लेने व एक आततायी

राजा के दासत्व को झेल रही उत्तर भारत की प्रजा को मुक्ति दिलाने के लिए **कुरुक्षेत्र** में तपस्यारत रहे परशुराम ने दासों (**शूद्रों**) की सेना संगठित कर क्षत्रिय हैहयों पर इक्कीस निरंतर आक्रमण करके सहस्रार्जुन वध सहित हैहयों की माहिष्मती को ही समूलतः नष्ट कर डाला। यही नहीं बल्कि पितृ-शोक से उद्विग्न से हो रहे परशुराम ने हैहयों के रक्त से कुरुक्षेत्र स्थित **समंतक तीर्थ** के पाँच कुंडों को भरकर पितरों को रक्तांजलि अर्पित कर अपने को अंततः शांत भी किया। संभवतः प्रतिशोध की ज्वाला में धधक रहे परशुराम ने बंदी शत्रुओं को कुरुक्षेत्र में लाकर वध कर दिया होगा। हैहयों से विजित राज्य को **कश्यप गोत्रीय** एक ब्राह्मण को सुपुर्द करके परशुराम अंततः मंदराचल में जाकर साधनारत हो गए। यह घटना राम से चौबीस पीढ़ी पूर्व घटित हुई थी, अतः इन्हीं के कुल में उत्पन्न किसी अन्य परशुराम नामधारी पुरुष का ही त्रेता युग में **दाशरथी-राम** से साक्षात्कार हुआ होगा। इसी तरह भार्गव कुल के किसी अन्य परशुराम नामधारी वंशज या गोत्र के द्वारा द्वापर युग में **भीष्म, द्रोण** व **कर्ण** को धनुर्विद्या की शिक्षा दी गई रही होगी। परशुराम द्वारा दान में प्राप्त भूमि के अधिकारी होने के कारण कश्यप के उत्तराधिकारी कालांतर में **भूमिधारी** या **भूमिहार ब्राह्मण** के रूप में जन-सामान्य में विख्यात हुए। भारत के पूर्वी उत्तर प्रदेश व बिहार के भूमिहार इन्हीं के आधुनिक वंशज प्रतीत होते हैं। इसी तरह मूल परशुराम के इस त्याज्य प्रवृत्ति को सांकेतिक आधार प्रदान करते हुए कुरुक्षेत्र के समीपवर्ती क्षेत्रों में निवास करनेवाले इनके कुछ शिष्यों ने अपने को **'त्यागी'** के रूप में तत्पश्चात् प्रतिष्ठापित किया था। भारत के पश्चिमी उत्तर प्रदेश व पूर्वी हरियाणा की **त्यागी जाति** इन्हीं परशुराम-शिष्यों की ही आधुनिक वंशज दिखती है।

परशुराम

च्यवन-पुत्र **दधीचि** को सरस्वती नामक स्त्री से **सारस्वत** नामक एक अतिज्ञानी पुत्र की प्राप्ति हुई। इसी के वंशज **'सारस्वत-गोत्रीय'** ब्राह्मण के रूप में आजकल पहचाने जाते हैं। अपने दायद बंधु वृत्र के सैनिकों से देवों की रक्षा करते हुए शहीद हुए **'दधीचि'** की अस्थि से निर्मित **वज्र** नामक आयुध से वृत्र का वध करके इंद्र ने दधीचि की हत्या का सम्मानजनक ढंग से प्रतिशोध भी लिया था।

च्यवन के पुत्र **ऋक्ष** को **विद्** नामक पुत्र हुआ था। विद् को **अद्विषेण** तथा अद्विषेण को **वीतहव्य** नामक पुत्र हुआ। वीतहव्य को **सुमेधस**, सुमेधस को **पाश्वास्य** तथा पाश्वास्य को **गृत्समान्** नामक पुत्र हुआ। गृत्समान् को मंत्रद्रष्टा **नभ** तथा नभ के वंश में **वसन** हुए। वसन को **रत्नाकर** नामक एक उद्दंड स्वभाव का पुत्र हुआ, जो बड़ा होकर दस्यु-वृत्ति में संलग्न हो गया। नारद द्वारा समझाए जाने पर दस्यु रत्नाकर ने **दस्यु-वृत्ति** को तिलांजलि देकर तमसा नदी के तट पर कठोर साधनारत हुआ। समाधिस्थ रत्नाकर के शरीर को **दीमकों** (बल्मीक) द्वारा आवृत किए जाने के कारण कालांतर में यह **वाल्मीकि** के नाम से प्रसिद्ध हुआ। **बुद्ध चरित्र** अध्याय प्रथम (श्लोक-43) में स्पष्ट रूप से वाल्मीकि को च्यवन गोत्रीय (यानी भार्गव ब्राह्मण) कहा गया है (***वाल्मीकिरादौ च ससर्ज पद्म जग्रंथ यन्न च्यवनो महर्षिः***)। इस तरह यह स्पष्ट हो जाता है कि 'रामायण' के रचयिता, **ऋक्ष-वाल्मीकि** दलित वर्ग से नहीं बल्कि विशुद्ध भार्गवकुलीन ब्राह्मण ही रहे थे। उन्हें दलित प्रचारित करने का भ्रम संभवतः युवावस्था में उनके द्वारा अपनाए गए दस्यु प्रवृत्ति के घृणास्पद सामाजिक भाव के कारण ही पनपा होगा। बहेलिया द्वारा आहत क्रौंच पक्षी के आर्तनाद पर साधना से प्रदीप्त रत्नाकर (वाल्मीकि) के मुख से प्रस्फुटित यह व्यथित प्रतिक्रिया कि ***'मा निषाद् प्रतिष्ठांत्वमगमः शाश्वतीः समाः यत्क्रौंचमिथुनादेवकमवधीः काममोहितम्'*** साहित्य जगत् की **प्रथम कविता** के रूप में प्रतिष्ठित हुई। इसी से वाल्मीकि को **आदिकवि** भी कहा जाता है। इनका आश्रम चित्रकूट से उत्तर **पयस्विनी नदी** के पश्चिमी तट पर स्थित था।

कालिदास के **'रघुवंश'** के अनुसार वाल्मीकि दशरथ व जनक के समकालिक रहे थे। आदिकवि वाल्मीकि के विषय में यह जनश्रुति प्रचलित है कि देवर्षि नारद की प्रेरणा पर उन्होंने रामायण की रचना राम के जन्म से पूर्व ही कर डाली थी। इस प्रकार की आस्थाएँ वाल्मीकि को भावी घटनाओं के मर्मज्ञ रहे एक प्रख्यात ज्योतिषी के अप्रत्यक्ष आशय से ही परिभाषित करती दृष्टिगोचर होती हैं। परंतु ज्योतिष के आदिकालीन अठारह सिद्धांतकारों ***(ब्रह्म सूर्य्य सोमः वसिष्ठोऽत्रिः पराशरः कश्यपो नारदो गर्गो मरीचमनुरंगिरा, लोमशः पौलिश्चैव च्यवनो यवनो भृगुः शौनकोऽष्टादश्चैते ज्योतिशास्त्रः प्रवर्तका)*** की सूची में वाल्मीकि को सम्मिलित न किया जाना या फिर परवर्ती ज्योतिष के किसी फलित सिद्धांत में उनसे संबंधित संदर्भों का नहीं पाया जाना, जहाँ इस तरह की संभावनाओं पर पूर्ण विराम लगा देता है वहीं मात्र राम से संबंधित भावी घटनाओं के मर्मज्ञ होने की संकीर्ण छवि

उनके इस तथ्यपरक कालजयी कृति के साथ-साथ राम के ऐतिहासिक अस्तित्व को भी काल्पनिकता की धुंध से ही ढाँपने का प्रयास करते दिखते हैं। उपर्युक्त तर्क ही नहीं, अपितु इस ग्रंथ के रचयिता स्वयं ही वर्णित संदर्भों के माध्यम से इन प्रश्नों का निराकरण भी कर देते हैं। वाल्मीकि रामायण (बालकांड) के चतुर्थ सर्ग का प्रथम श्लोक ***(प्राप्तराज्यस्य रामस्य वाल्मीकिर्भगवानृषिः चकार चरितं कृत्स्नं विचित्रपदमर्थवत्)*** ही यह स्पष्ट कर देता है कि ऋषि वाल्मीकि ने राम के सिंहासनारूढ़ होने के पश्चात् ही इस ग्रंथ की रचना की थी। यही नहीं बल्कि इस सर्ग के संदर्भ में वह यह भी स्पष्ट करते हैं कि रावण के पराभव के दृष्टिगत ऋषि द्वारा मूलतः इस ग्रंथ का नाम भी **'पौलस्त्यवध'** ही रखा गया था। संभवतः रावण व लवणासुर वध के पश्चात् चुनौती शून्य हुए दाशरथि-राम के एकच्छत्र शौर्य-मंडल के प्रभाववश ही इस ग्रंथ के मूल शीर्षक को कालांतर में राम के प्रतीकात्मक भाव अर्थात् **'रामायण'** में रूपांतरित कर दिया गया होगा। चित्रकूट में राम से मंत्रणा कर वापस लौटे भरत ने राम द्वारा दंडकारण्य वन में बिताए जानेवाले वनवास की शेष अवधि के दौरान की गतिविधियों पर दृष्टि रखने तथा आवश्यकता पड़ने पर राम को यथायोग्य सहयोग पहुँचाने की दृष्टि से वल्कल के छद्म वेश में अयोध्या से दूर वाल्मीकि के आश्रम के निकट वन में ही अपना पड़ाव डाले रखा। इस प्रकार रघुवंशियों के शुभेच्छु रहे ऋषि वाल्मीकि भी भरत के गुप्तचरों के माध्यम से वनवास काल में राम द्वारा आद्योपांत संपादित घटनाओं से समय-समय पर अवगत होते रहे थे। यही कारण है कि उनके द्वारा रचित **'रामायण'** के संदर्भों को तात्कालिक घटनाओं के आकलन के लिए एक प्रामाणिक स्रोत भी माना जाता है। 'वाल्मीकि रामायण' के अनुसार इसके प्रथम छह कांड का गायन वाल्मीकि के शिष्यों (लव व कुश) द्वारा राम-दरबार में किया जाता है (***काण्डानि षट्कृतानीह पंचसर्गशतानि च तन्त्रीलयव्यंजनयोगयुक्तं कुशीलवाभ्यां परिगीयमानम्***-बा.रा., उ.का. सर्ग-94), जबकि उत्तर कांड के कुछ भागों का वर्णन राम को अगस्त्य ऋषि ने सुनाया था। उक्त संदर्भों द्वारा स्पष्ट होता है कि प्रचलित **'वाल्मीकि रामायण'** के प्रथम छह कांड महर्षि वाल्मीकि द्वारा रचित थे, जबकि सातवें कांड (**उत्तर कांड**) के 36 सर्ग अगस्त्य द्वारा व शेष सर्ग संभवतः द्वापरकालीन कथावाचक लोमहर्षण सूत द्वारा जोड़े गए रहे होंगे। गुरु द्रोण द्वारा शिष्य **एकलव्य** से उसके अँगूठे का बलिदान लेने की घटना या फिर कर्ण को **सूत-पुत्र** कहकर तिरस्कृत करना अथवा महाभारत (अनुशासन पर्व) में भीष्म द्वारा युधिष्ठिर को **मुनि-शूद्र** के

वृत्तांत द्वारा नीच जाति के मनुष्यों का दीक्षित करने से भी परहेज की सीख देने आदि का संदर्भ, यह संकेत देता है कि महाभारतकालीन उच्चवर्गीय व्यवस्था में शूद्रों को बहुत ही हेय दृष्टि से देखा जाता रहा है। यही कारण रहा कि महाभारतकालीन सूत द्वारा रचित 'उत्तर रामायण' के संदर्भों में ज्ञान प्राप्ति के लिए प्रयासरत रहे शूद्र **शंबूक** का स्वयं सम्राट् राम के हाथों से अकारण वध करने के क्षेपक को उचित प्रमाणित किया गया है। निश्चित रूप से उपर्युक्त घटनाएँ **दलितों** के प्रति व्याप्त महाभारतकालीन घृणित मानसिकताओं के ही उदाहरण रहे थे। इस प्रकार भृगु के प्रसिद्ध वंश में उत्पन्न **वात्स्य, वैहीनरि, लुब्ध, मांडव्य, स्तनित, सांकृत्य, गार्हायण, बालाकि, ऐलिक, जविन, कौत्स, आलुकि, फेनप, पांडुरोचि, चातकि, गोष्ठायन, याज्ञेयि, लालाटि, नाकुलि, सोक्ति, वांगायनि, शाकटायन, आपस्तंबि, यास्क, जाबालि, सावर्णिक, शौनक** आदि-आदि के उत्तराधिकारियों को जहाँ भारत में **'भार्गव-गोत्रीय'** ब्राह्मण के रूप में जाना जाता है, वहीं दक्षिण-पश्चिम एशिया में इनके वंशज **फ्रीगीयंस** जाति के रूप में आज भी विद्यमान हैं।

नारद—ब्रह्मा के मानस-पुत्र नारद अपने विचित्र स्वभाव तथा व्यवहार के कारण **'वामदेव'** के रूप में भी विख्यात रहे थे। नृत्य, गायन व संगीत तथा देशाटन इन्हें अधिक प्रिय रहा था। संगीत को परिभाषित करते हुए इन्होंने **'नृत्यं गीतं च वाद्यं त्रयं संगीत मुच्यते'** का दृष्टांत प्रस्तुत किया था। रुद्र के निर्देशन में नारद ने **शडज, ऋषभ, गांधार, मध्यम, पंचम, धैवत** व **निषाद** (सा, रे, ग, म, प, ध, नी) जैसे **सात सुरों, इक्कीस मूर्छनाओं** व **उनचास तालों** के **स्वरमंडल** की रचना की। नारद **सामवेद** के कवि भी माने जाते हैं। भक्ति रस से भी इन्हें बेहद लगाव रहा था। भक्ति सूत्र की रचना के माध्यम से इन्होंने **'नवधा भक्ति'** (श्रवण, कीर्तन, पादसेवन, अर्चन, वंदन, दास्य, आत्म निवेदन, निराजन व आरती) का सिद्धांत भी प्रतिपादित किया था। वे अर्थशास्त्र के भी मर्मज्ञ रहे थे। अर्थशास्त्री के रूप में उनकी रचनाएँ **पिशुन** के छद्म नाम से लिखी गई थीं। इनके अलावा नारद द्वारा रचित **स्मृति-शास्त्र** भी काफी महत्त्वपूर्ण रहा था। नारायण के प्रति अपनी विशेष अनुरक्ति के कारण इन्हें वैष्णव भी माना जाता रहा था। इनका अभिन्न मित्र **'गंधर्वपर्वत'** रहा था। अपने घुमक्कड़ स्वभाव के कारण नारद अपना कोई निश्चित स्थान नहीं बना पाए थे। निवृत्ति परायण ऋषि होने के कारण इनका कोई वंश-वृत्तांत भी नहीं रहा था, लेकिन शिष्य-परंपरा को विकसित करने के कारण इनके अनुरूप आचरण करनेवाले उत्तराधिकारियों को भी **'नारद'** के ही नाम से जाना जाने लगा।

यही कारण है कि ब्रह्मा से लेकर कृष्ण तक के काल में **नारद** का अस्तित्व अविच्छिन्न रूप से बना रहा।

उपर्युक्त **आद्य महर्षियों** व **ऋषिगणों** के अलावा कालांतर में ब्रह्मा के सान्निध्य में आए **कर्दम, ऋभु** व **गौतम** आदि ऋषियों को भी मानस-पुत्रों के ही समकक्ष मान्यताएँ प्रदान की गईं। संभवतः अपने पूर्ववर्तियों की ही भाँति ये सभी ऋषिगण भी ब्रह्मा द्वारा व्यक्तिगत रूप से उपर्युक्त विषयक ज्ञान से प्रदीप्त हुए होंगे। ऋभु एक **निवृत्तिपरायण ऋषि** हुए तथा कर्दम ने **वेद की ऋचाओं** को सृजित किया और वेदज्ञ की उपाधि से प्रतिष्ठित हुए। अक्षपाद गौतम ने **प्रमाण** (Right Knowledge), **प्रमेय** (Object of Right Knowledge), **संशय** (Doubt), **प्रयोजन** (Purpose), **दृष्टांत** (Illustrative Instances), **सिद्धांत** (Accepted Conclusions), **अवयव** (Premisses), **तर्क** (Argumentation), **निर्णय** (Ascertainment), **वाद** (Debates), **जल्प** (Disputations), **वितंडा** (Destructive Criticisms), **हेत्वाभास** (Fallacy), **छल** (Quibble), **जाति** (Refutations) और **निग्रह** (Points of opponent's defeat) जैसे सोलह अभूतपूर्व तत्त्वों पर आधारित विश्व के प्रथम **न्याय-सूत्र** (Civil Code) को प्रतिपादित किया। इन तीनों के अलावा **रुद्र** (शिव) के शिष्य रहे **अगस्त्य** (समुद्र शास्त्र व पोत या जलयान तथा तमिल भाषा के प्रणेता), **सिद्ध थिरुमूलर** (अणिमा-Power of Smaller, महिमा-Power of Expansion, गरिमा-Power of Heavier, लहिमा-Power of Lightness, प्राप्ति-Faculty of knowing everything, प्राकाम्य-Power to achieve all one's desire, ईशित्व-Supreme power over animate and inanimate object of universe व वशित्व-the power command overall by thought or word-ये कुल आठ प्रकार की सिद्धियों-Super natural power के प्रवर्तक), **पर्वत** (राग-रागिनी व वाद्य-यंत्र के अन्वेषक), **अकृष्ट** (खनिज-विज्ञान के प्रणेता), **प्रष्णि** (नृप शास्त्र के रचयिता), **धन्वंतरि** (औषधि-विज्ञान के प्रवर्तक), **अग्नियोनि** (विद्युत्, जल, अग्नि, वाष्प, रत्न, वायु, सूर्य-ताप, चुंबक व भूगर्भ तरल द्वारा उत्सर्जित नौ प्रकार की ऊर्जा स्रोतों के अन्वेषक), **वानप्रस्थ** सोम व **राजपुत्र** बुध (वनस्पति व हस्तिशास्त्र के प्रणेता) आदि को भी इन नई विधाओं के प्रति किए गए उनके अभूतपूर्व योगदानों के कारण ही भारतीय शास्त्रों में मानस-पुत्रों की श्रेणियों में रखा गया (एपिक मायथोलॉजी)।

वस्तुतः **ब्रह्मा** के मानस-पुत्र तथा **रुद्र** (शिव) के शिष्यगण ही विश्व के समस्त

ज्ञान-विज्ञान की मूल परंपराओं के सूत्रधार रहे थे। इन आद्य-मनीषाओं के उत्तराधिकारी के रूप में विभिन्न विषयों में पारंगत ऋषियों की एक सतत शृंखला रही थी, जिसे **ब्रह्मर्षि** (ब्रह्मवेत्ता), **राजर्षि** (भौतिकवेत्तां), **विप्रर्षि** (कर्मकांडी) आदि श्रेणियों में वर्गीकृत किया गया था। **बृहद्देवता** में इन विज्ञ पुरुषों के अतिरिक्त **घोषा, गोधा, विश्ववारा, आसुरि, अपाला, निषत्, जूहू, अगस्तश्वसा, अदिति, रीति, सरमा, रोमसा, उर्वशी, मैत्रेयी, लोपमुद्रा, शचि, नाट्य, यमी, शाश्वती, श्री, लक्षा, गौरी, वाक्, श्रद्धा, मेधा, दक्षिणा, रात्रि** व **सूर्या** नामधारी सत्ताईस विदुषी स्त्रियों को भी ऋषियों की श्रेणी में रखा गया है। इस प्रकार कुत्स, मधुच्छंद, जेत, मेघातिथि, शनुःशेप, ऋषभ, विश्वचर्षणि, सहस्रवसु, असित, प्रतर्दन, कर्णश्रुत, प्रचेता, उपमन्यु, मंकणक, मुद्गल, मातरिश्वा, सवित्र, ऐतश, उतक, वैशंपायन, अष्टावक्र, अदिति, वाक्, घोषा, अपाला, लोपमुद्रा, गौरी, रीति, कठ, उद्दालक, यम, नचिकेता, कश्यप, कर्दप, मार्कंडेय, सौभरि आदि **(वैदिक ऋचाओं तथा उपनिषदों के रचयिता)**; कपिल, आसुरि व पंचशिख **(सांख्य योग यानी भौतिक शास्त्र के रचयिता)**; औपमन्यव, औदुपंबरायण, वार्ष्यायणि, आग्रायण, शाकपूर्णि, और्णवाभ, तैटीक, गालव, स्थौलाष्ठोवि, क्रौष्टुकि, मेधा, कात्थक्य, मैत्रेय, शाकटायन, गार्ग्य, काशकृत्स्न, यास्क, अपिशलि व पाणिनि **(व्याकरण शास्त्र रचयिता)**; कश्यप, भृगु, बृहस्पति, लोमस, रोमसा, अत्रि, देवल, गर्ग, रात्रि, वसिष्ठ, अगस्त्य, जैमिनी, मय, रावण, पराशर, वराहमिहिर (**ज्योतिष** व **खगोल शास्त्र प्रणेता**); हिरण्यगर्भ व पातंजलि **(योग-सूत्र प्रणेता)**; कणाद, कणभुक व कणभक्ष **(वैशेषिक दर्शन या अणु-विज्ञान प्रणेता)**; आश्वलायन, कात्यायन, याज्ञवल्क्य, शतानंद **(धर्मशास्त्र रचयिता)**; मय/विश्वकर्मा **(वास्तुशास्त्र प्रवर्तक)**; भैरव **(रसायन शास्त्र प्रणेता)**; अश्विनी कुमार **(शल्य-विज्ञान प्रणेता)**; पराशर **(कृषि-तंत्र प्रणेता)**; नाट्य, भरत व वररुचि **(नाट्यशास्त्र प्रणेता)**; सुधन्वा, विशालाक्ष, भरद्वाज, बुध, श्री व विष्णुगुप्त-कौटिल्य **(अर्थशास्त्र रचयिता)**; श्वेतकेतु, वाभ्रव्य व विष्णुगुप्त-वात्स्यायन **(कामशास्त्र रचयिता)**; मरुत, शालङ्कायन, भागुरि, विश्वामित्र व विष्णुगुप्त-चाणक्य **(नृप या राजनीति शास्त्र के रचयिता)**; पराशर, कृष्ण द्वैपायन, शौनक, सावर्णि, लोमहर्षण शुकदेव **(पुराण रचयिता)**; आर्य-भट्ट (**वर्गमूल** व **दशमलव सूत्र प्रणेता**) आदि-आदि विज्ञ गण अपने स्तरों से सरस्वती व दृषद्वती के तटों से प्रवाहित होनेवाली ज्ञानोत्री की इन अमृत धाराओं द्वारा मानवी उत्कंठाओं को तृप्त कराते रहे थे। भौतिक-संसाधनों को मानवी उपयोगिता के अनुरूप विकसित करने के साथ-साथ इन ऋषियों का उद्देश्य मानवों को उस आध्यात्मिक सत्य से भी आत्मसात् कराने

का रहा था, जो सभी विचारों के मूल में मानवता को बिना किसी लिंग, जाति व वर्ग विद्वेष के व्यवस्थित संस्कृति व संस्कार पूर्ण जीवन-यापन करने तथा विश्व-बंधुत्व के आदर्श को अपनाने की प्रेरणा देता हो।

इन ओजस्वी ऋषियों के ज्ञानोत्रियों से प्रवाहित होनेवाली **परा** व **अपरा** विद्याओं की धाराओं को सामान्यतः **'श्रुति'** (निगम) और **'स्मृति'** (आगम) की दो शाखाओं में विभाजित किया गया है। ऋषियों द्वारा अपनी प्रज्ञा के बल पर सुने गए **'ब्रह्मस्वर'** को मानुषी अभिव्यक्ति देने के कारण ज्ञान के इस स्रोत को **'श्रुति'** के सार्थक नामों से अलंकृत किया गया। श्रुतियों के अंतर्गत वेद संहिता सहित इसके **व्याख्यात्मक अंश** (यानी ब्राह्मण), **उपदेशात्मक अंश** (यानी आरण्यक) तथा **ज्ञानपरक अंश** (यानी उपनिषद्) आते हैं, जबकि मानवी आचार, व्यवहार व व्यवस्थाओं के निमित्त रचे गए **स्मृतियों** में दर्शन, धर्मशास्त्र, पुराण-इतिहास व ग्रंथों को समावेशित किया गया है। **पद्य, गद्य** व **गेय गीत** के तीन भावों के कारण वेद को **'त्रयीविद्या'** भी कहा गया है। वेद मंत्रों के सही उच्चारण, व्युत्पत्ति के आधार पर शब्दार्थ, भाषा-भाव, स्वरूप-संस्कार, विधि-विधानों व कालगणना के सम्यक् बोध के कारण **अपौरुषेय वेद** को क्रमशः **शिक्षा** (मुख), **निरुक्त** (कर्ण), **व्याकरण** (नासिका), **छंद** (चरण), **कल्प** (हाथ) व **ज्योतिष** (नेत्र) के षटांगों में वर्गीकृत किया गया है। महाभारतकालीन ऋषि **कृष्ण द्वैपायन व्यास** ने वेद संहिताओं को इनके स्वरूपों के आधार पर चार मुख्य भागों में विभाजित किया था। इस संहिता का सबसे प्राचीन व बड़ा भाग पद्यमय है। **'ऋक'** या **'ऋचा'** (काव्य-पंक्तियों) से आवृत रहने के कारण यह भाग **'ऋग्वेद'** के नाम से प्रसिद्ध हुआ। इसका पुरातन नाम **'बृहवच्'** रहा था। ऋग्वेद में **दस मंडल** हैं और इन मंडलों में कुल **1028 सूक्त** हैं। 'ऋग्वेद' में सृष्टि रहस्य सहित खगोल विद्या, गणित, ज्योतिष व मानवी मूल्यों पर विशद प्रकाश डाला गया है। **यजुष्** (गद्य) रूप से यज्ञयागादि विधायक मंत्रों को प्रस्फुटित करने के कारण वैदिक संहिता के दूसरे भाग को **'यजुर्वेद'** के रूप में चिह्नित किया गया है। इसका पुरातन नाम **'विशद'** रहा था। यजुर्वेद को **कृष्ण** व **शुक्ल** के दो भागों में विभाजित किया गया है। कृष्ण यजुर्वेद में **सात कांड** व शुक्ल यजुर्वेद में **40 अध्याय** हैं। यज्ञीय कर्मकांडों के अतिरिक्त इसमें रहस्यात्मक विद्या व आध्यात्मिक ज्ञान से संबंधित विषयों पर भी प्रकाश डाला गया है। गाए जानेवाले मंत्रों से परिपूर्ण संहिता के तीसरे भाग को **'सामवेद'** के नाम से जाना गया है। यह **पूर्वार्चिक** (650 मंत्रों) व **उत्तरार्चिक** (1225 मंत्रों) के दो भागों में विभाजित है। स्तुति गायन की विशेषताओं

के कारण इसे सामान्यतः **'उपासना वेद'** के नाम से भी जाना जाता है। गद्य व पद्य मिश्रित संहिता के अंतिम भाग को **'अथर्ववेद'** के नाम से चिह्नित किया गया है। इसमें अध्यात्म तत्त्व के अलावा मारण, सम्मोहन, अभिचार आदि विषयों पर प्रकाश डाला गया है। 'अथर्ववेद' में कुल **20 कांड** हैं, जिन्हें **38 प्रपाठकों** में विभक्त किया गया है। 'अथर्ववेद' ज्ञान-विज्ञान दोनों का ही अगाध भंडार है। इसी तरह **अपरा विद्या** (विज्ञान) संबंधी पक्ष को विकिरित करनेवाली सर्जनाओं को **'उपवेद'** के रूप में परिभाषित किया गया है। उपवेदों में **आयुर्वेद** (चिकित्सा विज्ञान), **गांधर्व वेद** (संगीत शास्त्र), **धनुर्वेद** (अस्त्र-शस्त्र अनुसंधान) और **अर्थवेद** (अर्थशास्त्र/राजनीति शास्त्र) प्रमुख हैं। इसी प्रकार **ब्राह्मणों** में संबंधित संहिताओं के मंत्रों की सम्यक् व्याख्याएँ की गई हैं, जबकि एकांत वनों में गुरु द्वारा शिष्यों को दिए गए वैदिक उपदेशों के संकलन **आरण्यक** कहलाते हैं। जहाँ तक **उपनिषद्** का प्रश्न है तो यह **उप** (अजस्र रूप से प्राप्त) व **नि** (संपूर्ण) उपसर्ग के साथ **सद्** (ज्ञानं) धातु से **क्विप'** प्रत्यय जोड़ने पर व्युत्पन्न होता है। व्याकरणानुसार ***'उपनिषीदति प्राप्नोति इति उपनिषदः'*** के भावार्थवश इसका आशय ब्रह्म के समीपस्थ होकर ज्ञान का साक्षात्कार करने से सिद्ध होता है। अतः यह साक्षात् **ब्रह्मविद्या** है, जिसे जान लेने के बाद और कुछ शेष नहीं बचता। **ब्राह्मणों** में ऐतरेय, कौशीतकी, तैत्तिरीय, मैत्रायणी, सत्यायनी, बल्लभी, शतपथ, सामविधान, आर्षेय, वंश, तलवकार, तांडय, गोपथ व छांदोग्य; **आरण्यकों** में ऐतरेय, कौशीतकी, तैत्तिरीय, वृहदारण्यक, जैमिनीय आदि एवं **उपनिषदों** में ईशावास्य, केन, कठ, प्रश्न, ऐतरेय, तैत्तिरीय, मुंडक, मांडूक्य, श्वेताश्वतर, छांदोग्य, वृहदारण्यक व कौशीतकी प्रमुख हैं। इसी प्रकार **'स्मृतियों'** के अंतर्गत आनेवाले **धर्मशास्त्रों** में सामाजिक अनुशासन को नियंत्रित करनेवाली विधियाँ, **आगमों** में सांप्रदायिक विधि-विधान व **दर्शनों** में जीवन से संबंधित आध्यात्मिक, आधिदैविक तथा आधिभौतिक तत्त्वों का यथार्थ विश्लेषण किया गया है। **धर्मशास्त्रों** में त्रिवर्ग, मानव (मनुस्मृति), याज्ञवल्क्य स्मृति, नारद स्मृति, वसिष्ठ स्मृति, वृहस्पति स्मृति, अत्रि स्मृति, हारीत स्मृति, उशना स्मृति, शंख स्मृति, दक्ष स्मृति, पुलस्त्य स्मृति आदि; **आगमों** में शैव (200), वैष्णव (108) व शाक्त (64 अद्वैतवादी, 10- द्वैतवादी व 18-द्वैताद्वैतवादी); **दर्शनों** में सांख्य (सृष्टि-रहस्य), न्याय (तर्क), वैशेषिक (द्रव्य, गुण, कर्म, सामान्य, विशेष, समवाय और अभाव के आधार पर पदार्थों की तात्त्विक विवेचना), योग (क्रिया-यम, नियम, आसन, प्राणायाम, प्रत्याहार, धारणा, ध्यान व समाधि के आधार पर चित्तवृत्ति निरोध की क्रियाएँ एवं हठ), पूर्वमीमांसा (धर्म जिज्ञासा), उत्तर मीमांसा (ब्रह्म जिज्ञासा अर्थात्

आदि शंकराचार्य द्वारा प्रतिपादित अद्वैतवाद, **मध्वाचार्य** द्वारा प्रतिपादित द्वैतवाद, आचार्य **रामानुज** द्वारा प्रतिपादित विशिष्टाद्वैतवाद, आचार्य **वल्लभ** द्वारा प्रतिपादित शुद्धाद्वैतवाद व **निंबार्क** द्वारा प्रतिपादित द्वैताद्वैतवाद का समष्टि रूप), चार्वाक (अनीश्वरवाद), बौद्ध (अनात्मवाद), आहत (जैन) व गीता (ब्रह्म विद्या) तथा **पुराणों** में ब्रह्म, पद्म, विष्णु, शिव, वायु, अग्नि, श्रीमद्भागवत, नारद, ब्रह्मवैवर्त, भविष्य, मार्कंडेय, वाराह, स्कंद, कूर्म, मत्स्य, वामन, गरुड़, ब्रह्मांड, लिंग, देवीभागवत आदि एवं **कालजयी ग्रंथों** में रामायण व महाभारत प्रमुख हैं।

ऋषियों के श्रमसाध्य प्रयासों से प्रस्फुटित उपर्युक्त **ब्रह्मवाक्** (आप्त-विचारों) की थाती को सहेजकर रखने तथा अपने अनुशासित व अनुकरणीय आचरणों द्वारा सामाजिक जीवन में इसका प्रचार व प्रसार करनेवाले ज्ञान के संवाहकों को भारत में **ब्राह्मण** यानी **पथ-प्रदर्शक** के रूप में जाना गया। वस्तुतः ब्रह्मणत्व का अभिप्राय उस बृहद् आध्यात्मिक सत्य से है, जो सभी धर्मों के आधार-स्तंभ व सभी विचारों के मूल में मानवता को बिना किसी लिंग, जाति व वर्ग विद्वेष के व्यवस्थित संस्कृति व संस्कारपूर्ण जीवन-यापन करने तथा विश्व-बंधुत्व के आदर्श को आत्मसात् करने की प्रेरणा देता है। मनुस्मृति (1/100) में इस तथ्य की व्याख्या ***'ब्राह्मणो जायमानो हि पृथिव्यामधिजायते ईश्वरः सर्वभूतानां धर्मकोषस्य गुप्तये'*** (अर्थात् ईश्वर ने सभी प्राणियों के धर्मरूपी धन की रक्षा के लिए ही पृथ्वी पर ब्राह्मणों को उत्पन्न किया है) के रूप में की गई है। किंचित् यही कारण रहे थे कि ब्राह्मणों के लिए ***'ब्रह्म जानाति सा ब्राह्मणा'*** (जो ब्रह्म को जाने वही ब्राह्मण है) या फिर ***'मंत्र ब्राह्मण योर्वेद नामधोयम'*** (मंत्र व ब्राह्मण का समन्वय ही वेद है) जैसी परिभाषाएँ व्यवहृत हुई थीं। जैन तीर्थंकर **महावीर**, मुक्त पुरुष को ही 'ब्राह्मण' के रूप में स्वीकार करते थे; उनके अनुसार जो मन, वचन व काया से किसी जीव की हिंसा नहीं करता हो तथा न तो क्रोध में असत्य भाषण करता हो, न हँसी-मजाक में और न ही प्रलोभन में पकड़कर असत्याचरण करता हो, न ही भय में पड़कर उसे ही **'ब्राह्मण'** कहा जा सकता है ***(तसपाणे वियाणेत्ता संगहेण य थावरे, जो न हिंस इति विहेण ते वयं ब्रूम माहणं। कोहा वा जई वा हासा कोहा वा जई वा भया, मुस न वयई जो उ ते वयं ब्रूम माहणं***—उत्तराध्ययन सूत्र-25/23-24)। इसी प्रकार **गौतम बुद्ध**, निर्लिप्त व्यक्ति को 'ब्राह्मण' की संज्ञा से परिभाषित करते थे। कमल-पत्र पर जिस प्रकार जल अलिप्त रहता है या फिर आरे की नोक पर सरसों का दाना, ठीक उसी प्रकार जो मनुष्य भोगों में अलिप्त रहता हो अथवा जिसने काया, वाणी या मन से कभी

दुष्कार्य न किया हो और जो तीनों कर्मपंथों में संवृत व सुरक्षित हो उसे ही बुद्ध **'ब्राह्मण'** की श्रेणी में रखते हैं ***(वारिपोक्खरपते व आरम्गो रिव सासपो यो न लिम्पति कामेसु ततहं बूम्रि ब्राह्मणं, यस्स कायेन वाचाय मनसा नल्थि दुक्कतं संवुतं तीहि ठानेहि तमहं वूम्रि ब्राह्मणं-धम्मपद-***ब्राह्मणवग्गो-26/97)। **मानव धर्मशास्त्र** (2/20) में तो इनकी मानव प्रेरक भूमिकाओं को अंगीकार करते हुए स्पष्ट रूप से कहा गया है कि इस देश में उत्पन्न हुए अग्रजों (ब्राह्मण) के आचरणों को अपना आदर्श मानते हुए पृथ्वी के समस्त मानवों को अपने-अपने चरित्रों को उसी अनुरूप ढालने का प्रयास करना चाहिए ***(एतद्देश प्रसूतस्य एकाशदग्रजन्मनः स्वं स्वं चरित्रं शिक्षेरन् पृथिव्यां सर्वमानवाः)***। ज्ञान-विज्ञान व मानवता के प्रति समर्पित अपने कष्ट-साध्य प्रयासों के कारण ही सभी विपरीत परिस्थितियों में भी भारत का यह वर्ग वेद, उपनिषद्, स्मृति, शास्त्र, पुराण, चरित्र, गाथा आदि के रूप में आद्य-पूर्वजों के अभिनव वाङ्मय को यथावत् सहेजकर रखने तथा भारतीय वाङ्मय के मूल स्रोत यानी संस्कृत भाषा को कर्मकांडों के माध्यम से जीवित रखने में सफल रहा। जर्मन अध्यापक **विष्टर्निट्ज** की यह टिप्पणी कि *'जब भारतीय वाङ्मय पश्चिम में सर्वप्रथम विदित हुआ तो लोगों की रुचि भारत से आनेवाले प्रत्येक साहित्यिक ग्रंथ को अति प्राचीन युग का मानने को हुई। वे भारत पर इस प्रकार से दृष्टि डालने लगे कि मानो यही देश न्यून-से-न्यून मानवी सभ्यता की दोला रहा हो'* या फिर फ्रेंच लेखक **क्रुईझेर** का यह कथन कि *"विश्व में यदि ऐसा कोई देश है, जो मानवता का पालना होने का दावा कर सकता है या आरंभ से मानव का निवास स्थान रहा हो और जहाँ से प्रगति और ज्ञान की लहरें सर्वत्र पहुँचकर मानवी समाज को पुनर्व्यवस्थित करती रही हों, तो वह देश भारत व सिर्फ भारत ही है"* निश्चित रूप से ब्राह्मणों द्वारा सहेजकर रखे गए पूर्वजों के ज्ञान-धरोहर के ही प्रतिफल रहे हैं। ऋषियों के विभिन्न गुरुकुलों से प्रवाहित हुए विचार विशेष का प्रतिनिधित्व करने के कारण सामाजिक स्तर पर ब्राह्मणों की पहचान संबंधित ऋषि विशेष के प्रवरों व गोत्रों द्वारा ही होती रही थी, जो अब मात्र गोत्र-परंपरा की धार्मिक औपचारिकताओं तक ही सीमित होकर रह गई है। कालक्रम में आई सामाजिक विकृतियों व वैचारिक प्रदूषणों के कारण लिंग, जाति, वर्ग व क्षेत्र के प्रति ब्राह्मणों का परंपरागत अन्यमनस्क भाव तथा नैसर्गिक आचरण बहुत हद तक प्रभावित तो अवश्य हुआ है, परंतु प्राचीन संस्कृति, संस्कार व संस्कृत-भाषा के प्रति इनका स्वभाविक मोह कमोबेश रूप से अब भी बना हुआ है। अपनी इन्हीं गुरुत्वपूर्ण भूमिकाओं के कारण सामाजिक

वैमनस्यताओं के लिए अप्रत्यक्ष रूप से जहाँ मात्र इन्हें ही दोषी माना जा सकता है, वहीं सामाजिक सौहार्द तथा वसुधैव कुटुम्बकम् के भाव को चरितार्थ करने के इनके मानसिक सामर्थ्य पर प्रश्नचिह्न भी नहीं लगाया जा सकता है।

'ऋग्वेद' का यह मंत्र कि सत्य एक ही है, जिसे विद्वान् नाना विधि से संबोधित करते हैं ***(एकं सद्विप्रा बहुधा वदन्ति***-ऋग्वेद 1.16.46), निश्चित रूप से वैचारिक संतुलन स्थापित करने की ही एक कड़ी है। भौतिकता के आज के ऊहापोह में स्वार्थपरक एवं कुंठित मानसिकता से वशीभूत होने के बजाय वैश्विक संतुलन के लक्ष्य की प्राप्ति के लिए ब्राह्मणों या बुद्धिजीवी वर्गों के लिए यह आवश्यक है कि वे वेद वर्णित विशुद्ध भारतीय भाव की गरिमा को पूरी तन्मयता के साथ आत्मसात् करते हुए समरसता के उत्कृष्ट दृष्टांत को समाज में प्रतिष्ठापित करने का प्रयास करें। सही मायने में प्रतिपादित **'सत्यं शिवं सुन्दरम्'** की भारतीय अवधारणा तभी जाकर फलीभूत हो सकेगी। हंमारा यह निष्कपट प्रयास ही ब्रह्मा के मानस-पुत्रों तथा उनके मेधावी उत्तराधिकारियों को दी जानेवाली सच्ची श्रद्धांजलि होगी, जिसकी उन दिव्य आत्माओं को आतुरता से प्रतीक्षा भी है।

□

मानस-पुत्रों की परंपरा को विकसित कर लेने के पश्चात् आदि-पुरुष (ब्रह्मा) को शारदा नामक शिष्या से एक मैथुनी-पुत्र की प्राप्ति हुई। स्वायंभुव के नाम से विख्यात हुए ब्रह्मा के इस औरस-पुत्र के वंशजों से ही मनुओं (समाज-सुधारकों), प्रजापतियों व राजाओं की विश्वव्यापी परंपरा का सूत्रपात हुआ। इस प्रकार मानवों को अनुशासित जीवन-यापन करने का पाठ पढ़ाने के लिए 'स्मृति' नामक अचार-संहिताओं की रचना के साथ-साथ सामाजिक गठबंधनों का प्राकट्य, फिर आचार-व्यवहार के अनुरूप मानवों का समूह विशेष (कबीलों) में विभाजित होना तथा इसी आधार पर ग्राम व जनपदों का अस्तित्व उभरकर सामने आया। कालांतर में जनपदों को नियंत्रित करने के लिए प्रजा (जन) द्वारा चयनित 'प्रजापति व्यवस्था' तथा इसके अनंतर से विकसित हुए जनपद समूहों को उनकी भौगोलिक स्थितियों के अनुसार वर्ष (राज्य) विशेष में बाँटते हुए इन्हें 'राजा' नामक एक सत्ता संचालक के अधीन कर दिया गया।

प्रस्तुत अध्याय में ब्रह्मा के औरस-पुत्र से प्रारंभ हुई मैथुनी वंशावलियों के जलप्लावन की घटना से पूर्व की श्रृंखलाओं का समकालिक व्यवस्थाओं सहित विस्तार से वर्णन किया गया है।

ब्रह्मा के औरस-पुत्र एवं उनके वंशज

सनकादि मुनियों, मरीचादि महर्षियों तथा भृगु आदि ऋषिगणों को अपना मानस-पुत्र स्वीकार कर लेने के कुछ काल बाद **शारदा** नामक एक परम विदुषी शिष्या से **आदि-पुरुष ब्रह्मा** को भी एक **औरस-पुत्र** की प्राप्ति हुई। **'स्वयंभू'** अर्थात् स्वतः प्रकट अपने अस्तित्व की गरिमा के अनुरूप ही ब्रह्मा ने अपने इस पुत्र का नाम **'स्वायंभुव'** रखा ***(ततो ब्रह्माऽऽत्मसम्भूतं पूर्वं स्वायम्भुवं प्रभुः आत्मानेव कृतवान्प्रजापाल्ये मनुं द्विज***-विष्णु पुराण-1.7.16)। इधर ब्रह्मा के समकालिक अमैथुनीय सृष्टि के मानवी-युग्मों द्वारा उत्पन्न मैथुनीय संतानें कालक्रम में शारीरिक आवश्यकताओं के अनुरूप भोजन, निवास तथा सर्दी आदि से बचने के लिए पशु-चर्म या वृक्षों की छाल व पत्तों का प्रयोग करना तो सीख चुके थे, किंतु उनके आपसी रहन-सहन का दायरा मात्र पारिवारिक इकाई तक ही सीमित था। माता की ममता से आप्त तथा सर्वज्ञ पिता से विधिपूर्वक दीक्षित होकर स्वायंभुव ने लगभग आचार-शून्य से यत्र-तत्र बिखरे पड़े इन मानवी-परिवारों को **सामाजिक अनुशासन** का पाठ पढ़ाते हुए इन्हें **सांगठनिक-सूत्रों** में पिरोना शुरू कर दिया। अपनी जन्मस्थली मेरु (हिमालय) क्षेत्र से प्रारंभ किए गए स्वायंभुव के इन श्रम-साध्य प्रयासों के फलस्वरूप पृथ्वी का एकांगी मानवी परिवेश धीरे-धीरे सामाजिक ढाँचे में परिवर्तित होने लगा। ब्रह्मा के त्रिवर्ग-शास्त्र पर आधारित स्वायंभुव का कुल चौबीस मानवी प्रकरणों पर दिया गया अनुशासन उपदेश कालांतर में **'बृहच्छास्त्र'** नामक एक स्वतंत्र कृति के रूप में विख्यात हुआ। मानवी सुधार के अपने समर्पित उद्देश्यों के कारण जन-समुदाय में ब्रह्मा का यह पुत्र **'मनु'** के अतिरिक्त विशेषण से संबोधित किया जाने लगा। इस प्रकार ब्रह्मा के मानस-पुत्रों द्वारा संचालित गुरुकुलों व आश्रमों में जहाँ मानवी उपयोगिताओं से संबंधित भौतिक संसाधनों व आध्यात्मिक ज्ञान के विकास पर जोर दिया जाता रहा, वहीं ब्रह्मा के औरस पुत्र स्वायंभुव मनु का सारा प्रयास मानवों में

सामाजिक अनुशासन को प्रतिष्ठापित करने का ही रहा था। भारतीय शास्त्रों में ब्रह्मा से लेकर विश्वप्रसिद्ध जलप्लावन **(प्रलय)** के काल तक के विभिन्न अंतरालों में मानवी-अनुशासन के प्रणेताओं के रूप में **'स्वायंभुव मनु'** के अलावा कुल छह और मनुओं के होने का संदर्भ मिलता है। भारतीय समाज में इन मनुओं को क्रमशः **स्वारोचिष, उत्तम, तामस, रैवत, चाक्षुष** व **वैवस्वत** के नामों से स्मरण किया जाता रहा है।

प्रजापति व्यवस्था

इस तरह मनु के प्रयासों से निर्मित सामाजिक धरातल पर शनैः-शनैः मानवी बस्तियाँ अंकुरित होती चली गईं। साथ ही इन विकसित हुए विभिन्न कबीलों में आपसी अहं की टकराहटों का दौर तथा निरंतर बढ़ रही प्रजा के भोजन, रहन-सहन, कार्य विभाजन व सुरक्षा की समस्याएँ भी उठ खड़ी हुईं। इसके निदान के लिए मनु को एक सर्वमान्य, योग्य व सक्षम व्यवस्थापक की नियुक्ति की आवश्यकता अनुभव हुई। तदनुसार सृजित इस तरह के पद को **'प्रजापति'** कहकर पुकारा जाने लगा। वस्तुतः सर्वमान्य तथा प्रजा द्वारा चयनित होने के कारण जनता का प्रजापति के प्रति शासक की अपेक्षा श्रद्धा का अन्यमनस्क भाव ही जुड़ा रहा। यही कारण रहा कि प्रजापतियों द्वारा किए गए जनहित के प्रबंधनों को बिना किसी शंका या शासन भय के जनता द्वारा सहर्ष स्वीकार किया जाने लगा।

स्वायंभुव मनु को **शतरूपा** नामक स्त्री से **प्रियव्रत** व **उत्तानपाद** नामक दो पुत्र तथा **आकूति, देवहूति** व **प्रसूति** नामक तीन कन्याएँ हुईं (***यस्तु तत्र पुमान् सोऽभूऩ्मनुः स्वायम्भुवः स्वराट् स्त्री याऽऽसीच्छतरुपाख्या महिष्यस्य महात्मनः तदा मिथुनधर्मेण प्रजा ह्येधाम्बभूविरे च चापि शतरूपायां पंचापत्यान्यजीजनत् प्रियव्रतोत्तानपादौ तिस्त्रः कन्याश्च भारत आकूतिर्देवहूतिश्च प्रसूतिरिति सत्तम***-भागवत-3/12/53-55)। मनु के इन्हीं दोनों पुत्रों से मानवी समाज में मनुओं के अतिरिक्त प्रजापतियों की भी परंपरा विकसित हुई। प्रियव्रत की शाखा में कुल **तीन मनु** तथा **पैंतीस प्रजापति** हुए, जबकि उत्तानपाद की शाखा में **दो मनु** तथा **दस प्रजापति** हुए। इनके अलावा प्रियव्रत व उत्तानपाद की सम्मिलित शाखा में उत्पन्न अदिति नामक स्त्री का महर्षि मरीचि के कुल में उत्पन्न कश्यप के पुत्र विवस्वान (सूर्य) व भृगुवंशीय त्वष्टा पुत्री रेणु (संज्ञा) के पुत्र के रूप में श्राद्धदेव (शतपथ ब्राह्मण) इस क्रम के अंतिम प्रजापति हुए, जो कालांतर में **वैवस्वत मनु** के नाम से प्रसिद्ध हुए (***मनुर्विवस्वतो ज्येष्ठः***

श्राद्धदेवः प्रजापति-वायु पुराण-84.38)। स्वायंभुव मनु ने प्राथमिकता के आधार पर अपने सुयोग्य ज्येष्ठ पुत्र प्रियव्रत को मेरु क्षेत्र से संबंधित आसमुद्र भूखंड (यूरेशिया व अफ्रीका) का तथा उत्तानपाद को इसके उत्तर के द्वीप का प्रजापति नियुक्त किया। इसी तरह उन्होंने अपनी कन्या प्रसूति को **दक्ष,** देवहूति को **कर्दम** तथा आकूति को **रुचि** को समर्पित किया (*आकूतिं रुचये प्रादात्कर्दमाय तु मध्यमाम् दक्षायादात्प्रसूतिं च यत आपूरितं जगत्*-भागवत्-3/12/56)।

प्रियव्रत-शाखा

स्वायंभुव मनु के ज्येष्ठ पुत्र प्रियव्रत को **प्रजावती** नामक स्त्री से **आग्नीध्र, मेघातिथि, वपुष्मान, द्युतिमान, ज्योतिमान, भव्य, सवन, मेघा, अग्निवाहु** व **मित्र** ये कुल दस पुत्र तथा **सम्राट्** व **कुक्षि** नामक दो कन्याएँ हुईं (विष्णु पुराण-2.1.5)। वीर प्रजापति प्रियव्रत के इन दस पुत्रों में अंतिम तीन वीतरागी मुनि हो गए, अतः पिता द्वारा अपने हिस्से में मिले आसमुद्र भूमिखंड **(यूरेशिया व अफ्रीका के क्षेत्र)** को वे शेष बचे सातों पुत्रों में बाँटते हुए इसकी व्यवस्था के लिए उन्हें संबंधित क्षेत्रों का प्रजापति नियुक्त कर दिया। इस प्रकार **आग्नीध्र** को जामुन अर्थात् जंबू वृक्ष की अधिकतावाला क्षेत्र यानी **जंबूद्वीप** (एशिया), **मेघातिथि** को प्लक्ष वृक्षों की भूमि यानी **प्लक्ष द्वीप** (मध्य यूरोप-जर्मनी, यूगोस्लाविया, हंगरी, रोमानिया), **वपुष्मान** को सेमल वृक्षों की धरती यानी **शाल्मल द्वीप** (स्कैंडेनेविया), **द्युतिमान** को क्रौंच पक्षियों का क्षेत्र यानी **क्रौंच द्वीप** (पश्चिमी-दक्षिणी यूरोप-पुर्तगाल, स्पेन, फ्रांस, इटली, स्विट्ज़रलैंड, आस्ट्रिया, यूगोस्लाविया, बल्गारिया, अल्वानिया व यूनान), **ज्योतिमान** को कुश नामक तृण से आवृत क्षेत्र यानी **कुश द्वीप** (अफ्रीका), **भव्य** को शाक नामक वनस्पति की प्रचुरतावाला भू-भाग यानी **शाक द्वीप** (अरब व ओमान का क्षेत्र) तथा **सवन** को **पुष्कर द्वीप** (लैपलैंड व उत्तरी रूस) प्राप्त हुआ।

प्रियव्रत के ज्येष्ठ पुत्र **आग्नीध्र** को कुल नौ पुत्र हुए। यथासमय तक प्रजापति का दायित्व निभाने के बाद जंबूद्वीप के क्षेत्र को अपने नौ पुत्रों में बाँटकर वे शालग्राम में जाकर तपस्यारत हो गए। इस तरह आग्नीध्र के पुत्रों में **नाभि** को **हिमवर्ष** (अपगणस्थान या अफगानिस्तान व बर्मा या म्याँमार सहित हिमालय से दक्षिण का क्षेत्र), **किम्पुरुष** को **हेमकुट** (तुर्कमान या काराकुरम का क्षेत्र), **हरिवृत** को **नैबध** (निस्सा पार्वत्य क्षेत्र-पूर्वी एशिया), **इलवृत** को **इलावर्त** (पर्शिया या ईरान), **रम्य** को **नीलांचल** (काकेशियस क्षेत्र व उससे सटा पश्चिमी व उत्तरी हिस्सा),

हरिष्यान् को **श्वेतांचल** (साइबेरिया का क्षेत्र), **कुरु** को **शृंगवान प्रदेश** (मेसोपोटामिया या इराक, टर्की, सीरिया, जॉर्डन, इजराइल का क्षेत्र), **भद्राश्व** को **माल्यवान देश** (तिब्बत व मंगोलिया का प्रांत) तथा **केतुमाल** को **गंधमादन देश** (हिंदुकुश से सुदूर उत्तर का उजबेकिस्तान का क्षेत्र) प्राप्त हुआ।

प्रियव्रत के शेष पुत्रों में **मेघातिथि** के वंश में **शांतमय, शिशिर, सुखोदय, आनंद, शिव, क्षेमक** व **ध्रुव** नामक प्रजापति तथा **स्वारोचिष** नाम से विख्यात मनु हुए। **वपुष्मान** के कुल में **श्वेत, हरित, जीभूत, रोहित, वैधुत, मानस** व **सुप्रभ** आदि प्रजापति गण हुए। **द्युतिमान** की प्रशाखा में **कुशल, मंदग, उष्ण, पीवर, अंधकारक, मुनि, दुंदभि** आदि प्रजापति हुए। **ज्योतिमान** के वंश में **उद्भिद्, वेणुमान, स्वैरथ, लवण, धृति, प्रभाकर** व **कपिल** आदि प्रमुख प्रजापति हुए। इसी तरह **भव्य** के उत्तराधिकारियों में **जलद, कुमार, सुकुमार, मणीचक, सुमोद, वसुमोद** व **महाद्रुम** नामक प्रजापतिगण तथा **रैवत** नाम से प्रसिद्ध मनु हुए। प्रियव्रत के अंतिम पुत्र **सवन** को **महावीर** तथा **धातकि** नामधारी अति विख्यात प्रजापतिगण हुए। स्वायंभुव मनु के वंशजों में हुए सभी प्रजापतिगण वेद की ऋचाओं को मानवी भाषा में आबद्ध करने के कारण मंत्रद्रष्टा ऋषि भी कहलाए। इस प्रकार यह स्पष्ट हो जाता है कि सामान्यतः वैदिक-ऋचाओं की रचनाएँ सप्तसिंधु क्षेत्र के सरस्वती व दृषवती के तट पर प्रतिष्ठापित गुरुकुलों के विज्ञ प्राचार्यों (ब्रह्मा के मानस-पुत्रों व उनके परवर्ती गोत्रों) की दिव्यदृष्टि के ही प्रतिफल रहे थे; किंतु इनकी बहुत सी ऋचाओं का सृजन काल के विभिन्न खंडों में विश्व के विभिन्न अंचलों में अस्तित्व में रहे स्वायंभुव मनु के मेधावी वंशजों द्वारा भी संपन्न हुए थे। यही कारण रहा कि वेद के गूढ़ भाव, क्षेत्र विशेष या संप्रदाय विशेष का प्रतिनिधित्व करने के बजाय **वसुधैव कुटुम्बकम्** तथा **शाश्वत धर्म** के निरपेक्ष भाव को ही प्रतिष्ठापित करते दिखते हैं।

ऋषभदेव व मनुर्भरत

आग्नीध्र के पुत्र **नाभि** को **मेरुदेवी** नामक स्त्री से **ऋषभदेव** नामक एक तेजस्वी पुत्र प्राप्त हुआ। ऋषभदेव एक प्रसिद्ध वेदज्ञ रहे थे। ब्रह्मावर्त क्षेत्र में आहूत ऋषियों की एक सभा में वेद विषयक सुंदर उपदेश देकर वे विद्वज्जनों में प्रतिष्ठित भी हुए। अध्ययन-अध्यापन व प्रजापति के दायित्वों का समुचित निर्वाह करते हुए उन्होंने **जयंती** नामक स्त्री के साथ गृहस्थ धर्म में भी पदार्पण किया। जयंती से उन्हें

भरत सहित कुल सौ पुत्र हुए। **'ज्योतिष कल्पद्रुम'** के मूल खंड के अनुसार कन्या राशि के चंद्रमा के साथ धनु लग्न में जनमे ऋषभ पुत्र **भरत** की जन्मकुंडली काल-सर्प योग से प्रभावित रही थी—

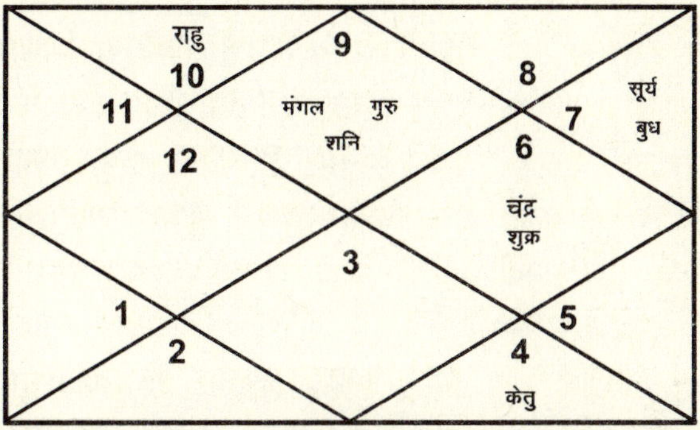

कुछ काल बाद संसार से विरक्ति का भाव उत्पन्न होने पर अपने ज्येष्ठ पुत्र भरत को हिमवर्ष का भार सौंपकर वे अवधूत के रूप में संन्यास के लिए दक्षिण की ओर महाप्रस्थान किए। कर्नाटक के कुटक पार्वत्य क्षेत्र में विचरण करते समय जंगल में लगी आग की चपेट में आ जाने से वे उसी में जलकर भस्म हो गए। ऋषभदेव के ज्येष्ठ पुत्र भरत एक असाधारण ज्ञानी व पराक्रमी प्रजापति सिद्ध हुए। भरण-पोषण तथा संरक्षण के कुशल प्रबंधन व प्रजावत्सलता के अपने सहज स्वभाव के कारण जन-समुदाय में वे **'मनुर्भरत'** के नाम से विख्यात हुए। तात्कालिक परिवेश पर इनका इतना अधिक प्रभाव पड़ा कि तदंतर **हिमवर्ष** (जिसे इनके पिता के कार्यकाल में **'अजनाभ वर्ष'** के नाम से जाना जाने लगा था) को इनके ही नाम के अनुरूप **'भारतवर्ष'** कहकर संबोधित किया जाने लगा (***हिमाहं दक्षिणं वर्ष भरताय न्यवेदयत् तस्मातद् भारतंवर्ष तस्य नाम्ना विदुर्बुधाः***-वायु पुराण-33.52)। लिंग पुराण (1/4/27), विष्णु पुराण (2/1/32), भागवत पुराण (5/4) व ब्रह्मांड पुराण (2/14) के संदर्भ भी इसी तथ्य की पुष्टि करते हैं। ***'वर्ष'*** शब्द की व्युत्पत्ति **'वृष'** धातु से हुई है, जिसका आशय चपल शक्ति-संपन्न एक बलशाली जीव से होता है। बलशाली भरत के नेतृत्व में एक शक्ति-संपन्न राष्ट्र के रूप में प्रतिष्ठित होने के कारण **'भा'** यानी प्रकाश या ज्ञान में **'रत'** या निमग्न रहने अर्थात् ***'तमसो मा ज्योतिर्गमय'*** वाले विश्व के इस अद्वितीय देश मात्र के साथ ही **'वर्ष'** का अतिरिक्त विशेषण प्रयुक्त हुआ था। इस **'भारतवर्ष'** की भौगोलिक सीमाओं की व्याख्या करते हुए महाभारतकालीन **'पराशंर मुनि'** कहते हैं कि महान् भरत की संतानों (प्रजाओं) की निवास-स्थली यह

भारत भूमि, समुद्र से उत्तर तथा हिमालय से दक्षिण में स्थित है (*उत्तरं यत्समुद्रस्य हिमाद्रेश्चैव दक्षिणम् वर्ष तद् भारतं नाम भारती यत्र सन्ततिः*-विष्णु पुराण-2.3.1)। ऋषभ के अन्य पुत्रों में **कवि, हरि, अंतरिक्ष, प्रबुद्ध, पिप्लायन, आविर्होम, द्रुमिल, चमस** तथा **कुरभाजन** प्रसिद्ध उपदेशक व ब्रह्मचारी हुए और शेष पुत्र गृहस्थाश्रम धर्म का पालन करते हुए बड़े भाई (भरत) के सहयोगी बने रहे। मनुर्भरत ने अपने पराक्रम का अद्‌भुत प्रदर्शन करते हुए **अष्टद्वीपों** (मालागासी या मेडागास्कर, श्रीलंका, मलेशिया या मलाया, सुमात्रा, जावा, वोर्नियो, फिलिपींस व न्यू गिनी) को जीतकर दक्षिण के समुद्र पर भी भारत का आधिपत्य स्थापित किया। उनके इस विजय-प्रभाव के कारण ही दक्षिण के समुद्री क्षेत्र को उनके नाम के अनुरूप **'भारतीय महासागर'** के उपनाम से जाना जाने लगा।

भरत एक महायोगी तथा प्रसिद्ध याज्ञिक भी थे। विश्वरूप की कन्या **पंचजनी** से इन्हें **सुमति, राष्ट्रभृत, सुदर्शन, आवरण** व **धूमकेतु** नामक पाँच पुत्र हुए। यथायोग्य प्रजापालन के व्रत को निभाने के पश्चात् अपने ज्येष्ठ पुत्र **सुमति** को प्रजापति का दायित्व सौंपकर भरत हरिक्षेत्र में स्थित **पुलह ऋषि** के आश्रम में जाकर संन्यास में दीक्षित हुए। शालग्राम क्षेत्र के **गंडकी तीर** पर साधनारत भरत को एक हिरन-छौने से अत्यधिक मोह हो गया। बड़ा होने पर यह मृग घने वन में चला गया और इसके वियोग में अन्न-जल त्याग देने के कारण इस महान् पुरुष का गंडक नदी के तट पर देहांत हो गया। जैन परंपरा में भी तीर्थंकर ऋषभदेव के पुत्र के रूप में इसी भरत का संदर्भ आता है। इसी प्रकार ब्राह्मण के घर में पुनर्जन्म ग्रहण करने की किंवदंती के साथ भरत को **'जड़भरत'** के रूप में भी भारतीय गाथाओं में जाना जाता है। संभवतः उपर्युक्त सभी वृत्तांत भरत के व्यक्तित्व से प्रभावित होकर परवर्ती रचनाओं के समय जोड़े गए प्रतीत होते हैं। इनके अतिरिक्त **'दौष्यन्ति भरत'** (दुष्यंत-शकुंतला के पुत्र) तथा **'दाशरथि भरत'** (दशरथ-कैकेयी के पुत्र) नामक परवर्ती भरतों का भी भारतीय ग्रंथों में विस्तृत उल्लेख हुआ है।

भरत वंशी (भारतीय)

भरत पुत्र **सुमति** प्रजा द्वारा चयनित एक योग्य प्रजापति हुआ। सुमति का पुत्र **तेजस**, तेजस का पुत्र **इंद्रद्युम्न** व उसका पुत्र **परमेष्ठी** हुआ और इस प्रकार महान् भरत के उत्तराधिकारियों का सिलसिला चल पड़ा। परमेष्ठी एक विद्वान् व धार्मिक प्रजापति हुआ। इसका पुत्र **प्रतिहार**, प्रतिहार का **प्रतिहर्ता** तथा इसका पुत्र **उन्नैता**

हुआ। उन्नैता को **भव**, भव को **उद्गीथ**, उद्गीथ को **प्रतावि** तथा उसे **पृथु** नामक पुत्र हुआ। पृथु को **विभु,** विभु को **नक्त**, नक्त को **गय** तथा गय को **नर** नामक पुत्र हुआ। नर एक बलशाली प्रजापति हुआ। इसे **विराट्** नामक पुत्र हुआ। प्रजा द्वारा चयनित किए जाने पर अपनी योग्यता का परिचय देते हुए एक विख्यात प्रजापति के रूप में इसने अपने को प्रतिष्ठापित किया। विराट् को **महावीर्य,** महावीर्य को **धीमान्** तथा धीमान् को **महान्** नामक पुत्र हुआ। प्रजा में हो रही लगातार वृद्धि तथा समर्थ प्रजापतियों के अभाव में महान् के काल में जन असंतोष तथा कुव्यवस्था हावी हो चुकी थी। महान् को एक अति प्रतापी पुत्र **मनस्यु** हुआ। प्रजापति के दायित्वों के अलावा मनुस्य सामाजिक सुधारों के प्रति अधिक प्रयत्नशील रहे। मनस्यु के प्रयासों से प्रजा में व्याप्त अराजकता के बादल छँटने लगे और इस प्रकार अपने सामाजिक कार्यक्रमों के कारण यह तामस मनु के नाम से विख्यात हुए। महाभाग मनस्यु **(तामस मनु)** को **जनघंट**, जनघंट को **शांति** तथा इसे **भय** नामक पुत्र हुआ। भय को प्रजा से प्रेम करनेवाला **प्रियभृत्य**, प्रियभृत्य को **अविक्ष**, अविक्ष को **पृष्ठलोढ़** तथा इसे **ऋतु** नामक पुत्र हुआ। ऋतु को **ऋतुवंध**, ऋतुवंध को **उर्वरीमान** और इसे **निर्भोक** नामक पुत्र हुआ। निर्भोक को **धृतकेतु**, धृतकेतु को **पंचहस्त**, पंचहस्त को **निरामय** तथा इसे **भूरिषेण** नामक पुत्र हुआ। भूरिषेण को **सर्वत्रग**, सर्वत्रग को **देवानीक**, देवानीक को **उपदेव** व उपदेव को **देववान** नामक पुत्र हुआ। देवयान को **सहस्रधार**, सहस्रधार को **शतधार** तथा इसे **मनस्वंत** नामक पुत्र हुआ। मनस्वंत को **विश्वात्मा**, विश्वात्मा को **वृहत** तथा वृहत को **त्वष्टा** व त्वष्टा को **विराज** नामक पुत्र हुआ। प्रजा द्वारा चयनित किए जाने पर यह प्रजापति बना। विराज को **रज** नामक पुत्र तथा **नडवला** नामक पुत्री हुई। विराज प्रजापति की पुत्री नडवला का विवाह उत्तानपाद शाखा के प्रतापी सम्राट् चाक्षुष के प्रसिद्ध पुत्र मनु से हुआ और यहीं से भरतवंशियों के शासन की कमान उत्तानपाद की शाखा में स्थानांतरित हो गई। इधर भरतवंशियों में विराज के पुत्र रज एक कमजोर शासक सिद्ध हुए। तदुपरांत रज के पुत्र **अरिज**, अरिज के **रजस**, रजस के **शतजित** तथा शतजित को **विष्वग्ज्योति** आदि सौ पुत्र हुए। भरत के ये सभी वंशधर कमजोर शासक सिद्ध हुए, अतः शासन की कमान धीरे-धीरे उत्तानपाद की शाखा के **चाक्षुष मनु** के उत्तराधिकारियों के हाथों में कसती चली गई। कालक्रम में सत्ता से विमुख होने के कारण अपनी बढ़ती संख्या के बावजूद भरतवंशियों की वंशावलियाँ ऐतिहासिक पटल पर अपने को उकेर नहीं पाईं और सामान्य प्रजा के रूप में गुमनामी के अँधेरे में खोकर रह गईं।

उत्तानपाद शाखा

स्वायंभुव मनु के **कनिष्ठ** (दूसरे) **पुत्र उत्तानपाद** एक जोशीले तथा समर्थ प्रजापति सिद्ध हुए। इन्हें सुरुचि नामक स्त्री से **उत्तम** तथा सुनीति नामक स्त्री से **ध्रुव, कीर्तिमान, अयस्मान** व **वसु** नामधारी पुत्रगण एवं **मनस्विनी** व **स्वरा** नामक दो कन्याएँ हुईं (वायु पुराण-62.77)। अपने आनुवंशिक स्वभावों के अनुरूप उत्तम की अभिरुचियाँ सामाजिक व्यवस्थाओं को सुदृढ़ करने की ही रही थीं। अपने इन्हीं गुणों के कारण पिता व प्रजा के विशेष स्नेहभाजन बने उत्तम को जन-समुदाय 'मनु' के अतिरिक्त विशेषण से संबोधित करने लगे। स्वायंभुव मनु व मेघातिथि के वंश में हुए स्वरोचिष मनु के अनुशासन-उपेदशों तथा स्वयं के अनुभवों के आधार पर मानवी-अनुशासन से संबंधित कुछ नए प्रकरणों पर भी **मनु उत्तम** ने प्रकाश डाला और जीवनपर्यंत इसके क्रियात्मक अनुसरण के लिए प्रयासरत रहे।

इधर धर्मपरायण माता के सान्निध्य में **ध्रुव** का झुकाव आध्यात्मिकता की ओर बढ़ता चला गया। शासन व्यवस्था के प्रति ध्रुव की अरुचियों से उत्तानपाद अपने इस पुत्र से खिन्न रहने लगे। पिता का अपने प्रति उत्पन्न इस उपेक्षाभाव से दुःखी होकर ध्रुव ने ज्ञानार्जन के माध्यम से समाज में अपने को प्रतिष्ठित करने का निश्चय किया। दृढ़-प्रतिज्ञ ध्रुव ने कठोर साधना द्वारा अपने इस लक्ष्य को अंततः प्राप्त कर लिया तथा उसके इस कृत्य की सर्वत्र सराहना होने लगी। पुत्र की इस उपलब्धि से आत्मविभोर होकर उत्तानपाद ने ध्रुव के प्रति न केवल वात्सल्यता ही प्रदर्शित की, अपितु अपने हिस्से में प्राप्त पृथ्वी के सुदूर उत्तरी द्वीप का उसे प्रजापति भी नियुक्त कर दिया। दृढ़व्रती ध्रुव के ख्याति के अनुरूप उसके आधिपत्य में आए इस द्वीप को तदनुसार **'ध्रुव प्रदेश'** के नाम से जाना जाने लगा।

ध्रुव को भूमि नामक स्त्री से **शिष्टि** व **भव्य** नामक दो प्रतिभावान् पुत्र हुए। भव्य को **शंभु** व शिष्टि को सुच्छाया नामक स्त्री से **रिपु, रिपुंजय, विप्र, विकल** व **वृकतेजा** नामधारी पाँच पुत्र हुए। शिष्टि के इन पाँच पुत्रों में रिपु का ही वंश उत्तरोत्तर वृद्धि को प्राप्त हुआ। रिपु को वृहती नामक स्त्री से **संभाव्य** नामक पुत्र हुआ। संभाव्य को **सुबल**, सुबल को **सुकेतु** तथा इसे **कविरुत** नामक पुत्र हुआ। कविरुत को **कृतांत**, कृतांत को **प्रत्यंग**, प्रत्यंग को **विभृत** तथा इसे **नय** नामक पुत्र हुआ। नय को **देवानुज**, देवानुज को **पश्य**, पश्य को **सुक्षेत्र**, सुक्षेत्र को **सुमना**, सुमना को **यश**, यश को **सुवेता** और इसे **औशिज** नामक पुत्र हुआ। औशिज का

पुत्र **सुप्रचेता** अपने समय का प्रसिद्ध प्रजापति हुआ। सुप्रचेता का पुत्र **केतुभृंग**, केतुभृंग को **ऊरु** नामक पुत्र हुआ। ऊरु भी ध्रुव प्रदेश के प्रजापति हुए। इनका पुत्र **श्येनभद्र** हुआ, श्येनभद्र को **पथ्यनेत्र**, पथ्यनेत्र को **विभाक**, विभाक को **उत्तमौजा** व इसे **वृहतद्रुह** नामक पुत्र हुआ। इस तरह वृहतद्रुह को **शुभ**, शुभ को **रवि**, रवि को **द्युति**, द्युति को **नव** तथा इसे **परहा** नामक पुत्र हुआ। परहा को **शुचि**, शुचि को **महोत्साह**, महोत्साह को **ज्योति**, ज्योति को **विचित्र** व इसे **निरामित्र** नामक पुत्र हुआ। निरामित्र को एक दृढ़ हठी पुत्र **दृढ़व्रत** हुआ। दृढ़व्रत एक कुशल प्रजापति हुआ। इसी के काल में आए प्राकृतिक बदलावों के कारण ध्रुव प्रदेश में मानवों का रहना कष्टकारक हो गया। प्रजा को इन जलवायविक आपदाओं से बचाने के उद्देश्य से दृढ़व्रत ने उन्हें दक्षिण के भू-भाग पर विस्थापित किया। दृढ़व्रत का पुत्र **कीर्तिमान** एक प्रतापी प्रजापति हुआ। नए क्षेत्र में विस्थापित हुए प्रजा के रहन-सहन व जीवनोपयोगी व्यवस्था के कारण यह काफी प्रसिद्ध हुआ। कीर्तिमान का पुत्र **विराट्**, विराट् का **विनित**, विनित का पुत्र **चैत्र** तथा इसका पुत्र **सुमित्र** हुआ। धीरे-धीरे दक्षिण की तरफ बढ़ते हुए प्रजापति सुमित्र ने भारतीय महासागर में स्थित एक द्वीप को अपने अधिकार में ले लिया। सुमित्र के नाम पर यह द्वीप कालांतर में **सुमात्रा** के नाम से प्रसिद्ध हुआ। सुमित्र को **ख्याति**, ख्याति को **दिव्य**, दिव्य को **किम्पुरुष** नामक पुत्र हुआ। प्रजापति किम्पुरुष एक अजेय योद्धा हुआ। अपने पराक्रम के बल पर उसने दक्षिण-पूर्वी एशिया के क्षेत्र को विजित कर अपने राज्य की सीमा का समुचित विस्तार किया। किम्पुरुष को **नर** तथा नर को **रिपु** नामक प्रजापति पुत्र हुए। रिपु को **चाक्षुष** नामक एक अति प्रतापी पुत्र पैदा हुआ।

प्रजापति चाक्षुष ने प्रियव्रत शाखा के प्रजापतियों द्वारा विभिन्न प्रजापतियों से हुई मुठभेड़ में खोई भूमि को अपने अधिकार में लेते हुए नैवध व श्वेतांचल सहित माल्यवान प्रदेश तक अपने राज्य का विस्तार किया। चाक्षुष प्रजापति को पुष्करणी नामक स्त्री से **गंभीरवुद्धि** नामक एक होनहार पुत्र प्राप्त हुआ। पिता द्वारा विजित किए गए क्षेत्रों में अपने पूर्ववर्ती मनुओं यथा स्वायंभुव, स्वरोचिष, उत्तम, तामस व रैवत द्वारा स्थापित आदर्शों के अनुरूप मानवी-व्यवस्था के सुचारु प्रबंधन के कारण यह काफी लोकप्रिय हो गया। अपने इन्हीं गुणों के कारण शौर्यवान् पिता का यह प्रजावत्सल पुत्र जन-समुदाय में **चाक्षुष-मनु** के नाम से विख्यात हुआ।

विराज प्रजापति की पुत्री नडवला के गर्भ से चाक्षुष-मनु को **अरण्यरति, जानंतपति, अभिमन्यु, ऊरु, पुरु, तपोरत, शुचि, शतद्युम, सत्यवान** व **नारायण**

नामक दस पुत्र हुए। चाक्षुष मनु के इन दस-पुत्रों में से शुचि, शतद्रुम व सत्यवान सांसारिक सुखों से विरक्त हो वीतरागी मुनि हो गए। शेष बचे सात में से अरण्यरति, जानंतपति, अभिमन्यु, ऊरु, पुरु व तपोरत आदि छह भाइयों ने भारत खंड के पश्चिम में स्थित इलावर्त को दस्यु प्रवृत्त के शासकों से मुक्त कराने के लिए भयंकर अभियान शुरू किया। अपने प्रबल आक्रमण से इन छह भाइयों ने दक्षिण-पश्चिम के क्षेत्रों को अपने अधिकार में ले लिया। इस प्रकार अरण्यरति **हरयु** (हिरात) व **वक्रित** (काबुल) के व जानंतपति **सुग्द, मरु, वरवधी** व **निशा** (पर्शिया के चार खंडों) के शासक हुए। अरण्यरति के ही नाम पर काकेशस क्षेत्र के एक प्रांत का नाम **अर्राट** पड़ा। आजकल इसे ही **आरमेनिया** कहा जाता है। सीरिया के एक नगर को आज भी **एड्राट** के नाम से पुकारा जाता है, संभवतः यह अधरत या अत्यरात या फिर अरण्यरति का ही बिगड़ा हुआ स्वरूप हो। अभिमन्यु ने क्रौंच द्वीप के **यूनान** पर अपना कब्जा कर लिया। ग्रीक साहित्य में इन्हें **'मैमनन'** नामक भयंकर आक्रांता के रूप में संबोधित किया जाता है। ऊरु ने **कुशद्वीप** (अफ्रीका) व **शृंगवान** प्रदेश (सीरिया व बेबीलोनिया आदि) को जीता। इन्हीं के प्रभाववश बेबीलोनिया के एक प्रदेश का नाम **उर** तथा ईरान के एक पर्वत का नाम **उरल** पड़ा। प्रसिद्ध **अप्सरा उर्वशी** इसी उर प्रदेश की रहनेवाली थी। ऊरु के पुत्र अंगिरा हुए। अंगिरा ने कुश द्वीप (अफ्रीका) को जय किया। अफ्रीका का **अंगोरा-पिक्यूना** व **अंगोला** आदि क्षेत्रों के नाम अंगिरा से ही अभिप्रेरित दिखते हैं। इसी तरह पुरु द्वारा जीते गए इलावर्त का क्षेत्र **पुरसिया** व तदंतर **पर्शिया** के नाम से विख्यात हुआ। सैनिक अभियान के इस क्रम में छह भाइयों में कनिष्ठ रहे तपोरत के अधिकार में आए क्षेत्र का नाम **तपोरिया** पड़ा। आजकल का **ट्यूनेशिया** भी कहीं-न-कहीं से तपोरत से ही प्रभावित प्रतीत होता है। अभिमन्यु सहित इन छह भाइयों के दुर्दांत अभियान का यहाँ के निवासियों पर इतना गहरा असर पड़ा कि आज भी इन्हें **'सैटानिक घोस्ट'** के नाम से जाना जाता है। **जेंद अवेस्ता** में अभिमन्यु आदि भ्राताओं के लिए **'अहिरमन'** शब्द का प्रयोग किया गया है।

प्रियव्रत शाखा के प्रजापति विराज की पुत्री नडवला से चाक्षुष-मनु (उत्तानपाद शाखा) को हुए दस पुत्रों में **नारायण** सबसे कनिष्ठ थे। अरण्यरति-पुरु आदि भ्राताओं द्वारा विजित प्रांतों में प्रजा-पोषण के अन्य प्रबंधों के साथ-साथ जल-भराववाले क्षेत्रों से उन्होंने जल-निकासी की भी व्यवस्था की। जल के लिए संस्कृत में **'नार'** तथा विभाजन के लिए **'अयन'** शब्द का भी प्रयोग किया जाता है। संभवतः निकासी

के लिए जल का समुचित विभाजन करने के कारण ही इन्हें **'नारायण'** (नार+अयन) के नाम से पुकारा जाने लगा हो। तदंतर **प्रजा** अर्थात् **विश** के हितार्थ इनके द्वारा प्रारंभ किए गए भरण-पोषण के कार्यक्रमों के कारण नारायण को **'विष्णु'** के उपनाम से भी संबोधित किया जाने लगा। वैदिक ऋचाओं के मंत्रद्रष्टा ऋषि के रूप में इस प्रतिष्ठित पुरुष का उल्लेख **ऋग्वेद** (10/90) में भी हुआ है। वैदिक **'पुरुष सूक्त'** इन्हीं के

द्वारा प्रकट होने के कारण **'नारायण सूक्त'** के नाम से भी प्रसिद्ध है। नारायण (विष्णु) की सहगामिनी के रूप में भृगु पुत्री **'श्री'** प्राप्त हुई। क्षीर सागर स्थित **'वैकुंठ'** नामक स्थान को नारायण ने अपना निवास **(धाम)** बनाया था। **मार्को पोलो** के जमाने तक **कैस्पियन सी** (कश्यप सागर) को **'शीरवान'** ही कहा जाता रहा था। **'शीर'** फारसी का शब्द है, जो संस्कृत **'क्षीर'** का ही अपभ्रंश है। इस तरह **क्षीर-सागर** से **'शीरवान'** (कैस्पियन सी) का ही आशय निकलता है। ईरान की सीमा से सटे तुर्किस्तान के उत्तरी-पूर्वी भाग को आज भी **'इरानियन पैराडाइज'** यानी **'ईरान का स्वर्ग'** ही कहा जाता है। कैस्पियन सी के पश्चिमी तट पर स्थित इसी स्थान में हुई हाल की खुदाई में पुरातत्त्व वेत्ताओं को **'बैकुड'** नामक एक प्राचीन नगर के खंडहर मिले हैं। ये सभी तथ्य इस बात का संकेत करते हैं कि **कैस्पियन सी** (क्षीर सागर) के पश्चिमी तट पर **एलब्रूज** पर्वत शिखर के समीप ही नारायण का **'वैकुंठ धाम'** स्थित था। श्री व नारायण को **विराज** नामक एक पुत्र तथा विराज को **कीर्तिमान** नामक पुत्र हुआ।

संयुक्त शाखा (प्रियव्रत व उत्तानपाद)

इधर भारतवर्ष में शासन कर रहे भरतवंशी विराज प्रजापति (प्रियव्रत शाखा) के उत्तराधिकारी एक-एक करके कमजोर शासक सिद्ध होते गए। रज, अरिज, रजस, शतजिस व विष्वग्ज्योति के पश्चात् प्रियव्रत शाखा में योग्य प्रजापति का एक प्रकार से अकाल सा पड़ गया। इस आसन्न समस्या का प्रतिकार करते हुए प्रियव्रत व उत्तानपाद शाखा के संयुक्त वंशधर यानी नडवला-चाक्षुष के प्रपौत्र रहे **'कीर्तिमान'** ने अपने प्रतापी पुत्र **'कर्दम'** को मनुर्भरत के इस यशस्वी भूखंड का प्रजापति घोषित

कर दिया। प्रियव्रत व उत्तानपाद शाखा के संयुक्त प्रतिनिधि के रूप में **'कर्दम'** एक सुयोग्य तथा प्रसिद्ध प्रजापति सिद्ध हुए। इनके राज्य का क्षेत्र भी प्रियव्रत व उत्तानपाद शाखा के संयुक्त प्रभाव के कारण पर्शिया से लेकर पूर्वी एशिया के समुद्री-तट तक फैला हुआ था। प्रजापति कर्दम को ऐतिहासिक कीर्ति को स्थापित करनेवाले **अनंग** तथा **कपिल** नामक दो पुत्र हुए। अपनी अन्वेषणात्मक प्रवृत्ति व कुशाग्र बुद्धि के कारण कर्दम पुत्र कपिल भारतीय परंपरा के पहले तत्त्वज्ञानी ऋषि हुए। सांख्य सूत्रों के माध्यम से **महामुनि कपिल** ने सृष्टि के गूढ़ रहस्यों की वैज्ञानिक ढंग से व्याख्या करते हुए इसे **पच्चीस तत्त्वों** पर आधारित बताया। **प्रमेय** के अपने इस अभिनव रहस्योद्घाटन के कारण विद्वज्जनों में वे **सांख्याचार्य** के रूप से भी प्रतिष्ठापित हुए। इसी तरह सामयिक परिस्थितियों वश प्रजा द्वारा कर्दम-पुत्र **'अनंग'** को विशेषाधिकार से संपन्न पद पर अभिषिक्त करके विश्व में **राजा** की नूतन परिपाटी विकसित की गई।

राजा-पद का सृजन

व्यापक राज्य क्षेत्र तथा निरंतर बढ़ रही प्रजा के कारण उत्पन्न समस्याओं एवं प्रियव्रत शाखा के प्रजापतियों के पतन से अप्रभावी हो चुकी व्यवस्था से चिंतित ऋषियों की पीठ ने विकल्पात्मक प्रबंध के लिए गंभीर मंत्रणाएँ कीं। तदनुसार ब्रह्मा द्वारा प्रतिपादित **त्रिवर्ग-शास्त्र** (संविधान) के अनुरूप सैनिक तथा दंडविधान के उच्च अधिकार से संपन्न एक

पद का सृजन किया गया। इस प्रकार प्रजा के रंजन के लिए सृजित किए गए इस पद को **'राजा'** की संज्ञा दी गई। प्राच्य का यह त्रिवर्ग शास्त्र रूसो **(Rousseau)** द्वारा प्रतिपादित पाश्चात्य के **'Social Contract'** नामक सिद्धांत की पूर्व पीठिका ही रही थी। आचार्यों की सर्वोच्च पीठ ने स्वायंभुव आदि मनुओं तथा प्रजापतियों की गौरवशाली परंपरा में विश्वास व्यक्त करते हुए, कर्दम के पुत्र **अनंग** को ही प्रजापति के स्थान पर राजा घोषित कर दिया। इस प्रकार लागू हुए संसार के पहले लिखित संविधान (त्रिवर्ग-शास्त्र) के अंतर्गत **भरतवंशी अनंग** मानवी सभ्यता के प्रथम राजा

बने। राज्य की सामरिक आवश्यकताओं के अनुरूप अनंग ने नियमित सैनिकों की व्यवस्था भी की। राज्य व जन-सुरक्षा हेतु प्रजा में से नियमित सैनिक बने लोगों को तदनुसार **'क्षत्र का रक्षक'** अथवा **क्षत्रिय'** के नाम से पुकारा जाने लगा। कुशल प्रशासक के रूप में राजा अनंग आचार्यों की कसौटी पर खरे उतरे। त्रिवर्ग-शास्त्र के अनुरूप शासन का उचित प्रबंध करते हुए उन्होंने अपने राज्य में शांति तथा सुव्यवस्था स्थापित की।

अनंग के उपरांत उसका पुत्र **अतिबल** राजा घोषित हुआ। अतिबल राजा होने के साथ-साथ एक पराक्रमी योद्धा भी रहा। अपने राज्य के सुदूर पूर्व में पनप रहे दस्युओं के उन्मूलन के लिए अतिबल ने प्रचंड सैनिक अभियान का सफल संचालन किया। अपने विस्तृत राज्य के समुचित प्रबंधन के लिए उसने अपनी राजधानी को **माल्यवान प्रदेश** (संभवतः तिब्बत व मंगोलिया की सीमा पर स्थित किसी सुरक्षित स्थान) में स्थापित किया। यहीं पर **'सनीला'** नामक एक स्त्री पर वह आसक्त हो गया। सनीला से उसे **वेन** नामक एक पुत्र हुआ। मंगोल व चीनी साहित्य में **ऊंग, बलाल** व **वेंग** का संदर्भ संभवतः अनंग, अतिबल व वेन के लिए ही प्रयुक्त हुआ प्रतीत होता है। अतिबल के उत्तराधिकारी के रूप में **'वेन'** राजगद्दी पर बैठा। बचपन से ही उद्दंड रहा **'वेन'** अपनी दुष्वृत्तियों के कारण शीघ्र ही एक आततायी राजा के रूप में कुख्यात हुआ। इसके कुशासन व बर्बरता से पीड़ित होकर प्रजा ने, आचार्यों तथा राजपुरुषों की मंत्रणा पर एक दिन मौका पाकर इसकी हत्या कर दी।

पृथु-वैन्य

वेन के उपरांत ऋषियों ने राजकुल की मर्यादा को बनाए रखते हुए उसकी भारतीय स्त्री से उत्पन्न पुत्र **पृथु** के राज्याभिषेक का निर्णय लिया। पृथु को राज्य-भार सौंपने से पूर्व आग्न्यधान द्वारा जनता के प्रति राजा के दायित्वों का पूर्ण निष्ठा से पालन करने की शपथ भी सबके सामने ऋषियों ने उसे दिलवाई थी (महाभारत शांतिपर्व-59.103 से 111)। इस प्रकार राज्य का शासन-भार सँभालने से पूर्व लिये जानेवाले **शपथ** की मूल परिपाटी का प्रचलन पृथु के काल से ही प्रारंभ हुआ था और स्वरूप परिवर्तन के साथ इस प्रक्रिया का पालन आज भी किया जाता है। प्रजापालक पृथु ने जनता के लिए आवश्यक अन्न के प्रबंधन के लिए जंगलों को साफ करवाया तथा ऊबड़-खाबड़ धरती को समतल करवाकर कृषि योग्य बनवाया था। पृथु के ही समय ऋषि **'पराशर्य'** ने सर्वप्रथम **हल** का प्रयोग कर बीजारोपड़

(**जोत**) द्वारा खेती की आधुनिक विधा का विकास किया था। पुराणों में कहा गया है कि वेन पुत्र पृथु ने धरती से अन्न ऐसे उत्पन्न किया था जैसे गाय से दूध दुहा जाता है और ऐसा करने के कारण वह बहुत प्रसिद्ध भी हुआ (**वायु पुराण**-63.19)। किंचित् इसी आशय को समझाने के लिए ही भारत के पौराणिक चित्रों में धरती को **'गौ'** के रूप में भी चित्रित किया जाता रहा है। पृथु के राज में सब प्रकार के अन्न की उपज हुई थी (***तेनेयं पृथिवी दुग्धा सस्यानी दश सप्त च***—महाभारत 12-59-124)। इस तरह **बसु धन** व **अन्न** को धारण करने के कारण धरती को **बसुधा** या **बसुंधरा** के विशेषण से भी अलंकृत किया जाने लगा (***बसुधारयते यस्माद्वसुधातेन चोच्यते***—वायु पुराण 63/1)। किंचित् भूमि विकास संबंधी पृथु के इन्हीं कार्यक्रमों के कारण ही कालांतर में धरती को पृथु की पुत्री यानी **पृथ्वी** कहा जाने लगा होगा (***दुहितृत्वं गता यस्मात्पृथोर्थर्मवतो महीतदाऽनुरागयोगाच्च पृथिवी विश्रुता बुधैः***—मत्स्य पुराण-10/35)।

पृथु-वैन्य को **अंतर्थि** व **पालित** दो पुत्र हुए। अंतर्थि को शिखंडिनी नामक स्त्री से **हविर्धान** नाम का एक पुत्र हुआ। हविर्धान को घिषणा नामक स्त्री से **प्राचीनवर्हि, शुक्र, गय, कृष्ण, वृज** व **अग्नि** नामधारी छह पुत्र हुए। हविर्धान का उत्तराधिकारी **प्राचीनवर्हि** हुआ और इसको सवर्णा नामक स्त्री से **प्रचेता** नामक पुत्र हुआ। तदंतर हुए कुल **दस प्रचेताओं** ने पृथु-वैन्य द्वारा स्थापित राज्य का विस्तार करते हुए पश्चिम में कश्यप सागर तक अपनी सीमाओं का विस्तार किया। महान् पराक्रमी रहे अंतिम प्रचेता को **'मारिषा'** नामक स्त्री से **दक्ष** नाम का पुत्र हुआ (***दक्षः प्राचेतसो यथा***-महाभारत शांति पर्व 23.51)। प्रतापी दक्ष को कुल तेरह कन्याएँ हुईं, जिन्हें इसने मरीचि-कश्यप को सौंपी। चूँकि प्राचेतस दक्ष को कोई पुत्र नहीं हुआ, अतः स्वायंभुव मनु के काल से चली आ रही प्रियव्रत व उत्तानपाद की अविच्छिन्न राजवंश-परंपरा का मात्र कन्याओं के जनक रहे इस दक्ष नामधारी नृप के पश्चात् पटाक्षेप हो गया। तदुपरांत नृप-विहीन राज्य व्यवस्था के संचालन के लिए शंकर के दत्तक पुत्र रहे **गणेश** के मार्ग-दर्शन में **भरतखंड** में गण-व्यवस्था स्थापित की गई। गण-राज्य की इस व्यवस्था के तहत **परिवार प्रमुख, ग्राम-सभा, समिति** आदि के क्रम से निश्चित अवधि के लिए गठित **आमंत्रण** (मंत्रिमंडल) द्वारा चयनित व्यक्ति ही **'गणपति'** के रूप में शासन परिचालन के दायित्वों का निर्वहण करता रहा था। चूँकि गणपतियों द्वारा संचालित इन आदर्श राज्य व्यवस्थाओं में प्रजा (गण) साधन-संपन्न व विघ्न आदि से रहित होकर सुखमय जीवनचर्या का यापन करती रही थी, अतः

उन्हीं स्वर्णिम क्षणों की स्मृति में आज भी गणपति-विधि के प्रस्तोता रहे गणेश के पूजन श्लोकों में ***'ॐ गणनांत्वा गणपति गुंग हवामहे प्रियणांत्वा प्रियपति गुंग हवामहे निधिनांत्वा निधिपति गुंग हवामहे'*** या फिर ***'ऊँ नमो विघ्नराजाय सर्वसौख्य प्रदायिने दृष्टारिष्ट विनाशाय पराय परमात्मने'*** आदि विशेषणों का आह्वान सुनने को मिलता है। इस तरह कश्यप-गोत्रीय **श्राद्धदेव** (वैवस्वत मनु) के सिंधु क्षेत्र में पदार्पण करने से पूर्व तक **भरतखंड** अर्थात् भारतवर्ष में **भरतवंशियों** अर्थात् भारतीयों ***(वर्ष तद् भारतं नाम भारती यत्र सन्ततिः)*** की गण-व्यवस्थाएँ ही विद्यमान रही थीं।

□

वस्तुतः इस खंड में सृष्टि-रचना से लेकर देवयुगीन (आग्नेय/आस्ट्रीक) सभ्यता से पूर्व के वृत्तांतों को श्रेणीबद्ध करने का प्रयास किया गया है। मानवी उत्पत्ति से लेकर स्वयंभुव मनु की पीढ़ियों में हुए प्रचेता तक के सभी मानवी क्रिया-कलापों के केंद्र-बिंदु भारतवर्ष के हिमालयीय उपत्यका से लेकर सप्तसिंधु के पावन तटीय क्षेत्र ही रहे थे; किंतु पुत्रहीन प्राचेतस दक्ष की कन्याओं का विवाह मरीचि कुलीन कश्यप से होने के कारण तदंतर प्रसूत राजवंशावलियाँ कश्यप सागर के इर्द-गिर्द के क्षेत्रों में ही पल्लवित हुईं। दक्ष दुहिताओं के वंशजों द्वारा कश्यप सागर के तटीय क्षेत्रों में विकसित की गई राजनीतिक सत्ता से जिस सामाजिक व्यवस्था का उदय हुआ, कालांतर में अपने कालजयी वर्चस्वों के कारण इन्हीं व्यवस्थाओं के गर्भ से निकली देवयुगीन सभ्यताओं ने पूरे विश्व को शनैः-शनैः अपने आगोश में ले लिया।

प्रस्तुत अध्याय में देवयुगीन सभ्यताओं से पूर्व के घटनाक्रमों यथा जैविक प्रस्फुटन से लेकर चार्ल्स डार्विन के विकासवादी सिद्धांत की वैज्ञानिक विवेचना के साथ-साथ ब्रह्मा/एडम या आदम के आपसी भेद व आद्य पितरों से प्रसूत हुई विभिन्न मानव जातियाँ तथा स्वयंभुव मनु द्वारा प्रतिपादित व्यवस्थाओं के गर्भ से निकली प्रजापतियों व राजाओं की परंपराओं का विस्तार से वर्णन किया गया है।

प्रस्फुटन का सारांश

खगोलीय वृत्तियों के अनुसार निश्चित अंतरालों (प्रति 43,20,000 वर्षों के चक्र) पर घटित होनेवाले **'युगांतर प्रलयों'** के कारण संपूर्ण पृथ्वी की जैविक सृष्टियाँ आद्योपांत नष्ट हो जाया करती हैं। प्रकारांतर में अनुकूल परिस्थितियों के निर्माण होने पर जलज, जेरज, अंडज व स्वेदज के क्रम से पृथ्वी पर प्राणियों का अस्तित्व पुनः उभरता है। प्रति चक्रों के आदि में घटित इन प्रलयों के पश्चात् जैविक प्रजनन के उपयुक्त वातावरण को बनने में लगभग आधे से अधिक का काल अर्थात् साढ़े इक्कीस लाख वर्ष से भी कुछ अधिक का समय लग जाता है। जैविक-प्रजनन के इन कालों में उद्भिज्जों, वनस्पतियों, कीट-पतंगों व पशु-पक्षियों के क्रम से ही मानवी उत्पत्ति संभव हो पाती है। भारतीय शास्त्रों में वर्णित संदर्भों एवं अब-तक के किए गए वैज्ञानिक अनुसंधानों व पाए गए मानव जीवाश्मों के काल-परीक्षण के आधार पर यह निष्कर्ष सहज ही निकाला जा सकता है कि पृथ्वी पर मानवों की सर्वप्रथम उत्पत्ति आज से लगभग तीन करोड़ वर्ष पूर्व ही हुई थी। चूँकि **युगांत चक्रों** (प्रति 43,20,000 वर्ष की अवधि) के हिसाब से मानुषी-उत्पत्ति विषयक इस कालावधि को लगभग **छह बराबर हिस्सों** में बाँटा जा सकता है, अतः इस आधार पर यह अनुमान सहज ही लगाया जा सकता है कि प्रथम मानवी-सृष्टि से अब तक कुल छह युगांतर-प्रलयों की स्वाभाविक घटनाएँ घट चुकी होंगी। अतएव इन प्राकृतिक त्रासदियों के परिणामस्वरूप पृथ्वी पर अब तक कुल छह बार मानवी-सृष्टि का अन्य जीवों समेत संपूर्ण विनाश भी हुआ होगा। इस तथ्य के परिप्रेक्ष्य में आधुनिक मानवों की वर्तमान श्रृंखला को पृथ्वी पर अब तक हुई मानवी-सृष्टि के सातवें अंश के रूप में ही स्वीकार किया जा सकता है। किंचित् मानवी-सृष्टि के इसी सातवें क्रम को रेखांकित करने के लिए भारतीय शास्त्रों में आधुनिक मानव जाति के प्रथम पुरुष या आदिमानव को कमलवत् पृथ्वी से उत्पन्न सातवें ब्रह्मा (***यदिदं सप्तं जन्म पद्मजं***

ब्राह्मणो-महाभारत, शांतिपर्व-358/49) के रूप में उद्‌बोधित किया गया है। अर्थ-अनर्थ की तमाम संभावनाओं के साथ पाश्चात्य मानवशास्त्री (Anthropologist) भी आधुनिक मानवों अर्थात् **होमोसैपियन** (Homo-sapiens) को कमोबेश **पिथेकांथ्रोपस, सिनांथ्रोपस, इयानथ्रोपस, नियंडर्थैलियन, पेलेस्टाइन** व **रोडेशियन** के क्रम से सातवें स्थान पर ही रखते हैं। संभवतः मानवों की भाँति उद्‌भिज्जों, वनस्पतियों (पेड़-पौधों), कीट-पंतगों व पशु-पक्षियों की वर्तमान शृंखलाएँ भी अपनी समकालिक उत्पत्ति से सातवें क्रम पर ही रही हों। बाइबिल (जेनेसिस) का यह उल्लेख कि 'By the seventh day God had finished the work he had been doing' तथा कुरआन-ए-मजीद (सूरा-56) के तफसीर में उल्लिखित 'मिंबर के आखिरी सातवें दर्जे' का संदर्भ कुछ ऐसा ही संकेत करता है।

खगोलीय काल परिभाषाओं के ही अनुरूप मानवी अस्तित्वों के संबंध में भी भारतीय शास्त्र कुल चौदह मन्वंतरों का प्रमाण प्रस्तुत करते हुए प्रति मन्वंतरों की अवधियों को **मानवी-आयु परिमाण** के हिसाब से 24,500 वर्षों का ही नियत करते हैं (वायु पुराण 32/31-32)। इस प्रकार प्रति खगोलीय युगांतों (43,20,000 वर्षों) में मानवों के बने रहने की कुल नियमित अवधि चौदह मन्वंतरों अर्थात् 14 x 24500 = 3,43,000 वर्षों की ही निर्दिष्ट होती है। भारतीय मनीषियों की व्यापक अंतः दृष्टियों के प्रभाववश प्रथम मानवी-सृष्टि से घटित पिछले छह मानवी चक्रों की **आधिदैविक शक्तियों** (देवताओं) के अतिरिक्त इनके **आदि-पुरुषों** (ब्रह्मा), **सप्तऋषियों** (विज्ञ पुरुषों), **मनुओं** (समाज सुधारकों) व गिने-चुने **प्रजापतियों** (राजाओं) के विषय में मोटे तौर पर प्रकाश डालने के अलावा भारतीय पुराणों में अन्य किसी प्रकार के विस्तृत वृत्तांतों का सहजता से उल्लेख नहीं हो पाया है; किंतु **सातवें ब्रह्मा** यानी वर्तमान कालखंड के **आदिपुरुष** तथा उनसे प्रसूत **वंशजों** से विकसित हुई मानवी-सभ्यता का क्रमिक विवरण भारतीय शास्त्रों में व्यवस्थित रूप से मिल जाता है। चूँकि खगोलीय कारणों से प्रति तेरह हजार वर्षों के क्रमिक अंतरालों पर घटनेवाली नित्य-प्रलयों (हिम तथा वृष्टि युगों) की विभीषिकाओं के परिणामस्वरूप विश्व के अधिकांश अंचल जैविक-सृष्टि विहीन हो जाया करते हैं (इनसाइक्लोपीडिया ब्रिटानिका-खंड 18), अतः अपनी विशिष्ट भौगोलिक स्थिति के कारण इन आपदाओं से अपेक्षाकृत अछूते से रहे **भारतवर्ष** (वायु पुराण-45/69) के विज्ञजनों द्वारा उल्लेखित सारगर्भित तथ्यों को ही मानवी अस्तित्व के सम्यक् दिग्दर्शन के लिए सर्वथा प्रामाणिक माना जा सकता है। किंचित् इन्हीं कारणों से पिछले हिम/वृष्टि युग

के पश्चात् शनैः-शनैः अस्तित्व में आई सभ्यताओं के गोद से निकले विद्वानों को भारतीय वाङ्मय में वर्णित लाखों ही नहीं, अपितु पाँच से दस हजार वर्ष पूर्व मात्र के उन्नत मानवीय सभ्यताओं के दृष्टांत भी परी-कथाओं जैसे कपोल-कल्पित ही प्रतीत होते हैं (*The earliest of Indian genealogies, like the most ancient chronicies of other peoples are legendry.*-Ref.-**Cambridge History of India**-Vol. I, page-304), जबकि वैज्ञानिक अनुसंधानों के अनेकानेक साक्ष्य (*Forty three thousand years old Hematite Ore Mines apparently used for cosmetics materials found in Middle-East i.e. in Mesopotamia, forty seven thousand years old Copper Mines found in Rhodesia, 75,000 years old sign of using fire and ten lacs years old Chopping Tools found in Vollonet Caves of France are some examples in context to less than ten percent of antiquity which has come down to us because of their destruction in various catastrophe.* Ref.-**Mysteries from Forgotten Worlds** by Charles Berlitz) तथा विश्व के विभिन्न अंचलों में प्रचलित पुरानी लोक-गाथाओं के अस्पुट संदर्भ निर्विवादित रूप से भारतीय आख्यानों में उल्लेखित पूर्वजों की वृत्तियों या फिर उनके अति उन्नतशील जीवन पद्धतियों की ही पुष्टि करते हैं। उपर्युक्त दृष्टांतों के परिप्रेक्ष्य में मानवी-इतिहास की रूपरेखा को सम्यक् आकार देने के लिए ही पिछले अध्यायों में भारतीय संदर्भों का विशेष आश्रय लिया गया है।

गत युगांतर प्रलय के उपरांत पृथ्वी पर वायुमंडल, जल व भूमि जैसे जैविक आधार-स्तंभों के निर्माण हो जाने पर अंतरिक्ष से प्रवाहित होनेवाली जीवनदायिनी शक्तियों (जैमिनीय ग्रंथों में जिसे **'सुपर्ण'** के रूप में चिह्नित किया गया है) के प्रभाव से जैविक-सृष्टि का क्रम पुनः प्रारंभ हुआ था। प्रकृति की यौगिक क्रियाओं से निर्मित हुए **'रासायनिक अम्लों'** (भारतीय शास्त्रों में जिन्हें **'सोम'** तथा वैज्ञानिक भाषा में जिन्हें 'Nucleal Acid' कहा गया है) व **'अंतरिक्ष-तरंगों'** (भारतीय शास्त्रों में जिसे **'रोहिणी'** व वैज्ञानिक भाषा में 'Cosmic Rays' के रूप में चिह्नित किया गया है) के संघात से जिन **'जैविक-तत्त्वों'** (भारतीय शास्त्रों में जिन्हें **'वीरुद'** व वैज्ञानिक भाषा में जिन्हें 'Polymer' के रूप में उद्बोधित किया गया है) की उत्पत्ति हुई, कालांतर में परिस्थिति विशेष के अनुरूप भूमि, जल और वायु का संसर्ग पाकर वे ही उद्भिज्जों, वनस्पतियों व फिर पेड़-पौधों के विभिन्न स्वरूपों में पृथ्वी पर

विकसित होते गए। **मैत्रायणी संहिता** (1/6/9/2) में जैविक-प्रस्फुटन की इस घटना की व्याख्या करते हुए यह संकेत दिया गया है कि लोमरहित पृथ्वी पर देवों यानी सुपर्णों ने सोम व रोहिणी के संयोग से वीरुदों को प्रत्यारोपित किया था ***(ऋक्षा ह वा इयमग्र आसीत तस्यां देवा सोम रोहिण्यां वीरुधोऽरोहयन्)।*** वैज्ञानिक शोधों द्वारा यह सिद्ध किया जा चुका है कि अणुओं का द्रव्यमान तो उनमें उपस्थित न्यूट्रॉन की संख्या पर निर्भर होता है, जबकि उनके रासायनिक गुणों का निर्धारण इनमें उपस्थित इलेक्ट्रॉन की संख्याओं पर आधारित होता है। इलेक्ट्रॉन की संख्या कॉस्मिक किरणों के प्रभावों से परिवर्तित होती रहती है। इस तरह प्राकृतिक संघातों के कारण हाइड्रोजन का परावर्तन नाइट्रोजन में व फिर यही नाइट्रोजन कार्बन में परिवर्तित हो जाती है। विज्ञान की भाषा में प्राकृतिक उपादानों के जैविक रूपांतरण की इस प्रक्रिया को H_2-N_{14}-C_{14}-C_{12} के सांकेतिक अर्थों में व्यक्त किया जा सकता है। पृथ्वी पर वनस्पति आदि जैविक-सृष्टियों के निर्माण हो जाने के कुछ काल उपरांत अति विशेष परिस्थितियों में इन्हीं संघटकों के प्रभावों से धरती के उथले व खुरदरे स्तरों पर नाना प्रकार के छोटे-बड़े अंडों का निर्माण होना प्रारंभ हो गया। प्राकृतिक अंशदानों के गुण-विशेष व स्थान आदि के जलवायविक तथा भौगोलिक प्रभावों से कालांतर में इन्हीं अंडों के विघटन से विविध योनियों के जीव-जंतुओं का इस धरती पर प्राकट्य हुआ था। इस प्रकार विश्व के विभिन्न अंचलों में जलवायविक परिणामों के आधार पर नाना प्रकार के कीट-पतंगों व पशु-पक्षियों का अस्तित्व उभरकर सामने आया। सन् 1856 में प्रकाशित **'Origin of Species'** नामक अपने ग्रंथ के माध्यम से **चार्ल्स डार्विन** ने **जीवन-संघर्ष** (Struggle for existance) व **योग्यतम अतिजीविता** (Survival of Fittest) के आधार पर **अमीबा** (Amoeba) **से मानव** के क्रमिक प्रजनन के जिस **विकासवादी सिद्धांत** (Evolutionary Theory) को प्रतिपादित किया था, आधुनिक विज्ञान स्वयं ही उससे सहमत होता प्रतीत नहीं होता। प्रसिद्ध प्राणिशास्त्री **डॉ. एगासिज** (Dr. Agassiz) जहाँ अपनी चर्चित पुस्तक **'Principles of Zoology'** (Page-205) के माध्यम से यह स्पष्ट करते हैं कि *'समानता के सभी लक्षणों के उपरांत भी भिन्न-भिन्न प्रकार के जंतुओं में, जो भिन्न-भिन्न जातियाँ उत्पन्न हुई हैं, उनमें किसी प्रकार से पूर्वज या वंशजों का संबंध सिद्ध नहीं हो पाता है।' (There is mainfest progress in the succession of being on the surface of this earth. This progress consists in an increasing similarity of the living fauna and among the vertebrates especially* *in their increasing resembelance to man...but this connection is not the consequence of the direct lineage between the fauna of different ages. There is nothing like parental descent connecting them),* वही **इनसाइक्लोपीडिया ब्रिटानिका** (खंड-तीन) में भी इसी तथ्य को स्वीकार करते हुए यह उल्लेखित किया गया है कि *'यह दावा नहीं किया जा सकता है कि समानता के आधार पर भी एक प्रकार के जंतुओं का दूसरे प्रकार के जंतुओं से कोई संबंध रहा है' (It cannot be claimed that there is any consensus as to relationship of the main groups of living things to each other.)*। भारतीय शास्त्रों में प्राणियों के विविध स्वरूपों की इन कारक-गुत्थियों को सुलझाने के लिए ही ***'योनेः शरीरम्'*** अर्थात् योनि के अनुरूप ही शरीर (ब्रह्मसूत्र 3-12-27) तथा **'जातयन्तरपरिणामः प्रकृत्यापुरात्'** अर्थात् एक योनि से दूसरी योनि में परिवर्तन प्रकृति की पूरक प्रक्रिया द्वारा ही हो पाता है (पातंजल योग सूत्र) के दृष्टांतों को प्रस्तुत किया गया है। उपर्युक्त सूत्र के अनुसार **योनि** (नर व मादा जननेंद्रियों) के अनुरूप ही शरीर का निर्माण होता है अर्थात् **योनियोत्तर प्राणियों** (द्विजातियों) के आपसी संयोग से प्रजनन की प्रक्रिया फलित नहीं हो पाती, जबकि **'प्रकृत्यापुरात्'** अर्थात् प्रकृति की व्यवस्थानुरूप पुनर्जन्म होने पर जीव पूर्व संचित कर्मों के गुण-दोष के आधार पर योनि परिवर्तन करता है। जैविक समीपता के आधार पर यदि योनियोत्तर प्राणियों के संयोग से कहीं-कहीं संतानोत्पत्ति के प्रयास सफल भी हो जाते हैं, तो ऐसे वर्ण-संकरों से संतानें उत्पन्न नहीं हो पातीं। इस संदर्भ में गधे व घोड़े के संयोग से हुए खच्चर या फिर गीदड़ व कुत्तों के संयोग से उत्पन्न हुई मिश्रित प्रजातियों के उदाहरणों को प्रमाण के रूप में परखा जा सकता है। **इनसाइक्लोपीडिया ब्रिटानिका** (खंड-आठ) में उपर्युक्त तथ्यों के अनुरूप यह उल्लेखित किया गया है कि *'Perhaps bi-parental reproduction can be put in different group of species, within each of which crossing is possible but between which crossing is impossible.'* विकासवाद की भारतीय धारणाओं यानी प्रकृत्यापुरात् का सिद्धांत अगले जन्म में फलित होता है और इसमें वृक्ष जैसे स्थावर जीवों का मानवी रूपांतरण व मानव जैसे सर्वश्रेष्ठ योनि के स्थावर रूपांतरण की संभावनाएँ कर्मों के अनुरूप घटती रहती हैं। इस तरह यह स्पष्ट हो जाता है कि प्राणियों की वंशावलियों में योनि परिवर्तन की सार्थक घटनाएँ असंभव हैं, अतः जैविक-प्रस्फुटन के आरंभिक काल में आकार ले चुकी आद्य प्राणियों की उत्तरजीवी वंशावलियाँ ही

अपने मूल स्वरूपों में आज भी हमें दृष्टिगोचर हो रही हैं।

अपने पूर्ववर्ती जीवों की भाँति प्राकृतिक-प्रजनन के अंतिम चरण में मानवों की भी उत्पत्ति धरती की खुरदरी परतों में निर्मित हुए अति विशेष प्रकार के अंडे से ही हुई थी। मानुषी-आयु परिणाम के अनुसार इन अंडों से निकले मानवों की कद-काठी अठारह से लेकर बीस वर्ष के स्वस्थ युवाओं की भाँति रही थी। कदाचित् अंडों के निर्माण से लेकर मानवों को अपने इस तथाकथित स्वरूप में उभरने में भी कुल इतना ही समय लगा होगा। अंडे से आदि-मानव की उत्पत्ति की व्याख्या करते हुए **'मनुस्मृति'** (1/11) का ग्रंथकार यह स्पष्ट करता है कि प्रकृति द्वारा आरोपित बीज ही अल्प काल में सूर्य के समान चमकीले अंडे के रूप में परिवर्तित हो गया और फिर उसी अंडे से सब लोगों के पितामह ब्रह्माजी उत्पन्न हुए थे (***तद्ण्डमूभवद्यैमं सहस्रांशुसमप्रभम् तस्मिंजज्ञेस्वयं ब्रह्मा सर्वलोक पितामहः***)। महाभारत (शांति पर्व-188/37) के अनुसार ब्रह्मा के रूप में प्रादुर्भूत इस प्रथम पुरुष की **देह-आकृति** मानवों की ही भाँति **पंच-भौतिक कायावाली** ही थी। इसी तरह मानवी-प्रजनन की इस अभूतपूर्व घटना से संबंधित स्थान की ओर संकेत करते हुए **ऋग्वेद** (1-169-9) का सूक्त पृथ्वी के इस मानवी गर्भ को ध्रुव से दक्षिण के किसी सुरक्षित क्षेत्र (संभवतः हिमालय के आस-पास के इलाके) में ही आकार लेने को निर्दिष्ट करता है ***(युक्ता मातासीद्र धुरि दक्षिणायाः अतिष्ठद्रगर्भो बृजनीष्णन्तः)***। हिमालयी तराई में स्थित **ब्रह्मसर** (आधुनिक मानसरोवर) व इससे प्रसूत हुई नदी का पुंलिंगवाचक **'ब्रह्मपुत्र'** नामकरण एवं **ब्रह्म प्रदेश** (बर्मा या आधुनिक म्याँमार) आदि की भौगोलिक स्थितियाँ व ब्रह्मा के प्रतीकात्मक ही इनके संबोधन तथा यहाँ से ही निकली **'सरस्वती'** नामक एक अन्य नदी का ब्रह्मा से संबंध इस **'आदि पुरुष'** की उत्पत्ति के वेद-वर्णित क्षेत्र को ही स्पष्टतः रेखांकित करते प्रतीत होते हैं। इसी के साथ ऋग्वेद के ***'अमीमेद्र वत्सो अनुगामपश्यद्र'*** (अर्थात् पृथ्वी में गर्भ ठहरने के पश्चात् वर्षा की ही भाँति बरसनेवाली जीवात्माएँ भी अवतरित हुईं) सूक्त का भाव यही इंगित करता है कि इस **ज्ञात प्रथम-पुरुष** (यानी ब्रह्मा) के साथ-साथ या फिर उसके उपरांत धरती के उसी या अन्य भागों में भी कुछ इसी प्रकार के अयोनिज मानव उत्पन्न हुए होंगे। किंतु शास्त्रों में आदि-पुरुष के रूप में मात्र ब्रह्मा को स्वीकारा जाना, यही आभास देता है कि प्राकृतिक दुष्प्रभावों के कारण ब्रह्मा के साथ जनमे अन्य अमैथुनीय मानवों का अस्तित्व अधिक दिनों तक नहीं रह पाया होगा या फिर वे सभी हिंसक वन्य-जंतुओं के शिकार हो गए होंगे। भारतीय मान्यताओं के अनुसार चूँकि पुराकल्प

की श्रेष्ठ आत्माएँ ही इन अमैथुनीय मानव देहों में अवतरित हुई थीं, अतः प्रथम पुरुष के रूप में जीवित रह पाया मानवी-इतिहास का यह ज्ञात **आदि पुरुष** (ब्रह्मा) जन्मजात ही उच्च संस्कारों से परिपूर्ण भी रहा था। इस तरह दैवी संस्कारों से आप्त धरती का यह **सातवाँ ब्रह्मा** अपने जन्म से ही प्रतिपल घटित हो रहे अनुभवों के आधार पर मानवी-ज्ञानों से प्रदीप्त होता हुआ भावी पीढ़ियों की जीवनोपयोगी विधाओं व पदार्थों के अन्वेषणों तथा संकलनों में निमग्न रहने लगा।

मानवी-इतिहास के इस सातवें पड़ाव के प्रथम-पुरुष के लिए किए गए **'ब्रह्मा'** के भारतीय उद्बोधन के ही अनुरूप पाश्चात्य अवधारणाओं में आदि-पुरुष को **'आदम'** या **'एडम'** के नाम से चिह्नित किया गया है। आधुनिक कालखंड की भाषाई अथवा उच्चारणगत विविधताओं के आधार पर इन संबोधनों को प्रायः एक दूसरे का पर्यायवाची ही स्वीकार कर लिया जाता है, जबकि ऐतिहासिक आलेखों के अनुसार इनके आपसी अस्तित्वों में लाखों वर्षों का स्वाभाविक अंतर विद्यमान रहा था। भारतीय मान्यताओं में जहाँ धरती के गर्भ से जनमे इस प्रथम मानव या ब्रह्मा के काल को वैज्ञानिक धारणाओं के अनुरूप लाखों वर्षों पूर्व का आँका गया है, वहीं **ज्यूडो/क्रिश्चियन** या फिर **इसलामिक** अवधारणाएँ मानवी-सृष्टि का सोपान **एडम** या **आदम** से ही निर्धारित करती हैं। **बाइबिल** (एंजिल) के अनुसार **एडम** से **नोह** व फिर नोह से **अब्राहम** तक की कुल बाईस पीढ़ियों (Adam-Seth-Enosh-Kenan-Mahalalel-Javed-Enoch-Methuselah-Lamech-Noah-Shem-Arphaxed-Shelah-Eber-Peleg-Reu-Serug-Nahor-Terah-Abraham) का आपसी अंतर 3563 वर्षों का तथा **अब्राहम से ईसा** तक का अंतर 1920 वर्षों का रहा था। इस प्रकार पाश्चात्य परंपराओं के अनुरूप मानुषी-सृष्टि के प्रारंभ का काल **आज** (यानी अप्रैल 2001) से लगभग साढ़े सात हजार वर्ष पूर्व का निर्धारित होता है। इस प्रकार प्रथम पुरुष से संबंधित पूर्व व पश्चिम की धारणाओं में कालगत विषमताओं के असामान्य भेद स्पष्ट रूप से झलकते हैं। परंपरागत आस्थाओं से निर्मित हुई इन भ्रांतियों का सम्यक् निराकरण भारतीय शास्त्रों की विवेचनाओं से ही संभव हो सकता है। भारतीय पुराणों में उल्लेखित संदर्भ यह स्पष्ट करते हैं कि ब्रह्मा से प्रसूत वंशावलियों में ही लाखों वर्ष के उपरांत **आदित्यों** (कश्यप-अदिति की संतानों) का महिमा-मंडित कुल अस्तित्व में आया था। **सुर-प्रदेश** (आधुनिक सीरिया) के मूल संस्थापक रहे प्रतिभाशाली **विवस्वान्** (सूर्य) इन्हीं द्वादश आदित्यों में से ही रहे थे। प्राकृतिक कारणों से हुए हिमयुग एवं तत्पश्चात् घटित जलप्लावन की दारुण

विभीषिकाओं से पूर्ण रूपेण विनष्ट हो चुके इस सुर-प्रदेश को पुनः बसाने का कार्य हिमालय के उच्च स्थलों पर निवास कर रहे विवस्वान (सूर्य) के पुत्र **'यम'** (Son of Vivahvan, the great Yima-Ref.-**Yasana, Zend Avesta**) द्वारा इस क्षेत्र में आकर किए गए प्रयासों से ही संभव हो सका था। **वायु पुराण** (70.8) में *'वैवस्वत पितृणां च यमं राज्येऽभ्यषेचयत्'* का उल्लेख इन्हीं तथ्यों की पुष्टि करता है। इस प्रकार नित्य-प्रलयों की मानव विनाशकारी त्रासदियों के भयावह परिदृश्यों के बाद स्वरूप में आए **सूर्य पुत्र यम** (जिन्हें पर्शियन जेंद अवेस्ता में **'यिम-ख्शएत'** या **'यिमशिद'** कहकर चिह्नित किया गया है) के इस राज्य को भारतीय शास्त्रों में **'मृत्युलोक'** के अतिरिक्त विशेषण से भी उल्लेखित किया गया है। यह संयोग ही है कि भारतीय **'नरक'** के पर्यायवाची अरबी शब्द **'दोजख'** के नाम से पुकारा जानेवाला एक शहर आज भी ईरान में मौजूद है। संभवतः यम के महती प्रयासों से नए सिरे से विकसित हुई पश्चिम एशिया के तात्कालिक परिवेश में इनकी प्रतिष्ठा प्रथम पुरुष के रूप में ही की गई होगी। चूँकि अरबी में **'आद'** का शाब्दिक आशय **'सूर्य'** से ही संबंधित होता है, अतः सूर्यपुत्र रहे यम को यहाँ की परंपरा में इसी के ही प्रतीकात्मक शब्द **'आदम'** से परिभाषित किया जाने लगा होगा। कालांतर में इसी क्षेत्र विशेष से विकसित हुई यहूदी व ईसाई आस्थाओं में उच्चारणगत विसंगतियों के कारण ही इसी **'आदम'** के लिए **'एडम'** का संभावित उद्‌बोधन व्यवहृत हुआ होगा। किंचित् यही कारण है कि स्वर्ग सदृश हिमालयी उपत्यका से पितरों के राज्य को विस्थापित करने निकले यम की भारतीय अवधारणाओं के अनुरूप यहूदियों व ईसाइयों व तदुपरांत विकसित हुई इसलामिक आस्थाओं में भी यही धारणा समान रूप से पल्लवित हुई कि *'स्वर्ग या जन्नत से निकाले गए एडम या आदम द्वारा ही मानवी-सृष्टि का चक्र चलाया गया था।'* इसलामिक आस्थाओं में इनसानी कौम के पहले पैगंबर यानी हजरत आदम के बहिश्त से निकाले जाने पर **हिंदुस्तान** की सरजमीं में दाखिल होने के एहसास को उपर्युक्त वर्णित तथ्यों की ही एक कड़ी के रूप में देखा जा सकता है। इस तरह पश्चिमी एशिया के भौगोलिक घटनाक्रमों तथा सांस्कृतिक संचेतनाओं के नूतन प्रस्फुटन के इन उद्धरणों के परिप्रेक्ष्य में **'एडम'** या **'आदम'** का पाश्चात्य उद्‌बोधन निर्विवादित रूप से भारतीय **'ब्रह्मा'** के बजाय **'यम'** के ही अधिक सन्निकट प्रतीत होता है। ब्रह्मा के अति पुरातन अस्तित्व की असंदिग्ध प्रामाणिकता गत अध्यायों में वर्णित वंशावलियों के विस्तृत संदर्भ से स्वतः ही सिद्ध हो जाती है।

अपने जैसे अन्य अयोनिज-मानव उत्पत्तियों की संभावनाओं व फिर इनके संरक्षण तथा अतिजीविता से संबंधित उपायों के प्रति स्वाभाविक चिंतनशीलता के कारण मानवी-सृष्टि का यह दिव्य-पुरुष **(ब्रह्मा)** भावी पीढ़ियों के जीवनोपयोगी साधनों के अन्वेषणों एवं तदनुसार निर्मित होनेवाले समाज की सुसंस्कृति के लिए अपरिहार्य विधाओं के सृजन में साधनारत रहने लगा। पुराकल्प के अपने दैवी संस्कारों तथा प्रतिपल घटित हो रहे दैहिक व भौतिक अनुभूतियों के आधार पर इसने **वाक्** (संकेत)-**बोली** (अभिव्यक्ति), **खाद्य** (सुपाच्य)-**अखाद्य** (कुपाच्य), **शौच** (शुद्धि)-**अशौच** (अशुद्धि), **कर्म** (स्वीकार्य)-**अकर्म** (वर्जना) व **रहन-सहन** की न्यूनतम मानवी अर्हताओं को आकृति देना प्रारंभ कर दिया। अपने इन्हीं अर्थपूर्ण उद्यमों में व्यस्त रहे इस काल-पुरुष का संसर्ग कुछ समय उपरांत रुद्र नामक एक नील-लोहित वर्ण के बलिष्ठ पुरुष से हुआ। तत्पश्चात् ब्रह्मा का संपर्क उसके जैसे ही चार अमैथुनीय मानवों से हुआ था। ब्रह्मा द्वारा विकसित की जा रही इन गूढ़ विद्याओं को सीखने तथा प्रारंभिक स्तर पर सहयोग देने के पश्चात् धीरे-धीरे इनमें सांसारिकता के प्रति विरक्ति का ही भाव पनपने लगा। इस तरह **सनक, सनंद, सनातन** व **सनत् कुमार** के नामों से चिह्नित किए गए ब्रह्मा के इन चारों शिष्यों ने अंततः अपने को इस प्रायोजित कार्यक्रम से अलग करते हुए निवृत्ति के स्वाध्यायी मार्ग का अनुसरण किया। इन चारों शिष्यों द्वारा मानवी-सृष्टि की उज्ज्वल परिकल्पनाओं को ठुकराकर चले जाने से प्रायः उद्विग्न हो उठे ब्रह्मा का संपर्क कुछ काल पश्चात् जिन सकारात्मक सहयोगियों से हुआ, उन्हीं के अथक प्रयासों से ब्रह्मा को अपनी सृजनात्मक योजनाओं को फलीभूत करने का अवसर प्राप्त हुआ था। चूँकि **मरीचि, अत्रि, अंगिरा, पुलत्स्य, पुलह, क्रतु, भृगु, वसिष्ठ, दक्ष, नारद** आदि नामकरणों से चिह्नित किए गए इन अयोनिज-मानवों तथा ब्रह्मा के मध्य आयु के लंबे अंतरालों के साथ गुरु-शिष्य का भी पवित्र संबंध रहा था, अतः भारतीय शास्त्रों में इसी आशय के अनुरूप उपर्युक्त सभी पुरुषगणों को ब्रह्मा के **मानस-पुत्रों** (अर्थात् मन से स्वीकृत संतान) के रूप में ही संबोधित किया गया। कालांतर में नारद को छोड़कर ब्रह्मा के अन्य मानस-पुत्रों का संयोग **संतति, अनसूया, स्मृति, भूति, संभूति, क्षमा, ख्याति, ऊर्जा** व **स्वाहा** नामधारी दिव्य अयोनिजाओं से हुआ। प्रकारांतर ब्रह्मा की अनुमति से युग्मों में क्रमशः विभाजित हुए इन सभी स्त्री-पुरुषों ने अपने-अपने आश्रमों को स्थापित करते हुए मानवी विधाओं के सृजन के साथ-साथ पशु-पक्षियों की प्रजनन क्रियाओं से प्रेरणा लेते हुए रुद्र द्वारा प्रतिपादित आपसी **मैथुन** (सहवास)

के दृष्टांत द्वारा मानवी-प्रजनन का अभिनव प्रयोग किया। वस्तुतः ब्रह्मा की दीक्षाओं से ज्ञान-प्रदीप्त हुए इन विज्ञ शिष्यों तथा इनके सुयोग्य उत्तराधिकारियों द्वारा प्रसूत की गई विधाओं के फलस्वरूप ही विश्व के समस्त ज्ञान-विज्ञान की परंपराओं का प्रचलन एवं मैथुनीय प्रजनन की प्रक्रियाओं का प्रारंभ संभव हो पाया था। इस प्रकार ब्रह्मा के मानसी-संतानों के क्रियाकलापों का अनुशीलन करते हुए धरती के अन्य अमैथुनीय मानवों ने खाना-पीना, रहना-बोलना इत्यादि सीखने के अलावा मैथुन-प्रजनन के माध्यम से अपने-अपने वंशों का विस्तार करना भी प्रारंभ कर दिया।

ब्रह्मा के मानस-पुत्रों में **मरीचि** (संतति), **अत्रि** (अनुसूया), **अंगिरा** (स्मृति), **पुलत्स्य** (भूति), **पुलह** (संभूति), **वसिष्ठ** (ऊर्जा) व **भृगु** (ख्याति) ने अपनी सहधर्मिणियों सहित हिमालय से पश्चिमोत्तर के निर्जन, किंतु रमणीय क्षेत्रों में तथा **दक्ष** (स्वाहा) व **क्रतु** (क्षमा) ने हिमालय से दक्षिण स्थित सरस्वती व दृषवती के कूलों पर अपने-अपने आश्रमों को स्थापित किया था। जैविक-प्रस्फुटन के उषाकाल में हिमालय से पश्चिमोत्तर के क्षेत्रों में निर्मित हुए **आश्रम** इस तथ्य का संकेत करते हैं कि उक्त काल में पृथ्वी का उत्तरी गोलार्ध सूर्य की दिशा में ही पूर्णतः झुका हुआ रहा होगा। फलतः इस समूचे क्षेत्र में मानवों को बिना किसी कृत्रिम साधनों के सहजता से जीवनयापन करने का वातावरण उपलब्ध हो सका होगा। संस्कृत में **'ऋतु'** का अर्थ होता है-**'प्राकृतिक'** या **'स्वाभाविक'** तथा **'अस्'** का अर्थ होता है—**'होना'**। इन्हीं भाषागत आशयों के अनुरूप प्रकृति की नैसर्गिकता से एकात्मक होकर सत्य की महत्ता से अभिभूत हुए ब्रह्मवादियों के लिए **'ऋषि'** अर्थात् **द्रष्टा** का भाव-प्रधान संबोधन ***(ऋषियों मंत्रद्रष्टारः)*** प्रयुक्त किया जाने लगा होगा। **तैत्तिरीय अरण्यक** में इनकी सारगर्भित व्याख्या ***'अजान् ह वै पृश्नींस्तपस्यमानान् ब्रह्म स्वयंभ्वभ्यानर्षत् तदृषयोऽभवन् तदृषीणामृषित्वम्'*** के भावों में की गई है। इस तरह हिमालय से पश्चिमोत्तर की ओर विस्थापित हुए ब्रह्मा के मानस-पुत्रों को समष्टि रूप से **'सप्तऋषि'** तथा इनके द्वारा प्रसूत हुई अन्वेषणात्मक प्रवृत्तियों के कारण इस समूचे क्षेत्र को कालांतर में **'ऋषियों की भूमि'** कहकर संबोधित किया जाने लगा। **महाभारत** (उद्योग पर्व-4/15) में यहाँ के तात्कालिक निवासियों के लिए जहाँ **'ऋषिक'** संज्ञा का उद्बोधन हुआ है, वहीं सप्तऋषियों के मूल निवास के लिए **महाभारत** (शांतिपर्व) का संदर्भ **सुमेरु पर्वत** (काकेशियन रीजन) के आस-पास के क्षेत्रों को ही इंगित करता है। किंचित् इन्हीं तथ्यों के प्रभाववश पाश्चात्य साहित्यों में **'सप्तऋषियों'** के प्रतीकात्मक **'Seven wise men of the world'** का संकेत तथा

ऋषियों की इस भूमि को आधुनिक संदर्भों में **'रसिया'** या 'Russian Land' के भाषाई अपभ्रंशों से चिह्नित किए जाने का दृष्टांत परिलक्षित होता है। इस प्रकार पश्चिमोत्तर की ओर प्रतिष्ठापित हुए **मरीचि** व **संतति** ने अपना आश्रम आधुनिक **काकेशियन रीजन** के पूर्वोत्तर में स्थापित किया था। इन्हीं के वंशजों में हुए **'कश्यप'** के प्रतीकात्मक इस अंचल के एक समुद्र का **'कश्यप सागर'** (Caspien Sea) नामकरण इनके आश्रम तथा प्रभाव-क्षेत्र का भौगोलिक प्रमाण प्रस्तुत करता है। कालांतर में कश्यप तथा उनकी विभिन्न सहधर्मिणियों से हुई संतानों से ही **दैत्य, देव, दानव, यक्ष, गंधर्व, राक्षस** आदि प्राचीन जातियाँ एवं इनके वंशधरों से **आर्य, सेमेटिक, फोनेशियन, सुमेरियन, इंका, मयांस** आदि परवर्ती जातियाँ अस्तित्व में आई थीं। इसी तरह **अत्रि** व **अनसूया** के कुछ वंशधरों द्वारा भूमध्यसागरीय अंचल में जिस संस्कृति का विकास हुआ उसी के गर्भ से यूरोप की **एट्रुस्कन सभ्यता** प्रस्फुटित हुई थी। **अंगिरा-स्मृति** के वंशजों द्वारा विकसित की गई संस्कृति के प्रभाव से ग्रीक की **आर्गनोरिस** जातियाँ तथा पुलह-संभूति के वंशजों द्वारा पल्लवित विचारधारा से ही यूरोप की **पिलेसगियंस** जातियों का स्वरूप उभर आया था। इसी प्रकार दैत्य सम्राट् **बाण** के आग्रह पर **पुलत्स्य-भूति** के वंशजों का आधुनिक **जॉर्डन** के समीप विस्थापित होने का प्रमाण भारतीय ग्रंथों में सहजता से मिल जाता है। इन्हीं के वंशजों में हुए **'विश्रवा'** ने अपना आश्रम सुदूर पूर्व के **'अस्त्रालय'** नामक एक द्वीप (संभवतः ऑस्ट्रेलिया) में स्थापित किया था और यहीं पर गंधर्वबाला व दैत्य सेनापति की दुहिताओं से हुए इनके पुत्रों (**कुबेर** व **रावणादि**) द्वारा क्रमशः **यक्ष** तथा **राक्षस** जातियों का प्राकट्य हुआ था। समुद्री जातियों के रूप में चर्चित रहे **पौलत्स्यों** (राक्षसों) के परवर्ती संस्करणों को ही मिस्र के इतिहास में **'पुलेसाती'** तथा रोमनों में **'पुलस्तिन'** कहकर चिह्नित किया गया था। आधुनिक संदर्भ में इसी समुद्री जाति को संपूर्ण विश्व **'पेलेस्टीनियन'** कहकर संबोधित करता है। **वसिष्ठ-ऊर्जा** का आश्रम **मेसोपोटामिया** के उत्तरी हिस्से में स्थित रहा था। कालांतर में इनके वंशजों ने अपने प्रभाव का विस्तार **लोहित्य सागर** (Red sea) के पूर्वी अंचलों तक कर लिया था। **मिथ्र** यानी **मित्र** या **सूर्य** की उपासक रही पश्चिमी एशिया की **मग** या **मेडिस** तथा अरब की **मूक** व **मिहिर** जातियाँ प्रकारांतर से इन्हीं वसिष्ठ-गोत्रियों की ही वंशधर रही थीं। ब्रह्मा के मानस-पुत्र रहे मूल वसिष्ठ के अतिरिक्त विवस्वान (सूर्य) व वरुण के दुविधाजनक अंश के प्रभाववश **अप्सरा उर्वशी** के गर्भ से भारत स्थित सरस्वती कूल पर जनमे वसिष्ठ नामधारी **मैत्रावरुण** का भारतीय ग्रंथों में

अलग से चर्चा की गई है। **मैत्रावरुण** (वसिष्ठ) व **अक्षमाला** ***(अक्षमाला वसिष्ठेन संयुक्ताऽधमयोनिजा**-मनुस्मृति—9/23)* के वंशधरों से प्रसूत हुई उत्तराधिकारियों की शृंखलाएँ ही सूर्यकुल के राजपुरोहितों के रूप में प्रसिद्ध हुई थीं। मूल वासिष्ठों के अनुरूप ही **भृगु** व **ख्याति** ने देमावंद पर्वत क्षेत्र (आधुनिक एलब्रुज शिखर) के समीप ही अपने आश्रम को स्थापित किया था। कालांतर में आदित्य वरुण को भी **'भृगु'** नामक एक यशस्वी पुत्र हुआ था। किंचित् भृगु गोत्रीय किसी तात्कालिक ऋषि द्वारा दीक्षित होने के कारण ही वरुण के इस पुत्र को 'भृगु' के उपनाम से चिह्नित किया जाने लगा होगा। 'जैमिनी ब्राह्मण' में प्रयुक्त हुआ ***'भृगुहं वारुणिः'*** का यह संदर्भ इन्हीं संभावनाओं की पुष्टि करता प्रतीत होता है। वरुण-पुत्र भृगु को **दिव्या** व **पौलोमी** नामक स्त्रियों से क्रमशः **काव्य-उशना** (शुक्राचार्य) व **च्यवन** नामक दो मेधावी पुत्र हुए थे। शुक्राचार्य तथा उनके वंशजों में क्रमशः हुए **त्वष्टा, अत्रि** व **सोम** जहाँ असुर-याजक के रूप में चर्चित रहे थे, वहीं च्यवन के वंशधरों में क्रमशः प्रतिष्ठित हुए **और्व, ऋचिक, दधीचि, परशुराम** व **वाल्मीकि** आदि अपने महान् कृत्यों के कारण विशेष रूप से प्रख्यात रहे थे। च्यवन कुल में उत्पन्न हुए और्व के ही प्रभाववश लोहित्य सागर (Red Sea) का पूर्वी भाग **'और्वस्थान'** के रूप में तथा प्रकारांतर में भाषाई अपभ्रंश के परिणामस्वरूप **'अरब स्थान'** या फिर **'अरब'** के नाम से चिह्नित हुआ।

उपर्युक्त सप्तऋषियों के अलावा भारत स्थित सरस्वती कूल पर स्थापित हुए ब्रह्मा के मानस-पुत्र दक्ष ने अपनी सहधर्मिणी **'स्वाहा'** के सहयोग से जलवायविक संपुष्टि के लिए जिस विधा का सृजन किया, कालांतर में उसी को **'यज्ञ'** के नाम से जाना गया। **अग्निहोत्र** का प्रचलन करने के कारण दक्ष को **'अग्नि'** की अतिरिक्त संज्ञा से तथा आहुति आदि के लिए व्यवहृत मंत्र को उनकी पत्नी **'स्वाहा'** के प्रतीकात्मक ही उद्‌बोधित किया जाने लगा। यज्ञादि वैदिक कर्मकाडों के प्रस्तोता रहे इस आद्य-ऋषि के प्रभाववश ही **ऋग्वेद** की पहली ऋचा (***अग्निमीले पुरोहितं यज्ञस्य***) में अग्नि की आराधना की गई है। इसी तरह दृषद्वती के तट पर निवास कर रहे **क्रतु-क्षमा** की जोड़ी ने गुरुकुल की परंपराओं का सूत्रपात किया। कालांतर में इनके कुछ वंशधरों का प्रभाव आधुनिक तुर्किस्तान के **गरडेशिया** (गरुड़धाम) तक फैल गया और यहीं से इनकी कुछ शाखाओं का विस्तार चीन तक जा पहुँचा। चीन की अति प्राचीन **'किलितो'** नामक जाति का प्राकट्य इन्हीं क्रतु-गोत्रीय **'क्रीतो'** से ही फलित हुआ था। इधर संगीत की अपनी उच्च साधनाओं में रमे रहे **'नारद'**

नामक ब्रह्मा के मानस-पुत्र का रुझान स्थायी निवास के विपरीत स्वच्छंद विचरने में ही अधिक था। **त्रिविष्टप** या तिब्बत (अर्थात् देवस्थली) के स्वर्गीय परिवेश के प्रति आकृष्ट रहने की उनकी विशेष मनोवृत्ति के कारण भारतीय ग्रंथों में उन्हें **'देवर्षि'** के अलंकरण से ही विभूषित किया गया है। इन सभी आद्य ऋषियों के अलावा भी ब्रह्मा ने कुछ विशिष्ट मैथुनीय मानवों को भी व्यक्तिगत रूप से दीक्षित किया था। इसी क्रम में ब्रह्मा द्वारा ज्ञान-विज्ञान के गुणों से प्रदीप्त हुए **कर्दम, कपिल, ऋभु, गौतम** आदि अमैथुनीय-संततियों के लिए भी भारतीय शास्त्रों में ब्रह्मा के मानस-पुत्रों की समकक्ष श्रेणियाँ ही प्रदान की गई हैं। वस्तुतः अंतरिक्ष में व्याप्त ध्वनि-तरंगों को अपनी एकनिष्ठ साधनाओं से आत्मसात् करने तथा उन्हें वैदिक सूक्तों के माध्यम से मानवी अभिव्यक्ति प्रदान करने का अभिनव दृष्टांत प्रस्तुत करते हुए ब्रह्मा के मानस-पुत्रों ने जिस आध्यात्मिक व भौतिक विधाओं का सूत्रपात किया था, उसी के आधार पर उनके सुयोग्य उत्तराधिकारियों द्वारा मानवी ज्ञान-विज्ञान की सतत परंपराओं का अनूठा विकास संभव हो सका था। विश्व-पटल पर उभरे प्राचीन संस्कृति का उत्कृष्ट उदाहरण इन्हीं पवित्र सचेष्टाओं का परिणाम रहा था।

इस प्रकार आद्य-अयोनिजों को दीक्षा आदि संस्कारों के माध्यम से अपनी मानस-संतान स्वीकार किए जाने व फिर प्रायोजित योजनाओं के अनुरूप ज्ञान-विज्ञान के विविध क्षेत्रों में इनके पदार्पण के बाद निरंतर बढ़ रही प्रजा के आचरणों को नियंत्रित करने की चिंता ब्रह्मा को सताने लगी। ब्रह्मा तथा उनके मानस-पुत्रों द्वारा प्रदर्शित दृष्टांतों का सामान्य रूप से अनुशीलन करते हुए धरती के अन्य अयोनिज तथा योनिज मानवों ने आहार-विहार संबंधी न्यूनतम जैविक आवश्यकताओं का उपयोग करना तो सीख लिया था, परंतु सामाजिकता के नाम पर उनका दृष्टिकोण मात्र पारिवारिक परिधि तक ही सीमित रहा था। फलतः ब्रह्मा को अपनी परियोजनाओं के अनुरूप विकसित हो रहे इस मानवी समाज पर अंकुश लगाने के लिए एक कुशल नेतृत्व की आवश्यकता का आभास हुआ। इस उद्देश्य की संपूर्ति के लिए ब्रह्मा एक सुयोग्य स्रोत की खोज में लग गए और अंततः विकल्प के रूप में उन्होंने अपनी एकमात्र अयोनिजा शिष्या को ही इस महान् कार्य के लिए चयनित किया। इस तरह **'शारदा'** नामक परम विदुषी शिष्या से सहवास कर ब्रह्मा को जिस औरस-पुत्र की प्राप्ति हुई उसे ही स्वयंभू की गरिमा से संपन्न पिता का पुत्र होने के कारण **'स्वायंभुव'** के नामकरण से संबोधित किया गया। इस तरह सर्वज्ञ पिता के संरक्षकत्व में संस्कारित हुए **'स्वायंभुव'** एक प्रखर विद्वान् होने के साथ-साथ कुशल प्रशासक

के रूप में भी ख्यातिलब्ध हुए। सामाजिक-प्रबंधनों के लिए ब्रह्मा द्वारा रचे गए **'त्रिवर्ग शास्त्र'** के आधार पर स्वायंभुव ने यत्र-तत्र बिखरे पड़े मानवी घटकों को सांगठनिक सूत्र में पिरोते हुए इन्हें एक व्यवस्थित तथा व्यापक आकार देना प्रारंभ किया। स्वायंभुव के इन्हीं श्रमसाध्य प्रयासों से मानवों का एकांगी परिवेश धीरे-धीरे सामाजिक ढाँचे में व प्रकारांतर में बृहद् मानवी समूहों में रूपांतरित होने लगा। किंचित् संगठन की इसी महत्ता को दरशाने के लिए ही ***'सं गंच्छध्वं स वंदध्वं सं वो मनांसिं जानताम्'*** (अर्थात् *तुम सब परस्पर एक विचार से मिलकर रहो, परस्पर प्रेम से वार्त्तालाप करो तथा तुम लोगों का मन समान होकर ज्ञान प्राप्त करे—**Go together, speak together, know your mind to be functioning together from a common source***) का यह सूत्र **ऋग्वेद** की ऋचाओं (10/19/2) में सम्मलित किया गया था। इस प्रकार निरंतर बढ़ रहे जन-समूहों के खाने, पहनने व रहने की समुचित व्यवस्थाओं व सुरक्षा के प्रबंधों के अलावा इन्हें संस्कारित करने तथा योग्यताओं के अनुरूप इनके कर्तव्यों का विभाजन करने के अपने एकनिष्ठ उद्यमों के कारण स्वायंभुव की ख्याति शीघ्र ही एक कुशल व्यवस्थापक या **प्रजापति** के रूप में प्रतिष्ठित हो गई। यही नहीं बल्कि मानवी-सुधार के अपने कृत-संकल्पों को फलीभूत करने के कारण वे **'मनु'** के अतिरिक्त विशेषण से भी अलंकृत हुए। इस तरह स्वायंभुव के काल से अस्तित्व में आई **'मनु'** एवं **'प्रजापति'** की यह परंपरा दीर्घकाल तक मानवी समाज में यथावत् विद्यमान रही थी।

स्वायंभुव मनु को **शतरूपा** नामक अपनी सहधर्मिणी से **प्रियव्रत** व **उत्तानपाद** नामक जिन दो पुत्रों की प्राप्ति हुई थी, उन्हीं के वंशजों से प्रसूत हुई **मनुओं, प्रजापतियों** व **राजाओं** की शृंखलाओं को भारतीय ग्रंथों में इन्हीं के अनुरूप दो विभिन्न शाखाओं में विभाजित किया गया है। **प्रियव्रत** के नाम से चिह्नित हुई शाखा की कुल 55 पीढ़ियों में **तीन मनु** (स्वारोचिष, तामस व रैवत) तथा **सैंतालीस प्रजापति** हुए, जबकि उत्तानपाद के नाम से प्रसिद्ध हुई दूसरी शाखा की कुल 72 पीढ़ियों में **दो मनु** (उत्तम व चाक्षुष) व **बावन प्रजापतियों** के अलावा नव-सृजित पद के अनुरूप **18 राजा** (अनंग, अतिबल, वेन व पृथु आदि) हुए। चूँकि प्रियव्रत शाखा की पचासवीं पीढ़ी में हुई **'नडवला'** नामक कन्या का विवाह उत्तानपाद शाखा की इक्यावनवीं पीढ़ी में हुए **'विराज'** से हुआ था और इन्हीं के प्रपौत्र **'कीर्तिमान'** ने इन दोनों ही शाखाओं द्वारा संचालित हो रहे अलग-अलग राज्यों का संयुक्त प्रभार अपने प्रतापी पुत्र **'कर्दम'** को सौंपा था, अतः कर्दम से अस्तित्व में आई संततियों

का वर्णन इस पुस्तक में **'संयुक्त शाखा'** के रूप में ही किया गया है। समूचे विश्व में विकसित हो रही मानवी शृंखला को सामाजिक सूत्र में पिरोने के महत्त्वपूर्ण उद्देश्य से **स्वायंभुव मनु** ने धरती की परिधि को दो बराबर हिस्सों में नियत करते हुए इनका दायित्व अपने पुत्रों को सुपुर्द किया था। इस प्रकार **मेरु क्षेत्र** (हिमालय) से संबंधित आसमुद्र भूखंड (यूरेशिया व अफ्रीका) का भार **प्रियव्रत** के तथा **उत्तर के द्वीपों** सहित अन्य खंडों का प्रभार **उत्तानपाद** के हिस्से में आया। अपने हिस्से में पड़े विस्तृत भूखंडों के समुचित प्रबंधन के लिए प्रियव्रत ने इसे सात बराबर भागों (**जंबूद्वीप, प्लक्ष द्वीप, शाल्मल द्वीप, क्रौंच द्वीप, कुश द्वीप, शाक द्वीप** व **पुष्कर द्वीप**) में बाँटते हुए यहाँ के निवासियों को नियोजित करने का कार्य इसी के अनुरूप अपने पुत्रों को सौंप दिया। इस प्रकार इन दोनों शाखाओं के यशस्वी वंशजों के उद्यमों से ही मेरु क्षेत्र से इतर की आद्य मानवी-सभ्यताओं का प्रस्फुटन संभव हो पाया था। प्रियव्रत से पाँचवीं पीढ़ी में हुए महान् **'भरत'** के प्रयत्नों से विश्व में जिस **प्रथम राष्ट्र राज्य** का उदय हुआ, उसका नामकरण भी इस यशस्वी पुरुष के प्रतीकात्मक **'भारतवर्ष'** के रूप में प्रतिष्ठित हुआ। चूँकि स्वायंभुव मनु के कुल में उत्पन्न हुए **प्राचेतस दक्ष** को कोई पुत्र नहीं हुआ था, अतः 73 पीढ़ियों से चली आ रही इस वंश शृंखला का **तेरह कन्याओं के जनक** रहे दक्ष नामधारी नृप के पश्चात् पटाक्षेप हो गया। प्राचेतस दक्ष ने अपनी इन तेरह कन्याओं का विवाह ब्रह्मा के मानस-पुत्र रहे, मरीचि के कुल में उत्पन्न प्रतापी **कश्यप** से कर दिया था, फलतः तत्पश्चात् विकसित हुई सभ्यताओं व प्रजातियों के **जनक** प्रकट रूप में इन महिमामंडित कन्याओं के **काश्यप गोत्रीय वंशधर** ही हुए।

□

आधार-स्तंभ

पूर्व संस्कार, आनुवंशिक सूत्र, सामाजिक परिवेश, आचार्यों की शिक्षा, ईश्वरीय अनुकंपा, आधिदैविक प्रेरणाएँ, स्वाध्याय, पारिवारिक संयम व स्वजनों के प्रोत्साहन तथा अधोलिखित ग्रंथों के सहयोग से ही लेखक इस रचना को आकार दे पाया है–

ऋग्वेद
यजुर्वेद
अथर्ववेद
सामवेद
ईशावास्योपनिषद्
श्वेताश्वतरोपनिषद्
मुंडकोपनिषद्
छांदोग्योपनिषद्
केनोपनिषद्
वृहदारण्यकोपनिषद्
कठोपनिषद्
काठक संहिता
आयुर्वेद संहिता
मैत्रायणी संहिता
तैत्तिरीय संहिता
ज्योतिष संहिता
वाजसनेय संहिता
काश्यप संहिता
शौनकीय वृहद्देवता
ऐतरेय ब्राह्मण
तांडव ब्राह्मण
शतपथ ब्राह्मण
जैमिनीय ब्राह्मण
तैत्तिरीय ब्राह्मण
कौशीतकी आरण्यक
वृहदारण्यक
याज्ञवल्क्य स्मृति
मनु स्मृति
शंख स्मृति
यम स्मृति
नारद स्मृति
स्मृति कौस्तुभ
न्याय सूत्र
नारदीय भक्ति सूत्र
ब्रह्म सूत्र
सांख्य दर्शन
बृहच्छास्त्र
निरुक्त-आचार्य यास्क
शुक्रनीति
वायु पुराण

मत्स्य पुराण
पद्म पुराण
ब्रह्म पुराण
विष्णु पुराण
शिव पुराण
अग्नि पुराण
वराह पुराण
स्कंद पुराण
वामन पुराण
कूर्म पुराण
ब्रह्मांड पुराण
लिंग पुराण
मार्कंडेय पुराण
श्रीमद्भागवत पुराण
भविष्य पुराण
कल्कि पुराण
सौर पुराण
हरिवंश पुराण
नीलमत पुराण
नरसिंह पुराण
वंश पुराण
गरुड़ पुराण
नारद पुराण
योग वासिष्ठ
वाल्मीकीय रामायण
उत्तररामचरित
आदि रामायण
रामचरितमानस
राधेश्याम रामायण
रघुवंश
सूर्यवंश का वृक्ष-मुद्रक ज्ञान सागर प्रेस
वेदांग ज्योतिष

सूर्य्य सिद्धांत
मोरुतंत्र
आर्य सिद्धांत
गणतरंगिणी
पंच सिद्धांतिका
ज्योतिष कल्पद्रुम
ज्योतिभिर्दभरणम्
तंत्रवार्तिक-भट्ट कुमारिल
कुट्टनी-दामोदर
गर्ग ज्योतिष
संस्कार गणपति
शक्तिसंगम तंत्र
महाभारत
भगवद्गीता
बुद्ध चरित
हर्ष चरित
संयुक्त निकाय
दीर्घ निकाय
विविध तीर्थकल्प
मंजुश्री मूलकल्प
मंझिम निकाय
ललित विस्तार
कथा सरित्सागर
पन्नवणा
समवायांग
अमरकोष
वासवदत्ता
अभिज्ञान शाकुंतलम्—कालिदास
मानव धर्मशास्त्र
सौंदरानंद
सत्यार्थ प्रकाश
दशरथ जातक

राजतरंगिणी—कल्हण
पुराकल्प—राजशेखर
वैदिक संपत्ति—पं. रघुनंदन शर्मा
अष्टाध्यायी—आचार्य पाणिनि
वाक्यपदीय—भर्तृहरि
महाभाष्य—पतंजलि
भाषा विज्ञान की भूमिका—देवेंद्रनाथ शर्मा
भाषा विज्ञान व भाषाशास्त्र—डॉ. कपिलदेव
प्राचीन लिपिमाला—जी.एच. ओझा
प्राचीन भारत का इतिहास
वैदिक विश्व राष्ट्र का इतिहास—पी.एन. ओक
प्राचीन भारतीय परंपरा व इतिहास—रांगेय राघव
रामलीला परंपराएँ व शैलियाँ—डॉ. इंदुजा अवस्थी
भारत का वृहद् इतिहास—पं. भगवद्दत्त
इतिहास में भारतीय परंपराएँ—गुरुदत्त
सृष्टि रचना—गुरुदत्त
वयं रक्षाम—आचार्य चतुरसेन
अभ्युदय—नरेंद्र कोहली
जेंद अवेस्ता—अनुवाद ग्रंथ
बाइबिल—अनुवाद
अल-किताब-उल-हिंद-अब्बुरिंहा—अलबरूनी (अनुवाद ग्रंथ)
कुरआन-ए-मजीद—अनुवाद मौलाना फतेह मुहमद खाँ
इसलाम एक परिचय—अबुल हसन अली नदवी
विवेकानंद साहित्य
ओशो साहित्य
भारतीय इतिहास संकलन—पत्रिका

An Introduction to Linguistic Science—Edger H. Sturtevent
Astronomy & Astro Physics—A Science Magazine
A History of English Speaking Peoples
A Short History of Linguistics—R.H. Robins
Ancient Mediterranen Culture & Scripts—Dr. Cycrus Gordon
Ancient India as described by Megasthenese and Arrians—J.W. Mc Crindle
Asiatic Researches—T. Maurice

Ancient World—T.R. Glover

BABAJI and the 18 Siddha—Kriya Yoga Publication, Cannada

Chronology of Ancient India—S.N. Pradhan
Cambridge History of Ancient India—E.J. Rapson
Collection of Fragments—B. Ghose

Descent of Man—Charls Darwin
De Generations Animalium—Aristotle

Epic Mythology
Encyclopaedia of Religion & Ethics
Encyclopaedia of Britannica
Encyclopaedia Judaica
Encyclopaedia Americana
Eppocripha (Translation)

Greek Mythology—A. Mackenzie
Geography—Strabo

History of Civilization—W. Drummond
History of World—W.N. Weech
History of Koshal B.N. Pathak
History of Druids—Dr. Stukeley
History of Persia
History of Herodotous
History of World—H.G. Wells
History of Indian Literature—M. Winternitz
Holy Quran (Translated by M.H. Shakir)

India, What it can teach us—F. Max Mueller
In Search of the Cradle of Civilization—G. Feuerstein, S. Kak & D. Frawley
Indian Palaeography—G. Buhler
Indo-Iranians Commemmoration—A.B. Keith.
Indica of Arrian—E.J. Chinnock
Indian Wisdom—Sir Monier Williams
India in Greece—Edward Pocock
Indian Literature in China & Far East—(A Translation)
Illiad—Homer
Isostasy—Charles Hapgood

Jesus died in Kashmir—Andreas Faber Kaiser

Know your Islam—Complied by Yousuf N. Lalljee

Language—Otto Jespersen

Mysteries from forgotten Worlds—Charles Berlitz
Mythology of Aryans—Coacx
Myth of Babylonia & Assyria—D.A. Mackenzie

Noha's Flood—William Ryan & Walter Pitman

Odyssey—Homer
Origin of Species—Charles Darwin
Origins—Sir William Drummond

Poerbatjaraka—Raden Mass (Translation)
Principal of Physical Geography
Principles of Zoology—Dr. Agasiz
Pauranik Cronology—Dr. Mankad

Rasatala or the Under World—N.L. De

Sahnama—Firdausi (Translation)
Society—R.M. Maciver
Sanskrit & Its Kindered Literature—L.E. Poor
Science of Languages—F. Max Mueller

The Story of Civilization—Will Durant
The Theogany of the Hindus—Court Bjornstjerna
The Azerbaijan Connection—Dr. Thor Hyerdahl
The Age of Earth
The Alfa & the Omega—Jim A. Cornwell
The Language—J. Vendrys
The Chosen People—John M Allegro
The Unknown life of Jesus Christ—Nicholas Notoritch
The Vedic Age—A.D. Pusalkar
The Celtic Druids—G. Higgins
The Cradle of Indian History—B.C.R. Krishnamacharlu
The Shade of Swords—M.J. Akbar
The Alphabet & the Ancient Signs—Hugh Moran
The Age of Kushanas

The Aryans : the History of Civilization—V. Gordon Chide
The Bible
The Universe in Nutshell—Prof. S. Hawkins
Tales of the Cochiti Indian—Ruth Benedict
Tell- El-Amarna—J.D.S. Pendlebury

Western Civilization—E.M. Berns

Yasana—Zend Avesta
Yuan Chwang's Travels in India—Walter Thomas